일본 성년후견 판례의 이해

홍남희

서울대학교 농학과를 졸업한 후 회사원, 공무원으로 근무했으며, 현재 변호사로 활동 중이다.

보건복지부 연구용역사업인 <성년후견인제 도입에 따른 정신건강 관련 법제도 개선방안>, <정신질환자 입퇴원제도 개선방안> 등에 서울시립대학교 산학협력단의 일원으로 참여하였다.

제약회사 재직 시 일본 제약사의 약품을 담당하게 된 것이 계기가 되어 본격적인 일본어 공부를 위해 한국방송통신대학교(이하 '방송대'라 한다) 일본학과에 진학, 현재는 졸업 후 방송대 대학원 일본언어문화학과 입학을 앞두고 있다. 또한 방송대 법학과, 서울시립대학교 법학전문대학원을 거쳐 서울시립대학교 일반대학원 법학과 박사과정에 재학 중이다.

방송대 대학원 경영학과 11기 동기들과 함께 만든 『가슴으로 여는 경영』(동인, 2014)에 필진으로 참여했으며, 방송대 일본학과 선배들과 함께 일본 역사소설 『日本磁器発祥』(나눔생각, 2014)을 번역하기도 했다.

일본 성년후견 판례의 이해: 일본 성년후견 판례 전문 번역 및 해설

초판 1쇄 발행일 2014년 8월 30일
홍남희 편역

발행인 이성모
발행처 도서출판 동인
주 소 서울시 종로구 혜화로3길 5 118호
등 록 제1-1599호
TEL   (02) 765-7145 / FAX (02) 765-7165
E-mail dongin60@chol.com
ISBN   978-89-5506-605-0
정 가 25,000원

※ 잘못 만들어진 책은 바꿔 드립니다.

일본 성년후견 판례의 이해

일본 성년후견 판례 전문 번역 및 해설

홍남희 편역

도서출판 ┃동인

들어가는 말

금치산·한정치산 제도가 폐지되고 2013년 7월 1일부터 성년후견제도가 시행되고 있다. 금치산·한정치산 제도가 정신적 제약을 가진 사람들의 재산관리에 초점을 맞추고 있었다면 성년후견제도는 정신적 제약을 가진 사람들의 의사 및 잔존능력을 존중하여 재산관리뿐만 아니라 치료, 요양 등 신상에 관한 분야에서도 이러한 사람들에게 도움을 주고자 마련된 제도이다.

사람이 하는 일이다 보니 완벽한 제도를 만들 수 없고 제도 자체는 우수한데도 그 제도를 운영하는 사람들의 의식이 이를 미처 따라가지 못해 제도가 그 목적을 제대로 이루지 못하는 경우도 많다. 이제 겨우 돌을 맞이하는 성년후견제도에 대하여 이 시점에서 평가 혹은 판단을 내린다는 것은 너무 이른 감이 있고 우리 사회의 구성원들이 노력하여 이 제도가 여러 시행착오를 거치면서 실정에 맞는 제도로 뿌리 내리도록 해야 할 것이다. 법조인이나 법학자이기 이전에 이 사회 구성원의 한 사람으로서 이 제도가 시행 당시의 취지 그대로 긍정적인 역할을 수행하기를 바라마지 않는다.

2013년 하반기에 필자는 일과 시간 이후에 보건복지부 연구용역사업인 <성년후견인제 도입에 따른 정신건강 관련 법제도 개선방안> 집필에 참여하면서 일본의 성년후견제도 관련 법령, 판례, 단행본 등을 번역하였다. 위 연구용역 보고서에는 일본만이 아니라 독일, 미국, 유럽 여러 나라들에 대한 내용을 포함하여야 했기에 일본 판례는 몇몇 중요한 판례에 한하여 결론을 요약하여 소개하는 수준에 그쳤다. 2014년 초 일본 역사소설 『日本磁器発祥』의 번역을 마치고 여유가 생겨 위 연구용역과 관련하여 수집해 놓은 일본 판례를 검토해 보니 20여 개 정도의 판례가 성년후견제도와 관련하여 제법 중요한 내용을 담고 있다는 사실을 알게 되었다. 필자는 성년후견제도와 관련한 일본 판례의 번역본이 있으면 좋겠다는 생각을 하여 번역을 시작하였는데 나중에는 많은 수는 아니더라도 일본 판례의 번역본이 필요한 다른 사람들도 있지 않을까 하는 생각이 들었다. 일본어가 다른 외국어에 비해서 상대적으로 배우기 쉽다고는 하지만 일본어를 모르는 사람들이 여전히 많고 아는 사람들이라 해도 우리나라 판례 못지않게 분량이 많은 일본 판례를 번역하는 것에는 부담을 느끼리라는 생각이었다.

필자보다 일본어 번역 능력이 탁월하고 법학에 대한 지식도 많으며 시간적 여유까지 있는 누군가가 이 작업을 해주면 좋을 텐데 아무도 나서는 사람이 없어 결국 여러 모로 부족한 필자가 이 작업을 시작하였다. 목마른 사람이 우물을 판다는 말처럼 필자가 이 책을 집필하는 과정이 그러했다. 다행히 필자는 쉽게 결단을 내리고 결심이 서면 바로 추진하는 성격이며 3개월 정도 휴일 내내 잠자는 시간을 제외하고 쉬지 않고 일본어 번역을 해도 끄떡없는 인내력과 체력을 가지고 있다.

이 책은 지면과 필자의 능력에 한계가 있어 일본 성년후견제도 관련 판례 중 20여 개를 선정하여 판례 전문을 번역하고 이를 요약하여 소개하는 수준에 머물고 있다. 우리나라보다 일찍 성년후견제도를 도입한 일본에서 이러이러한 사안이 법적 분쟁이 되었고 그 분쟁에 대해 재판소는 이러이러한 판단을 하였다는 점을 참고하였으면 하는 것이 필자의 집필 의도이다. 이 책을 디딤돌 혹은 마중물로 하여 일본의 성년후견제도는 물론 우리나라의 성년후견제도에 대하여 심도 있는 여러 연구가 이루어졌으면 한다. 이러한 연구는 역량 있는 다른 분들, 언젠가 역량을 갖추게 될 것이라고 믿고 싶은 미래의 필자에게 미루도록 하겠다.

번역을 하는 경우에는 직역과 의역 사이의 긴 스펙트럼 사이에서 늘 갈등하게 되는데 문학작품이 아니라 판례이다 보니 의역을 할 경우 무게감이 떨어지는 느낌이 들어서 다소 어색할 수 있으나 직역에 가깝게 번역하였다. 법학에 대한 기본 지식이 있는 사람으로서 일본 판례 원문을 읽으면서 일본어 공부를 하고 싶다면 일본 최고재판소 사이트(http://www.courts.go.jp/) 혹은 Westlaw Japan 사이트(https://go.westlawjapan.com/)에서 일본 판례 원문을 다운로드하여 필자가 한 번역과 비교를 하면서 보는 것도 좋을 듯싶다. 그 과정에서 오역을 발견하여 알려 준다거나 좀 더 나은 번역 표현을 권유해 준다면 참으로 고맙겠다.

한겨울에서 봄까지 퇴근 후 그리고 휴일에 방 안에 틀어 박혀 일본 성년후견 판례 번역에 열정을 쏟았다. 내놓기 부끄럽긴 하지만 필자 나름대로 시간과 정력을 쏟아서 한 일본 성년후견 관련 판례 번역이 일본 성년후견 판례에 관심이 있으나 일본어 번역이 안 되는 사람, 번역할 시간이 없는 사람, 번역하기 귀찮은 사람 등 여러분들에게 유익한 자료가 되었으면 좋겠다.

지면을 빌어 청출어람이 원시적으로 불능한 필자를 제자로 받아 주시고 '성년후견제도'를 비롯한 다양하고 심오한 학문의 세계로 인도해 주신 신권철 교수님께 감사의 말씀을 드린다.

그리고 불초한 필자에게 늘 그 존재만으로도 큰 힘이 되어 주시는, 강릉에서 열심히 살고 계시는 홍진호, 정의옥 부부에게 감사의 말씀을 전한다.

또한 필자와의 인연을 소중히 생각하며 필자를 항상 아껴주는 김은영, 김영선, 이향미 세 변호사와 오진숙, 정현숙 두 사람에게도 고맙다는 말을 전한다.

2014년 6월
홍남희

차례

1. 본문에 나오는 모든 법은 일본의 법을 의미한다.

2. 판례 번역문은 Westlaw Japan이 제공하는 일본 판례를 번역한 것이다.

3. 해설문과 판례 번역문의 각주는 모두 필자가 작성한 것이다.

4. 일본에서는 법원을 '재판소'라고 하고 검사를 '검찰관'이라고 하는 등 우리나라와는 용어가 다소 다른데 되도록 일본에서 사용하는 용어를 그대로 사용하려고 하였다. 다만 항소의 경우 일본에서는 '控訴'라고 써서 한문 그대로 읽으면 '공소'가 되는데 검사(검찰관)가 제기하는 공소(公訴)와 혼동되므로 이 경우에는 '항소'라고 번역하였다. 그 밖에 혼동을 피하기 위해서 혹은 그 단어의 정확한 의미를 표현하기 위해서 극히 일부 단어만 우리 실정에 맞추어 번역하였다.

5. 明治(1868~1912), 大正(1912~1926), 昭和(1926~1989), 平成(1989~)는 일본의 연호이다.

1

성년피후견인의 선거권 확인 청구

1 사안의 경위

공직선거법 제11조 제1항은 '다음에 규정한 자는 선거권 및 피선거권을 가지지 않는다.'라고 규정하고 있었고 제1호에서 '성년피후견인'을 규정하여 성년피후견인인 국민에게는 선거권 및 피선거권을 인정하지 않았다.

선거권은 민주국가에서 국민의 기본적 권리로 인정되어 일정 연령에 달한 국민 모두에게 평등하게 주어지는데 성년피후견인이라는 이유만으로 일률적으로 선거권을 박탈하는 것이 타당한가에 대해서는 그 동안 논란이 무성하였고 위헌이라는 주장도 제기되었다.

결국 공직선거법 제11조 제1항 제1호의 위헌 여부가 재판을 통해 다투어지게 되었는데 그 내용은 다음과 같다. 성년피후견인인 원고는 성년피후견인의 선거권을 제한하는 공직선거법 제11조 제1항 제1호가 성년피후견인의 선거권을 침해하는 위헌인 규정이라고 주장하면서 자신의 선거권을 확인하려고 2011년 2월 1일 도쿄 지방재판소에 제소하였다. 2013년 3월 14일 도쿄 지방재판소 민사 38부는 위 공직선거법 조항을 위헌이라고 판단하여 원고의 선거권을 행사할 수 있는 위상을 확인하는 판결을 내렸다[平成25年 3月 14日 平23(行ウ)63号 선거권 확인 청구 사건].

1심에서 패소한 일본 정부는 항소 기한 하루 전에 "공직선거법 개정에 시간이 걸리고 그 동안 전국 각지의 선거에서 혼란이 빚어질 우려가 있다."는 등의 이유를 들어 항소했다. 항소심이 진행되는 중에 공직선거법이 개정(2013년 5월)되어 성년피후견인의 선거권을 제한하는 규정이 삭제되었으나 일본 정부는 항소를 취하하지 않았다. 결국 2013년 7월 17일 원고와 일본 정부 간 화해로 소송이 마무리되었다.

② 1심 판결[1]의 주요 내용

[1] 사안의 개요

성인이자 성년피후견인인 원고는 성년피후견인에게 선거권을 부여하지 않는 공직선거법 제11조 제1항 제1호의 규정은 '공무원의 선거에 대해서는 성년자에 의한 보통선거를 보장한다.'라고 규정한 헌법 15조 3항,[2] '모든 국민은 법 아래 평등하고 인종, 신념, 성별, 사회적 신분이나 문벌에 의해 정치적, 경제적 또는 사회적 관계에서 차별받지 않는다.'라고 규정한 헌법 14조 1항[3] 등의 규정에 위반하여 무효라고 주장하면서 국가를 피고로 하여 원고가 다음 번 중의원 의원 및 참의원 의원 선거에서 투표를 할 수 있는 지위에 있다는 확인을 구하였다.

[2] 주요 쟁점 및 이에 대한 재판소의 판단

⑴ '법률상의 쟁송'에 해당하지 않는 부적법한 것으로 각하되어야 하는지 여부

재판소법 제3조 제1항은 "재판소는 일본국 헌법에 특별한 정함이 있는 경우를 제외하고 일체의 법률상의 쟁송을 재판하고 기타 법률에서 특히 정하는 권한을 가진다."[4]라고 규정하고 있는데 피고 국가는 원고가 제기한 본건 소가 재판소법 제3조 제1항에 규정된 '법률상의 쟁송'에 해당하지 않는 부적법한 것이므로 각하되어야 한다고 항변하였다.

즉 공직선거법은 같은 법 제9조[5] 소정의 적극적 요건을 구비[6]하고 같은 법 제11조 제1항 소

---

1) 도쿄 지방재판소 平成25年 3月 14日 平23(行ウ)63号 선거권 확인 청구 사건
2) 제15조 3 공무원의 선거에 대해서는 성년자에 의한 보통선거를 보장한다.
3) 제14조 모든 국민은 법 아래 평등하고 인종, 신념, 성별, 사회적 신분이나 문벌에 의해 정치적, 경제적 또는 사회적 관계에서 차별받지 않는다.
4) (재판소의 권한)
   제3조 재판소는 일본국 헌법에 특별한 정함이 있는 경우를 제외하고 일체의 법률상의 쟁송을 재판하고 기타 법률에서 특히 정하는 권한을 가진다.
5) (선거권)
   제9조 일본 국민이고 연령 만 20세 이상인 사람은 중의원 및 참의원 의원의 선거권을 가진다.
   2 일본 국민인 연령 만 20세 이상의 사람으로서 계속 3개월 이상 시정촌의 구역 내에 주소를 가진 사람은 그 속하는 지방공공단체의 의회 의원 및 장의 선거권을 가진다.

정7)의 결격 사유에 해당8)하지 않는다고 하는 소극적 요건도 충족한 경우에 비로소 선거권을 부여한다는 구조를 채용하고 있는데, 만일 같은 법 제11조 제1항 제1호가 위헌 무효로 된 경우라도 재판소가 선거인의 판단 능력이라는 점을 전혀 문제 삼지 않고 같은 법 제9조 제1항으로부터 성년피후견인 전반이 선거권을 갖는다는 해석을 하는 것은 적절하게 선거권을 행사할 것을 기대할 수 없는 사람을 선거인단으로부터 배제하려 한 입법자의 의사에 반하게 되고, 성년후견제도의 차용을 그만두고 다른 능력 판정 제도를 창설하는 등의 입법부의 재량의 여지를 박탈하게 되므로, 권력 분립 원리에 반하여 허용되지 않는다고 주장하였다.

그리고 피고 국가는 위와 같은 논리에 비추어 원고에게 다음 번 선거에서의 선거권이 있다는 확인을 요구하는 본건의 소는 애당초 재판소가 법령의 적용에 의해 종국적으로 해결할 수 있는 것이 아니어서 재판소법 제3조 제1항에서 규정하는 '법률상의 쟁송'에 해당하지 않으므로 각하되어야 한다고 주장하였다.

이에 대해서 재판소는 위헌이라고 판단되는 부분을 다른 부분에서 분리하는 것이 가능하며

---

3 전항의 시정촌에는 그 구역의 전부 또는 일부가 폐치분합에 의해 당해 시정촌 구역의 전부 또는 일부로 된 시정촌으로서 당해 폐치분합에 의해 소멸한 시정촌(이 항의 규정에 의해 당해 소멸한 시정촌에 포함되는 시정촌을 포함한다)을 포함한다.

4 제2항의 규정에 의해 그 속하는 시정촌을 포괄하는 도도부현 의회의 의원 및 장의 선거권을 가지는 사람으로서 당해 시정촌의 구역 내에서 계속 동일 도도부현 구역 내의 다른 시정촌의 구역 내에 주소를 옮긴 사람은 같은 항에 규정하는 주소에 관한 요건에 관계없이 당해 도도부현 의회의 의원 및 장의 선거권을 계속 가진다.

5 제2항의 3개월의 기간은 시정촌의 폐치분합 또는 경계변경을 위해 중단되지 않는다.

6) '일본 국민이고 연령 만 20세 이상인 사람은 중의원 및 참의원 의원의 선거권을 가진다.'(제1항), '일본 국민인 연령 만 20세 이상의 사람으로서 계속 3개월 이상 시정촌의 구역 내에 주소를 가진 사람은 그 속하는 지방공공단체의 의회 의원 및 장의 선거권을 가진다.'(제2항) 등으로 규정하고 있었다.

7) (선거권 및 피선거권을 가지지 않는 사람)
제11조 다음에 열거하는 자는 선거권 및 피선거권을 가지지 않는다.
1 성년피후견인
2 금고 이상의 형의 선고를 받고 그 집행이 종료되지 않은 사람
3 금고 이상의 형의 선고를 받고 그 집행을 받지 아니하기로 확정되지 아니한 사람(형의 집행유예 중인 사람을 제외한다)
4 공직에 있는 동안에 저지른 형법(1871년 법률 제45호) 제197조부터 제197조의4까지의 죄 또는 공직에 있는 자 등의 알선행위에 의한 이득 등의 처벌에 관한 법률(2000년 법률 제130호) 제1조의 죄로 형의 선고를 받아 그 집행이 종료되었거나 또는 그 집행의 면제를 받은 사람으로서 그 집행이 종료되었거나 혹은 그 집행의 면제를 받은 날로부터 5년을 경과하지 않는 사람 또는 그 형의 집행유예 중인 사람
5 법률로 정하는 바에 따라 실시된 선거, 투표 및 국민심사에 관한 범죄로 인해 금고 이상의 형의 선고를 받아 그 형의 집행유예 중인 사람

8) 성년피후견인(제1호), 금고 이상의 형의 선고를 받고 그 집행이 종료되지 않은 사람(제2호), 금고 이상의 형의 선고를 받고 그 집행을 받지 아니하기로 확정되지 아니한 사람(형의 집행유예 중인 사람을 제외한다)(제3호) 등으로 규정하고 있었다.

나머지만으로도 입법자가 유효한 법률로서 존립시키려는 의도가 인정되는 경우에는 재판소가 위헌이라고 주장되는 당해 규정 부분에 대하여 헌법상 주어진 위헌 입법 심사권을 행사할 수 없게 된다고 해석할 이유가 없고 또한 나머지에 대해서는 유효한 규정으로 해석되는 이상은, 그 유효한 규정을 해석 적용하여 법적인 쟁송에 대하여 재판을 하는 것은 재판소에 주어진 권한이고 의무라고 할 수 있다고 하면서 피고 국가의 소 각하 항변을 배척하였다.

(2) 공직선거법 제11조 제1항 제1호의 규정이 헌법에 위반하여 무효인지 여부

재판소는, 헌법은 선거권이 국민 주권의 원리에 근거한 의회제 민주주의의 근간으로 규정되는 것이므로, 양 의원의 의원 선거에서 투표를 하는 것을 국민의 고유 권리로서 보장하고 있으며, '부득이 한' 경우, 즉 '그런 제한을 하는 일 없이는 선거의 공정을 확보하면서 선거를 실시하는 것이 사실상 불능 내지 현저하게 곤란하다'고 인정되는 경우 이외에 선거권을 제한하는 것은 위헌이라고 전제하였다.

또한 성년후견제도와 선거제도는 그 취지, 목적이 전혀 다른 것이고 후견 개시의 심판이 된다고 하여 선거권을 행사할 만한 능력이 없다고 판단되는 것은 아니며 성년피후견인은 그 능력을 일시 회복함으로써 일정한 법률 행위를 유효하게 할 능력을 회복하는 것을 제도로 예정하고 있기 때문에 성년피후견인으로 된 사람 중에도 선거권을 행사하는데 필요한 판단 능력을 가진 사람이 적잖이 포함되어 있다고 해석하였다.

그리고 성년피후견인도 주권자인 '국민'임은 분명하고 자기 통치를 실시하는 주체로서 본래 선거권을 행사해야 할 존재이므로 성년피후견인에게 선거권을 부여한다면 선거의 공정을 해치는 결과가 발생하는 등, 성년피후견인으로부터 선거권을 박탈하지 않고는 선거의 공정을 확보하면서 선거를 실시하는 것이 사실상 불능 내지 현저히 곤란하다고 해석할 사실은 인정하기 어렵고 선거권을 행사할 만한 능력이 없는 사람을 선거에서 배제하겠다는 목적을 위해 성년피후견인으로부터 선거권을 일률적으로 박탈하는 규정을 마련하는 것을 일반적으로 '부득이 하다'고 하여 허용할 수는 없다고 하였다.

덧붙여 애당초 성년후견제도는 국제적 조류가 되고 있는 고령자, 지적 장애인 및 정신장애인 등의 자기 결정의 존중, 잔존 능력의 활용 및 노멀라이제이션(normalization, 정상화)이라는 새로운 이념에 따라 제도화된 것이므로, 성년피후견인의 선거권 제한에 대해서도 이 제도의 취지에 따라 생각해야 하므로 선거권을 행사할 만한 판단 능력을 가진 성년피후견인으로부터 선거권을 박탈하는 것은 성년후견제도가 마련된 위 취지에 반하는 것이며 또한 위 새로운 이념에 근거해 각종 개정을 추진하는 국내외의 동향에도 반하는 것이라고 하였다.

결론적으로 재판소는 위와 같은 판단에 비추어 성년피후견인은 선거권을 갖지 않는다고 정한 공직선거법 제11조 제1항 제1호는 선거권에 대한 '부득이 한' 제한이라고는 할 수 없어 위헌이라고 판시하였다.

③ 법령 개정으로 성년피후견인의 선거권 등 회복

원고와 일본 정부 사이에서 항소심 재판이 진행되던 2013년 5월 '성년피후견인의 선거권 회복 등을 위한 공직선거법 등의 일부를 개정하는 법률'이 공포되었다. 위 법률의 주요 내용은 공직선거법, 일본국헌법의 개정절차에 관한 법률, 농업위원회 등에 관한 법률에서 성년피후견인의 선거권 등을 제한한 규정을 삭제하는 것이다. 이들 법률의 개정 내용을 표를 이용하여 정리하면 다음과 같다.

법률명	개정 전	개정 후
공직선거법	(선거권 및 피선거권을 가지지 않는 자) 제11조 다음에 열거한 자는 선거권 및 피선거권을 가지지 않는다. **1. 성년피후견인**	(선거권 및 피선거권을 가지지 않는 자) 제11조 다음에 열거한 자는 선거권 및 피선거권을 가지지 않는다. 1. 삭제
일본국헌법의 개정절차에 관한 법률	**(투표권을 가지지 않는 자)** **제4조 성년피후견인은 국민투표의 투표권을 가지지 않는다.**	삭제
농업위원회 등에 관한 법률	(회의원) 제42조 3. 다음에 열거한 자는 전항의 규정에 불구하고 회의원이 되지 않는다. **1. 성년피후견인**	(회의원) 제42조 3. 다음에 열거한 자는 전항의 규정에 불구하고 회의원이 되지 않는다. 1. 삭제

위 개정 법률은 2013년 6월 30일부터 시행되어 같은 해 7월 1일 이후에 공시·고시되는 선거부터 성년피후견인은 선거권·피선거권을 가지게 되었다. 위 개정 법률이 시행되어 지적·정신장애인이나 치매를 앓고 있는 사람을 중심으로 2012년 말 시점에서 약 13만 6,400명에 이르는 사람들이 일률적으로 선거권을 회복하여 투표할 수 있게 되었다.

사 건 번 호 平23(行ヮ)63号	**사 건 명** 선거권 확인 청구 사건
재판연월일 平成25年9) 3月 14日	**재 판 소 명** 도쿄(東京) 지방재판소
재 판 구 분 판결	**재 판 결 과** 인용

주 문

1. 원고가 다음 번 중의원 의원 선거 및 참의원 의원 선거에서 투표할 수 있는 지위에 있음을 확인한다.
2. 소송비용은 피고가 부담한다.

사실과 이유

제1 청구

주문과 같은 취지

제2 사안의 개요 및 쟁점

1. 사안의 개요

본건은 성인이자 일본 국민인 원고가 후견개시 심판(민법 7조)을 받아 성년피후견인이 된 바, 공직선거법 11조 1항 1호가 성년피후견인은 선거권을 가지지 않는다고 규정하고 있으므로, 선거권을 부여하지 않는 것으로 되었기 때문에, 위 공직선거법 11조 1항 1호의 규정은 헌법 15조 3항, 14조 1항 등의 규정에 위반하여 무효라고 하여, 행정사건소송법 4조의 당사자 소송으로서 원고가 다음 번 중의원 의원 및 참의원 의원 선거에서 투표를 할 수 있는 지위에 있다는 확인을 구한 사안이다.

---

9) 2013년

2. 쟁점

(1) 본건 소는 재판소법 3조 1항에 규정된 '법률상의 쟁송'에 해당하지 않는 부적법한 것으로 각하되어야 하는지 여부

(2) 성년피후견인은 선거권을 가지지 않는다고 정한 공직선거법 11조 1항 1호의 규정은 헌법에 위반하여 무효인지 여부

3. 쟁점에 관한 당사자의 주장

쟁점 (1) 본건 소는 재판소법 3조 1항에 규정된 '법률상의 쟁송'에 해당하지 않는 부적법한 것으로 각하되어야 하는지 여부에 대해서

■■■ 피고의 주장

1. 일반적으로 법령이 어떤 권리의 발생 요건을 정하고 있는 경우에, 재판소가 당해 발생 요건을 정한 법령의 일부가 위헌 무효라고 판단하더라도, 위헌 무효로 판단되지 않은 나머지 규정만을 권리 발생 요건으로 하는 권리가 즉시 인정되지 않으며 위헌 무효로 된 부분에 관하여 입법부에 다른 합리적인 입법 선택 사항이 복수 존재하는 경우에는 재판소가 입법부의 판단을 기다리지 않고, 위헌 무효로 되지 않은 나머지 규정을 발생 요건으로 하는 권리의 존재를 인정하게 되면, 그것은 재판소가 입법부의 입법재량을 무시하여 입법부 대신 일정한 내용의 입법을 하는 것과 실질적으로 다름이 없는 것으로 되어 권력분립 원리에 반하게 된다.

그러면 어떤 권리의 발생 요건의 일부가 위헌 무효로 되더라도 그 후에 당해 권리의 존부나 내용 등에 관하여 여전히 입법부의 합리적 선택의 여지가 남아 있는 경우에는 당해 권리에 관하여 어떠한 입법정책을 선택할지를 입법부가 판단하여 새로운 입법을 하지 않는 한 당해 권리의 존재나 내용이 확정되지 않으므로, 그러한 권리를 확인 대상으로 하는 확인의 소는, 현행 법령의 규정을 적용하여서는 도출할 수 없는 권리의 확인을 구하는 것이라고 할 것이다.

따라서 그러한 권리의 확인을 구하는 소는 법령의 적용에 의하여 종국적으로 해결할 수 없는 것이기 때문에, 재판소법 3조 1항에 규정된 '법률상의 쟁송'에 해당하지 않는다고 하여야 한다.

2. 공직선거법은 같은 법 9조의 적극적 요건을 충족함과 동시에 같은 법 11조 1항 1호의 '성년피후견인이 아닐 것' 등의 소극적 요건도 충족한 경우에, 비로소 선거권을 가진다는 취지로 규정하고 있기 때문에 같은 법 11조 1항 1호는 이미 인정된 법률상의 권리를 제한하는 취지의 규정이라고는 해석하기 어렵고, 같은 호의 규정이 위헌 무효인 경우에, 그 제한이 풀려 성년피후견인에게

당연히 선거권이 부여되는 구조로 되지는 않는다. 그리고 같은 법 11조 1항 1호가 성년피후견인임을 선거권의 결격사유로 한 취지는 선거권이 선거인단을 구성하여 공무원을 선정하는 공무로서의 측면이 있는 권리이므로, 선거권을 행사하여 공무원으로서 적합한 사람을 선정하기 위해 최소한으로 필요한 판단능력을 보유하지 않은 사람에 대해서는 선거권을 부여해서는 안 된다고 생각되는 것을 전제로, 가정재판소에서 사리 변식 능력이 없는 상태에 있다고 판정된 성년피후견인은 일률적으로 선거권을 적절히 행사하는 것을 기대할 수 없다고 하여 이를 선거인단으로부터 배제한 것이다.

3. 그렇다면 예를 들어 성년피후견인이 아닐 것을 선거권 부여 요건으로 하는 공직선거법 11조 1항 1호의 규정이 위헌 무효라고 판단된다고 해도, 같은 법 9조의 규정만으로 성년피후견인 전반에 대하여 즉시 공직선거법상의 선거권이 부여된다고 해석하는 것은 적절히 선거권을 행사하는 것을 기대할 수 없는 사람을 선거인단으로부터 배제하려 한 위 공직선거법 취지에 반하여 입법자의 합리적인 의사에 합치하지 않음이 분명하고 이 점에 관한 입법부의 합리적 선택의 여지를 빼앗는 것으로 입법권의 침해에 해당한다.

따라서 원고에게 다음 번 선거의 선거권이 있다는 확인을 구하는 본건 소는 재판소가 법령의 적용에 의하여 종국적으로 해결할 수 있는 것이 아니고 법률상의 쟁송에 해당하지 않는다.

■■■ 원고의 주장

1. 피고는 공직선거법 9조의 적극적 요건을 충족함과 동시에 같은 법 11조 1항 1호의 '성년피후견인이 아닐 것' 등의 소극적 요건도 충족한 경우에, 비로소 우리나라의 국민에게 선거권이 주어진다는 취지의 주장을 하고 있지만, 원래 헌법은 전체 국민에게 구체적인 권리로서 선거권 내지 선거권을 행사하는 권리를 보장하는 것이며, 선거권은 공직선거법 규정에 의하여 비로소 발생하는 권리가 아니다. 그리고 공직선거법은 9조에서 선거권을 가지기 위해 필요한 요건을 정함과 동시에 한편으로 같은 법 11조에서 일정한 경우에는 발생한 선거권을 박탈하는 소극적 요건을 정하고 있기 때문에 성년피후견인으로부터 선거권을 박탈하는 것으로 한 같은 법 11조 1항 1호의 규정이 위헌 무효로 되면, 성년피후견인의 선거권은 박탈되지 않고 당연히 선거권이 부여되는 것이 된다.

2. 그리고 가령 피고의 주장에 따르면 본건처럼 어떤 법령이 헌법상의 권리를 침해한다고 하여 당해 법령의 위헌성을 주장하는 소에서, 당해 법령이 위헌 무효로 판단되면 그 권리에 관한 법률이 없는 것으로 되어 권리는 구체화되지 않게 되며, 그것을 구체화하는 것은 입법부의 재량

행위이므로 입법부가 그것을 처리하기까지는 재판소가 헌법 적합성에 관하여 판단하는 것은 사법권의 한계를 넘는 것으로 할 수 없다는 것이 된다. 하지만 그러한 사고방식에 따르면, 재판소는 헌법상의 권리를 침해하고 있다고 주장되는 법령에 관하여 헌법 적합성 심사를 하는 것이 아주 불가능하게 되어, 피고의 주장은 헌법이 사법권에 준 위헌 입법 심사권을 부당하게 제약하는 것으로 권력 분립 원리에 반하는 것이다.

3. 이는 최고재판소 平成20年[10) 6月 4日 대법정판결 · 민집(民集) 62권 6호 1367쪽이 국적법 3조 1항 소정의 국적 취득 요건 중, 일본 국적 취득에 관하여 헌법 14조 1항에 위반하는 구별을 발생시키고 있는 부분, 즉 부모의 혼인에 의하여 적출자 신분을 취득했다고 하는 부분(준정요건)을 제외한 요건이 충족된 때에는 국적법 3조 1항에 의거해 일본 국적을 취득한다고 하여, 권리 이익을 부여하는 법령 규정의 일부분을 위헌 무효로 한 다음, 그 외의 요건을 충족한 경우에도 그 권리 이익을 부여해야 한다고 하여, 이 판결이 전혀 법률상의 쟁송에 해당하지 않는 등으로 각하 판결을 하지 않고 헌법에 위배되는지 여부의 판단에 들어가서 법령의 일부가 헌법 위반이라는 판단을 하고 있는 것에서도 분명하다.

쟁점 ⑵ 성년피후견인은 선거권을 가지지 않는다고 정한 공직선거법 11조 1항 1호의 규정은 헌법에 위반하여 무효인지 여부에 대해서

■■■ 원고의 주장

1. 선거권은 국민주권의 원리 아래, 의회제 민주주의의 근간을 이루는 권리이며, 일단 제약되면 민주 정치의 과정을 통한 시정을 기대할 수 없는 것이며, 선거를 통한 자기실현을 꾀한다는 의미에서의 인격적 권리로서도 매우 중요하다. 이처럼 선거권은 극히 중요한 권리인 동시에 일단 제약되면 권리의 회복이 어려운 성질을 갖는 것이기 때문에, 선거권을 제한하는 입법에 대해서는 엄격한 심사 기준을 적용해야만 하고, 최고재판소 平成17年[11) 9月 14日 대법정판결 · 민집(民集) 59권 7호 2087쪽(이하 '平成17年 대법정판결'이라 한다)이 판시하는 대로, 스스로 선거의 공정을 해치는 행위를 한 자 등의 선거권에 대하여 일정한 제한을 하는 것은 별론으로 하고, 국민의 선거권 또는 그 행사를 제한하는 것은 원칙적으로 허용되지 않으며, 국민의 선거권 또는 그 행사를 제한하기 위해서는 그와 같은 제한을 하는 것이 '부득이 하다'고 인정되는 사유가 없으면 안 된다고 할 수 있다.

---

10) 2008년
11) 2005년

2. 헌법 15조 3항은 성년자에 의한 보통선거를 보장하고, 미성년인 것 이외의 제한을 마련하지 않아 성년자에 대해서는 선거에 관한 능력을 아무 것도 요구하고 있지 않은 점, 장애인의 권리에 관한 조약(이하 '장애인 권리 조약'이라 한다)도 장애가 있는 사람의 선거권의 존재를 전제로 하고 있는 점에서 본다면 선거의 공정성 확보를 이유로 성년피후견인이 선거권을 가지지 않는다고 하는 것은 장애나 능력을 이유로 선거권을 제한하지 않는 헌법 등의 생각과 상반되는 것이며, 공직선거법 11조 1항 1호의 목적 자체가 정당성을 결여하고 있다. 또한 성년피후견인이 선거권을 가짐으로써 실제로 선거의 공정이 확보될 수 없다고 하는 폐해나 불이익은 생각하기 어렵다.

3. 성년피후견인에 대한 선거권 제한은 전부터 금치산자에 대해 선거권 행사에 관해서도 판단 능력이 없는 사람이라고 쉽게 취급하고 이에 진지하게 항의하는 사람도 출현하지 않았기 때문에 금치산자의 선거권을 박탈한 금치산제도의 당시 위헌 상태가 방치된 채 현행법에 인계된 것이다. 성년후견제도는 재산 관리 및 신상 감호에 관한 제도이며, 신청에 의하여 재산 관리 능력의 유무를 확정하는 것으로, 후견 개시의 심판에서 선거권 행사에 관한 능력의 심사를 하는 것은 예정되어 있지 않고, 성년후견제도 하에서 요구되는 재산 관리 능력과 선거권 행사를 위한 능력은 질적으로 전혀 다른 것이다. 실제로 원고는 성년후견제도 하에서는 사리 변식 능력이 없는 상태에 있는 것으로 되어 있는 성년피후견인이지만, 전번에 후견 개시의 심판이 되어 선거권을 박탈당하기까지는, 스스로 선거 공보를 읽는 등 하여 투표해야 할 후보자 내지 정당을 결정하여 스스로 투표소에서 투표용지에 기입해 투표를 하고 있었던 것이고 성년피후견인이라고 해서 투표를 적절하게 할 수 없는 것은 아니다.

4. 후견 개시의 심판은 신청에 의해 이루어지므로(민법 7조), 사리 변식 능력이 없는 상태에 있는 사람이라도 후견 개시의 심판을 받지 않으면 선거권을 부여 받아 그 행사를 할 수 있는 것이며, 실제 후견 개시의 심판이 된 사람은 신청을 하면 후견 개시가 될 것인 사람의 극히 일부에 불과한 것이므로, 후견 개시의 심판을 받은 것으로 선거권을 박탈당하는 것은 헌법 14조, 44조 단서의 평등 원칙에 반한다.

5. 성년피후견인의 선거권을 일률적으로 박탈하는 것은 성년후견제도의 도입에 임해 명확하게 되거나 또는 추가된 이념, 즉 장애인과 비장애인의 공생 사회의 실현을 목표로 장애인의 권리 옹호, 자기 결정의 존중, 잔존 능력의 활용을 제창하는 노멀라이제이션의 관점과 맞지 않는다.

6. 이와 같이 성년피후견인에 대한 선거권을 일률적으로 박탈하는 수단은 선거의 공정 확보라는 목적과의 적합성을 현저하게 결여하고 있고, 그 때문에 필요 최소한의 제약이라고 할 수 없으며, 평등원칙이나 노멀라이제이션의 관점에도 반하므로 공직선거법 11조 1항 1호는 위헌 무효이다.

■■■ 피고의 주장

1. 헌법 44조는 선거인의 자격을 포함한 선거에 관한 규정을 법률에 맡기고 있으며 선거인의 자격을 어떻게 정하느냐에 대하여 국회의 입법재량을 인정하고 있는데, 성년피후견인이 된 것을 선거권의 결격사유로 규정하는 공직선거법 11조 1항 1호의 당부는 헌법상 공무원을 선정하는 권리를 공직선거법이 구체화함에 있어서 제도 설계에서의 입법재량의 문제에 그치므로 공직선거법 11조 1항 1호가 위헌이라고 판단되는 것은 국회의 재량권 일탈이나 그 남용에 해당하는 것으로 인정되는 경우에 한한다.

2. 선거권은 선거인단을 구성하여 국회의원 등 공무원이라는 국가의 기관을 선정하는 권리이며, 선거권 행사는 적극적 · 능동적인 정치적 의사 형성에의 참가로서의 성격을 갖는 한편, 선거 결과 여하에 따라 본인뿐 아니라 국가 또는 지방공공단체의 정치 방식이나 각 분야의 정책이 좌우되는 등, 다수의 국민이나 주민에 대해서도 중대한 영향을 주는 것이므로, 공무로서의 성격이 부여되어 있다. 그러한 선거권 행사의 공무성에서 헌법은 선거인단을 구성하는 선거인이 공무로서의 측면을 가진 선거권을 행사하고 적극적 · 능동적인 정치 참가를 하는 장면에서는, 그 공무를 수행하는데 적합한 능력, 즉 복수의 후보자 중에서 그 정견, 정책 등에 관한 정보를 토대로 해당 공직선거의 공무원으로서 걸맞은 자를 각자의 의사에 따라 선택하는 능력을 가지는 것을 전제로 하고 있다고 볼 수 있다. 이와 같이 선거권은 모든 국민이 사람이기 때문에 당연히 가지는 기본적 인권이 아니라 국가 기관으로서의 선거인단을 구성하는 일원으로서 국회의원 등의 공무원을 선정하는 선거에 참가할 수 있는 권리로, 그 구성원이라는 자격을 가진 일정 범위의 국민에게만 주어지는 국법상의 권리인 바, 성년피후견인은 정신적 장애로 인해 사리를 변식하는 능력을 결여한 상태에 있어서 선거권의 적절한 행사를 기대할 수 없으므로, 공직선거법 11조 1항 1호는 구체적인 선거권에 대한 제도 설계에 있어서, 지금까지의 입법 경위를 답습하여 이를 선거권 및 피선거권의 결격사유로 정한 것이다.

3. 자기의 의사에 따라 국회의원 등의 공무원으로서 적당하다고 생각하는 사람을 선정하기

위한 판단 능력이 결여되어 있는 사람이라도 선거권을 가진 경우에는 동반자와 함께 투표소에 가는 등 하여 투표를 할 수 있지만, 위의 판단 능력이 결여되어 있으므로, 백표(白票)를 던지거나 후보자 이름 이외의 이름을 기재하는 등의 무효투표를 할 수 있을 뿐만 아니라 자기의 의사에 근거하지 않은 부적정한 투표가 실시될 우려가 있다. 예를 들면, 친척 등 동반자의 뜻을 받아 특정 후보자에게 투표를 하거나 제3자에 의한 부정 투표의 움직임의 대상으로 될 우려가 있고 이렇게 제3자의 뜻을 받은 부정한 투표를 했을 경우, 실제 선거 결과 자체가 영향을 받은 경우는 물론, 결과적으로 선거 결과가 좌우되지 않은 경우에도, 선거인의 투표의 임의성이나 자유가 손상된 것 자체에서, 선거의 공정이나 선거에 대한 국민의 신뢰가 손상되는 것은 분명하다. 또한 여러 외국에서도 제도의 상세한 내용은 각국에 따라 다르지만, 선거권을 행사하는데 상응하는 판단 능력을 결여하였다고 하는 사람에 대해서 법률에서 선거권의 결격 조항을 정하고 있는 입법례가 다수 존재한다. 이처럼 자기 의사에 근거하지 않은 부정 투표 등의 폐해를 방지하고, 선거의 공정을 확보하는 견지에 더하여 여러 외국에서도 우리나라와 마찬가지로 선거인 자격의 소극적 요건을 정하는 입법례가 다수 존재하는 것에서 보면 선거권 행사에 최소한으로 필요한 판단 능력을 가지지 않는 사람에게 선거권을 부여하지 않는 공직선거법 11조 1항 1호의 입법 목적에는 합리성이 인정된다.

4. 가정재판소에서 하는 후견 개시의 심판에서는 그에 앞서 본인의 지적 능력 등의 판단능력 전반에 대해 의학적 진단이 이루어지고, 재산 관리 능력의 불충분함의 원인이 되는 정신적 장애의 유무, 내용 등에 대하여도 감정이 이루어지고 있으며, 이들은 선거권 행사의 전제로서 필요한 최저 한도의 판단 능력의 심사와 실질적으로 겹치는 것이라고 할 수 있으므로, 사법 기관에 의해 사리 변식 능력이 없는 상태에 있다고 판정되어 정형적으로 위의 판단 능력이 결여된 것으로 인정되는 성년피후견인에 대해서는 투표 시에 일시적으로 의사 능력을 회복하고 있느냐 아니냐 하는 개별 사정을 묻지 않고 선거인의 자격을 가지지 않는다고 하는 것이 상당하다. 한편, 성년후견제도 이외에 선거권 행사에 필요한 능력을 판정하기 위한 합리적 제도를 마련한다는 입법상의 선택은 상정하기 힘들고 후견 개시의 심판과는 별개로 선거 때마다 선거권의 적절한 행사가 가능한지 여부의 능력을 개별적으로 심사하는 제도를 창설하는 것은 선거가 전국적으로 대량으로 또한 획일적으로 이루어지는 것이라는 점에서 보면 실제상 매우 어렵다. 게다가 본인이나 친족 등의 신청에 의하지 않고, 재판소 이외의 기관이 개인의 사리 변식 능력의 유무를 적극적으로 탐지하는 제도를 만드는 것에 대해서는 논란의 여지가 있을 수 있음에 비추어 보면 공직선거법 11조 1항 1호가 위 판단 능력의 판정을 위해 특별히 독자적인 제도를 마련하지 않고, 성년후견제도를 차용하여 가정재판소

에서 전문가의 진단을 거쳐 후견 개시의 심판이 되어 사리 변식 능력이 없는 상태에 있다고 정확하게 인정된 자에 한해서 선거권을 갖지 않는 것으로 하고 있는 것은 보다 겸양·억제적이고 합리적인 방법이라고 할 수 있다.

그렇다면 성년피후견인에 대하여 후견 개시의 심판에서 사리 변식 능력이 없는 상황에 있다고 공식적으로 판정된 것을 가지고, 선거권의 적절한 행사를 일반적·유형적으로 기대할 수 없는 상황에 있다고 하여 선거인의 결격 사유로 하는 것에는 수단으로서 충분한 합리성이 인정되는 것이며, 후견 개시의 심판을 받지 않은 사람과의 관계에서 선거권의 유무에 사실상의 차이가 생긴다고 해서 성년피후견인임을 선거권 부여의 소극적 요건으로 하는 것이 불합리한 차별이라고는 할 수 없다.

5. 이상에 의하면 공직선거법 11조 1항 1호가 선거권을 행사할 때 최소한의 필요한 판단 능력을 가지지 않은 성년피후견인에게 선거권을 실제로 행사할 수 있는 권리를 주지 않은 것은 선거인의 자격을 정함에 있어서 국회의 재량권을 일탈 또는 남용한 것이라고는 할 수 없으며 공직선거법 11조 1항 1호는 합헌이다.

제3 본 재판소의 판단

쟁점 (1) 본건의 소는 재판소법 3조 1항에서 규정하는 '법률상의 쟁송'에 해당하지 않는 부적법한 것이며 각하되어야 하는지 여부에 대하여

1. 피고는 성년피후견인은 선거권을 갖지 않는다고 정한 공직선거법 11조 1항 1호가 위헌 무효로 된 경우에 일본 국민으로 연령 만 20세 이상의 사람은 중의원 의원 및 참의원 의원 선거권을 가진다고 정한 같은 법 9조 1항을 적용하여 원고는 선거권을 갖는다는 결론을 이끌어내는 것은 입법부의 합리적 의사에 반하여 입법부의 재량을 박탈하는 것으로 되어 허용되지 않는다고 주장한다. 즉, 공직선거법은 같은 법 9조 소정의 적극적 요건을 구비하고 같은 법 11조 1항 소정의 결격 사유에 해당하지 않는다고 하는 소극적 요건도 충족한 경우에 비로소 선거권을 부여한다는 구조를 채용하고 있는데, 만일 같은 법 11조 1항 1호가 위헌 무효로 된 경우라도 재판소가 선거인의 판단 능력이라는 점을 전혀 문제 삼지 않고 같은 법 9조 1항으로부터 성년피후견인 전반이 선거권을 갖는다는 해석을 하는 것은 적절하게 선거권을 행사할 것을 기대할 수 없는 사람을 선거인단으로부터 배제하려 한 입법자의 명확한 의사에 반하게 되고, 성년후견제도의 차용을 그만두고 다른 능력 판정 제도를 창설하는 등의 입법부의 재량의 여지를 박탈하게 되므로, 권력 분립 원리

에 반하여 허용되지 않는다고 주장한다.

그리고 피고는 이렇게 생각하면 원고에게 다음 번 선거에서의 선거권이 있다는 확인을 요구하는 본건의 소에 대해서는, 애당초 재판소가 법령의 적용에 의해 종국적으로 해결할 수 있는 것이 아닌 것으로 되어 재판소의 권한에 대하여 정한 재판소법 3조 1항('재판소는 일본국 헌법에 특별한 정함이 있는 경우를 제외하고 일체의 법률상의 쟁송을 재판하고 기타 법률에서 특히 정하는 권한을 가진다.')에서 규정하는 '법률상의 쟁송'에 해당하지 않으므로, 재판소의 권한 밖의 소로서 각하되어야 한다고 주장한다.

2. 그래서 검토하면 원래 헌법 81조는 '최고재판소는 일체의 법률, 명령, 규칙 또는 처분이 헌법에 적합한지 아닌지를 결정하는 권한을 가지는 최종심 재판소이다.'라고 규정되어 있으며, 헌법은 법령 등이 일본국 헌법에 위반하는지 여부를 심사하는 권한을 재판소에 부여하고 있기 때문에 재판소가 헌법에 적합하지 않는 법률이라고 하여 무효라는 판단을 한 경우에는, 당연히 그 법률이 헌법에 적합하여 유효라고 한 입법부의 판단과는 다른 내용의 판단을 하게 되는 것이며, 그런 의미에서 헌법은 재판소에 대하여 어떤 법률의 헌법 적합성에 대한 판단에 관하여 입법부의 의사에 반하는 판단을 하는 권한을 부여하고 있는 것이 분명하다. 그리고 어떤 법률 조항이 위헌 무효로 된 경우에 그것에 의해 입법부의 합리적 의사와 다른 결과를 초래하게 된다면, 입법부는 헌법 등이 허용하는 범위에서, 언제든지 그 합리적인 의사에 따른 새로운 입법을 할 수 있기 때문에 재판소가 헌법에 따라 주어진 위헌 입법 심사권을 행사함으로써 바로 입법부의 재량의 여지를 박탈하는 것으로 되는 것은 아니다. 또한 재판소의 기본적인 역할이 지금 효력을 가진 법령을 해석 적용하여 법적 분쟁을 해결하는 것이라는 점에서 보면 가령 공직선거법 11조 1항 1호가 위헌 무효로 되는 경우에는 같은 법 9조 1항을 포함하는 관계 법령이 유효하게 존재하는 이상, 그것들을 해석 적용하여 원고에게 선거권이 있는지 여부를 판단하는 것으로 되어 이렇게 재판소가 우리나라의 헌법 질서 하에서 주어진 권한을 행사하는 것을 가지고 즉시 입법권의 침해라든지 입법재량을 박탈하는 것이 된다고 할 수 없다고 해석된다.

분명히 법률 규정의 일부분이 위헌이라고 하는 것과 같은 경우에는 그 나머지의 규정의 문언만으로는 유효한 규정이라고 해석하는 것에 대해 객관적 합리성을 잃었다고 하는 경우가 있을 수 있다고 생각되며, 예를 들어 그 나머지의 규정만으로는 전혀 법제도로서 성립되지 않는 경우나 그 나머지의 규정만으로는 입법부가 규정 자체를 마련하지 않았다고 여겨지는 경우 등에는 재판소가 그 나머지의 규정만을 유효한 것으로 하여 적용하는 것은 입법부의 재량을 무시하는 것이 되어 나머지의 규정을 유효로 하여 적용하는 것이 허용되지 않는 경우도 있을 것이다. 하지만 그와 같은 경우가 아니라 위헌이라고 판단되는 부분을 다른 부분에서 분리하는 것이 가능하며 나머지만으로도 입법자가 유효한 법률로서 존립시키려는 의도가 인정되는 경우에는 재판소가 위헌이라고 주장되는 당해 규정 부분에 대하여 헌법상 주어진 위헌 입법 심사권을 행사할 수 없게 된다고 해석할 이유가 없고 또한 나머지에 대해서는 유효한 규정으로 해석되는 이상은, 그 유효한 규정을 해석 적용하여 법적인 쟁송에 대하여 재판을 하는 것은 재판소에 주어진 권한이고 의무라고 할 수 있다.

그리고 본건에서 공직선거법 11조 1항 1호가 위헌 무효로 판단되었다고 하여 이것과는 가분이고 별개 독립한 규정인 '일본 국민이고 연령 만 20세 이상인 사람은 중의원 의원 및 참의원 의원의 선거권을 가진다.'라고 정한 같은 법 9조 1항에 대해서 이를 유효한 규정이라고 해석하는 것이 객관적 합리성을 결여하게 되거나 또는 같은 법 11조 1항 1호가 위헌으로 되면, 입법자는 같은 법 9조 1항을 유효한 법률로서 존립시킬 의도는 없다는 등으로 생각해야 할 합리적 이유는 도무지 찾기 어렵다.

또한 실제로도 현대의 법률에서는 어떤 취지나 목적 달성을 위해 복수의 규정이 서로 유기적 관련성을 가지는 경우나 복수의 규정이 원칙과 예외를 정하는 등의 논리적인 관련성을 가지는 경우 등이 적잖이 존재하지만, 피고가 주장하듯이 그러한 일련의 규정의 일부를 위헌 무효로 판단하면 입법부가 이들 규정 전체로서 의도한 것에 반하게 되므로 재판소는 그러한 경우는 위헌 판단을 할 수 없다는 것이 된다면 위헌 입법 심사권을 행사할 수 있는 경우는 극히 한정되게 된다. 하지만 그와 같은 해석은 헌법 81조가 재판소에 대하여 입법부가 헌법에 적합하지 않은 입법을 한 경우에 그것을 무효로 판단하는 권한을 부여함으로써 3권 억제 균형을 도모하여 국민의 권리를 옹호하려고 한 취지에 반하게 될 수 있어 채용할 바는 아니다.

더욱이 피고는 어떤 권리의 발생 요건의 일부가 위헌 무효로 되더라도 그 후에 당해 권리의 존부나 내용 등에 대해서 여전히 입법부의 합리적 선택의 여지가 남아 있는 경우에는 당해 권리에 대하여 어떠한 입법 정책을 선택할지를 입법부가 판단하여 새로운 입법을 하지 않는 한, 그 존재나 내용 등이 확정되지 않기 때문에 당해 권리를 확인 대상으로 하는 확인의 소는 현행 법령의 규정을 적용함에 따라서는 도출되지 않는 권리의 확인을 요구하는 것으로, 재판소법 3조 1항의 '법률상의 쟁송'에 해당되지 않아 각하되어야 한다는 취지로 주장한다. 그러나 전술한 대로 위헌 입법 심사권 행사의 결과로서 입법부의 의사에 반하는 사태가 생기는 것은 헌법이 당연한 것으로 예정한 바이고 입법부가 그 재량권을 이용해 헌법에 적합한 범위에서 법률 개정을 하는 것은 전혀 부정되지 않는 것이며, 재판소는 위헌이라고 판단된 규정 이외의 유효하게 존속하는 법령의 규정을 해석 적용함으로써 법적인 쟁송에 대해 재판을 하는 것이 국법상의 권한이고 의무로 되어 있는 것이기 때문에 이 점에 대한 피고의 주장에 동의할 수 있다. 또한 이는 平成17年 대법정판결이 선거권 행사의 제한 조항인 공직선거법 부칙 8조를 위헌으로 판단한 다음, 입법부의 새로운 입법 등을 기다리지 않고 유효하게 존속하는 법령을 적용함으로써 본안 판결을 했고, '법률상의 쟁송'에 해당하지 않는다고 하여 각하 판결을 하지 않은 것에서도 분명하다.

3. 이상에 의하면 본건의 소는 재판소법 3조 1항에서 규정하는 '법률상의 쟁송'에 해당하지 않는다고 할 수 없고 달리 부적법한 소라고 해석할 사정은 찾기 어렵다.

쟁점 (2) 성년피후견인은 선거권을 갖지 않는다고 정한 공직선거법 11조 1항 1호의 규정은 헌법에 위반하여 무효인지 여부에 대하여

1. 국민의 대표자인 의원을 선거에 의해 선정하는 국민의 권리는 국민의 국정 참여 기회를 보장하는 기본적 권리로서, 의회제 민주주의의 근간을 이루는 것이고, 민주 국가에서는 일정 연령에 달한 국민 모두에게 평등하게 주어져야 하는 것이다.

그리고 우리나라의 헌법은 그 전문 및 1조에서 주권이 국민에게 있는 것을 선언하고 국민은 정당하게 선출된 국회에서의 대표자를 통하여 행동한다고 정함과 동시에 43조 1항에서 국회의 양 의원은 전체 국민을 대표하는 선출된 의원으로 이를 조직한다고 정하고 15조 1항에서 공무원을 선정하고 이를 파면하는 것은 국민 고유의 권리라고 정하고 국민에 대하여 주권자로서 양 의원 선거에서 투표를 함으로써 국가의 정치에 참가할 수 있는 권리를 보장하고 있다. 또한 헌법은 15조 3항에서 공무원 선거에 대해서는 성년자에 의한 보통 선거를 보장한다고 정하고 44조 단서에서 인종, 신념, 성별, 사회적 신분, 문벌, 교육, 재산 또는 수입에 의해서 차별해서는 안 된다고 정하고, 14조 1항은 모든 국민은 법 아래 평등하여, 인종, 신념, 성별, 사회적 신분이나 문벌에 의해 정치적, 경제적 또는 사회적 관계에서 차별되지 않는다고 정하고 있다.

이와 같이 선거권은 국민의 정치 참여의 기회를 보장하는 기본적 권리로서, 의회제 민주주의의 근간을 이루는 것이므로, 헌법은 국민 주권의 원리에 근거하여 양 의원의 의원 선거에서 투표를 함으로써 국가의 정치에 참가할 수 있는 권리를 국민에 대하여 고유한 권리로서 보장하고 있으며, 그 취지를 확실한 것으로 하기 위해 국민에게 투표를 하는 기회를 평등하게 보장하고 있다.

이상의 헌법 취지에 비추어 보면, 스스로 선거의 공정을 해치는 행위를 한 자 등의 선거권에 대하여 일정한 제한을 하는 것은 별론으로 하고, 국민의 선거권 또는 그 행사를 제한하는 것은 원칙적으로 허용되지 않으며, 국민의 선거권 또는 그 행사를 제한하기 위해서는 그와 같은 제한을 하는 것이 '부득이 하다'고 인정되는 사유가 없으면 안 된다고 할 것이다. 그리고 그와 같은 제한을 하는 일 없이는 선거의 공정을 확보하면서 선거권 행사를 인정하는 것이 사실상 불능 내지 현저히 곤란하다고 인정되는 경우가 아닌 한 위의 '부득이 한 사유'가 있다고 할 수 없으며, 이러한 사유 없이 국민의 선거권 행사를 제한하는 것은 헌법 15조 1항 및 3항, 43조 1항 및 44조 단서에 반하는 것이라고 할 수 있다(이상에 대해 平成17年 대법정판결 참조).

또한 平成17年 대법정판결은 전술한 대로 국민의 '선거권' 또는 '그 행사'의 어느 쪽에 대해서도 제한을 하는 것은 원칙적으로 허용되지 않으며, '선거권'의 제한, '그 행사'의 제한 중 하나에 대해서도, 그 제한에 '부득이 하다'고 인정되는 사유가 없으면 안 된다고 하고 있기 때문에, 그것에 이어 '그리고' 이하에서, '그러한 제한을 하는 일 없이는 선거의 공정을 확보하면서 선거권 행사를 인정하는 것이 사실상 불능 내지 현저히 곤란하다고 인정되는 경우'가 아닌 한 '부득이 한 사유'가 있다고는 할 수 없다고 판시하고 있는 것은, 이 판결이 '선거권 행사'의 제한에 관한 사안이므로 (그렇게) 기재한 것이고 말할 것도 없이 '선거권'의 제한에 대해서도 그러한 제한을 하는 일 없이는 선거의 공정을 확보하면서 선거를 실시하는 것이 사실상 불능 내지 현저히 곤란하다고 인정되는 경우가 아닌 한, 위의 '부득이 한 사유'가 있다고는 할 수 없다고 해석해야 하는 것은 이 판결의 위 문맥에 비추어 보아 명백하다고 할 수 있을 것이다(37쪽 쟁점 (2)의 3.-② 참조).

2. 그런데 공직선거법 11조 1항 1호가 성년피후견인에게 선거권을 부여하지 않는다고 하고 있는 것에 위와 같은 '부득이 한 사유'가 있는지 여부에 대해 검토한다.

① 피고는 공직선거법 11조 1항 1호의 입법 목적에 대하여 선거권은 권리이자 동시에 선거인단을 구성해 공무원을 선정한다고 하는 공무의 성격이 부여되어 있으며, 헌법은 그 공무를 수행하는데 적합한 능력, 즉 복수의 후보자 중에서 그 정견, 정책 등에 관한 정보를 바탕으로 의원으로서 걸맞은 자를 각자의 의사에 따라 선택하는 능력을 가지는 것을 전제로 하고 있다고 생각되고 성년피후견인은 정신적 장애로 인해 사리를 변식하는 능력이 없는 상황에서 선거권의 적절한 행사를 기대할 수 없으므로, 선거권을 부여하지 않는다고 한 것이라고 주장하며 그러한 능력이 없는 사람에게 선거권을 부여한다면, 동반자와 함께 투표소에 갈 수 있다고 해도 백표를 던지거나 후보자 이름 이외의 이름을 기재하는 등의 무효투표를 할 수 있을 뿐만 아니라, 동반자나 제3자의 뜻을 받아 부정한 투표가 실시될 우려가 있다고 주장한다.

그리고 분명히 선거권이 단순한 권리는 아니고 공무원을 선정한다고 하는 일종의 공무의 성격도 겸비하는 것이라는 점에서 보면 선거권을 행사하는 사람은 선거권을 행사할 만한 능력을 갖추고 있을 필요가 있으며, 그러한 능력을 갖추고 있지 않다고 생각되는 사리를 변식하는 능력이 결여된 사람에게 선거권을 부여하지 않기로 하는 것은 입법 목적으로서 합리성이 없다고는 할 수 없다.

② 하지만 법은 성년피후견인을 사리를 변식하는 능력이 결여된 자로서 규정하고 있지 않고 오히려, 사리를 변식하는 능력을 일시적으로나마 회복하는 일이 있는 자로서 제도를 마련하고 있다. 즉, 성년후견제도에 대해 규정하고 있는 민법은, 성년피후견인이 될 수 있는 자로서 '사리를 변식하는 능력을 결여한 상태에 있는 자'(민법 7조 참조)라고 규정하고 있는데, '상태에 있다'란 많은 시간은 그 상황에 있지만, 거기에서 이탈하는 적이 있는 경우를 의미하는 것이며, 따라서 '사리를 변식하는 능력을 결여한 상태에 있는 자'란 사리를 변식하는 능력이 결여된 상태에서 이탈하여, 사리를 변식하는 능력을 회복하는 상황이 되는 적이 있는 사람도 포함하는 것이다.

그리고 민법은 성년피후견인에 해당하는 사람도 스스로 후견 개시 심판의 신청을 할 수 있는 것으로 하고(7조), 성년피후견인이 한 법률 행위는 취소될 때까지는 유효로 하고(9조 본문), 일용품의 구입 기타 일상생활에 관한 행위에 대해서는 성년피후견인 스스로 완전히 유효한 행위로서 할 수 있어 후견인이라 해도 취소할 수 없는 것으로 하고 있다(9조 단서). 게다가 성년피후견인으로 된 사람이 하는 신분 행위에 대해서도 민법은 스스로 유효하게 혼인(738조)이나 협의 이혼(764조), 그리고 인지(780조)를 할 수 있는 것으로 하고, 더욱이 유언에 대해서도 유언을 할 때, 유언할 만한 능력만 있으면 유효하게 유언을 할 수 있다고 하고, 후견인일지라도 이를 취소할 수 없는 것으로 하고 있다(962조, 963조).

일반적으로 사리를 변식하는 능력을 결여한 의사무능력의 상태에서 한 법률 행위는 무효로 되는 것에 비추어 보면 민법의 이러한 규정은 성년피후견인이 사리를 변식하는 능력이 결여된 상태에서 이탈하여 사리를 변식하는 능력을 회복하는 것을 상정하여, 다양한 행위에 대해서 유효하게 법률 행위 등을 할 수 있다고 한 것이며, 민법이 성년피후견인을 '사리를 변식하는 능력을 결여한 자'와는 다른 능력을 가진 존재라고 규정하고 있는 것은 분명하다.

그리고 원래 헌법은 주권자인 국민에게는 능력이나 정신적·육체적 상황 등에 다양한 차이가 있음을 당연한 전제로 한 다음, 원칙적으로 성년에 달한 국민 모두에게 선거권을 보장하고 그 국민에게 자기 통치를 하게 하는 것에서 우리나라의 의회제 민주주의의 적정한 수행을 확보하려는 것이라고 해석되므로 그러한 우리나라 헌법이, 위와 같이 사리를 변식하는 능력을 일시적으로나마 회복하여 일정한 재산상 또는 신분상의 법률 행위에 대해 그 법률 행위의 의미나 효과에 관하여 이해하여 판단할 만한 의사 능력이 있다고 여겨지는 성년피후견인에 대해서 자기 통치를 하는 주체인 국민으로서 선거권을 행사하기에 충분한 능력을 결여하고 있다고 천명하는 것은 도무지 생각하기 어렵다.

그렇다면 사리를 변식하는 능력을 일시적으로나마 회복하는 것이 상정되는 존재인 성년피후견인에 대해서 그러한 능력을 회복한 경우에도 선거권 행사를 인정하지 않기로 하는 것은 헌법이 의도하는 바는 아니라고 할 수 있다.

③ 또한 성년후견제도는 정신적 장애로 인해 법률 행위에 있어서 의사 결정이 곤란한 사람에 대해 그 능력을 보완함으로써 그 사람의 재산 등의 권리를 옹호하기 위한 제도라고 해석되며 성년 피후견인이 예를 들어 악덕업자의 감언에 의해 중요한 재산의 매매 계약을 해 버렸을 경우에 일방적으로 취소할 수 있는 등, 성년피후견인이 법률 행위를 함으로써 불이익을 당하지 않도록 하고 또한 후견인이 성년피후견인 대신 그 소유에 관련된 재산 등을 적절히 관리하여 처분하는 계약을 하는 것 등에 의해 성년피후견인이 적정한 이익을 누릴 수 있도록 마련된 제도이다. 따라서 '사리를 변식하는 능력이 없는 상황에 있다'고 하여 가정재판소가 하는 후견 개시의 심판(민법 7조 참조)도 저절로 그러한 제도의 목적에 따른 심리 판단이 되므로 오히려 가정재판소가 후견 개시의 심판을 할 때, 선거권을 행사함에 상응한 판단 능력을 가지는지 여부라는 견지에서 심리를 하여 후견 개시 여부에 대해 판단한다고 하는 것은 예정되어 있지 않다.

이 점에 대해서는, 실제로 성년후견제도를 운용하고 있는 가정재판소에서 운용 지침으로 이용되는 '성년후견제도의 진단서 작성 지침'(을 6)에는 가정재판소가 후견 개시의 심판에 이용하는 진단서에 대해서 의사가 기재하는 '판단 능력의 의견'란에는 ① '자기 재산을 관리·처분할 수 없다', ② '자기 재산을 관리·처분하려면 항상 도움이 필요하다', ③ '자기 재산을 관리·처분하려면 도움이 필요한 경우가 있다', ④ '자기 재산을 단독으로 관리·처분할 수 있다'의 4개 중 하나에 체크하든지 또는 의견란에 기입하는 방식이 채용되어 진단서를 작성하는 의사는 이러한 '자기 재산의 관리·처분'에 대한 판단 능력에 대한 의견을 기술하는 것으로 기재된 것이 인정되며 또한 마찬가지로 가정재판소에서 운용 지침으로 이용되는 '성년후견 제도의 감정서 작성 지침'(을 7)에 의하면, 감정 사항 및 감정 주문(主文)의 가이드라인으로 감정 사항은 '정신적 장애의 유무, 내용 및 장애의 정도', '자기 재산을 관리·처분하는 능력' 및 '회복 가능성'이 예시되어 이에 대응한 감정 주문의 예로서, '자기 재산을 관리·처분하는 능력'으로서 위 ① 내지 ④의 4단계에 따른 판단을 나타내는 것이 자세한 설명과 함께 기재되어 있는 것이 인정된다. 이와 같이 후견 개시의 허가 여부에 대해 가정재판소가 심리 판단하기 위해 이용하는 의사 작성에 의한 진단서나 감정서에는, '자기 재산을 관리·처분하는 능력'에 대해서 진단 내지 감정을 하여 기재하는 것이 예정되어 있으며, 증거(갑 34)에 의하면 실제로 가정재판소의 실무에 있어서도 원칙으로서 이러한 의학적 판단에 따라 후견 개시의 허가 여부가 결정되고 있는 것이 인정된다.

즉 성년후견제도가 위와 같이 정신적 장애에 의해 법률 행위의 의사 결정이 곤란한 사람에 대하여 그 능력을 보완함으로써 그 사람의 재산 등의 권리를 옹호하는 것을 목적으로 하는 제도이므로, 후견 개시가 되기 위한 '사리를 변식하는 능력'의 유무나 정도에 대해서는 주로 '자기 재산을 관리·처분하는 능력'에 대하여, 그 유무나 정도의 심리 판단을 하는 것이 예정되어 있는 것이다.

이와 같이 후견 개시의 허가 여부의 시기에 판단되는 능력은 그 제도 취지인 본인 보호의 견지에서 '자기 재산을 관리·처분하는 능력'을 판단하는 것이 예정되어 있는 것이며, 그와 같은 이른바 재산 관리 능력의 유무나 정도에 대한 가정재판소의 판단이 전술한 것과 같은 주권자이고 자기 통치를 할 국민으로서 선거권을 행사할 만한 능력이 있는지 여부의 판단과는 특성상 다른 것임은 분명하다.

따라서 애당초 후견 개시의 심판이 되어 성년피후견인이 된 사람은 주권자이고 자기 통치를 할 국민으로서 선거권을 행사할 만한 능력이 없다고 판단하는 것은 도저히 불가하고 실제로 증거(갑 41, 42의 1, 2, 갑 43, 44, 51, 52의 1, 2, 갑 53) 및 변론의 전체 취지에 따르면, 재산 등의 적절한 처분이나 관리는 할 수 없어도 국가의 여러 가지 정책 등에 관심을 가지고 자신의 의견을 가진 성년피후견인은 적잖이 존재한다고 인정된다. 그리고 증거(갑 1, 18 내지 20) 및 변론의 전체 취지에 따르면 본건의 원고는 의사에 의해 수의 개념이 없는 것 등으로 인해 자기의 재산을 관리·처분할 수 없다는 진단 및 그 취지의 감정 의견이 제시되고 가정재판소가 사리 변식 능력이 없는 상황에 있다고 판단했지만, 한편 원고는 한정된 일상적인 단어를 써서 대화할 수 있고 또한 보호와 간호를 받으며 취직하여 일할 수 있으며, 실제로 20세가 된 1982년 이후 2007년에 후견 개시의 심판을 받아 성년피후견인이 될 때까지는 대부분 기권하지 않고 선거권을 행사해 온 것이 인정되며, 후견 개시의 허가 여부의 기준이 되는 능력과 선거권을 행사하기 위해 필요한 능력이 같은 것이라고는 도저히 볼 수 없는 것이다.

그렇다면 성년피후견인으로 된 사람이 모두 선거권을 행사할 만한 능력이 없는 것은 아니라는 점은 분명하고 피고가 후견 개시 시의 판단 능력과 선거권을 행사할 만한 능력이 같다는 전제에 선다면, 그런 전제에 근거한 피고의 주장은 부당하다고 밖에는 할 수 없다.

④ 그리고 돌이켜 생각하면 애당초 후견 개시의 심판을 받아 성년피후견인이 된 사람이라고 해도 우리나라의 '국민'임은 당연한 것이다. 헌법이 우리 국민의 선거권을 국민 주권의 원리에 근거한 의회제 민주주의의 근간으로서 자리 매김하도록 하여 국민의 정치 참여의 기회를 보장하는 기본적 권리로서 국민의 고유 권리로 보장하고 있는 것은, 스스로가 스스로를 통치한다는 민주주의의 근본이념을 실현하기 위해서 다양한 처지에 있는 국민이 고매한 정치 이념에 근거하는 것은 아니라고 해도, 스스로를 통치하는 주권자로서 이 나라가 어떻게 되면 좋을지, 혹은 어떤 시책이 되면 자신들은 행복할지 등에 대한 의견을 가지고 그것을 선거권 행사를 통해 국정에 보내는 것이야말로, 의회제 민주주의의 근간이고 생명선이기 때문이다.

우리나라의 국민은 바라지 않음에도 불구하고 장애를 가지고 태어난 사람, 불의의 사고나 병에 의해 장애를 갖기에 이른 사람, 노화라는 자연적인 생리 현상에 따라 판단 능력이 저하되어 있는 사람 등 다양한 핸디캡을 가지는 사람이 다수 존재한다. 그러한 국민도 본래 우리나라의 주권자로서 자기 통치를 하는 주체임은 말할 필요도 없는 것이며, 그러한 국민으로부터 선거권을 박탈하는 것은 바로 자기 통치를 해야 할 민주주의 국가의 참여자로서 부적격이라고 하여, 주권자인 지위를 사실상 박탈하는 것에 다름 아닌 것이다. 따라서 그러한 것이 헌법상 허용되는 것은 그렇게 하지 않고서는 선거의 공정을 확보하면서 선거를 실시하는 것이 사실상 불능 내지 현저히 곤란하다고 인정되는 '부득이 한 사유'가 있다는 극히 예외적 경우에 한한다고 해석해야 할 것은 국민 주권이나 의회제 민주주의의 이념을 표방하는 우리 헌법의 해석으로서 확실히 당연한 것이고, 그런 '부득이 한 사유'가 없는 한, 다양한 핸디캡을 가진 사람의 의견이 선거권 행사를 통해 국정에 미칠 수 있도록 하는 것이 헌법이 요청하는 바이다.

⑤ 분명히 전술한 대로, 선거권을 행사하는 사람에게는 선거권을 행사할 만한 능력을 갖추고 있을 것이 필요하다고 생각하는 것은 불합리하고는 할 수 없으며, 증거(을 2 내지 4, 을 18의 1 내지 3, 을 19의 1 내지 10, 을 20의 1 내지 7)에 의하면, 통일 지방 선거 등에서 제3자가 지적 장애인 등에게 특정 후보자에 대한 투표를 지시하는 등의 부정한 활동을 하고 형벌을 받은 사례가 있는 것이 인정된다. 또한 선거권을 행사할 만한 능력이 없는 사람에 의해, 백표나 후보자 이외의 성명을 기재한 표를 던지는 등 부적정한 투표가 이루어지는 일도 상정할 수 있다. 하지만 그와 같은 불공정, 부적정한 투표가 상당히 높은 빈도로 이루어지며, 그것으로 인해 국정 선거 결과에 영향을 줄 수 있다는 등, 선거의 공정을 해칠 우려가 있다고 인정해야 할 사실은 찾기 어렵다. 게다가 만일 성년피후견인에 대해 선거권이 주어진 경우에, 후견인이 선임되어 있는 성년피후견인에게도 부정한 활동이 이루어져서 그에 기초한 투표를 하거나 백표나 후보자 이외의 성명을 쓴 표가 들어가는 등 부적정한 투표가 이루어진다거나 하는 것이 상당한 빈도로 이루어질 것이라는 것을 추인할 만한 증거는 없고 성년피후견인에게 선거권을 줄 수 없다고 하는 이외의 방법에 따라 그와 같은 부정한 행위를 배제할 수 없는 것 등에 대해서는 아무런 입증도 되지 않는다.

그리고 만일 선거권을 행사할 만한 능력이 없는 사람에 대하여 선거권을 부여함으로써 부정한 움직임이 빈번히 이루어지거나 혹은 백표나 후보자 이외의 성명을 기재한 표를 던지는 등 부적정한 투표가 상당히 높은 빈도로 이루어져, 선거의 결과에까지 영향을 미칠 수도 있는 사태가 생기거나 선거의 공정을 확보하는 것이 사실상 불능 내지 현저히 곤란하게 되는 사태가 생기기도 한다고 한다면, 그것은 바로 의회제 민주주의의 근간을 뒤흔드는 것과 같은 중대한 사태이며, 입법부는 신속히 그러한 사람의 선거권 행사를 배제할 필요가 있는데, 우리나라의 공직선거법은 선거권을 행사할 만한 능력이 없는 사람으로부터 선거권을 박탈하지는 않아, 실제로 우리나라에 상당수 존재한다고 생각되는 선거권을 행사할 만한 능력이 없는 사람에게 일반적으로 선거권이 주어져 있기 때문에 이러한 입법의 현상은 오히려 피고가 우려하는 위와 같은 사태가 실제로는 발생하지 않았음을 보여 주는 것이라고 할 수 있다.

또한 피고는 공직선거법이 한편으로 선거권을 행사할 능력이 없는 사람에 대해서도 그것을 이유로 선거권을 박탈하지 않고, 한편 선거제도와는 전혀 다른 제도 취지에 따라 마련된 성년후견제도를 차용하여 본인의 재산 등을 보호하기 위해 후견 개시 신청을 하여 성년피후견인으로 된 사람으로부터는 일률적으로 선거권을 박탈하는 것에 대해서, 선거 때마다 선거권의 적절한 행사가 가능한지 여부의 능력을 개별적으로 심사하는 제도를 창설하는 것이 실제로 곤란하기 때문이라고 주장하는 것 이외에는 합리적인 설명을 하지 않는다. 그리고 그 주장에 대해서도, 예를 들어 호주에서는, '정신 질환 상태에 있으며 선거인 등록이나 투표의 본질이나 중요성에 대해 이해하지 못하는 사람'에 대해서는 선거권을 가지지 않다고 정하고, 미국의 미시간 주에서는 '주 의회는 정신적 무능력(mental incompetence)에 근거하여 그 사람의 투표권을 배제할 수 있다.'라는 취지를 규정하고, 미국의 캘리포니아 주에서는 '주 의회는 정신적으로 무능력인 때에는, 선거권자의 자격 박탈을 규정해야 한다.'라고 규정하고 있으므로, 이러한 예처럼 다른 제도의 개념을 차용하지 않고 단적으로 선거권을 행사하는 능력이 없는 사람에 대하여 선거권을 부여 하지 않는 취지의 규정을 두는 것은 현실적으로 가능하며 이들 국가나 주정부에서는 그런 규정에 따라 실제로 그 운용을 하고 있다고 해석된다.

그러면 성년피후견인에게 선거권을 부여함으로써 선거의 공정을 확보하는 것이 사실상 불능 내지 현저하게 곤란한 사태가 생긴다고 인정할 증거는 없고, 선거권을 행사할 만한 능력이 없는 사람을 선거에서 배제한다는 목적 달성을 위해서는, 제도의 취지를 달리하는 다른 제도를 차용하지 않고 단적으로 그와 같은 규정을 마련하여 운용할 수도 있다고 해석되므로 선거권을 행사할 만한 능력이 없는 사람을 선거에서 배제하기 위해 성년후견제도를 차용하여 주권자인 국민인 성년피후견인으로부터 선거권을 일률적으로 박탈하는 규정을 마련하는 것을 일반적으로 '부득이 하다'고 하여 허용할 수는 없다고 하지 않을 수 없다.

⑥ 피고는 공직선거법 11조 1항 1호는 종전부터 금치산선고를 받은 자에 대해서는 선거권을 부여하지 않기로 해 온 공직선거법 규정을 답습하여, 성년피후견인에 대해서도 선거권 및 피선거권을 부여하지 않는다고 정한 취지라고 주장하고 있는데 확실히 공직선거법은 1950년에 시행되었을 때부터 금치산자에 대하여 선거권을 부여하지 않는다고 정하고 있다.

하지만 성년후견제도가 마련된 연혁을 보면, 금치산제도가 이용하기 어려운 제도라는 지적을 받고 있던 것에 더하여, 금치산제도가 마련된 메이지明治시대[12])와 비교하여 고령자, 지적 장애인 및 정신장애인 등을 둘러싼 안팎의 사회 상황에 큰 변화가 생긴 것을 감안하여, 자기 결정의 존중 및 잔존 능력의 활용 그리고 장애가 있는 사람도 지역이나 가정에서 통상의 생활을 할 수 있는 사회를 만드는 노멀라이제이션이라는 새로운 이념과 종래부터의 본인 보호 이념과의 조화를 위해, 1999년 민법의 일부 개정에 의해 새로운 성년후견제도가 마련된 것이다. 즉, 이러한 새로운 이념을 실현하기 위해서 금치산제도에서는 금치산선고를 받은 사람의 모든 법률 행위가 취소의 대상이 되었던 것을 고쳐, 성년후견제도에서는 일용품 구입 기타 일상생활에 관한 행위에 대해서는 후견인이라 하더라도 취소할 수 없다고 하고, 또한 성년후견인은 성년피후견인의 '생활, 요양 간호 및 재산의 관리에 관한 사무'를 하는데 있어서, 성년피후견인의 '의사를 존중해야만 한다.'는 취지의 규정을 마련하는(민법 858조 참조) 등, 자기 결정의 존중, 잔존 능력의 활용 및 노멀라이제이션이라는 이념을 구체화하는 여러 가지 규정이 마련되어 있다.

또한 성년후견제도가 도입되기 이전에는, 금치산선고가 된 사람에 대하여 다수의 법률에서 자격 제한 규정(결격 조항)이 마련되어 있었지만, 이에 대해서는 이러한 다수의 결격 조항의 존재는 제도의 이용자를 사회에서 배제하는 제도인 것처럼 오해를 받게 됨에 따라, 자기 결정의 존중, 잔존 능력의 활용 및 노멀라이제이션이라는 이념에 비추어 결격 조항의 당위성을 재검토해야 한다고 논의되어 성년후견제도의 신설에서 결격 조항 감축의 관점에서 관계 법령 중의 결격 조항의 개정이 이루어지고, 민법의 일부를 개정하는 법률에 따른 관계 법령의 정비에 의해 다른 법률에서 규정되어 있던 결격 조항의 대부분은 철폐되었다.

이렇게 1999년 민법의 일부 개정에 의해 마련된 성년후견제도는, 금치산제도가 마련된 메이지 시대와는 다른 새로운 이념에 따라 제도화된 것이므로, 성년피후견인의 선거권 제한에 대해서도 성년후견제도의 취지에 따라 생각해야 하고 선거권을 행사할 만한 능력을 가진 성년피후견인으로부터 선거권을 박탈하는 것은 자기 결정의 존중, 잔존 능력의 활용 및 노멀라이제이션이라는 이념에 따라 마련된 성년후견제도의 취지에 반하는 것이라고 할 수 밖에 없다.

㉠ 더욱이 해외의 법 제도를 보면, 우리나라 민법의 모법인 프랑스 민법에서는 종전의 금치산 및 한정치산 제도가 1968년 민법 개정에 의해 '후견'(Tutelle), '보좌'(Curatelle) 및 '재판소의 보호'(Sauvegarde de Justice)의 세 유형의 제도로 개정되고 프랑스법 계열의 캐나다 퀘벡 주에서도, 종래의 금치산 및 한정치산 제도가 1990년 민법 개정에 의해 '후견', '보좌' 및 '보조인(Conseiler) 선임'의 제도로 개정되었는데, 이들 개정은 모두 자기 결정의 존중, 노멀라이제이션 등의 새로운 이념과 기존의 본인 보호의 조화를 취지로 하여 마련된 것이라고 해석되고 있다.

---

12) 1868~1912년

또한 오스트리아에서는, 1983년에 성립한 대변인법에 의해 종전의 금치산 및 한정치산 제도를 고쳐, 재판소가 선임하는 대변인의 권한을 ① 본인의 전체 사무의 처리, ② 일정 범위의 사무의 처리, ③ 개별적 사무의 처리의 3단계로 하는 제도가 도입되었고 독일에서는 1990년의 보살핌법에 의한 민법의 개정에 의해 종전의 금치산제도를 고쳐, 재판소가 선임하는 돌봄인의 권한을 개별적으로 정하는 제도가 도입되었는데, 이들도 자기 결정의 존중, 노멀라이제이션 등의 새로운 이념과 기존의 본인 보호의 조화를 취지로 하여 마련된 것이라고 해석되고 있다.

더욱이 영미법 국가에서는 영국의 1985년 계속적 대리권법(Enduring Power of Attorney Act 1995), 미국의 1979년 통일 계속적 대리권법(Uniform Durabule Power of Attorney Act) 및 이를 채용한 미국 각 주의 대리권법, 캐나다의 1987년의 통일 대리권법(Uniform Powers of Attorney Act)을 채용한 캐나다 각 주의 대리권법 등에서는 본인의 판단 능력이 저하하기 전에 계약에 의해 스스로 신뢰할 수 있는 후견인과 후견 사무를 사전에 결정할 수 있는 제도가 법제화되어 있으며, 이들은 모두 자기 결정 존중의 이념에 기초한 입법이라고 한다.

그리고 선거권 부여에 관해서는, 영국에서는 지금까지 선거권이 주어지지 않았던 '지적 장애인 및 심신상실자'(idiots and lunatics)에 대하여 2006년 선거관리법 제73(1)조에 의해 관습법(common law)의 정신 질환을 이유로 하는 결격 요건은 선거권도 포함해 모두 폐지된 것, 캐나다에서는 1993년의 캐나다 선거법(Canada Elections Act)의 개정에 의해, '정신 질환에 의해 행동의 자유가 제한되고 있는 사람 또는 자기 재산의 관리가 금지되어 있는 사람'을 선거권의 결격 요건으로 하는 조항이 삭제된 것, 프랑스에서는 선거법전에 의해 선거권의 결격 요건으로서 '성년피후견인'(Les majeurs en tutelle)이 들어 있었지만, 2005년의 법 개정에 의해 성년피후견인이 일률적으로 선거권을 보유하지 않는다는 취지의 규정이 개정된 것, 오스트리아에서는 국민의회 선거법에 의해 대변인(Sachwalter)이 선임된 사람은 선거권을 갖지 않는 것으로 되어 있었으나, 1987년 헌법재판소가 해당 조항을 헌법 위반으로 판단하여 1988년에 삭제된 것, 스웨덴에서는 스웨덴 왕국 선거법에 의해 '재판소의 선고에 근거하여 금치산자인 자 또는 성인 연령에 달한 후에도 금치산자에 머물러야 할 자'는 선거인 명부에 게재되지 않는다고 규정되어 있었지만, 1988년에 금치산제도가 관리 후견 제도로 이행하면서, 1989년의 선거법 개정에 의해 정신질환을 이유로 하는 선거권의 결격 요건은 모두 폐지된 것이 각각 인정되어 여러 외국에서는 정신질환 등에 의해 능력이 저하된 사람의 선거권 제한을 재검토하는 움직임이 존재한다고 할 수 있다.

⑧ 추가하여 2006년 12월 13일, 제61회 국제연합총회에서 장애인 권리 협약이 채택되어 우리나라도 2007년 9월 29일에 이 조약에 서명하고 이 조약의 비준에 필요한 국내법 정비를 비롯한 우리나라의 장애인과 관련된 제도의 집중적인 개혁 등을 실시하는 것을 목적으로, 2009년 12월

8일 내각회의 결정에 근거하여 내각 총리대신을 본부장으로 하는 장애인 제도 개혁 추진 본부가 설치되어 같은 달 15일에 장애인 시책 추진에 관한 자문기관으로서 설치된 장애인 제도 개혁 추진 회의는, '선거권·피선거권에 관한 성년피후견인의 결격 조항에 대해서는 후견인이 선임되어 있는지 여부로 차별하는 인권 침해의 측면이 강하다는 점에서 폐지도 포함하여 그 방식을 검토한다.'는 것, '성년피후견인은 공직선거법의 결격 조항에 의해 선거권·피선거권을 박탈당하고, 국가나 지방공공단체가 관련하는 심의회나 검토회에 참가하는데 있어서 장애의 특성이나 필요에 의한 합리적 배려가 이루어지지 않아 공적 활동 참가 기회가 박탈되는 등, 정치 참가에 관련된 장애에 기초한 제한이나 배제 또는 결격 조항의 문제는 장애에 근거한 차별의 문제로서 향후 차별 금지 부회의 논의를 바탕으로 계속 추진 회의에서 검토를 추진할 필요가 있다.'는 것 등을 제언했다.

그리고 추진 회의는 장애인기본법에는 장애인의 선거권 및 피선거권을 장애가 없는 사람과 평등하게 보장하기 위해서 장애의 종별이나 특성에 따른 필요한 시책을 강구하는 것을 포함하도록 제언하고, 또한 2012년 6월 20일에 성립한 '지역 사회에서의 공생의 실현을 위해 새로운 장애 보건 복지 시책을 강구하기 위한 관련 법률 정비에 관한 법률'(2012년 법률 제51호)에 관한 중의원 및 참의원의 부대 결의로서 '성년피후견인의 정치 참가 방법에 대해 검토할 것'이 담겨 있다. 이렇게 우리나라에서도 장애인 권리 협약 서명 이후 전술한 것과 같은 국제적 동향에 따라 성년피후견인으로부터 선거권을 일률적으로 박탈하고 있는 우리나라의 현상을 재검토하는 움직임이 생기고 있다.

⑨ 이상을 종합하면 헌법은 선거권이 국민 주권의 원리에 근거한 의회제 민주주의의 근간으로 규정되는 것이므로, 양 의원의 의원 선거에서 투표를 하는 것을 국민의 고유 권리로서 보장하고 있으며, '부득이 한' 경우, 즉 '그런 제한을 하는 일 없이는 선거의 공정을 확보하면서 선거를 실시하는 것이 사실상 불능 내지 현저하게 곤란하다'고 인정되는 경우 이외에 선거권을 제한하는 것은 헌법 15조 1항 및 3항, 43조 1항 및 44조 단서에 위반한다고 하여야 할 것인 바, 성년후견제도와 선거 제도는 그 취지 목적이 전혀 다른 것이고 후견 개시의 심판이 된다고 하여, 선거권을 행사할 만한 능력이 없다고 판단되는 것은 아니고, 성년피후견인은 그 능력을 일시 회복함으로써 일정한 법률 행위를 유효하게 할 능력을 회복하는 것을 제도로 예정하고 있기 때문에 성년피후견인으로 된 사람 중에도 선거권을 행사하는데 필요한 판단 능력을 가진 사람이 적잖이 포함되어 있다고 해석된다. 그리고 성년피후견인도 우리나라의 주권자인 '국민'임은 분명하고 자기 통치를 실시하는 주체로서 본래 선거권을 행사해야 할 존재인 바, 성년피후견인에게 선거권을 부여한다면 선거의 공정을 해치는 결과가 발생하는 등, 성년피후견인으로부터 선거권을 박탈하지 않고는 선거의 공정을 확보하면서 선거를 실시하는 것이 사실상 불능 내지 현저히 곤란하다고 해석할 사실은

인정하기 어렵고 선거권을 행사할 만한 능력이 없는 사람을 선거에서 배제하겠다는 목적을 위해 제도 취지가 다른 성년후견제도를 차용하지 않고 단적으로 그와 같은 규정을 마련하여 운용하는 것도 가능하다고 해석되므로, 그러한 목적을 위해 성년피후견인으로부터 선거권을 일률적으로 박탈하는 규정을 마련하는 것을 일반적으로 '부득이 하다'고 하여 허용할 수는 없다고 하지 않을 수 없다. 그리고 애당초 성년후견제도는 국제적 조류가 되고 있는 고령자, 지적 장애인 및 정신장애인 등의 자기 결정의 존중, 잔존 능력의 활용 및 노멀라이제이션이라는 새로운 이념에 따라 제도화된 것이므로, 성년피후견인의 선거권 제한에 대해서도 이 제도의 취지에 따라 생각할 것인바, 선거권을 행사할 만한 판단 능력을 가진 성년피후견인으로부터 선거권을 박탈하는 것은 성년후견제도가 마련된 위 취지에 반하는 것이며 또한 위 새로운 이념에 근거해 각종 개정을 추진하는 국내외의 동향에도 반하는 것이다.

따라서 성년피후견인은 선거권을 갖지 않는다고 정한 공직선거법 11조 1항 1호는 선거권에 대한 '부득이 한' 제한이라고는 할 수 없어 헌법 15조 1항 및 3항, 43조 1항 및 44조 단서에 위반된다고 할 수 있다.

3. ① 이에 대하여 피고는 선거권은 법에 의해 그 구체적인 내용이 형성되는 유형의 권리이며, 그 구체적인 내용을 정한 법률 규정의 헌법 적합성의 문제는 법률에 의한 권리 제한의 정당성의 문제가 아니라 입법 재량의 문제이고 입법 재량의 일탈·남용의 문제가 되는데, 공직선거법 11조 1항 1호에는 입법 재량의 일탈·남용은 없으므로 합헌이라고 주장한다.

확실히 어떤 사람에게 선거권을 부여하는가 하는 것은 국민에게 중요한 의미를 가진 것이며, 국민의 대표자가 되는 국회에 일정한 입법 재량이 있다고 해석되지만, 그 입법 재량은 어디까지나 헌법이 허용하는 범위 내에서 존재하는 것에 불과한 것은 확실히 당연한 것이며, 국회에 입법 재량이 있다고 하여 헌법에 위반하는 입법이 가능하게 될 수 없는 것은 분명하다.

그리고 전술한 平成17年 대법정판결은 헌법은 선거권이 국민의 정치 참여의 기회를 보장하는 기본적 권리로서 의회제 민주주의의 근간을 이루는 것이므로, 국민 주권의 원리에 근거하여 양 의원의 의원 선거에서 투표를 함으로써 국가의 정치에 참가할 수 있는 권리를 국민에게 고유한 권리로서 평등하게 보장하고 있으며, 그러한 헌법 취지에 비추어 보면, 국민의 선거권을 제한하는 것은 원칙적으로 허용되지 않으며, 국민의 선거권을 제한하기 위해서는 그와 같은 제한을 하는 것이 '부득이 하다'고 인정되는 사유가 없으면 안 되고, 그러한 사유가 없으면 헌법에 위반된다는 취지의 판시를 하고 있으며, 이 판단은 바로 입법부가 선거권을 제한하는 입법을 할 때의 입법 재량의 한계를 드러내는 것과 다름없다.

따라서 피고가 주장하듯이, 어떤 사람에게 선거권을 부여할지에 대해서 입법부에 일정한 재량이 있다고 해도, 국민의 선거권을 제한하기 위해서는 그러한 제한을 하는 것이 '부득이 하다'고 인정되는 사유가 있는 경우, 즉 그러한 제한을 하는 일 없이는 선거의 공정을 확보하면서 선거를 실시하는 것이 사실상 불능 내지 현저히 곤란하다고 인정되는 경우가 아닌 한, 그러한 입법은 재량의 범위를 넘어 헌법에 위반하는 것이 된다고 할 수 있다.

② 또한 피고는 전술한 平成17年 대법정판결은 공직선거법에 따라 선거권이 주어졌음에도 불구하고 그 '행사'를 할 수 없다는, 선거권의 '행사'가 제한된 사안에 관한 것이므로 당해 제한이 합헌으로 되려면 '부득이 한 사유'를 필요로 한다는 平成17年 대법정판결의 효력은 선거인 자격 자체를 어떻게 정하느냐 하는 본건과 같은 사안에 미치지 않는다고 주장한다.

그러나 平成17年 대법정판결은 선거권이 의회제 민주주의의 근간을 이루는 것이므로, 헌법은 국민 주권의 원리에 근거하여 선거권을 국민에게 고유의 권리로서 보장하며 국민에게 투표할 기회를 평등하게 보장한 것이므로 그러한 헌법 취지에 비추어 보면, 국민의 '선거권' 또는 '그 행사'를 제한하는 것은 원칙적으로 허용되지 않으며, 국민의 '선거권' 또는 '그 행사'를 제한하기 위해서는 그러한 제한을 하는 것이 '부득이 하다'고 인정되는 사유가 없으면 안 된다고 할 것이라는 취지로 판시하고 있는 것이므로 국민의 '선거권'의 제한에 대해서도 '그 행사'의 제한에 대해서도 '부득이 하다'고 인정되는 사유가 없으면 헌법 위반이 된다는 취지로 판시하고 있는 것은 그 문구상 명백하다. 그리고 실질적으로 생각해도, 헌법이 국민 주권의 원리에 근거하여 민주주의의 근간을 이루는 것으로서 국민에게 보장하는 선거권에 대해, 그 '행사'에 대해서는 '부득이 한' 사유가 없으면 제한할 수 없지만, 원래 선거권 행사의 전제가 되는 '선거권' 자체는 '부득이 한' 사유가 없더라도 제한해도 상관없다는 것이 된다면 일반적으로 헌법이 국민 주권의 원리에 근거하여 민주주의의 근간을 이루는 것으로서 국민에게 선거권을 보장한 목적은 달성할 수 없게 되는 것이고 平成17年 대법정판결이 그러한 판시를 한 것이라고는 도저히 생각할 수 없다.

③ 그리고 피고는 선거권을 행사할 만한 능력이 없는 사람을 선거에서 배제하여 공정한 선거를 확보하는 등의 합리적인 입법 목적을 달성하기 위해, 성년후견제도와는 별도로 선거에 앞서 선거를 치를 때마다 개별적으로 그러한 능력의 유무를 심사하는 것은 사실상 불가능하기 때문에, 성년후견제도를 차용하여 성년피후견인으로부터 선거권을 박탈하는 것에는 충분한 합리성이 있다고 주장한다.

확실히 일반적으로 어떤 입법 목적을 달성하기 위해서 다른 제도의 개념을 차용하지 않을 수 없는 경우가 있고 차용된 개념이 본래 입법으로 의도한 내용과 완전히 일치하지 않는 것부터, 극히 예외적인 경우이지만 본래 있는 법률 효과가 미치지 말아야 할 일정 범위의 사람에게 효과가 생기거나, 본래 있는 법률 효과가 미쳐야 할 일정 범위의 사람에게 효과가 생기지 않더라도, 그 권리의 성질이나 내용, 입법이 달성하고자 했던 목적의 중요성 등을 감안해 그러한 사람이 각각의 결과를 감수할 수밖에 없다고 해석할 경우도 없는 것은 아닐 것이다.

그러나 본건처럼 그 박탈되는 권리가 우리나라 헌법에 따라 국민 주권의 원리에 근거한 민주주의의 근간을 이루는 것으로 국민에게 보장된 권리인 선거권인 경우에, 다른 입법 목적을 달성하기 위해 달리 적절한 수단이 보이지 않으므로 본래 선거권이 주어져야 하는 사람이라도 곧바로 선거권이 박탈되는 결과를 감수하라고 하는 것은 아니라는 점은 말할 필요도 없다. 그리고 전술한 대로 성년피후견인이 되었다고 해서 선거권 행사를 하기에 충분한 능력이 없는 것으로 되는 것은 아니고 선거에서 배제되어야 할 존재로 되는 것은 아니기 때문에 성년후견제도와는 취지 목적을 달리하는 선거 제도의 운영상, 선거 때마다 능력을 심사하는 것이 실제상 곤란하다고 해서 즉시 성년피후견인은 선거권이 박탈되는 것을 감수하라고 하는 것은 아니라는 점은 당연한 것이다.

그리고 이러한 성년피후견인으로부터 선거권을 박탈하려면, 전술한대로 '부득이 한 사유'가 있는 경우, 즉 성년피후견인에게 선거권을 박탈하는 일 없이는 선거의 공정을 확보하면서 선거를 실시하는 것이 사실상 불능 내지 현저히 곤란하다고 인정되는 경우에 한정되는 것이며, 이러한 사유 없이 선거권을 박탈하는 것은 헌법에 위반하게 되는 것이다.

마찬가지로 쟁점 (2)의 2.-⑤에서 언급했듯이, 원래 우리나라의 공직선거법은 선거권을 행사할 만한 능력이 없는 사람에 대해서도 성년피후견인이 되지 않는 한 일반적으로 선거권을 부여하고 있는데, 그러한 선거권을 행사할 만한 능력이 없는 사람이 선거에 참가한 경우에 선거의 공정을 확보하는 것이 사실상 불능 내지 현저히 곤란한 사태가 생기고 있는 것을 보여 주는 증거는 없고 또한 외국이나 주마다 다른 제도를 차용하지 않고 단적으로 선거권 행사에 필요한 능력이 없는 사람에게는 선거권을 부여 하지 않는 취지의 규정을 둔 곳이 적잖이 있고 그러한 외국이나 주에서는 실제로 그러한 규정에 따라 제도를 운용하고 있기 때문에 일반적으로 성년후견제도와 같은 다른 제도를 차용하지 않으면 위 입법 목적의 달성이 불가능하다고도 할 수 없다.

그러면 선거권을 행사할 만한 능력이 없는 사람을 선거에서 배제하기 위해, 성년후견제도를 차용하는 것 이외의 방법을 채용하는 것이 설령 쉽지 않더라도, 그것 때문에 전혀 별개의 취지 목적을 가진 성년후견제도를 차용하고 성년피후견인으로 된 사람으로부터 선거권을 박탈해도 헌법상 허용되는 것으로는 되지 않아, 이 점에 대한 피고의 주장에도 동의할 수 없다.

4. 이상에 따르면 공직선거법 11조 1항 1호 중, 성년피후견인은 선거권을 갖지 않는다고 한 부분은 헌법 15조 1항 및 3항, 43조 1항 및 44조 단서에 위반하는 것으로 무효라고 하지 않을 수 없다.

그리고 원고는 1962년 ○월 ○일생이고, 연령 만 20세 이상의 일본 국민이기 때문에 공직선거법 9조 1항의 규정에 의해 중의원 의원 및 참의원 의원 선거권을 갖는다고 인정되며 다음 번 중의원 의원 선거 및 다음 번 참의원 의원 선거에서 투표를 할 수 있는 지위에 있다고 인정된다.

결 론

따라서 원고의 청구에는 이유가 있으므로 이를 인용하는 것으로 하고 소송비용 부담에 대해 행정사건소송법 7조, 민사소송법 61조를 적용하여 주문과 같이 판결한다.

■재판장 재판관 定塚誠 재판관 中辻雄一朗 재판관 渡邉哲

2

후견인의 선관주의의무

민법 제644조는 '수임자는 위임의 본지에 따라 선량한 관리자의 주의를 가지고 위임 사무를 처리할 의무가 있다.'[13]라고 규정하고 같은 법 제869조는 '제644조 및 제830조의 규정은 후견에 대해서 준용한다.'[14]라고 규정하고 있으므로 성년후견인은 본인(성년피후견인)의 재산을 관리할 때 선량한 관리자로서의 주의의무(이하 '선관주의의무'라고 줄여서 쓰기도 한다)를 진다. 성년후견인의 이러한 선량한 관리자의 주의의무 위반 여부가 문제되어 소송에 이른 사례가 많은데 몇 건을 살펴보면 다음과 같다.

① 피후견인의 부동산을 타인에게 매각한 사례

[1] 도쿄 지방재판소 平成21년[15] 2月 17日 平18(ワ)2503号 손해배상 청구 사건

망인(피후견인)의 상속인인 원고가 망인의 성년후견인이었던 피고가 망인의 토지 두 필지를 현저히 낮은 가격에 매각했다고 주장하면서 피고를 상대로 선관주의의무 위반의 채무불이행 등에

---

13) (수임자의 주의의무)

　　제644조 수임자는 위임의 본지에 따라 선량한 관리자의 주의를 가지고 위임 사무를 처리할 의무가 있다.

14) (위임 및 친권 규정의 준용)

　　제869조 제644조 및 제830조의 규정은 후견에 대해서 준용한다.

15) 2009년

따른 손해배상을 청구한 사안이다.

　　재판소는 부동산감정사 세 사람의 감정가격과 이들 토지의 현황 및 매각경위 등에 비추어 이들 토지의 매각 가격이 현저하게 저렴하다고는 할 수 없어 그 매각 행위는 적정 타당한 것으로 인정되므로 피고가 선관주의의무에 위반한 것이나 주의의무에 반한 위법행위를 했음을 인정할 수 없다고 판시하였다.

사건번호 平18(ワ)2503号	**사건명** 손해배상 청구 사건
재판연월일 平成21년[16] 2月 17日	**재판소명** 도쿄(東京) 지방재판소
재판구분 판결	**재판결과** 청구기각

주 문

1. 원고의 청구를 기각한다.
2. 소송비용은 원고가 부담한다.

사실과 이유

제1 당사자가 요구한 재판

1. 청구의 취지

(1) 피고는 원고에게 8,381만 6,000엔 및 이에 대한 2004년 9월 1일부터 다 갚는 날까지 연 5%의 비율에 의한 돈을 지불하라.

(2) 소송비용은 피고가 부담한다.

(3) 가집행선언

2. 청구의 취지에 대한 피고의 답변

(1) 주문과 같은 취지

제2 사안의 개요

본건은 망 X1(이하 '망 X1'이라 한다)의 상속인으로 유산 분할의 결과 망 X1의 본건 소송상의 지위를 승계한 원고가, 망 X1의 성년후견인이었던 피고가 망 X1의 재산 관리 업무에 있어서 토지

---

16) 2009년

를 매각한 때의 매각 가격이 현저히 저액이었다고 하여 수임자의 선관주의의무 위반의 채무불이행 또는 불법행위에 의한 손해배상청구권에 근거하여 손해금 및 이에 대한 손해 발생일 후인 2004년 9월 1일부터 다 갚는 날까지 민법 소정의 연 5%의 비율에 의한 지연 손해금 지불을 요구한 사안이다.

1. 다툼 없는 사실 등

(1) 망 X1은 메이지[17] ○년 ○월 ○일 출생하여 2003년 9월 6일 후견 개시의 심판이 확정되었고 2006년 11월 27일 사망했다.

(2) 원고는 망 X1의 4녀로서 쇼와昭和[18] ○년 ○월 ○일 출생하여 2003년 8월 20일 아오모리青森 가정재판소 도와다十和田 지부의 심판(같은 달 6일 확정)에 의해, 망 X1의 후견인으로 선임되어 재산 관리 사무를 제외한 신상 감호 등의 사무를 분장했다.

(3) 피고는 변호사이며, 2003년 8월 20일 아오모리 가정재판소 도와다 지부의 심판(같은 달 6일 확정)에 의해 망 X1의 후견인으로 선임되어 재산 관리 사무를 분장했다. 당시 피고는 아오모리현 도와다시〈이하 생략〉에 법률사무소를 가지고 있었다.

(4) 망 X1은 도와다시〈이하 생략〉 밭 4,305㎡(이하 '본건 토지 1'이라 한다) 및 도와다시〈이하 생략〉 밭 907㎡(이하 '본건 토지 2'라 한다)(본건 토지 1 및 본건 토지 2를 아울러 '본건 토지'라고 하는 때가 있다)를 소유하고 있었다.

(5) 2004년 3월 4일, 피고는 망 X1의 성년후견인으로서 본건 토지 1을 대금 500만 엔에 유한회사 닷켄土建센터(이하 '닷켄센터'라 한다)에 매각하고, 본건 토지 2를 대금 500만 엔에 유한회사 나가야마덴세쓰長山電設(이하 '나가야마덴세쓰'라 한다)에 매각했다.

(6) 피고는 2004년 10월 19일자로 망 X1의 성년후견인을 사임했다.

---

17) 1868~1912년
18) 1926~1989년

2. 쟁점

쟁점 (1) 본건 토지 1 및 본건 토지 2의 매각가격은 시가에 비해 현저하게 저렴하기 때문에 그것들의 매각 행위는 선관주의의무에 반하는지, 주의의무에 반하는 위법인 것인지

■■■ 원고의 주장

1. 본건 토지 1의 매각 가격은 1㎡당 1,161엔(평당 3,839엔)으로 인근 시세보다 현저하게 저렴했다. 닷켄센터는 그 후, 본건 토지 1을 평당 6만 엔대로 분양하여 위 매각 가격이 현저히 저렴한 것은 분명하다.

2. 본건 토지 2의 매각 가격은 1㎡당 5,512엔(평당 1만 8,223엔)으로 인근 시세보다도 현저하게 저렴하다.

3. 본건 토지의 적정한 거래 가격은 줄잡아도 어느 것이나 1㎡당 1만 8,000엔(평당 6만 엔)을 내려가는 일은 없으므로 본건 토지 1은 7,749만 엔, 본건 토지 2는 1,632만 6,000엔이 적정 타당한 가격이었다.

4. 피고의 위 매각 행위는 선관주의의무에 반하여 또한 적정한 가격으로 매각하는 주의의무에 반하여 위법한 행위이다.

■■■ 피고의 주장

1. 가격은 인정하지만 나머지는 부인한다. 닷켄센터의 분양은 밭을 택지로 조성한 것이며 원고의 주장은 부당하다.

2. 가격은 인정하지만 나머지는 부인한다.

3. 부인 내지 다툰다.

4. 다툰다.

피고가 후견인으로 선임된 것은 망 X1 소유 부동산 관리의 적정을 기하고 원고 및 그 남편 A(이하 'A'라 한다)가 망 X1의 부동산의 매각에 따른 세금을 내지 않았기 때문에 이루어진 원고 소유 부동산에 대한 체납처분을 해제하는 것이 주된 목적이었다. 따라서 체납 중의 세금을 납부하기 위한 자금을 망 X1의 소유 토지를 매각하여 확보하는 것이 급선무였다.

게다가 감독의 입장에 있는 가정재판소와 금액 등을 포함하여 수시로 협의하여 그 양해를 얻고 또한 적정을 위해 부동산 회사를 중개자로 하여 매각 행위를 하였다.

따라서 피고의 본건 토지 매각 행위는 선관주의의무에 반하지 않고 또한 적정한 가격으로 매각하는 주의의무에 반한 위법행위는 아니다.

쟁점 (2) 위 (1)의 선관주의의무 위반 또는 위법행위의 결과 망 X1에게 손해가 발생했는지, 당해 위반 또는 위법행위와 손해 사이에 상당인과관계가 있는지

■■■ 원고의 주장

1. 본건 토지 1은 7,749만 엔, 본건 토지 2는 1,632만 6,000엔이 적정 타당한 가격이며, 적정 가격의 합계 9,381만 6,000엔과 본건 매각 가격의 합계 1,000만 엔의 차액인 8,381만 6,000엔이 망 X1의 손해이다.

2. 위 손해와 피고의 선관주의의무 위반 또는 위법행위 사이에는 상당인과관계가 있다.

■■■ 피고[19]의 주장

1. 부인한다.
2. 부인한다.

제3 쟁점에 대한 판단

1. 성립에 다툼이 없는 갑 1, 2의 1 내지 3, 3 내지 15, 16의 1 내지 4, 17, 18, 19의 1과 2, 20, 21의 1과 2, 22, 23, 을 1 내지 3, 4 내지 12, 부동산감정사 B의 감정 결과, 부동산감정사 C의 감정 결과, 원고 본인, 피고 본인, 증인 D, 증인 E 및 변론의 전체 취지에 의하면 다음의 사실이 인정된다.

(1) 1998년부터 2000년까지의 사이에 원고 및 A는 망 X1이 소유하는 도와다시〈이하 생략〉의 토지 일부를 분필한 후 매각하여 약 2,800만 엔의 이익을 얻었지만 이로 인해 망 X1에게 발생한 세금을 체납했다(갑 1).

(2) 2001년 9월 망 X1의 장남 F(이하 'F'라 한다) 및 그 처가 거주하는 망 X1 소유의 토지건물(도와다시〈이하 생략〉 택지 285.7㎡, 같은 장소〈생략〉 주택 바닥 면적 144.32㎡)이 체납 처분에 의해 압류되었다(갑 1, 2의 2).

(3) 2002년 4월 22일부터 망 X1은 고열 등으로 입원하여 그 후 입원과 퇴원을 반복하고 퇴원 중에

---

19) 원문에는 '원고'로 되어 있으나 '피고'라고 쓸 것을 잘못 쓴 것이 분명하다.

는 원고에 의한 민간요법을 받고 있으며 2003년 8월 20일 현재, 경관 영양을 받는 와병 생활 상태로 기본적 대화나 의사소통은 불가능하고 일상생활에 간호가 필요했다(갑 1).

(4) 2003년 7월 4일, 아오모리 가정재판소 하치노헤八戸 지부 가정재판소 조사관은 신청인을 F, 본인을 망 X1로 하는 平成14年 (家) 第102号 후견 개시 사건에 대해서 가사심판관에게 조사 보고서를 제출했다. 보고서의 '후견인에 대하여' 중에서 재산 관리에 대해서는 이유야 어떻든 세금을 체납한다는 것은 본인의 재산에 손해를 미치는 결과가 되었고, 지금까지의 재산 관리 상황을 제대로 설명할 수 없으므로 넷째 딸(원고) 혹은 그 남편을 선임하는 것은 부적당하다고 생각하는 것, 친족 간의 분쟁이 격심해서 향후 본인의 부동산 매각 등 전문적 지식을 요하는 직무가 상정되므로 변호사 등의 제3자 전문가를 재산 관리의 후견인으로 선임하는 것이 상당하다고 생각한다는 취지가 기재되어 있고 '후견 감독의 방침 등' 중에는 친족 간의 분쟁이 격심한 가운데, 가장 우선하여 대처하지 않으면 안 되는 것은 세금 체납과 부동산의 압류의 해제인 것, 이것들을 해소하기 위해서는 본인 명의의 다른 부동산을 매각하여 정산하는 것이 가장 현실적이라고 생각되는 것, 넷째 딸이 민간요법을 도입한 독자적인 방법으로 본인을 간호하고 있으며 이들 물자의 비용과 간호 노동 비용을 후견인에게 청구할 것으로 예상되어, 넷째 딸의 청구를 어디까지 인정할지가 문제가 된다는 취지가 기재되어 있었다(을 6).

(5) 2003년 8월 망 X1의 재산은 본건 토지를 포함한 7 필지의 땅과 F가 거주하는 위 주택 및 헛간(59.5㎡), 은행 예금 2개 계좌(합계 23만 7,222엔) 및 연간 35만 5,400엔의 연금 수입이 있고 채무로서 체납 세금 약 500만 엔(도와다 세무서에 대한 체납 세금 2002년 8월 6일 현재 380만 6,100엔 및 도와다 시청에 대한 체납 세금 2002년 12월 26일 현재 117만 6,000엔) 등이 있었다(갑 2의 2).

(6) 2003년 8월 20일 아오모리 가정재판소 도와다 지부에서 신청인을 F, 본인을 망 X1으로 하는 후견 개시 신청사건 및 수인의 성년후견인 등의 권한 행사를 정하는 심판 사건에 대해서 다음의 심판이 이루어졌다(갑 1).
　① 본인에 대해서 후견을 개시한다.
　② 본인의 성년후견인으로서 변호사 Y(주소 아오모리현 도와다시〈이하 생략〉, 사무실 아오모리현 도와다시〈이하 생략〉) 및 X2(주소 아오모리현 도와다시〈이하 생략〉)를 선임한다.
　③ 성년후견인 변호사 Y 및 성년후견인 X2는 다음과 같이 사무를 분장하고 그 권한을 행사해

야 한다.

■■■■ 사무 분장

① 성년후견인 변호사 Y는 다음 사무를 분장한다.

성년피후견인의 재산 관리 사무

② 성년후견인 X2는 다음 사무를 분장한다.

신상 감호 등 위 ①에 기재된 것 이외의 사무

(7) 2003년 10월 3일, 아오모리 가정재판소 도와다 지부에서 가정재판소 조사관, 피고, 원고 부부 및 F는 후견 사무에 관하여 미리 의논했다. 이 때, 가정재판소 조사관은 F가 망 X1 명의의 부동산 (토지) 중 대부분을 차지하는 농지의 농업 책임자가 되었기 때문에 F의 의견을 물었는데, F는 원고 의 금전 사용처가 불분명한데 재차 망 X1의 토지를 매각하여 돈을 마련하는 것에 납득이 가지 않지만 여기까지 온 이상 어쩔 수 없고 다만, 우선순위로서 본건 토지 1, 본건 토지 2로 하면 좋겠 다는 취지로 말했다. 원고는 위 농지를 매각하려면 정지(整地)를 하여 도로를 깔지 않으면 안 되고, 매수인을 찾는 데에는 시간이 걸리기 때문에 망 X1의 큰 토지 4개의 우선순위를 매기지 말고 부 동산회사와 교섭하는 편이 빠르다는 취지로 말했다. 피고와 A가 협력하여 부동산회사를 맡는 것 으로 되었다. 피고는 원고 및 A에게 망 X1이 소유하는 토지의 매각처를 찾아오도록 의뢰했다(을 6).

(8) 2003년 10월 9일, 피고는 아오모리 가정재판소 조사관에게 망 X1의 재산 목록 및 후견 사무 계획 보고서를 제출했다. 후견 사무 보고서의 내용으로서, 원고 및 A가 망 X1과 동거하고 있는 것, 본인의 생활비 등의 부담 등에 대한 기재란에 본인의 재산에서 지출하는 액수가 월 51만 7,783 엔, 지출 목적이 세금·건강 보험료·간호 생활비로 기재되어 있고 부동산의 일부를 처분할 예정 인 것, 체납 세금을 납부할 예정인 것이 포함되어 있었다(갑 2의 1 내지 3).

(9) 2003년 12월 초순 무렵 피고는 토지의 매각처에 대해서 원고 및 A로부터 연락이 없었기 때문 에 유한회사 하시바橋場부동산(이하 '하시바부동산'이라 한다)에 토지 매각의 중개를 의뢰했다. 피 고는 하시바부동산은 이전에 시청으로부터의 소개로 집을 소개받은 적이 있어서 신뢰할 수 있다 고 생각했다(을 6, 피고 본인).

(10) 2003년 12월 중순 무렵, 피고는 하시바부동산으로부터 도와다시 히가시고반<ruby>東五番町</ruby>의 택지가 팔릴 것 같다는 취지의 연락을 받았다. 그러나 F가 반대해서 매각하지는 않았다. 그 후 도와다시<ruby>(이하 생략)</ruby>의 토지 구입 희망자를 찾아 왔지만, 망 X1의 3남인 G가 그 토지 위에 있는 오두막의 철거에 반대했기 때문에 매매 계약 성립에는 이르지 못하고, 피고는 하시바부동산으로부터 매각이 어렵다고 하는 연락을 받았다(을 6).

(11) 2004년 1월 9일 원고는 피고에게 내용 증명 우편으로, 2003년 9월 1일부터 같은 해 12월 31일까지 망 X1에게 발생한 비용으로, 730만 5,672엔을 우편 도달 후 1주일 이내에 지불하도록 청구했다(을 3).

(12) 2004년 1월 13일, 하시바부동산으로부터 가격 견적 의뢰를 받은 닷켄센터는 430만 엔의 가격 의견서를 제출하였고 그 이유로, 이 의견서에서는 개발 면적이 3,000㎡을 초과하고 있기 때문에 아오모리 현지사의 개발 허가를 받아야 하는 것, 택지를 분양하기 위해서는 남동쪽 모퉁이 땅을 취득하여야 하고 상하수도 시설 등이 필요한 것, 남서쪽 세트 백(setback) 부분의 확보, 부지 내 3% 이상의 녹지 확보가 필요한 것 등이 기재되어 있었다(을 11, 증인 E).

(13) 2004년 1월 29일, 아오모리 가정재판소 하치노헤 지부 가정재판소 조사관은 피후견인을 망 X1로 하는 平成15年 (家) 第115号 후견 사무의 감독에 관한 처분 사건에 대해서 가사심판관에게 조사 보고서를 제출했다. 조사 경과의 '도입 단계' 중에는 장남은 후견인인 원고의 금전 사용처가 불분명한데 재차 피후견인의 토지를 매각하여 돈을 마련하는 것에 납득이 가지 않지만 우선순위로서 본건 토지 1, 본건 토지 2로 하면 좋겠다는 것, '조사관의 의견' 중에는 토지 매각이 구체적으로 되어 왔지만 후견인인 원고가 피고에게 고액의 간호 비용 지불을 요구하는 내용 증명서를 보내는 등 사태는 혼란스럽다는 것, 피후견인의 상황에서 보면 원고의 간호 기여도가 큰 것은 인정되지만, 터무니없는 간병 비용을 청구하는 행동은 비현실적이고 후견인으로서 부적격이지만 원고를 해임하고 피후견인을 시설에 입소시키는 것은 원고의 완고한 반대에 부딪힐 것을 상상하기 어렵지 않고 그 소동으로 피후견인의 용태가 악화하는 일이 있으면 큰일이니 현상을 유지할 수밖에 없는 것, 한번 심문을 열어 토지 매각 등의 진행 상황을 확인하는 것으로 피고와 원고 사이에서 공통 인식을 갖도록 하고 원고에 대해서는 경비로 든 것은 지불하게 되지만 원고가 주장하는 재택 간호 비용은 보수에 해당하는 것인지 구별해서 보수 청구를 하도록 시키는 등 현실적인 간호 방침을 갖도록 지도를 부탁하고 싶다는 것이 기재되어 있었다(을 6).

(14) 2004년 2월 25일, 아오모리 가정재판소 도와다 지부에서, 平成15年 (家) 第115号 후견 사무의 감독에 관한 처분 사건에 대해서 제1회 심문 기일이 열리고 거기에서 피고는 농지의 매각에 대해서는 농업위원회의 허가를 거쳐 6월 하순에는 현금화가 가능할 예정인 것, 그 후 세금 납부 및 성년후견인인 원고로부터 청구가 있던 자료에 근거한 감호 비용 청산 사무에 들어가는 것, 통장의 인수인계는 종료한 것, 피후견인의 연금 수입에 대해서는 성년후견인인 원고의 계좌로 불입하고 있는 것을 진술하고 원고는 피후견인의 간호에 대해서는 전통 요법을 도입한 간호를 하고 있는 것, 그 비용은 피고에게 청구하고 있는 것 등을 진술했다. 같은 달 27일, 후견 사무의 감독에 관한 처분은 종료했다(을 6).

(15) 2004년 3월 4일 피고는 망 X1의 후견인으로서, 본건 토지 1을 닷켄센터에 대금 500만 엔에 매각했다.

　　이 날 피고는 망 X1의 후견인으로서 본건 토지 2를 나가야마덴세쓰에 대금 500만 엔에 매각했다.

　　양쪽의 거래에서 유한회사 하시바부동산이 중개 겸 입회인으로서 계약서에 날인하고 하시바부동산의 이사인 D가 거래 주임자로서 날인했다.

　　모든 계약서에도 특약 사항으로서 농지전용허가 후 소유권을 이전하는 것으로 되어 있었다(을 1, 2).

(16) 2004년 5월 14일, 아오모리 가정재판소 도와다 지부 재판소 서기관은 원고에게 원고로부터 송부된 2004년 4월 30일자 서한에 대해서 피고가 성년후견인으로서 부적격 혹은 피고가 성년후견인으로서 한 부동산의 관리 처분이 부적절했다는 주장을 한다면 본 재판소에 대하여 성년후견인인 피고의 해임신청을 하면, 해임하거나 해임의 신청을 각하하거나 이 재판소에서 그 구체적 이유를 나타내어 판단한다는 취지 및 관계 조문 등을 제시하고 절차의 개요를 회답했다(갑 19의 1).

(17) 2004년 5월 20일, 아오모리 가정재판소 도와다 지부 재판소 서기관은 원고에게 원고로부터 송부된 두 번째의 질문서에 대해서 피고에게 성년후견인으로서 망 X1의 재산 관리 사무 권한을 행사시키게 된 이유에 관하여 심판서의 내용을 인용하여 설명하고 심판에 대해서 불복신청이 없어 확정한 것부터 이에 따라 사건을 진행시키고 있는 것, 본 재판소의 진행 방침에 이의가 있다면 본 재판소에 대하여 성년후견인인 피고의 해임신청을 할 수 있고 해임신청이 각하된 경우에는 항고할 수 있는 것 등을 회답했다(갑 19의 2).

(18) 본건 토지 2에 대해서 2004년 6월 3일 아오모리 지방 법무국 도와다 지국 접수처에서, 2004년 6월 3일 매매를 원인으로 하여 소유자를 나가야마덴세쓰로 하는 소유권 이전 등기를 마쳤다(갑 5).

(19) 2004년 6월 14일, 피고는 원고에게 본건 토지 2의 매각이 완료된 것, 매매 대금에서 비용·세금의 일부를 지불했지만, 약간 여유가 있어 원고의 계좌에 70만 엔을 입금한 것을 통지했다(갑 16의 1).

(20) 2004년 7월 9일, 피고는 원고에게 본건 토지 1의 매각에 대해서 6월 중 매각을 상정하고 있었지만 농업위원회의 허가를 기다리고 있는 상태인 것, 종전과 마찬가지로 짝수 달에 연금분을 송금할 예정인 것을 통지했다(갑 16의 2).

(21) 본건 토지 1에 대해서 2004년 8월 9일 아오모리 지방 법무국 도와다 지국 접수처에서, 2004년 8월 9일 매매를 원인으로 소유자를 닷켄센터로 하는 소유권 이전 등기를 마쳤다(갑 4).

(22) 2004년 8월 9일, 피고는 원고에게 원고의 계좌에 50만 엔을 입금한 것을 통지했다(갑 16의 3).

(23) 2004년 8월 11일, 피고는 아오모리 가정재판소 도와다 지부에 후견 사무 등 수행 보고서를 제출했다(을 6).

(24) 2004년 9월 8일, 피고는 아오모리 가정재판소 도와다 지부에 도와다시(이하 생략)의 토지 건물의 도와다 세무서 및 도와다 시의 압류가 해제된 것에 대해서 보고서를 제출했다. 또한 2004년 8월 23일자로 도와다 세무서장은 망 X1 앞으로, 연체세 92만 7,700엔에 대해서 연체세 면제 통지서를 송부했다(을 6).

(25) 2004년 10월 18일, 피고는 원고에게 원고의 계좌에 20만 엔을 입금한 것을 통지했다(갑 16의 4).

(26) 2004년 10월 19일, 아오모리 가정재판소 도와다 지부에서 수인의 성년후견인 등의 권한 행사의 정함을 취소하는 사건에 대해서 직권에 의하여 다음의 심판이 이루어졌다(갑 3).

① 아오모리 가정재판소 도와다 지부가 2003년 8월 20일에 한, 성년후견인 변호사 Y 및 성년

후견인 X2는 다음과 같이 사무를 분장하고 그 권한을 행사해야 한다는 취지의 심판을 취소한다.

■■■ 사무 분장

① 성년후견인 변호사 Y는 다음 사무를 분장한다.
성년피후견인의 재산 관리 사무

② 성년후견인 X2는 다음 사무를 분장한다.
신상 감호 등 위 ①에 기재된 것 이외의 사무

(27) 2004년 10월 22일, 가정재판소 조사관은 아오모리 가정재판소 도와다 지부 平成16年 (家) 第 165号 후견 사무의 감독에 관한 처분 사건에 대해서 명령을 받고, 재산 목록과 후견 사무 계획의 상당성에 대해서 조사한 후, 2005년 1월 25일, 가사심판관에게 조사 보고서를 제출했다(을 6).

(28) 2005년 2월 7일, 하시바부동산은 아오모리 가정재판소 도와다 지부에 위 지부의 촉탁서에 대해서 본건 토지 1의 매각 가격에 대하여 2004년도 노선가[20]에 의하면 서쪽이 1㎡당 1만 6,000 엔, 남쪽이 1㎡당 1만 7,000엔이지만, 현황이 농지이고 공중도로의 설치 및 남북의 고저 차이가 큰 것, 열쇠형의 토지인 것을 고려하여 계약서와 같이 산출한 취지, 본건 토지 2의 매각 가격에 대해서 2004년도 노선가에 의하면 동쪽이 1㎡당 1만 5,000엔이며, 동쪽에 있는 통로가 건축이 가능한 도로로서 시에서는 인정하고 있지 않기 때문에 단독으로는 택지로 될 수 없고 그것을 가능하게 하거나 취득할 수 있는 사람이 한정된다고 생각한 것, 나가야마덴세쓰와 계약한 것은 위 조건을 충족시킬 수 있고 농지전용허가를 취득할 수 있기 때문이고 이러한 사유를 근거로 산출했다는 취지로 회답했다(을 7).

(29) 2005년 3월 25일, 하시바부동산은 아오모리 가정재판소 도와다 지부 재판소 서기관의 청취에 대하여 망 X1의 소유지 중, 본건 토지 1 및 본건 토지 2를 대상으로 한 것은 팔릴 것 같은 물건으로 고른 것이며, 본건 토지 1인 열쇠형의 토지는 매각 시, 현황이 농지이고 현재는 매입자가 모퉁이 땅을 구입한 후, 조성·분양하고 있는데(분양 가격은 평당 3~4만 엔은 될 것이다), 매각 단계에서는 500만 엔 상당인 것, 매각 시기에 따라서는 좀 더 비싸게 팔릴 여지도 있었을지도 모르겠다는 취지, 본건 토지 2인 직사각형의 토지에 대해서는 매입자가 극히 한정된 물건이며 가격은 상당

---

20) 일본 국세청이 상속세나 증여세의 과세 기준으로 하기 위해 정한, 시가지의 도로에 면한 토지의 평가액

한 것, 노선가는 기준이 되지 않고 더 이상의 가치는 붙지 않을 것이라는 취지로 회답했다.

(30) 2006년 5월 1일 부동산감정사 I는 본건 토지 1 및 본건 토지 2에 대해서 감정평가를 실시하고, 그 결과 본건 토지 1에 대해서 정상가격 827만 4,210엔, 매도인 사정에 의해 매각을 서두르는 경우의 판정가격 579만 230엔으로, 본건 토지 2에 대해서 정상가격 509만 엔, 매도인 사정에 의해 매각을 서두르는 경우의 판정가격 356만 엔으로 각각 감정했다(을 4, 5).

(31) 2007년 9월 18일, 부동산 감정사 B는 본건 토지 1 및 본건 토지 2에 대해서 감정평가를 실시하고, 그 결과 2004년 3월 4일 시점에서, 본건 토지 1에 대해서 정상가격 2,480만 엔(1㎡당 5,800엔), 매도인 사정에 의해 매각을 서두르는 경우 특정가격 1,736만 엔(1㎡당 4,000엔)으로, 본건 토지 2에 대해서 정상가격 680만 3,000엔(1㎡당 7,500엔), 매도인 사정에 의해 매각을 서두르는 경우 특정가격 476만 2,000엔(1㎡당 5,300엔)으로 각각 감정했다.

(32) 2008년 4월 8일, 부동산 감정사 C는 본건 토지 1 및 본건 토지 2에 대해서 감정평가를 실시하고, 그 결과 2004년 3월 4일 시점에서, 본건 토지 1에 대해서 정상가격 2,239만 엔(1㎡당 5,200엔), 매도인 사정에 의해 매각을 서두르는 경우 특정가격 1,343만 엔(1㎡당 3,120엔)으로, 본건 토지 2에 대해서 정상가격 644만 엔(1㎡당 7,100엔), 매도인 사정에 의해 매각을 서두르는 경우 특정가격 451만 엔(1㎡당 4,970엔)으로 각각 감정했다.

2. 본건 토지 1 및 본건 토지 2의 매각 가격은 시가에 비해 현저하게 저렴하기 때문에 그것들의 매각 행위는 선관주의의무에 반하고 있는지, 주의의무에 반하는 위법한 것인지[44쪽 쟁점 (1)]에 대해서

(1) 원고는 본건 토지의 적정한 거래 가격은 줄잡아도 어느 것이나 1㎡당 1만 8,000엔(평당 6만 엔)을 내려간 적은 없으므로 본건 토지 1은 7,749만 엔, 본건 토지 2는 1,632만 6,000엔이 적정 타당한 가격이며, 피고에 의한 매각 가격은 현저하게 저렴하므로 그것들의 매각 행위는 선관주의의무에 반하고 있든가 주의의무에 반하는 위법한 것이라고 주장하지만, 위 다툼 없는 사실 등 및 인정사실에 의하면 본건 토지 2의 매각 가격은 현저하게 저렴하다고는 할 수 없으며 그 매각 행위는 적정 타당한 것으로 인정된다.

(2) 본건 토지 1과 관련하여 부동산 감정사 I는 본건 토지 1에 대해서 정상가격 827만 4,210엔,

매도인 사정에 의해 매각을 서두르는 경우의 판정가격 579만 230엔으로 감정하고 부동산 감정사 B는 본건 토지 1과 관련하여 2004년 3월 4일 시점에서, 본건 토지 1에 대해서 정상가격 2,480만 엔(1㎡당 5,800엔), 매도인 사정에 의해 매각을 서두르는 경우 특정가격 1,736만 엔(1㎡당 4,000엔)으로 감정하고 부동산 감정사 C는 본건 토지 1과 관련하여 2004년 3월 4일 시점에서, 본건 토지 1에 대해서 정상가격 2,239만 엔(1㎡당 5,200엔), 매도인 사정에 의해 매각을 서두르는 경우 특정가격 1,343만 엔(1㎡당 3,120엔)으로 감정했다.

한편, 위 인정과 같이 본건 토지는 2004년 3월 4일 당시 농지이며 남동쪽이 크게 떨어져 나간 L자형의 토지로서 하시바부동산으로부터 가격 견적을 의뢰받은 닷켄센터는 430만 엔의 가격 의견서를 제출하고 그 이유로, 이 의견서에서는 개발 면적이 3,000㎡을 초과하고 있기 때문에 아오모리 현지사의 개발 허가를 받아야 하는 것, 택지를 분양하기 위해서는 남동쪽 모퉁이 땅을 취득하고 상하수도 시설 등이 필요하게 되는 것, 남서쪽 세트 백 부분의 확보, 부지 내 3% 이상의 녹지 확보가 필요하다는 것 등을 들고 있었다.

한편, 위 인정과 같이 피고는 토지 매각을 추진하는 것이 급선무가 되고 있었는데, 원고 및 A의 협력은 없고 망 X1의 친족의 반대로 구입 희망자가 나타난 토지의 매각을 두 번에 걸쳐 단념하게 되었기 때문에 가정재판소와도 협의한 후, 하시바부동산에 닷켄센터와의 증액 교섭을 하도록 하여 닷켄센터는 구입에 망설임이 있었지만 겨우 500만 엔으로 매각에 도달했다는 경위가 있었다.

위 인정 판단에 의하면, 본건 토지 1의 매각 가격이 현저하게 저렴하였다고는 할 수 없으며 그 매각 행위는 적정 타당한 것으로 인정된다.

(3) 따라서 피고는 본건 토지 1 및 본건 토지 2의 매각에 대해서 적정하게, 성년후견인의 직무를 한 것이라고 할 수 있다.

(4) 그 밖에 피고가 선관주의의무에 위반한 것이나 주의의무에 반한 위법행위를 했음을 보여 주는 사정을 인정할 만한 증거는 없으므로 원고의 주장은 이유가 없다.

3. 따라서 그 밖의 쟁점에 관하여 판단할 것도 없이 원고의 청구는 이유가 없다.

4. 따라서 원고의 청구는 이유가 없으므로 이를 기각하는 것으로 하여 주문과 같이 판결한다.

■ 재판관 熊谷光喜

[2] 도쿄 지방재판소 平成11年[21] 1月 25日 平5(ワ)9942호 손해배상 청구 사건

본건은 금치산자인 본인(피후견인)을 상속한 원고가 본인의 후견인이었던 피고에 대하여 피고가 본인이 소유한 토지를 매각한 행위와 본인 명의로 아파트 신축 공사 계약을 체결한 후, 그것을 해약하여 위약금을 지불한 행위는 각각 후견인의 선관주의의무에 위반하는 것이라고 하여 채무불이행 등에 의거하여 손해배상을 청구한 사안이다.

재판소가 파악한 사실관계에 의하면 피고는 본인의 후견인으로 취임한 때 후견인의 의무에 대해서 거의 주의를 기울이지 않은 점, 합리적 이유 없이 재산목록을 작성하지 않은 점, 본건 각 토지의 매각에 대해서는 매매 대금이나 매수인에 관하여 아무것도 지시 하지 않고 그저 만연히 남편과 아는 사람에게 맡기고 있으며 계약 체결 단계에 이르러서도, 매매 대금에 대해서 거의 주의를 기울이지 않고 아는 사람이 말하는 대로 했던 점, 아는 사람이 브로커 같은 일을 한 것에 대해서 피고 부부는 오랜 교제를 통해 인식하고 있었던 점, 본건 각 토지의 매각 가격은 감정에 의한 시가 평가액과 비교해서 약 27.7%나 낮은 가격이며, 피고도 위 매각 가격이 저렴하다는 것은 인식하고 있었던 점 등이 인정되었다.

재판소는 이러한 사실에 비추어 피고가 본인의 후견인으로서 피후견인인 본인의 재산을 선관주의의무를 가지고 관리 처분을 하는 의무를 지고, 그 재산을 다른 사람에게 매각하는 경우에는 이를 적정하고 타당한 가격으로 매각해야 함에도 불구하고 피고는 브로커 비슷한 일을 하는 신뢰하기에 부족한 아는 사람이 말하는 대로 저렴한 가격임을 인식하면서, 감정평가액을 27.7%나 하회하는 저렴한 가격으로 본건 각 토지를 매각한 것으로, 피고가 본건 각 토지를 저렴하게 매각한 것은 피후견인인 본인에 대하여 부담하고 있는 선관주의의무에 위반하여 피고는 불법행위 책임을 져야 한다고 판시하였다.

다만 법원은 후견인이 부동산을 매각하는 경우에는 그 평가액을 다소 하회했다고 해서 즉시 적정·타당한 가격이 아니라고까지는 할 수 없고 또한 후견인이 부동산을 매각하는데 보통 필요한 비용(예를 들면 정규 중개업자에게 의뢰를 하여 토지를 매각하는 경우의 중개 수수료)은 이를 공제하는 것이 상당하므로 본인이 입은 손해액을 계산할 때에는 감정평가액에서 10%를 감한 금액에서 실제 매각 가격을 뺀 금액으로 하는 것이 상당하다고 판시하였다.

또한 피고가 만연히 본인 이름으로 한 아파트 신축 공사 계약의 체결 및 이행에 대해서 아는 사람에게 맡기고, 그 덕분에 아는 사람이 500만 엔의 금융이익 내지 200만 엔의 기획료 명목의 이익을 얻은 것 외에, 최종적으로 아는 사람이 위 계약에 대해서 300만 엔의 위약금을 공사업체에

---

21) 1999년

게 지불하는 것으로 위 계약을 중단하는 사태가 되어, 본인에게 위 위약금 300만 엔의 손해를 입혔다고 할 수 있고 피고의 위 행위는 피후견인 본인에 대하여 지고 있는 선관주의의무에 위반하는 것이므로 피고는 본인이 입은 위 손해 300만 엔에 대해서 불법행위 책임을 져야한다고 판시하였다.

민법 제853조 제1항은 '후견인은 지체 없이 피후견인의 재산 조사에 착수하여 1개월 이내에 그 조사를 마치고 그 목록을 작성해야 한다. 단, 이 기간은 가정재판소가 연장할 수 있다.'라고 규정[22]하고 제854조는 '후견인은 재산 목록의 작성을 마치기까지는 급박한 필요가 있는 행위만을 할 권한을 가진다. 단, 이것으로 선의의 제3자에게 대항할 수 없다.'라고 규정[23]한다. 본 사안에서는 후견인이 재산 목록을 작성하기 전에 변호사에게 500만 엔의 보수를 지급한 것이 이들 조항과 관련하여 문제가 되었다.

재판소는 후견인이 재산 목록을 작성하기 전에 변호사에게 500만 엔의 보수를 지불한 행위에 대해 당해 변호사는 돈을 받은 시점에서, 후견인이 재산 목록을 작성하지 않고 또 보수의 지불에 대해 급박한 필요가 없었던 것에 대해서도 알고 있었다고 하여 변호사에게 받은 보수 500만 엔에 이자를 붙여 본인에게 반환하라고 판결하였다.

---

22) (재산의 조사 및 목록의 작성)
　　제853조 후견인은 지체 없이 피후견인의 재산 조사에 착수하여 1개월 이내에 그 조사를 마치고 그 목록을 작성해야 한다. 단, 이 기간은 가정재판소가 연장할 수 있다.
23) (재산 목록 작성 전의 권한)
　　제854조 후견인은 재산 목록의 작성을 마치기까지는 급박한 필요가 있는 행위만을 할 권한을 가진다. 단, 이것으로 선의의 제3자에게 대항할 수 없다.

<table>
<tr><td>**사 건 번 호** 平5(ワ)9942号</td><td>**사 건 명** 손해배상 청구 사건</td></tr>
<tr><td>**재판연월일** 平成11年24) 1月 25日</td><td>**재판소명** 도쿄 지방재판소</td></tr>
<tr><td>**재판구분** 판결</td><td></td></tr>
</table>

주 문

1. 피고 오토야마 미쓰요乙山三津代는 원고에게 1,342만 9,000엔 및 이 중 335만 1,000엔에 대하여 1985년 3월 2일부터, 이 중 300만 엔에 대하여 1991년 3월 13일부터, 이 중 353만 엔에 대하여 1985년 7월 2일부터, 이 중 354만 8,000엔에 대하여 1985년 8월 9일부터 모두 다 갚는 날까지 연 5%의 비율에 의한 돈을 지불하라.

2. 피고 히노에가와 에이치丙川栄一는 원고에게 500만 엔 및 이에 대한 1985년 10월 1일부터 다 갚는 날까지 연 5%의 비율에 의한 돈을 지불하라.

3. 원고의 그 밖의 청구를 기각한다.

4. 소송비용은 원고와 피고 오토야마 미쓰요 사이에서는 원고에게 생긴 비용의 2분의 1을 피고 오토야마 미쓰요가 부담하고 나머지는 각자 부담하며 원고와 피고 히노에가와 에이치 사이에서는 전부 피고 히노에가와 에이치가 부담한다.

5. 이 판결은 제1, 2항에 한하여 가집행할 수 있다.

사실과 이유

제1 청구

1. 피고 오토야마 미쓰요는 원고에게 2,541만 엔 및 이 중 750만 엔에 대하여 1985년 3월 2일부터, 이 중 300만 엔에 대하여 1985년 6월 7일부터, 이 중 700만 엔에 대하여 1985년 7월 2일부터, 이 중 791만 엔에 대하여 1985년 8월 9일부터 각 다 갚는 날까지 연 5%의 비율에 의한 돈을 지불하라.

---

24) 1999년

2. 피고 히노에가와 에이치는 원고에게 500만 엔 및 이에 대한 1985년 9월 30일부터 다 갚는 날까지 연 5%의 비율에 의한 돈을 지불하라.

제2 사안의 개요

본건은 고노 다로甲野太郎(1997년 10월 20일 사망. 이하 '다로'라 한다)의 상속인인 원고가 금치산자인 다로의 후견인이었던 피고 오토야마 미쓰요(이하 '피고 미쓰요'라 한다)에 대하여 이 피고가 피후견인인 다로가 소유한 토지를 매각한 행위와 다로 명의로 아파트 신축 공사 계약을 체결한 후, 그것을 해약하여 위약금을 지불한 행위는 각각 후견인의 선관주의의무에 위반하는 것이라고 하여 불법행위 또는 채무불이행에 의거하여 손해배상을 요구하는 동시에 피고 히노에가와 에이치(이하 '피고 히노에가와'라 한다)에 대하여 피고 미쓰요가 다로의 후견인으로서 변호사인 피고 히노에가와에게 변호사 보수로서 지불한 돈은 법률상의 원인이 없는 부당이득이라고 하여 부당하게 얻은 보수의 반환을 구하고 있는 사안이다.

1. 다툼 없는 사실 등

이하의 사실은 당사자 사이에 다툼이 없거나 증거상 분명히 인정된다.

(1) 당사자들의 관계

① 원고 및 피고 미쓰요들의 친족관계는 별지 1과 같다.

② 다로는 고노 도시쓰구甲野利次(이하 '도시쓰구'라 한다)와 고노 후쿠甲野フク(이하 '후쿠'라 한다)의 장남으로 농아자였다.

다로는 1982년 3월 24일, 도쿄東京 가정재판소 하치오지八王子 지부에서 금치산선고(같은 해 4월 8일 확정)를 받아 피고 미쓰요가 후견인이 되었지만, 1990년 12월 18일 이 피고를 대신하여 조야마 후미오乙山三男(이하 '조야마'라 한다)가 후견인이 되었다(갑 1). 조야마는 다로의 후견인으로서 1993년 6월 2일에 본건 소송을 제기하였지만 그 후 1994년 9월 9일 조야마를 대신하여 고노 히로시甲野博(이하 '히로시'라 한다)와 원고 사이의 아들인 고노 마사후미甲野昌史(이하 '마사후미'라 한다)가 다로의 후견인이 되었다(갑 25).

다로는 1997년 10월 20일 사망했다.

③ 원고는 다로의 남동생인 히로시의 배우자이며 1967년 9월 5일 히로시와 함께 다로와 양자결연을 맺어 다로의 양자가 되었지만(갑 1), 히로시는 1973년 7월 31일 사망했다. 따라서 다로의

상속인은 원고뿐이다.

④ 피고 미쓰요는 도시쓰구와 후쿠의 장녀이며 전술한 것과 같이 1982년 4월 8일부터 1990년 12월 18일까지 다로의 후견인이었다.

(2) 원고는 1979년 8월 22일, 다로 소유의 별지 2의 제1 물건 목록 기재 1 내지 3의 건물(이하 '본건 각 건물'이라 한다)에 대해서 소유권 이전 등기를 하였다(갑 31의 5 내지 7, 을 46 내지 48).

(3) 신청인을 다로, 신청인 대리인을 피고 히노에가와, 상대방을 원고로 하여 1980년 다로와 원고의 파양을 요구하는 조정(도쿄 가정재판소 하치오지 지부 昭和55年[25] (家イ) 第1405号 파양 조정 신청사건)이 제기되었지만 1981년 9월 17일 불성립되었다.

그런데 원고를 다로, 원고 소송대리인을 피고 히노에가와, 피고를 원고로 하여 같은 해 다로와 원고의 파양을 요구하는 소송(도쿄 지방재판소 하치오지 지부 昭和56年[26] (タ) 第104号 파양 청구사건)이 제기되었지만(을 18) 위 지부에서 1982년 9월 28일 다로의 피고 히노에가와에 대한 소송위임 행위는 무효라고 인정되어 소 각하 판결이 났다(갑 13).

(4) 다로의 여동생인 보다 하루코(戊田春子)는 1981년 다로에 대해서 준금치산 선고 및 보좌인 선임을 요구하는 신청(도쿄 가정재판소 하치오지 지부 昭和56年 (家) 第2343, 2344号 준금치산 선고, 보좌인 선임 신청사건)을 하고(을 20), 그 위에 1982년, 금치산선고 및 후견인 선임을 요구하는 신청(昭和57年[27] (家) 第640, 641号 금치산선고, 후견인 선임 신청사건)을 했다(을 21). 위 지부에서 1982년 3월 24일, 다로에 대해서 금치산선고, 피고 미쓰요를 후견인으로 선임하는 취지의 심판이 이루어졌다.

(5) 원고는 1982년 10월 다로에 대해서 후견감독인 선임을 요구하는 신청(도쿄 가정재판소 하치오지 지부 昭和57年 (家) 第2463号 후견감독인 선임 신청사건)을 하여 위 지부에서 1985년 10월 11일, 후견감독인으로서 오노다 도시오(己田利男)(이하 '오노다'라 한다)를 선임하는 취지의 심판이 이루어졌다(갑 14).

---

25) 1980년
26) 1981년
27) 1981년

(6) 다로의 법정대리인인 후견인이었던 피고 미쓰요는 피고 히노에가와를 소송대리인으로 하여 1983년 2월, 다로와 원고의 파양을 구하는 소송[도쿄 지방법원 하치오지 지부 (タ) 第25号 파양 청구 사건]을 제기했지만 이 사건은 1988년 8월 30일 휴지만료(休止満了)에 의해 소 취하되었다(갑 15).

(7) 피고 미쓰요는 다로의 후견인으로서 1985년 3월 2일, 유한회사 기타오北王기업(이하 '기타오기업'이라 한다)에 별지 3의 제2 물건 목록 기재 1의 다로 소유의 토지(이하 '본건 토지 1'이라 한다)를 대금 1,500만 엔에 매각하였고(갑 5, 을 32), 기타오기업은 같은 해 3월 15일, 나카다 기요시中田淸에게 위 토지를 대금 2,250만 엔에 매각하였다(갑 16의 2).

또한 피고 미쓰요는 다로의 후견인으로서 같은 해 7월 2일, 기타오기업에 별지 3의 제2 물건 목록 기재 3의 다로 소유의 토지(이하 '본건 토지 3'이라 한다)를 대금 1,150만 엔에 매각하였고(갑 7, 을 33), 기타오기업은 같은 해 7월 15일, 오가와 도요사쿠小川豊作 및 오가와 도시코小川利子에게 위 토지를 대금 1,850만 엔에 매각하였다(갑 16의 2).

그 위에 피고 미쓰요는 다로의 후견인으로서 같은 해 8월 9일, 기타오기업에 별지 3의 제2 물건 목록 기재 2의 다로 소유의 토지(이하 '본건 토지 2'라 하고 본건 토지 1 내지 3을 아울러 '본건 각 토지'라 한다)를 대금 1,600만 엔에 매각하였다(갑 3, 6, 을 34).

(8) 피고 미쓰요는 다로의 후견인으로서 1985년 6월 7일, 에이와永和건설 주식회사(이하 '에이와건설'이라 한다)와 아파트 신축 공사에 관한 도급계약을 체결하였는데(갑 8, 을 30. 이하 '본건 아파트 신축 공사 계약'이라 한다) 1991년 3월 13일, 에이와건설에 위약금으로 300만 엔을 지불하고 이 계약은 이행되지 않고 중지되었다(갑 10).

(9) 피고 미쓰요는 다로의 후견인으로서 1985년 9월 30일, 피고 히노에가와에게 다로 관계 사건의 수수료, 사례금 명목으로 500만 엔을 지불하였다.

(10) 오노다는 1985년 11월 14일, 다로의 후견인인 피고 미쓰요에 대하여 해임을 요구하는 신청(도쿄 가정재판소 하치오지 지부 昭和60年28) (家) 第3708号 후견인 해임 신청사건)을 하고(갑 16의 1), 피고 히노에가와는 위 사건의 피고 미쓰요의 대리인이 되었지만 위 사건은 1990년 12월 18일 피고 미쓰요가 후술하는 (11)과 같이 다로의 후견인을 사임한 것으로 인해 취하로 종료했다.

---

28) 1985년

또한 피고 미쓰요는 후견인으로 선임되면서 사임할 때까지 재산 목록을 작성하지 않았다.

(11) 피고 미쓰요는 피고 히노에가와를 대리인으로 하여 1990년 11월 2일, 다로의 후견인 사임 허가 및 후견인 선임을 요구하는 신청(도쿄 가정재판소 하치오지 지부 平成2年[29] (家) 第2562, 2563号 후견인 사임 허가, 후견인 선임 신청사건)을 하고(을 26), 위 지부에서 1990년 12월 18일, 후견인의 사임을 허가하고 다로의 후견인으로서 조야마ㄱ山를 선임하는 취지의 심판이 이루어졌다 (갑 17의 1).

(12) 오노다는 1990년 12월 18일, 다로의 후견감독인 사임 허가를 요구하는 신청(도쿄 가정재판소 하치오지 지부 平成2年 (家) 第2958号 후견감독인 사임 신청사건)을 하여, 위 지부에서 1990년 12월 18일, 후견감독인의 사임을 허가하는 취지의 심판이 이루어졌다(갑 17의 2, 을 26). 또한 피고 미쓰요는 피고 히노에가와를 대리인으로 하여 다로의 후견감독인인 오노다의 해임을 요구하는 신청을 하고 있었다.

(13) 조야마는 1994년 다로의 후견인 사임 허가 및 후견인 선임을 요구하는 신청(도쿄 가정재판소 하치오지 지부 平成6年[30] (家) 第1984, 1985号 후견인 사임 허가, 후견인 선임 신청사건)을 하여 위 지부에서 1994년 9월 5일, 후견인의 사임을 허가하고 다로의 후견인으로서 마사후미昌史를 선임하는 취지의 심판이 이루어졌다(갑 25).

쟁점 (1) 본건 소송 제기는 소권의 남용으로서 무효인지 여부

■■■ 피고의 주장

본건 소송이 제기된 당시 다로의 후견인인 조야마는 원고나 오노다로부터 부추김을 당하여 후견인으로서의 직책에 위배하여 그 지위를 남용해 본건 소송을 제기한 것이고, 다로의 대리인이 라고 하는 것은 이름뿐이고, 실질적으로는 다로와 이해가 대립하는 원고의 대리인으로서 행동하고 있었던 것에서 보면 본건 소송은 소권의 남용으로서 무효이다.

---

29) 1990년
30) 1994년

쟁점 (2) 피고 미쓰요가 다로의 후견인으로서 본건 각 토지를 매각한 것이 다로 본인에 대한 선관주의의무 위반이라고 할 수 있는지 여부

■■■ **원고의 주장**

1. 다로는 본건 각 토지를 소유하고 있었고 피고 미쓰요는 전술한 다툼 없는 사실 등 (7)과 같이 1985년 3월에서 8월에 걸쳐 다로의 후견인으로서 본건 각 토지를 기타오기업에 매각했는데 매각가격은 시가에 비해 매우 저렴하다.

즉 본건 토지 1에 대해서는, 다로는 나카다 기요시에게 임대하고 있었지만, 피고 미쓰요는 기타오기업에 1985년 3월 2일, 1,500만 엔에 매각했는데 기타오기업은 같은 달 15일, 이 토지를 위 나카다에게 2,250만 엔(3.3㎡당 44만 7,289엔)에 전매하고 있다. 따라서 본건 토지 1의 적정한 거래가격은 2,250만 엔이 상당하고 그 차액은 750만 엔이다.

본건 토지 2에 대해서는, 피고 미쓰요는 기타오기업에 같은 해 8월 9일 1,600만 엔에 매각했지만 이 토지의 적정한 거래 가격은 이 토지가 본건 토지 1과 같은 입지 조건에 있으므로, 본건 토지 1과 마찬가지로 3.3㎡당 44만 7,289엔이라고 하면, 2,391만 엔이 상당하고 그 차액은 791만 엔이다.

본건 토지 3에 대해서는 다로는 오가와 도요사쿠에게 임대하고 있었는데 피고 미쓰요는 기타오기업에 같은 해 7월 2일, 1,150만 엔에 매각하였지만 기타오기업은 같은 해 7월 15일 이 토지를 위 오가와 도요사쿠 및 오가와 도시코에게 1,850만 엔에 전매하고 있다. 따라서 본건 토지 3의 적정한 거래가격은 1,850만 엔이 상당하고 그 차액은 700만 엔이다.

이상과 같이 본건 각 토지의 적정한 거래가격은 총액 6,491만 엔임에도 불구하고 실제는 총액 4,250만 엔에 기타오기업에 매각한 것이며 위 매각가격은 매우 저렴하다.

또한 감정에 의하면 본건 토지 1의 가격은 2,039만 엔, 본건 토지 2의 가격은 2,171만 엔, 본건 토지 3의 가격은 1,670만 엔으로 총액 5,881만 엔으로 되어 있는데 본건 각 토지의 매각가격 총액 4,250만 엔은 위 감정가격 총액에 비해서도 약 27.7% 싼 것으로 감정가에 의해도 본건 각 토지의 매각가격은 너무 저렴한 것이다.

피고 미쓰요는 본건 각 토지의 시가를 알고 있었거나 당연히 알 수 있었다는 것이다.

2. 1985년 당시 토지 가격은 상승 경향에 있었고, 본건 각 토지는 1년 동안에 적어도 30% 이상의 지가 상승이 예상되고 있었던 것이며 매각가격뿐만 아니라 매각시기도 적절하지 않았다.

3. 본건 토지 1 및 3에 대해서는 위 1.과 같이 토지 임차인이 있어 피고 미쓰요는 직접 토지

임차인에게 매각할 수 있었는데도 불구하고 구태여 기타오기업이라는 제3자에게 싸게 매각하고 기타오기업은 그 취득 가격에 상승시킨 금액으로 거의 시간을 들이지 않고 위 각 토지의 임차인에게 매각하여 기타오기업에 매매차익을 취득시켰다.

4. 본건 토지 2에 대해서는 계약서상 기타오기업에 매각하기 전인 1985년 7월 9일, 마쓰나가(松永)[31] 사료 유한회사에 매각되었으며 이중 매매의 형태로 되어 있는 등 경위가 석연치 않다. 또한 이 토지의 소유권 이전 등기 절차에 대해서는 후견감독인이 선임되어 있기 때문에, 후견감독인의 동의가 없으면 위 등기 절차를 할 수 없었던 바, 피고 미쓰요는 매수인인 기타오기업과 공모한 후, 짬짜미 소송을 매수인에게 제기시켜 전혀 방어활동을 하지 않고 자백한 것으로 간주되어 패소 판결을 받고 이 판결의 효력에 의해 소유권 이전 등기를 하게 했다.

5. 1985년 당시 다로는 본건 각 토지에서 지료 수입을 얻는 등 하고 있어 충분히 생활이 가능했다.

6. 피고 미쓰요는 후견감독인 선임 신청사건의 심리가 진전하여 가까운 장래, 후견감독인이 선임되는 것이 확실한 상황에 있었던 것으로부터 후견감독인이 선임되면 다로의 재산을 자유롭게 처분할 수 없게 된다고 생각하여 후견감독인이 선임되기 직전에 본건 각 토지를 매각했다.

7. 마쓰나가 시즈오(松永鎭雄, 이하 '마쓰나가'라 한다)는 이른바 브로커이고 피고 미쓰요는 이러한 마쓰나가에 대하여 얼마든지 좋다, 즉 싸도 상관없다고 하여 본건 각 토지의 처분을 위임했다. 또한 피고 미쓰요는 마쓰나가가 다로의 희생 하에 본건 각 토지를 매각하여 매각처 등으로부터 수수료나 리베이트 등을 받아서 스스로의 이익을 도모하고 있던 것을 마쓰나가와의 오랜 교제에서 알고 있었다.

8. 후견인은 재산 목록의 작성을 마칠 때까지는 급박한 필요가 있는 행위밖에 할 수 없는데(민법 854조), 피고 미쓰요는 1982년 4월 8일, 다로의 후견인으로 선임되어 그 후 재산 목록의 작성을 하지 않고 급박한 필요가 없는데도 불구하고 본건 각 토지를 매각했다.

9. 따라서 피고 미쓰요가 다로의 후견인으로서 본건 각 토지를 매각한 것은 선관주의의무(민법

---

31) 본문에 '松栄'으로 되어 있으나 '松永'의 오기로 보인다.

869조, 644조)에 위반하여 불법행위 또는 채무불이행을 구성하고 이에 따라 다로(그 상속인 원고)는 위 1.에서 전술한 적정한 거래 가격의 총액에서 실제 매각 가격의 총액의 차액인 2,241만 엔의 손해를 입었다.

■■■ 피고 미쓰요의 주장

본건 각 토지의 매각 가격은 특히 너무 저렴하다고 할 것은 아니다. 또한 부동산 거래는 항상 시세에 따라 된다고는 할 수 없으므로 시세와 매각 가격의 차액을 손해라고 할 수는 없다. 또한 지주가 토지 임차인과 직접 거래를 해야 하는 이유는 없고 오히려 쓸데없는 지출, 분쟁을 피하기 위해 실질적으로 부동산업자를 통해 토지 임차인에게 매각하는 것이 현명한 방법이다.

피고 미쓰요가 재산 목록을 작성하지 않은 것은 원고가 다로 소유의 부동산을 횡령하고 다로의 유가증권을 은닉하는 등 했으며, 또한 후견감독인인 오노다가 원고와 공동으로 재산 목록의 작성을 방해하고 오노다의 협력도 얻지 못했기 때문으로 재산 목록을 작성할 수 없는 상태에 있었기 때문이다. 이러한 상황에서 본건 각 토지를 매각한 것은 다로의 생활, 사건 처리에 필요한 비용 마련 등 긴급하게 돈을 마련할 필요가 있었기 때문이다.

쟁점 (3) 피고 미쓰요가 다로의 후견인으로서 본건 아파트 신축 공사 계약을 체결하고 그 후 위 계약을 중지하고 위약금을 지불한 것이 다로 본인에 대한 선관주의의무 위반이라고 할 수 있는지 여부

■■■ 원고의 주장

1. 전술한 59쪽 제2의 1. 다툼 없는 사실 등 (8)과 같이 피고 미쓰요는 다로의 후견인으로서 1985년 6월 7일 에이와건설과의 사이에서 본건 아파트 신축 공사 계약을 체결했는데 이에 따라 피고 미쓰요는 다로 소유의 1,100만 엔의 예금증서를 에이와건설에 무이자로 주어 이를 담보로 에이와건설로부터 500만 엔을 무이자로 빌렸지만 실질적으로는 마쓰나가가 빌려 소비했다. 그러나 후견인은 재산 목록 작성을 마칠 때까지는 급박한 필요가 있는 행위 밖에 할 수 없음에도 불구하고 위와 같이 도급계약을 체결하여 원고의 예금증서를 준 후 돈을 빌렸다. 또한 이러한 행위는 다로와 후견인인 피고 미쓰요와의 이해가 상반되는 행위이다.

게다가 본건 아파트 신축 공사 계약을 체결한 것은 다로를 위해 건물을 건축하려고 했던 것이 아니라 다로의 재산을 부당하게 유용하여 오로지 마쓰나가의 이익을 도모하기 위해서였다. 또한 마쓰나가에게는 빌린 돈을 상환할 의사도 능력도 없었다. 또한 다로는 토지 임차인 등으로부터 받는 임대료 수입에 의해 충분히 생활이 가능했고 다로의 임대료 수입을 목적으로 아파트를 건설할 필요는 없었다. 실제로도 본건 아파트 신축 공사 계약을 체결한 후 피고 미쓰요는 아파트 건설에 대해서 아무런 구체적인 실행을 하지 않았다.

그 후 피고 미쓰요는 1990년 12월 18일에 후견인을 사임했음에도 불구하고 후임 후견인인 조야마에게 아무것도 알리지 않은 채로 에이와건설과의 사이에서 예금증서의 회수 등의 합의 교섭을 벌여 1991년 3월 13일 에이와건설에게 위약금으로 300만 엔을 지불하는 취지로 합의했다.

2. 또한 피고 미쓰요 및 남편인 오토야마 소이치乙山宗一(이하 '소이치'라 한다)는 마쓰나가와 오랫동안 친하게 교제하고 있으며, 피고 미쓰요는 마쓰나가가 이른바 브로커이고 지켄야事件屋[32]임을 알면서 마쓰나가에게 다로의 재산에 관한 대리권을 주어 맡겨 놓은 채로 있었고 필요한 감독을 게을리 함에 따라 마쓰나가가 본건 아파트 신축 공사 계약을 체결하고 위약금을 지불한 것이다.

3. 따라서 피고 미쓰요가 에이와건설과의 사이에서 다로의 후견인으로서 본건 아파트 신축 공사 계약을 체결하고 후견인을 사임한 후, 에이와건설에 위약금 300만 엔을 지불하는 취지로 합의하고 300만 엔을 지불한 것은 선관주의의무에 위반하여 불법행위 또는 채무불이행에 해당한다.

■■■ 피고 미쓰요의 주장

본건 아파트 신축 공사 계약은 피고 미쓰요가 다로의 생활, 특히 노후의 생활을 생각하여 이를 보장하기 위한 긴급한 필요에서 체결한 것이므로 위법성이 없다.

500만 엔에 대해서는 피고 미쓰요가 다로를 위해 필요한 자금으로서 빌린 것이며, 본건 아파트 신축 공사 계약을 포기하여 위약금 300만 엔을 지불할 수밖에 없었던 것은 위 계약의 이행에 관하여 후견감독인인 오노다의 협력을 얻지 못했기 때문이다.

쟁점 (4) 피고 히노에가와에 대한 부당이득 반환 청구권에 대해서 부제소의 합의가 있었는지 여부

■■■ 피고 히노에가와의 주장

다로의 후견인인 피고 미쓰요와 피고 히노에가와와의 사이에서는 보수문제에 대해서 서로 소송을 제기하는 일은 생각하지 않았고 오히려 소송을 제기하지 않겠다는 취지의 합의, 즉 부제소의

---

32) 변호사 자격을 가지지 않고 다른 사람의 분쟁이나 다툼에 개입하여 금전적 이익을 얻는 것을 생업으로 하는 음성적인 직업의 속칭이다. 좁게는 단순히 교통사고 등에서 합의를 봐 주는 것을 생업으로 하는 사람을 의미하고 넓게는 도산정리를 해 주는 사람, 선박 침몰 사고를 비롯한 재난·사고에 개입하여 처리를 해 주는 사람 등도 포함한다. 문제를 해결하는 데 있어서 수단의 합법, 비합법을 가리지 않으며 틈만 나면 의뢰인도 표적으로 하여 문제가 많다[위키피디아 일어판(http://www.wikipedia.org/)의 검색내용].

묵시적 합의가 되어 있었다.

쟁점 (5) 피고 미쓰요가 다로의 후견인으로서 피고 히노에가와에 대하여 변호사 보수로서 지불한 돈이 법률상 원인이 없어 피고 히노에가와의 부당이득이 되는지 여부

■■■ 원고의 주장

1. 피고 미쓰요는 전술한 59쪽 1. 다툼 없는 사실 등 (9)와 같이 다로의 후견인으로서 피고 히노에가와에 대하여 변호사 보수로서 500만 엔을 지불했는데 당시 피고 미쓰요는 재산 목록의 작성을 마치지 않았던 것이므로 급박한 필요가 있는 경우를 제외하고, 다로를 위해 대리 행위를 할 수 없어 무권대리 행위가 되는 바(민법 854조 본문), 위 보수의 지불은 급박한 필요가 없어 무권대리 행위이다.

그리고 피고 히노에가와는 다로의 후견인인 피고 미쓰요로부터 사건을 수임하고 있었던 것이고 피고 미쓰요가 재산 목록을 작성하지 않은 것을 당연히 알고 있었을 것으로 악의이므로 피고 히노에가와에 대하여 무권대리임을 대항할 수 있다(민법 854조 단서).

2. 피고 미쓰요는 후견인의 선관주의의무에 위반하고 변호사 보수규정에도 위반한 상당하지 않은 보수를 지불하고 이로 인해 다로에게 손실을 가져오고, 한편 피고 히노에가와의 이익을 도모한 것이므로, 보수 지불 행위는 대리권의 남용이다. 그리고 상대방인 피고 히노에가와는 피고 미쓰요의 위 대리권의 남용에 대해서 악의 또는 과실이 있어서 민법 93조 단서의 유추 적용에 의해 위 보수의 지불은 무효이다.

3. 피고 히노에가와는 다로의 후견인이었던 피고 미쓰요의 대리인, 즉 다로의 대리인이었다고 할 수 있는 것이고 다로의 부담으로 변호사 보수 규정에 위배되는 거액의 변호사 보수를 수령하는 것은 실질적으로 피후견인인 다로와 이익이 상반되는 행위이며 민법 860조에 의해 무효이다.

4. 피고 히노에가와와 같은 경험이 풍부한 변호사가 피고 미쓰요와 공동으로 다로의 희생 하에 그 이익을 도모하는 것은 현저히 사회 정의를 일탈하는 것이고 반사회성이 높다. 따라서 보수 지불 행위는 공서양속에 위반하여 민법 90조에 의해 무효이다.

5. 500만 엔은 고노 다로 관련 사건에 대해서 지불되었다고 되어 있지만, 고노 다로 관련 사건의 내용은 전적으로 분명하지 않고 실체가 없다. 고노 다로 관련 사건이라는 것은 단순한 영수(領

収)상의 명목에 불과하고 법률상의 원인이 없는 것이다.

피고 히노에가와는 고노 다로 관련 사건의 내용에 대해서 후술하는(피고 히노에가와의 주장) 66쪽 (1) 내지 (6)을 주장하지만, (1)에 대해서는 500만 엔을 수령한 후, 1986년 2월 하순까지 소장의 기안을 하지 않고 소송위임장의 날짜도 같은 달 24일로 되어 있는 것에서 보면 500만 엔의 수수와 (1)과는 관계가 없다. 또한 (2) 내지 (4)에 대해서 피고 히노에가와는 아무런 사무 처리를 하지 않았다. (5)에 대해서는 후견인 해임, 후견감독인 해임 등의 사건이 발생한 경우라고 하지만 500만 엔의 수수가 있었던 당시에는 후견감독인 선임 신청사건이 계속되고 있었을 뿐이고 500만 엔의 수수와 (5)는 관계가 없다.

또한 원래 원고에게 본건 각 건물 등의 소유 명의가 이전되어 있는 것은 원고가 후쿠로부터 절세를 위해 소유 명의를 이전해 두라는 말을 들었으므로, 그 말에 따랐을 뿐이며, 그것은 다른 친족에게도 상담하여 한 것이고 위 건물 임대료 수입도 다로의 재산의 일부로서 관리하고 있으며, 원고에게는 횡령하려는 의도는 전혀 없었다. 따라서 원고에게 소유권 이전 등기 말소 등기를 요구하는 소송을 제기할 필요는 없었으므로 오노다도 소송을 제기하고 싶다는 피고 히노에가와의 의사표시에 대하여 그럴 필요는 없다고 거절한 것이다.

6. 이상과 같이 피고 히노에가와에 대한 변호사 보수의 지불 행위는 법률상의 원인이 없는 무효이며, 피고 히노에가와는 무효임을 알고 있었던 것이므로 악의의 수익자로서 수령한 500만 엔에 대해서 반환의무가 있다.

■■■ 피고 히노에가와의 주장

1. 피고 미쓰요는 피고 히노에가와에게 고노 다로 관련 사건에 대해서 보수를 지불한 것인데 고노 다로 관련 사건의 내용은 다음과 같다. 또한 고노 다로 관련 사건의 처리는 다음의 (1)의 소송 제기에 관하여 후견감독인 오노다가 아무런 정당한 이유 없이 동의를 거부하는 등 하여 방해했기 때문에 수행할 수 없었다.

(1) 본건 각 건물에 관한 원고를 상대방으로 하는 소유권 이전 등기 말소 등기 절차 청구 사건

(2) 후추시府中市 미요시쵸美好町(번지 생략) 소재 각 건물(갑 제16호증의 5의 건물 일람표 중 8 내지 10)에 관한 원고를 상대방으로 하는 다로의 소유권 확인, 소유권 보존 등기 말소 등기 청구 사건

(3) 위 (1) 및 (2)의 건물에 관한 부동산 가처분 (처분 금지) 신청사건

(4) 원고에 대한 부동산 횡령 피의 사건에 대해서 고소를 하는 건

(5) 그 외, 예를 들면 후견인 해임, 후견감독인 해임 등의 사건이 발생한 경우는 고노 다로 관련 사건으로서 서비스 처리하는 것

(6) 일당 교통비 등

2. 피고 미쓰요가 다로의 후견인으로서 피고 히노에가와를 소송대리인으로 선임하고 히노에가와에 대하여 보수 500만 엔을 지불한 것은 원고가 다로가 소유하는 부동산을 횡령하고 있으므로 원고로부터[33] 다로의 부동산을 되찾기 위해 긴급 처리가 필요했기 때문이다.

쟁점 (6) 피고 미쓰요에 대한 손해배상청구권은 시효에 의해 소멸하였는지 여부

■■■ 피고 미쓰요의 주장

피고 미쓰요에 대한 손해배상청구권은 불법행위에 근거한 것이며, 이 청구권이 발생한 1985년 8월 9일부터 1988년 8월 8일까지의 3년의 경과로 시효에 의해 소멸하였으므로 이를 원용한다.

■■■ 원고의 주장

1. 피고 미쓰요는 본건 소송 제기 후 2년 반이 경과하였는데 그 동안 근거 있는 반론을 주장하지 않고 있다가 증인 조사에 들어가는 단계에 이르러 소멸시효의 주장을 한 것으로 위 소멸시효 주장은 시기에 늦은 공격 방어 방법으로서 각하되어야 한다.

2. 민법 724조의 3년의 소멸시효의 기산점은 피해자 또는 그 법정대리인이 손해 및 가해자를 안 때인 바, 피해자인 다로는 금치산자이므로 손해 및 가해자를 알 수 없고, 법정대리인 조야마는 후견인에 취임한 1990년 12월 18일 이후에 손해 및 가해자를 안 것으로 이 날 이후가 기산점이 되는 것은 분명하고 소멸시효에 걸리지 않았다.

3. 피고 미쓰요에 대한 손해배상청구권은 후견에 관하여 생긴 채권에 해당하므로, 민법 875조 1항, 832조에 의해 피고 미쓰요가 후견인을 사임하고 조야마가 후견인으로 선임된 시점부터 5년 동안은 시효에 의해 소멸하지 않는 것이므로 소멸시효에 걸리지 않았다.

---

33) 원문은 '피고 미쓰요로부터'라고 되어 있으나 문맥상 '원고로부터'라고 써야 할 것을 잘못 쓴 것으로 보인다.

쟁점 (7) 피고 히노에가와에 대한 부당이득 반환 청구권은 시효에 의해 소멸하였는지 여부

■■■ 피고 히노에가와의 주장

변호사의 보수 채권은 민법 172조에 의해 사건 종료의 때로부터 2년이라는 단기 소멸시효에 걸리는데 변호사에 대한 의뢰인의 보수 반환 청구권도 이와 균형을 유지할 필요가 있으므로 역시 2년의 단기 소멸시효에 걸린다고 해석해야 하며, 본건은 후견인인 피고 미쓰요가 사임하여 후견인에 조야마가 선임된 1990년 12월 18일에 다로 관계의 모든 사건의 처리가 종료했다고 간주하고, 그 시점부터 1992년 12월 17일까지의 2년의 경과로 시효에 의해 소멸하였으므로 이를 원용한다.

■■■ 원고의 주장

1. 피고 히노에가와는 본건 소송을 제기한 후 2년 반이 경과했는데 그 동안 근거 있는 반론을 주장하지 않고 있다가 증인 조사에 들어가는 단계에 이르러 소멸시효의 주장을 한 것으로 위 소멸시효의 주장은 시기에 늦은 공격 방어 방법으로서 각하되어야 한다.

2. 민법 172조는 의뢰인의 변호사에 대한 채권에 대해서는 적용이 없다.

3. 만일 민법 172조가 의뢰인의 변호사에 대한 채권에 대해서 적용이 있다고 해도 이 조항은 사건의 종료시를 시효의 기산점으로 하며, 후견인이었던 피고 미쓰요 및 미쓰요의 대리인이었던 피고 히노에가와는 후임 후견인인 조야마에 대하여 후견 사무 관리의 계산을 하고 보고를 해야할 의무가 있고(민법 870조), 이를 아직 종료하지 않았으므로 사건이 종료했다고 할 수 없으며 소멸시효가 성립되지 않는다.

4. 민법 172조의 '직무에 관한 채권'의 직무는 변호사로서 적법하고 정당한 것이 되지 않으면 안 되는 바, 피고 히노에가와는 아무런 사건 처리를 하지 않았고 적어도 500만 엔에 상당한 변호사 활동은 아무것도 하지 않았으므로 직무에 관한 것으로는 인정될 수 없고 본건에는 민법 172조의 적용은 없다.

5. 후견인과 피후견인 사이에서 후견에 관하여 발생한 채권은 민법 875조 1항, 832조에 의해 5년의 소멸시효에 걸리는 바, 피고 히노에가와는 피고 미쓰요의 대리인이며, 다로와는 후견인과 피후견인이라는 입장에 있다고 하여야 할 것으로, 피고 히노에가와에 대한 부당이득 반환 청구권

은 피고 미쓰요가 후견인을 사임하고 조야마가 후견인으로 선임된 시점부터 5년의 소멸시효에 걸리게 되어 소멸시효가 성립하지 않는다.

6. 500만 엔의 수수가 반사회성, 밀실성이 높은 점, 피고 히노에가와는 후견감독인의 선임을 방해하면서 후견감독인이 선임되기 전에 기습적으로 500만 엔이라는 돈을 수령하고 있는 점, 다로의 후견인인 피고 미쓰요 및 그 대리인인 피고 히노에가와가 후견 사무 관리 보고를 하지 않았으므로 피고 히노에가와에 대한 500만 엔 지불 사실을 판명하는 것이 지연된 점 등의 사실에서 보면, 피고 히노에가와의 소멸시효의 원용은 권리 남용에 해당한다.

제3 쟁점에 대한 판단

1. 쟁점 (1)에 대해서

피고들은 본건 소송은 소권의 남용으로서 무효라는 취지로 주장하지만, 본건 전체 증거에 의해서도 이를 인정하기에 부족하다.

2. 쟁점 (2)에 대해서

(1) 전술한 57쪽 제2의 1. 다툼 없는 사실 등, 증거(갑 2 내지 8, 10, 16의 2, 18, 19의 1 내지 14, 21, 23, 24, 40의 1 및 2, 41의 1, 42, 44, 45, 을 30, 32 내지 34, 증인 오토야마 소이치乙山宗一(이하 '증인 오토야마'라 한다), 증인 고노 요시코甲野芳子(현재 본소 청구의 원고이다), 피고 오토야마 미쓰요 본인, 피고 히노에가와 에이치 본인, 감정인 고타니 요시마사小谷芳正의 감정 결과) 및 변론의 전체 취지에 의하면 아래의 사실이 인정된다.

① 피고 미쓰요 및 히로시들의 아버지인 도시쓰구는 1943년 12월 20일 사망했다.

② 원고는 1965년 2월, 히로시와 결혼해 히로시와의 사이에 장남 마사후미들의 자식이 있다. 원고는 히로시와 결혼 후, 후쿠 및 다로와 동거하며 이 사람들을 보살펴 왔다. 그 뒤 원고 및 히로시는 1967년 9월 5일 다로와 양자결연을 맺었다.

③ 후쿠는 1970년 1월 22일 사망하고 히로시는 1973년 7월 31일 사망했다.

원고는 히로시의 사망 후 다로, 마사후미들과 동거하고 이 사람들을 보살펴 왔다. 그러나 다로는 1975년 무렵부터 TV에 나오는 여성에게 키스를 하거나 단도를 휘두르는 등 때때로 이상한 행동을 하게 되어서 1978년 원고는 오노다, 조야마 및 소이치들에게 상담하여 원고의 어머니가 원고의 집에서 동거하여 다로의 모습을 보고 있던 바, 다로에게 이상한 행동이 확인되었다. 그래서 다로는 1978년 12월 피고 미쓰요의 집에 맡겨졌지만 얼마 안 있어 원고의 집으로 되돌아왔다.

그런데 원고의 집에서 1979년 2월 하순 무렵 원고, 조야마, 오노다 및 소이치들이 모여 협의하여 다로는 원고와 별거하고 원고의 집과 같은 부지 내에 있는 건물의 방 하나에 살게 하고, 다로의 뒤치다거리는 원고의 시누이인 고사키 시즈코康崎シヅ子가 하게 되었다. 또한 원고는 다로 소유 부동산의 임대료 수입에서 매달 5만 엔을 다로의 생활비로 고사키 시즈코에게 지불하게 되었다. 또한 1996년 4월 17일부터는 원고가 다로의 식사 등을 돌봤다.

④ 피고 미쓰요는 다로의 후견인으로 선임되었지만, 그것은 마쓰나가들에게 권유 받고 있었기 때문이고 피고 미쓰요는 자신은 이름뿐인 후견인이라는 인식밖에 없어 재산 목록을 작성할 의무가 있는 것도 충분히 이해하지 못하고 재산 목록의 작성을 전혀 하지 않았다.

⑤ 소이치 및 피고 미쓰요는 그 매각대금으로 공동 주택을 지어 그 임대료로 다로의 생활비 등을 얻기 위해 다로의 부동산을 매각하려고 생각하고 아는 사이인 마쓰나가에게 본건 각 토지의 매각을 의뢰했다. 그 때 매각대금이나 매수인에 대하여 소이치는 아무것도 지정하지 않고 마쓰나가에게 일임했다.

그 후 전술한 59쪽 제2의 1. 다툼 없는 사실 등 (7)과 같이 본건 각 토지를 기타오기업에 매각했지만 마쓰나가는 본건 각 토지의 매수인을 소이치의 집으로 데려와 그 때마다 소이치와 피고 미쓰요가 입회한 후 매매계약을 체결한 것이고 매각대금 등에 대해서는 저렴하다고 생각하고 있었지만 마쓰나가의 말에 대하여 특히 이의를 하지 않고 마쓰나가의 의견에 따랐다.

⑥ 소이치 및 피고 미쓰요는 소이치의 아버지인 모토지로元次郎가 1973년 2월 27일에 사망했을 때, 상속 문제 등에 대해서 마쓰나가에게 여러 의뢰를 한 일로 마쓰나가와 사귀게 되었다. 마쓰나가는 본건 각 토지를 매각할 당시 마쓰나가 사료 유한회사의 대표이사였지만, 실제로는 이른바 브로커 또는 지켄야 같은 일을 하고 있어 부동산 회사 등에 드나들던 것이고 소이치 및 피고 미쓰요는 그것을 알고 있었다.

⑦ 소이치는 예전부터 다로 명의의 토지를 토지 임차인에게 매각하기에 즈음하여 의견을 물어오면 동의한 적도 있고 자신도 자기가 소유하는 토지를 토지 임차인에게 매각한 적도 있었다.

⑧ 기타오기업에 대한 매각가격은 전술한 59쪽 제2의 1. 다툼 없는 사실 등 (7)과 같이 본건 토지 1은 1,500만 엔, 본건 토지 2는 1,600만 엔, 본건 토지 3은 1,150만 엔이지만 감정 결과에 의하면 본건 각 토지의 매각 당시의 가격은 본건 토지 1은 2,039만 엔, 본건 토지 2는 2,172만 엔, 본건 토지 3은 1,670만 엔이며 감정평가 가격과 비교해서 약 27.7% 낮은 가격에 매각되었다.

⑨ 본건 토지 1 및 3에 대해서 기타오기업은 전술한 59쪽 제2의 1. 다툼 없는 사실 등 (7)과 같이 위 각 토지의 임차인에게 전매했으며 게다가 위 각 토지에 대하여 기타오기업이 매입한 때로

부터 불과 13일 후에 전매하고 있다. 등기에 대해서는 다로와 기타오기업 사이의 매매에 대해서는 생략되어 등기부에는 다로로부터 토지 임차인에게 직접 매각된 것처럼 되어 있다.

⑩ 본건 토지에 대해서는 계약서에는 기타오기업에 매각하기 한 달 전인 1985년 7월 9일, 마쓰나가가 대표이사로 있는 마쓰나가 사료 유한회사에도 매각되어 있고 게다가 같은 해 11월 29일 이 회사로부터 유한회사 도카이하우징東海ハウジング에 매각되어 피고 미쓰요는 1986년 3월 28일, 본건 토지 2의 임차권을 위 도카이하우징이 양수하는 것 및 도카이하우징이 제3자에게 토지 임차권을 양도하는 것을 승낙했다. 또한 등기부에는 1985년 3월 1일 매매예약을 원인으로 하여 같은 해 5월 25일에 다로로부터 마쓰나가 사료 유한회사로 소유권 이전 청구권 가등기가 되어 있으며 더욱이 이 가등기는 1986년 3월 28일 매매를 원인으로 하여 같은 달 29일에 도카이하우징에게, 1987년 1월 20일 매매를 원인으로 하여 같은 달 22일에 반바 다카시馬場孝에게 이전등기가 되어 있지만 1987년 6월 17일, 다로의 후견인인 피고 미쓰요는 기타오기업에 대하여 본건 토지 2에 대해서 소유권 이전 등기 절차를 하도록 명한다는 취지의 판결이 선고되어서 이 판결에 의하여 기타오기업은 소유권 이전 등기를 하고 그 후 위 가등기는 말소되었다. 더욱이 본건 토지 2에 대해서는 1987년 7월 15일 매매를 원인으로 하여 같은 달 16일에 기타오기업에서 주식회사 가네시로カネシロ로 소유권 이전 등기가 되어 있다.

덧붙여 위 판결은 당초 피고 미쓰요가 기타오기업의 피고 미쓰요에 대한 청구를 인낙하려고 한 바, 후견감독인의 동의를 얻지 못했으므로 피고 미쓰요가 청구원인에 대하여 모두 인정하여 인용 판결이 선고되었으며 피고 미쓰요는 위 소송에 대해서도 마쓰나가에게 실질적으로 모두 맡기고 있었다.

⑪ 피고 미쓰요는 전술한 59쪽 제2의 1. 다툼 없는 사실 등 (8)과 같이 다로의 후견인으로서 1985년 6월 7일 에이와건설과의 사이에서 본건 아파트 신축 공사 계약을 체결했지만 그 교섭이나 실현을 위한 절차 등은 소이치가 마쓰나가에게 전부 맡기고 있었으나 마쓰나가는 계약 체결 후에 에이와건설에 아무런 구체적인 이야기를 하지 않고 방치하여 결국 공동주택은 건축되지 않았다.

(2) 이상의 사실을 종합하면 피고 미쓰요는 다로의 후견인으로 취임할 때 후견인의 의무에 대해서 거의 주의를 기울이지 않은 점, 본건 각 토지의 매각에 대해서는 매매 대금이나 매수인에 관하여 아무것도 지시하지 않고 그저 만연히 남편인 소이치나 아는 사이인 마쓰나가에게 맡기고 있으며 계약 체결 단계에 이르러도, 매매 대금에 대해서 거의 주의를 기울이지 않고 마쓰나가가 말하는 대로 했던 점, 마쓰나가가 브로커 같은 일을 한 것에 대해서 피고 미쓰요 및 소이치는 오랜 교제에서 인식하고 있었던 점, 소이치는 전에 토지 임차인에게 직접 토지를 매각한 적이 있었음에도 불

구하고, 본건 각 토지에 대해서는 그러한 방법을 취하지 않은 점, 본건 각 토지 매각 가격은 감정에 의한 시가 평가액과 비교해서 약 27.7%나 낮은 가격이며, 피고 미쓰요도 위 매각 가격이 저렴하다는 것은 인식하고 있었던 점, 재산 목록을 작성하지 않았음[후술하는 73쪽 (4)와 같이 이에 관하여 합리적 이유는 없었다]에도 불구하고 본건 각 토지를 매각한 점, 본건 토지 2에 대해서는 이중매매를 하고 게다가 기타오기업이 피고 미쓰요에게 제기한 소유권 이전 등기 절차의 재판에서 후견감독인이 선임되어 있음에도 불구하고, 피고 미쓰요만으로 청구원인 사실을 인정하여 패소 판결을 받고 판결에 근거하여 등기 명의가 기타오기업으로 이전되어 버린 점이 각각 인정된다.

피고 미쓰요는 다로의 후견인으로서 피후견인인 다로의 재산을 선관주의의무를 가지고 관리 처분을 하는 의무를 지고 그 재산을 다른 사람에게 매각하는 경우에는 이를 적정하고 타당한 가격으로 매각해야 할 것인 바, 위의 각 사정에서 보면 피고 미쓰요는 신뢰하기에 부족한 마쓰나가가 말하는 대로 저렴한 가격임을 인식하면서, 감정평가액을 27.7%나 하회하는 저렴한 가격으로 본건 각 토지를 매각한 것으로, 피고 미쓰요가 본건 각 토지를 저렴하게 매각한 것은 피후견인인 다로에 대하여 부담하고 있는 선관주의의무에 위반하여 피고 미쓰요는 불법행위 책임을 져야한다고 할 수 있다.

(3) 또한 피고 미쓰요는 본건 각 토지를 매각한 것은 다로의 생활비 등을 얻기 위한 긴급 재정 수입이 필요했기 때문이라고 주장했으며 증인 오토야마는 본건 각 토지 매각에 대해서는 이 증인이 다로의 재산이 모두 원고의 명의로 이전되어 버리기 전에, 다로의 토지를 처분하여 그 매각 대금으로 공동 주택을 지어 그 임대료로 다로가 살아 갈 수 있도록 생각하여 한 것이라고 진술한다.

하지만 피고 미쓰요의 위 주장이나 증인 오토야마의 위 진술 내용이 사실이라고 해도 피고 미쓰요가 본건 각 토지를 위와 같이 부당하게 염가로 매각한 것을 정당화하는 이유가 되는 것은 아니다. 게다가 증인 오토야마는 다로의 재산에 대하여 원고가 횡령할 우려가 있다는 취지로 진술했지만, 전술한 58쪽 제2의 1. 다툼 없는 사실 등 (2) 및 증거[갑 21, 31의 1 내지 8, 32, 42, 45, 을 13의 1 내지 3, 46 내지 48, 증인 고노 요시코(현재 본소 청구의 원고이다)]에 의하면 원고가 다로 명의의 본건 각 건물을 자기 명의로 변경한 것은 후쿠가 부동산의 평가액이 내려가면 상속세 대책을 위해서 원고 명의로 변경하도록 지시하였으므로 후쿠의 지시에 따른 것일 뿐으로, 원고로 서는 필요가 있으면 언제든지 다로 명의로 되돌릴 생각이 있었다는 것이 인정되고 원고가 본건 각 건물을 횡령했다고 인정할 수 없는 이상(전술한 58쪽 제2의 1. 다툼 없는 사실 등) 본건 각 토지 매각 시에는 피고 미쓰요는 다로의 후견인으로 선임되어 있었고 다로의 재산의 관리 처분에 대해서는 피고 미쓰요가 그 권한을 가지고 있던 것이므로 본건 각 토지의 명의가 원고에게 이전되는 것을 염려할 필요도 없었을 것이다. 게다가 전술한 69쪽 제3의 2. ③에서 인정한 대로 원고는 다로의 생활비로 매달 5만 엔을 지급한 것이므로, 다로의 부동산을 싸게 매각하지 않으면 안 되는 사정도 인정하기 어렵다.

따라서 피고 미쓰요가 본건 각 토지를 매각한 것은 후견인의 사무 처리로 정당하다는 취지의 주장은 채용할 수 없다.

(4) 또한 피고 미쓰요는 재산 목록을 작성하지 않은 이유에 대하여 원고가 다로의 부동산을 횡령하거나 주권을 은닉하는 등 하고 후견감독인인 오노다가 재산 목록의 작성을 방해하고 협력하지 않았기 때문이라고 주장하고 있다.

그러나 부동산 횡령에 대해서는 앞에서 인정한 대로 횡령 사실은 인정되지 않고, 주권의 은닉에 대해서도 이를 인정할 만한 증거는 없다. 또한 오노다가 재산 목록의 작성을 방해하고 협력하지 않았다는 점에 대해서도 이를 인정할 만한 증거가 없을 뿐만 아니라 피고 미쓰요에 대해서 1982년 3월 24일에 이미 후견인으로 선임하는 취지의 심판이 되고〔전술한 58쪽 제2의 1. 다툼 없는 사실 등 ⑷〕 또한 증거(갑 1)에 의하면, 같은 해 4월 8일에 위 심판이 확정되어 후견인으로 취임한 것이므로 재산 목록의 작성은 한 달 이내에 하여야 한다(민법 853조 1항)는 것에서 보면 그로부터 3년 이상 경과한 1985년 10월 11일에 후견감독인으로 선임된 오노다가〔전술한 58쪽 제2의 1. 다툼 없는 사실 등 ⑸〕 재산 목록의 작성을 방해하거나 이에 협력하지 않거나 할 여지는 없는 것이 분명하다.

따라서 재산 목록을 작성하지 않은 것에 정당한 이유가 있다는 피고 미쓰요의 위 주장은 채용할 수 없다.

(5) 그런데 피고 미쓰요의 선관주의의무 위반에 의해 다로가 입은 손해에 대하여 검토하는데 감정 결과에 의하면 본건 토지 1의 매각 당시의 평가액은 2,039만 엔, 본건 토지 2는 2,172만 엔, 본건 토지 3은 1,670만 엔인 바, 위에서 인정한 제반 사정 외에, 감정에 의한 시가 평가액은 객관적인 평가액이지만, 후견인이 부동산을 매각하는 경우에는 그 평가액을 다소 하회했다고 해서 즉시 적정 타당한 가격이 아니라고까지는 할 수 없고 또한 후견인이 부동산을 매각하는데 보통 필요한 비용, 예를 들면 본 건에서는 마쓰나가를 통해 본건 각 토지를 매각하고 있지만, 마쓰나가가 아니라 정규 중개업자에게 의뢰를 하여 본건 각 토지를 매각하는 경우의 중개 수수료에 대해서는 이를 공제하는 것이 상당한 것에 비추어 생각하면, 다로가 입은 손해에 대해서는 위 감정평가액에서 10%를 감한 금액으로 하는 것이 상당하다.

그러면 본건 토지 1의 감정평가액의 90%는 1,835만 1,000엔이며 실제 매각 가격은 1,500만 엔이었던 것에서 보면 본건 토지 1에 대해서는 335만 1,000엔이 손해액이 된다. 마찬가지로 본건 토지 2의 감정평가액의 90%는 1,954만 8,000엔이며 실제 매각 가격은 1,600만 엔이었던 것에서 보면 본건 토지 2에 대해서는 354만 8,000엔이 손해액이 된다. 본건 토지 3의 감정평가액의 90% 는 1,503만 엔이며 실제 매각 가격은 1,150만 엔이었던 것에서 보면 본건 토지 3에 대해서는 353 만 엔이 손해액이 된다.

따라서 피고 미쓰요가 본건 각 토지를 저렴하게 매각했다는 선관주의의무 위반에 의해 다로가 입은 손해는 합계 1,042만 9,000엔이라고 하여야 할 것이다.

3. 쟁점 (3)에 대해서

(1) 전술한 57쪽 제2의 1. 다툼 없는 사실 등, 증거[갑 8, 10, 20, 21, 34, 내지 41의 3, 44, 을 27 내지 31, 증인 오토야마, 증인 고노 요시코(현재 본소 청구의 원고이다), 피고 미쓰요 본인] 및 변론 의 전체 취지에 의하면 아래의 사실이 인정된다.

① 본건 아파트 신축 공사 계약의 상대방인 에이와건설의 대표이사인 나가세 다카시永瀬孝志는 마쓰나가의 소개로 한번 피고 미쓰요의 집에 가서 돌아오는 길에 아파트를 짓기로 예정된 토지를 봤는데 나가세가 아파트 건설 예정지를 본 것은 그 때 한번 뿐이었다.

그 후 나가세는 마쓰나가의 의뢰로 1985년 2월 5일 견적서를 작성했다.

② 다로의 후견인인 피고 미쓰요는 1985년 6월 7일 에이와건설과의 사이에서 본건 아파트 신 축 공사 계약을 체결했고, 도급(공사)대금은 5,385만 2,580엔이고 계약 성립 시에 1,100만 엔을 지불하는 것으로 하였다. 피고 미쓰요는 본건 아파트 신축 공사 계약에 대해서는 마쓰나가에게 모두 맡겼고 계약서에 대해서도 마쓰나가의 요구대로 서명했을 뿐이었다.

위 계약 체결 시 마쓰나가는 건설자금으로 다로 소유의 도키와ときわ상호은행이 발행한 1,100만 엔의 정기예금 증서를 에이와건설에 넘겨주고 게다가 위 예금증서를 담보로 다로의 후견인인 피 고 미쓰요 명의로 500만 엔을 에이와건설에서 빌렸지만 실제로는 이 500만 엔은 마쓰나가가 전부 소비했다.

③ 그 후 마쓰나가나 피고 미쓰요가 에이와건설에 대하여 아파트 건설의 이야기를 꺼낸 일은 전혀 없고 새로 후견인으로 된 조야마가 본건 아파트 신축 공사 계약의 처리에 관하여 이의를 한 것으로 1991년 3월 13일, 마쓰나가가 에이와건설을 방문하여 위 예금증서를 현금으로 하고 마쓰나가가 200만 엔의 기획료를 취득한 후 에이와건설에게 300만 엔을 위약금으로 지불했다.

(2) 이상의 사실에 덧붙여 전술한 57쪽 제2의 1. 다툼 없는 사실 등 및 전술한 제3의 2.에서 인정한 사실을 종합하면 피고 미쓰요는 마쓰나가가 브로커인 것을 알면서 본건 아파트 신축 공사 계약에 대해서 만연히 전부 마쓰나가에게 맡긴 것, 게다가 피고 미쓰요는 계약 당시 재산 목록을 작성하지 않았고 이에 관하여 합리적인 이유는 없었다는 것, 계약 체결 후 피고 미쓰요나 마쓰나가가 에이와건설에 실제로 공사를 추진하도록 의뢰한 적은 전혀 없고 다로를 위해 아파트를 긴급히 건축할 필요성은 없었던 것, 최종적으로 피고 미쓰요가 후견인을 사임한 후 마쓰나가가 에이와건설에 위약금 300만 엔을 지불함으로써 본건 아파트 신축 공사 계약은 중지된 것이 인정된다.

피고 미쓰요는 다로의 후견인으로서 피후견인인 다로의 재산을 선관주의의무를 가지고 관리 처분하는 의무를 지고, 피후견인 명의로 계약을 체결하는 경우에는 그 계약이 적정 원활히 이행되어 피후견인의 이익에 부합하도록 주의해야 할 것인 바, 위에서 인정한 제반 사정에서 보면, 피고 미쓰요는 만연히 본건 아파트 신축 공사 계약의 체결 및 이행에 대해서 마쓰나가에게 맡기고, 그 덕분에 마쓰나가가 500만 엔의 금융이익 내지 200만 엔의 기획료 명목의 이익을 얻은 것 외에, 최종적으로 마쓰나가가 위 계약에 대해서 300만 엔의 위약금을 에이와건설에 지불하는 것으로 위 계약을 중단하는 사태가 되어, 다로에게 위 위약금 300만 엔의 손해를 입혔다고 할 수 있고 피고 미쓰요의 위 행위는 피후견인인 다로에 대하여 지고 있는 선관주의의무에 위반하여, 피고 미쓰요는 다로가 입은 위 손해 300만 엔에 대해서 불법행위 책임을 져야한다고 할 수 있다.

(3) 또한 피고 미쓰요는 아파트 공사가 이루어지지 않은 이유에 대해서 후견감독인인 오노다의 협력을 얻지 못했기 때문이라고 주장했으며 증인 오토야마도 그에 부합하는 진술을 하였지만 오노다 자신은 본건 아파트 신축 공사에 대해서는 전혀 알지 못했다는 오노다의 진술서(갑 41의 1) 중의 기재 및 위에서 인정한 제반 사정에 비추어 증인 오토야마의 위 진술은 신용할 수 없고 피고 미쓰요의 위 주장은 채용할 수 없다.

4. 쟁점 (6)에 대해서

피고 미쓰요는 다로의 피고 미쓰요에 대한 손해배상청구권은 불법행위에 근거한 것이므로 3년의 경과로 시효에 의해 소멸했다고 주장한다.

그러나 본건 손해배상청구권은 금치산자인 피후견인의 후견인에 대한 불법행위에 근거한 배상 청구권이기 때문에, 그 소멸시효(민법 724조) 3년 기간의 기산점은 금치산자의 후견인(가해자)이 교체되어 새로운 후견인(법정대리인) 등이 손해 및 가해자를 안 때라고 해석해야 한다. 왜냐하면 금치산자인 피후견인이 후견인(가해자)의 후견에 따르고 있는 한, 당해 후견인에 대하여 불법행위에 의한 손해배상 채권을 행사하는 것이 불가능하고 후견인의 교체가 있던 경우 새로운 후견인이나 금치산선고가 취소된 경우 본인이 손해 등을 알아 비로소 시효기간이 진행하기 때문이다.

이를 본건에 대해서 보면(전술한 60쪽 제2의 1. 다툼 없는 사실 등 (11)] 피고 미쓰요가 다로의 후견인을 사임하고 조야마가 그 후견인으로 선임된 것은 1990년 12월 18일이기 때문에 빨라도 같은 달 19일부터 그 시효기간이 진행하므로 본건 소송 제기일(1993년 6월 2일)까지 아직 3년의 기간은 경과하지 않은 것이 분명하다.

따라서 다로를 상속한 원고의 피고 미쓰요에 대한 본건 손해배상청구권은 아직 시효에 의해 소멸하지 않았다고 할 수 있고 피고 미쓰요의 위 주장은 그 밖의 점을 판단할 것도 없이 이유가 없다.

5. 쟁점 (4)에 대해서

피고 히노에가와는 다로의 후견인인 피고 미쓰요와 피고 히노에가와 사이에서 부제소의 묵시적 합의가 있었다고 하지만 본건 전체 증거에 의해서도 이를 인정하기에 부족하다.

6. 쟁점 (5)에 대해서

(1) 우선 원고의 주장(재산 목록 작성 전의 대리권 제한 규정 위반에 의한 무권대리)에 대해서 검토하는데 피고 미쓰요가 재산 목록을 작성하지 않은 것은 전술한 57쪽 제2의 1. 다툼 없는 사실 등과 같으며, 피고 미쓰요가 다로의 후견인으로서 피고 히노에가와에게 변호사 보수로 500만 엔을 지불한 때 피고 미쓰요는 재산 목록을 작성하지 않았다.

(2) 다음으로 위 500만 엔의 지불이 급박한 필요가 있는 행위였는지 여부에 대해서 검토하는데 피고 히노에가와는 원고가 다로가 소유한 부동산을 횡령하고 있었으므로, 그것을 되찾기 위해 긴급 처리를 필요로 하는 것이어서 급박한 필요성이 있었다는 취지로 주장한다.

그러나 63쪽 쟁점 (3)에 비추어 생각하면 원고가 다로의 본건 각 건물 등 부동산을 횡령했다고 인정할 수 없고, 또한 증거(갑 9의 3, 31의 1 내지 8, 을 13의 1 내지 3, 52, 피고 히노에가와 에이치 본인) 및 변론의 전체 취지에 의하면 피고 히노에가와는 1985년 9월 30일에 보수로 500만 엔을 수령한 지 반년 가까이 지난 1986년 2월 25일에, 다로의 후견인인 피고 미쓰요의 원고에 대한 본건 각 건물(피고의 주장에 의하면 원고가 횡령한 다로의 건물)에 대한 소유권 이전 등기 말소 등기 절차 청구 사건의 소장을 기안하고 같은 달 27일, 그것을 후견감독인인 오노다에게 보내 소송 제기에 대해서 동의를 구한 것이 인정되고, 이것으로부터도 위 사건이 긴급 처리를 요하는 사건이었다고는 도저히 인정하기 어렵고 달리 급박한 필요성이 있었음을 인정할 만한 사정은 없다. 따라서 급박한 필요성이 있었다는 피고 히노에가와의 주장은 채용할 수 없다.

(3) 그러면 피고 미쓰요가 다로의 후견인으로서 재산 목록을 작성하지 않고, 급박한 필요가 없는데도 불구하고 피고 히노에가와에게 500만 엔의 보수를 지불한 행위는 무권대리 행위(민법 854조 본문)가 되지만 이는 선의의 제3자에게 대항할 수 없는 것이므로(민법 854조 단서) 본건에서도 피고 히노에가와가 위의 점에 관하여 선의였는지 여부를 검토하는데 증거(피고 히노에가와 에이치 본인) 및 변론의 전체 취지에 의하면 피고 히노에가와는 마쓰나가를 통해 피고 미쓰요에게 재산 목록을 작성하도록 조언한 것, 피고 히노에가와는 피고 미쓰요가 재산 목록을 작성하지 않았다는 것에 대해서 1985년까지 마쓰나가를 통해 자주 듣고 있었던 것, 피고 히노에가와는 500만 엔을 받은 때 피고 미쓰요에게 재산 목록을 작성했는지 여부를 확인하지 않은 것, 피고 히노에가와의 변명에 의하면 원고 명의의 본건 각 건물(피고 히노에가와의 주장에 의하면 횡령된 건물)을 되찾지 않는 한 재산 목록의 작성을 할 수 없다는 것이고 피고 히노에가와는 보수의 지불을 받은 당시 본건 각 건물이 원고 명의 그대로임을 알고 있었던 것으로 인정된다.

이상의 사실을 종합하면 피고 히노에가와는 500만 엔을 수령한 당시 피고 미쓰요가 재산 목록을 작성하지 않은 것을 알고 있었다고 인정할 수 있다.

또한 위 2.에서 인정한 사실에 의하면 500만 엔의 지불에 대해서 급박한 필요가 없었던 것에 대해서도 피고 히노에가와는 알고 있었다고 인정할 수 있다.

(4) 그러면 피고 미쓰요가 다로의 후견인으로서 피고 히노에가와에게 500만 엔의 보수를 지불한 행위는 재산 목록이 작성되기 전에 이루어진 것으로 급박한 필요도 없었던 것이며 피고 히노에가와는 그것에 대해서 악의였다고 할 수 있으므로 위 보수 지불 행위는 무권대리 행위이며 또한 그것을 가지고 피고 히노에가와에게 대항할 수 있다고 하여야 할 것이다.

따라서 그 밖의 원고의 주장에 대해서 판단할 것도 없이 피고 히노에가와가 수령한 500만 엔은 법률상의 원인이 없는 부당이득이고 피고 히노에가와는 악의의 수익자로서 수령한 500만 엔에 대해서 이자를 붙여 다로의 상속인인 원고에게 반환해야 한다.

7. 쟁점 (7)에 대해서

피고 히노에가와는 변호사에 대한 의뢰인의 보수 반환 청구권도 민법 172조에 의해 2년의 단기 소멸시효에 걸리므로 본건에서 원고의 피고 히노에가와에 대한 부당이득 반환 청구권은 2년의 경과로 시효에 의해 소멸했다고 주장한다.

　　그러나 민법 172조에서 변호사 및 공증인의 직무에 관한 채권에 대해서 특히 2년의 단기 소멸 시효가 정해진 취지는 변호사 및 공증인의 채권에 대해서는 통상 사건 종료 후 즉시 이를 행사하는데, 심한 경우에는 사건에 착수하기 전에 변제를 받는 사람도 드물지 않으므로, 특히 시효기간을 단축했다고 하는 데 있다. 이러한 입법 취지에 비추어 보면, 민법 172조의 '변호사 및 공증인의 직무에 관한 채권'이란 변호사 및 공증인의 의뢰인에 대한 채권에 한정된다고 해석해야 하며, '변호사 및 공증인의 직무에 관한 채권'에 의뢰인의 변호사에 대한 부당이득 반환 청구권이 포함될 여지는 없다고 하여야 할 것이다.

　　따라서 본건에서 원고의 피고 히노에가와에 대한 부당이득 반환 청구권은 민법 167조에 의해 10년의 소멸시효에 걸린다고 할 수 있는데 본건에서는 부당이득 시인 1985년 9월 30일의 다음날부터 피고 히노에가와에 대한 본건 소송 제기일(1993년 6월 2일) 및 청구의 확장 시(1994년 6월 8일)까지 아직 10년이 경과하지 않은 것은 분명하므로 피고 히노에가와의 시효 소멸 주장은 채용할 수 없다.

결 론

이상에 의하면, 원고의 피고들에 대한 본소 청구는 위의 한도에서 이유가 있으므로 주문과 같이 판결한다.

■재판장 재판관 下田文男　재판관 川畑公美　재판관 桧山聡

별지 1 친족관계 <생략>
별지 2 제1 물건목록 <생략>
별지 3 제2 물건목록 <생략>

② 피후견인의 돈을 타인에게 빌려 준 사례

사망한 본인(피후견인)인 금치산자의 다섯 명의 상속인 중 세 명의 상속인이 본인의 후견인인 변호사에게 본인의 재산 관리에 대해 선량한 관리자로서의 주의의무를 게을리 하여 다른 상속인의 한 사람(본인의 차남)이 경영하는 회사에 3억 엔을 빌려 주었기 때문에 회수가 불가능하게 되어 본인에게 3억 엔의 손해를 끼쳤다는 등으로 주장하여 채무불이행에 근거하여 위 손해금 3억 엔을 청구한 사안이다.

1심은 변호사인 후견인에게 주의의무 위반이 없다고 하여 원고들의 청구를 기각하였고 이에 원고들이 항소하였는데 항소심도 후견인인 변호사에게 선관주의의무 위반을 인정할 수 없다고 하면서 항소를 기각하였다.

[1] 본건 허가 및 본건 대출 실행까지 사이의 선관주의의무 위반에 대해서

항소심은 사실관계에 따르면 본인은 본건 대출 당시 위 회사의 대표이사를 사임했지만 25%의 주식을 소유하고 있었던 것, 본건 부동산에는 본인과 함께 위 회사의 경영을 맡아 온 차남과 그 가족이 거주하고 있었던 것, 본인의 예금에서 3억 엔을 위 회사에 빌려 준다고 해도 여전히 본인의 예금은 1억 4,000만 엔 이상 있고, 이는 본인 부부의 요양 간호의 자금으로는 충분한 것이라고 할 수 있는 것 등의 점을 종합하고 본인의 뜻을 헤아리면, 본건 대출을 하는 것이 본인의 의사에 따른 것이라고 할 수 없지도 않고 게다가 당시, 항소인(원고)들은 본건 대출에 반대한다는 취지의 의사표시를 위 재판소나 피항소인(피고)에 대해서 하지 않았던 것이므로, 본건 부동산을 본인 자신이 되사는 것은 아니고 위 회사는 당시 이미 본인이 그 경영에서 물러나 있었던 것임을 고려해도 여전히 피항소인이 본인의 후견인 직무대행자로서 본건 대출의 필요성이 있다고 판단한 것에는 나름대로의 상당성 내지 합리성이 있다고 할 수 있다고 판시하였다.

또한 본건 부동산의 감정평가액은 18억 엔 남짓이었던 것에 대하여 본건 부동산에 본건 대출 당시 설정되어 있던 선순위 담보권의 피담보채권액은 합계 6억 7,500만 엔 정도였던 것에서 보아, 당시 이미 부동산 가격이 하락세에 있었음을 고려해도, 본건 대출금 채권이 본건 부동산으로 충분히 담보된다고 판단한 것에도 나름의 합리성이 있고 게다가 위 회사의 당시 연간 매출액이 15억 엔 정도라는 신용조사기관의 정보에서 피항소인이 본건 대출금의 회수가 충분히 가능하다고 판단한 것에도 또한 나름대로 합리성이 인정된다고 판시하였다. 그리고 나름의 상당성 내지 합리성이 인정되는 이상, 피항소인이 본건 허가에 근거하여 본건 대출을 실행하기로 한 것에 대해서 피항소인에게 항소인들 주장과 같은 후견인 직무대행자로서의 선관주의의무 위반이 있었다고 할 수는 없다고 판시하였다.

[2] 본건 대출의 실행에서의 선관주의의무 위반에 대해서

그리고 재판소는 피항소인은 본건 대출을 실행하기 3개월 쯤 전에 본건 부동산을 15억 5,000만 엔에 매각하기로 되어 있었기 때문에 본건 대출의 실행일 무렵에도 본건 부동산을 같은 정도 가격이라고 판단했는데 그러한 판단에는 상응하는 합리성이 있다고 보았다. 따라서 본건 대출 당시, 다른 회사들을 저당권자로 하는, 채권액 3억 엔의 1번 저당권, 채권액 7,500만 엔의 2번 저당권, 채권액 3억 엔의 3번 저당권이 선순위로 존재하고 있었다고 해도 피항소인이 본건 부동산에 대해서 본인을 저당권자로 하는 채권액 3억 엔의 4번 저당권을 위한 담보 여력이 있다고 판단한 것에는 상응하는 합리성이 있다고 할 수 있다고 하여 선관주의의무 위반의 점을 부인하였다.

[3] 본건 대출 실행 후의 선관주의의무 위반에 대해서

피항소인은 본건 대출의 실행 후, 위 회사에 본건 대출금의 이자 지불을 요구한 바, 다른 회사에 대한 위약금의 지불로 매월 700만 엔을 지급하고 있으므로, 위 이자 지불은 곤란하다는 설명을 들어 위 이자를 강경하게 징수하면 오히려 그 후의 본건 대출금의 회수 및 이자 및 지연손해금의 징수를 할 수 없게 될 우려가 있으며, 오히려 그 경영을 지속시켜 회수 및 징수를 도모하는 것이 적절하다고 판단하여, 그 취지를 가정재판소에 보고하고, 그 양해를 얻어 위 이자 지불을 유예하고 또한 본건 변경 허가 후에도 본건 대출금 상환을 청구했으나, 위 회사로부터 상계의 주장을 받았으므로 그 취지를 위 재판소에 보고하고 그 양해를 얻어 상환을 사실상 유예한 것, 본건 건물의 철거에 관해서도 피항소인은 새 건물에 의한 수익력으로 본건 대출금의 회수가 가능하다고 판단하여 재판소의 양해 하에, 새 건물에 본인을 저당권자로 하는 저당권을 설정하는 약속을 위 회사로부터 받은 다음 그 철거를 양해했지만, 새 건물이 건축된 것은 본인의 사망으로 인해 피항소인의 후견인으로서의 임무가 끝나는 1개월 정도 전의 일이었다. 게다가 새 건물에 대해서 위 회사와 그 건축을 도급 받은 회사와의 사이에 분쟁이 발생하였다고 하는 피항소인의 영향력이 미칠 수 없는 사유에 의해 새 건물에 대한 위 회사로의 인도도, 위 회사 명의로의 보존 등기 절차도 하지 못하는 상태가 계속된 것이고 피항소인은 후견인으로서의 임무가 끝난 후에도 위 회사에 새 건물에 본인을 위해 저당권을 설정하도록 요구하고 다른 변호사인 상속재산관리인이 사무를 승계한 때에도, 위와 같은 사정을 설명한 사실이 인정되며 또한 위와 같은 피항소인의 판단 및 행동에 상당하지 않다거나 불합리한 점이 있었다고 할 수 없다고 판시하였다.

결국 항소심은 위 회사로부터의 본건 대출금의 회수 및 이자 및 지연손해금의 징수나 새 건물에 대한 담보권의 설정 등에 대해서 후견인으로서의 임무 종료 후의 대응을 포함하여 피항소인이 후견인 직무대행자 내지 후견인으로서 통상 요구되는 가능한 한의 상당한 수단 및 방법을 강구했다고 보아 후견인 직무대행자 내지 후견인으로서의 선관주의의무 위반이 있었다는 항소인들의 주장을 배척하였다.

사 건 번 호 平13(ネ)146号	**사 건 명** 손해배상 청구 항소 사건
재판연월일 平成17年[34] 1月 27日	**재판소명** 도쿄(東京) 고등재판소
재 판 구 분 판결	**재 판 결 과** 항소기각

주 문

1. 본건 항소를 모두 기각한다.
2. 항소비용은 항소인들이 부담한다.

사실과 이유

제1 항소의 취지

1. 원심 판결을 취소한다.
2. (청구의 감축)

　　피항소인은 항소인들에게 각각 1,000만 엔 및 이에 대한 1999년 12월 8일부터 다 갚는 날까지 연 5%의 비율에 의한 돈을 지불하라.
3. 소송비용은 제1, 2심 모두 피항소인이 부담한다.

제2 사안의 개요

1. 소송 경과

본건은 1996년 6월 17일에 사망한 고노 하나코甲野花子(이하 '하나코'라 한다)의 다섯 명의 상속인 중 항소인들 세 사람이, 그 생전에 금치산선고를 받은 하나코의 후견인 직무대행자이자 그 후에 후견인으로 선임된 피항소인(변호사)에 대하여 피항소인은 하나코의 재산관리에 관하여 선량한 관리자의 주의의무(이하 '선관주의의무'라 한다)를 게을리 하여 1993년 1월 12일 하나코의 다른 상속인의 한 사람인 고노 지로甲野二郎(이하 '지로'라 한다)가 경영하는 주식회사 고노甲野상회(이하 '고노

---

34) 2005년

상회'라 한다)에 3억 엔을 빌려 주었기(이하, 이 대출을 '본건 대출'이라 하고 그 대출금을 '본건 대출금'이라 한다) 때문에 회수가 불가능하게 되어 하나코에게 3억 엔의 손해를 끼쳤다는 등으로 주장하여, 채무불이행에 근거하여 위 손해금 3억 엔에 관한 항소인들 세 사람의 상속분인 각 6,000만 엔 중 각 4,000만 엔 및 이에 대한 소장 송달일 다음날인 1999년 11월 20일부터 다 갚는 날까지 민법 소정의 연 5%의 비율에 의한 지연손해금의 지불을 청구한 사안이다.

원심은 피항소인에게 항소인들이 주장하는 선관주의의무 위반은 인정할 수 없다고 하여 항소인들의 청구를 모두 기각했기 때문에 항소인들이 이에 불복하여 항소했다.

또한 항소인들은 항소심에서 청구액을 각 1,000만 엔 및 이에 대한 1999년 12월 8일부터 다 갚는 날까지의 지연손해금을 구하는 것으로 청구를 감축했다.

2. 전제사실(다툼이 없는 사실 및 뒤에 드는 증거 및 변론의 전체 취지에 의해 인정되는 사실)

(1) 하나코(1916년 ○월 ○일생)는 부동산업 등을 운영하고 있었는데, 1969년 4월 14일 부동산의 매매 등을 목적으로 하는 유한회사 고노상회를 설립하여, 하나코의 차남인 지로(1944년 ○월 ○일생)가 대표이사로 취임했지만, 같은 해 9월 10일, 지로가 대표이사를 사임하고 하나코가 대표이사에 취임했다. 위 회사는 1971년 4월 30일, 주식회사인 고노상회로 조직 변경되어 지로가 그 대표이사에 취임하고 그 후 곧 하나코도 대표이사에 취임하여 호텔 등의 경영 및 부동산 매매 등의 사업을 전개해 왔지만 하나코는 알츠하이머병에 걸려서 1984년 3월 20일 고노상회의 대표이사를 사임하였다(을 43, 44, 45의 1·2, 46의 1 내지 9, 47).

하나코는 본건 대출이 실행된 1993년 1월 12일 당시, 고노상회의 주식 중 25%를 보유하였고, 지로 및 그 가족이 그 외의 75%의 주식을 보유하고 있었다(을 48의 1 내지 3).

(2) 하나코는 1989년 1월 23일, 지바千葉 가정재판소에서 금치산선고를 받아 하나코의 남편인 고노 다로甲野太郎(1913년 ○월 ○일생, 이하 '다로'라 한다)가 그 후견인으로 되었으나, 같은 해 10월 12일, 다로의 후견인 사무를 임시로 정지하고 피항소인을 임시 재산관리자로 선임하는 취지의 심판이 이루어져 같은 해 11월 13일, 피항소인이 하나코의 후견인 직무대행자로 선임되었다. 그 후 다로가 1994년 12월 16일에 사망하고 1995년 3월 13일 피항소인이 하나코의 후견인으로 선임되었지만, 하나코가 1996년 6월 17일에 사망함에 따라 후견인의 임무가 종료되었다.

(3) 하나코는 별지 물건 목록 기재 1의 토지(이하 '본건 토지'라 한다)를 소유하고 하나코 및 다로는

이 목록 기재 2의 건물(이하 '본건 건물'이라 한다)을 공유하고 있었는데(공유지분은 하나코가 10분의 9, 다로가 10분의 1) 하나코의 후견인 다로는 1989년 9월 18일, 본건 토지 및 본건 건물(이하, 이것들을 아울러 '본건 부동산'이라 한다)을 다이요太陽부동산 주식회사에 12억 엔에 매각하고 같은 해 10월 9일자로 그 취지의 소유권 이전 등기 또는 공유자 전원 지분 전부 이전 등기 절차를 밟고 위 회사는 같은 해 10월 11일, 본건 부동산을 유한회사 스즈키鈴木(조직 변경 후의 상호는 주식회사 휴가日向이고 그 후, 지바미나미千葉南 단지 개발 주식회사로 상호를 변경했다. 이하 '휴가'라 한다)에 매각하고, 같은 달 13일자로 그 취지의 소유권 이전 등기 절차를 마쳤다(갑 7, 9, 15).

(4) 고노상회의 대표이사인 지로는 1992년 10월 1일 지바 가정재판소에 대하여 고노상회가 휴가로부터 본건 부동산을 사들이기 위한 자금의 부족분으로 인해, 피항소인이 하나코의 후견인 직무대행자로서 관리하는 하나코 명의의 정기예금 중 4억 엔을 고노상회에 빌려주는 것을 허가해 달라는 취지의 상신서를 제출하고(갑 4), 이어 지로 및 고노상회는 같은 해 11월 11일, 변호사 E(이하 'E변호사'라 한다)를 대리인으로 하여 위 재판소에 대하여 전술한 것과 같은 요망을 기재하여 그 요망의 이유로 고노상회는 금융기관과의 사이에서 본건 부동산 매수 자금 융자를 받기 위한 교섭을 하여 본건 부동산에 관하여 12억 엔의 담보 가치가 있다는 비공식적인 승낙을 얻어서 휴가와의 사이에서 매수 대금을 13억 엔으로 일단 합의를 했지만, 위 금융기관이 본건 부동산의 담보 가치를 8억 엔으로 대폭 감액했기 때문에 5억 엔의 부족이 생겼으나 휴가로부터 1억 엔의 지불을 연기해 주겠다는 양해를 얻어서 당분간 필요한 자금은 12억 엔이고 부족금은 4억 엔이라는 취지를 기재한 상신서를 제출하였다(을 1).

(5) 위 재판소 가사심판관은 같은 달 30일 피항소인이 고노상회에 대하여 하나코 명의의 정기예금 중 3억 엔을 한도로 하여 다음의 조건 하에 빌려주는 것을 허가했다(을 2. 이하 '본건 허가'라 한다).

　　① 지로를 위 대출금 채무의 연대채무자 또는 연대보증인으로 할 것.
　　② 본건 부동산에 관하여 하나코를 저당권자로 하는 저당권의 설정을 받을 것.
　　③ 고노상회와의 사이에서 적절한 이자 및 손해금의 약정을 할 것(이자 및 손해금의 구체적인 이율 및 상환 방법에 대해서는 피항소인에게 일임한다).

(6) 피항소인은 본건 허가에 따라 1993년 1월 12일, 고노상회에 위 정기예금 중 3억 엔을, 변제기를 1996년 1월 말일, 변제 방법을 일괄, 약정 이자의 이율을 연 5%, 이자 지불 기한을 매년 12월

말일, 지연손해금의 이율을 연 10%로 정하여 대출하여(본건 대출), 지로와의 사이에서 지로가 위 고노상회의 채무를 연대보증하는 취지의 계약을 체결하고 본건 부동산에 대해서, 모두 1993년 1월 12일자로, 휴가에서 고노상회에 대한 소유권 이전 등기, 주식회사 사쿠라ㄴ은행(주식회사 미쓰이ㅋ#은행)을 저당권자로 하여 채권액을 3억 엔으로 하는 1번 저당권 설정 등기, 이 은행을 저당권자로 하여 채권액을 7,500만 엔으로 하는 2번 저당권 설정 등기, 휴가를 저당권자로 하여 채권액을 3억 엔으로 하는 3번 저당권 설정 등기, 하나코를 저당권자로 하여 채권액을 3억 엔으로 하는 4번 저당권 설정 등기의 각 절차 및 주식회사 미쓰이은행을 근저당권자로 하여 한도액을 3,500만 엔으로 하는 근저당권 설정 등기, 이 은행을 근저당권자로 하여 한도액을 8,000만 엔으로 하는 근저당권 설정 등기, G를 권리자로 하여 채권액을 10억 엔으로 하는 저당권 설정 가등기, G를 근저당권자로 하여 한도액을 7억 엔으로 하는 근저당권 설정 등기의 각 말소 등기 절차가 이루어졌다(갑 7 내지 9).

(7) 위 재판소의 가사심판관은 1994년 4월 28일, (6)의 대출금 3억 엔에 관한 변제기, 변제 방법 및 이자 지불 기한에 대해서, 1994년 12월 30일부터 2018년 10월 31일까지 188회에 걸쳐 분할 지불로 하고, 1994년 1월 1일 이후의 약정 이자 이율을 연 3%로 변경하는 취지의 허가를 하였고(을 4 이하 '본건 변경 허가'라 한다), 피항소인과 고노상회의 사이에서 그러한 취지의 변경 계약이 체결되었다.

(8) 피항소인이 1995년 3월 13일에 하나코의 후견인으로 선임된 후인 같은 해 5월 29일, 본건 건물이 무너져 1996년 5월 20일, 동일 장소에 별지 물건 목록 기재 3의 건물(이하 '새 건물'이라 한다)이 건축되어 같은 해 6월 17일에 하나코의 사망으로 인해 피항소인의 후견인의 임무가 끝난 후인 1997년 1월 14일, 소유자를 고노상회로 하는 소유권 보존 등기가 이루어졌지만, 본건 대여금 채권에 대해서 담보권은 설정되어 있지 않다(갑 9 내지 11, 13).

(9) 하나코는 다로와의 사이에 항소인들 세 명, 히노에가와 요코丙川葉子(이하 '요코'라 한다) 및 지로의 다섯 명의 자녀가 있고 하나코의 사망으로 인해 위 다섯 명의 자녀가 각 5분의 1의 상속분에 의해 하나코의 권리의무를 승계하였다.

(10) 1996년 12월 2일, 변호사 F(이하 'F 변호사'라 한다)가 하나코의 유산관리자로 선임되었다(을 18). 이 유산관리자는 1999년 4월 30일, 고노상회 및 지로를 피고로 하여 본건 대출금 3억 엔의

지불을 요구하는 대금 청구 소송을 제기하여, 2000년 3월 22일, 양자 간에 고노상회 및 지로가 위 유산관리자에게 원금 3억 엔 및 이에 대한 미지급 약정 이자 2,352만 3,287엔 및 위 원금에 대한 1994년 12월 31일부터 다 갚는 날까지 연 10%의 비율에 의한 지연손해금의 연대지불의무가 있음을 인정한다는 취지의 소송상의 화해가 성립되었다(을 19, 20).

(11) 고노상회는 현재에 이르기까지 본건 대출금 3억 엔을 변제 하지 않고 있다.

3. 쟁점 및 이에 관한 당사자의 주장

쟁점 (1) 피항소인의 후견인 직무대행자 또는 후견인으로서의 선관주의의무 위반 유무

■■■ 항소인들의 주장

피항소인은 후견인 직무대행자 또는 후견인으로서, 피후견인인 하나코의 재산을 선관주의의무를 가지고 관리할 의무를 부담하고 있었는데 다음과 같이 이 의무에 위반하여 하나코의 재산에서 고노상회에 대한 본건 대출금과 같은 액수인 3억 엔을 감소시킨 것이다.

1. 본건 허가 및 본건 대출의 실행까지의 동안에 선관주의의무 위반에 대해서

피항소인은 전술한 전제사실 (4)와 같이 고노상회 등에서 상신서가 제출된 것을 알고 그 상신의 취지에 따라 지바 가정재판소의 허가를 구하였고 그 결과 이 재판소에서 전술한 전제사실 (5)와 같은 조건을 붙인 후에 하나코의 정기예금 중 3억 엔을 고노상회에 대출하는 것을 허가하는 취지의 본건 허가를 받아 본건 대출을 한 것이지만, 본건 부동산은 고노상회가 사들이는 것이었고 하나코가 되사는 것이 아니므로 피항소인에게는 본건 허가를 구함에 있어서, 대출의 필요성 및 대출금 회수의 확실성을 확인할 주의의무가 있었다. 가령 피항소인이 위 상신서 제출을 알지 못하였고, 위 재판소에 본건 허가를 구한 사실이 없었다고 해도 피항소인의 주장에 의하면, 본건 허가 직전에 위 재판소 가사심판관으로부터 위 상신서가 제출되었는데 허가를 할 의향이라는 전갈을 받았다는 것이므로, 전술한 필요성이나 확실성을 확인하여 본건 대출의 가부(可否)를 정밀하게 조사해야 하는 주의의무가 있었다.

또한 항소인들은 고노상회의 대리인 E 변호사에게 위 상신서의 내용에 반대한다는 취지를 전해 두었지만, 항소인들 모르게 본건 대출이 실행되었고 그 실행 후에 위 재판소로부터 그 일을 전해 들었던 것이다. 그런데도 피항소인은 본건 대출의 필요성 확인이나 대출금 회수 확실성의 확인도 게을리 했다.

피항소인이 주의의무를 다해 본건 대출의 필요성 및 대출금 회수의 확실성의 확인을 하였다면

필요성 및 회수 확실성 모두가 부정되어 본건 대출은 하지 말아야 할 것으로 판명되었을 것이다. 즉, 위 필요성에 대해서는 본건 부동산을 사들이기로 한 고노상회는 당시 임원 구성 및 주주 구성 모든 점에서 지로와 그 가족이 맡고 있던 것으로 지로 가족과 하나코의 자녀들의 관계도 좋지 않았으므로, 본건 건물을 사들여도 하나코의 이익으로 이어질 가능성은 낮은 등, 하나코에게는 그 예금을 없애면서까지 고노상회가 본건 부동산을 사들이도록 하기 위해 본건 대출을 할 필요성이 없었다는 것은 분명하다. 또한 회수 확실성의 점에 대해서도 87쪽 2.에서 주장하는 것처럼 본건 대출에서의 담보권의 설정 상황을 보면 비록 본건 부동산에 담보권을 설정하더라도, 선순위 담보권자와의 관계 등에서 보아 회수 확실성이 없는 것은 분명하다고 할 수 있다.

이 점에 관해서 피항소인은 위 가사심판관으로부터 허가를 할 의향이라고 전해 들었을 때, 신중히 배려하고 싶다고 말했다고 주장하지만, 그것만으로는 피항소인이 선관주의의무를 다한 것으로는 되지 않는다. 피후견인인 하나코의 재산을 관리하는 의무를 지고 있는 것은 어디까지나 피항소인이고 가정재판소가 아닌데, 피항소인은 재산 관리에 관하여 주도적인 역할을 하지 않으면 안 되고, 가정재판소가 허가에 관한 판단을 그르치는 일이 없도록 허가 내용에 관한 사정을 자세히 조사한 후 이를 가정재판소에 제공해야 할 것이며, 가정재판소에 조언적으로 의견을 말하면 충분한 것은 아니기 때문이다.

2. 본건 대출의 실행에서의 선관주의의무 위반에 대해서

본건 대출은 1993년 1월 12일에 실행된 것인 바, 고노상회 등의 대리인 E 변호사가 지바 가정재판소에 제출한 1992년 11월 11일자 상신서(을 1)에는 대출 은행에 의한 본건 부동산의 담보 평가가 12억 엔에서 8억 엔으로 대폭 감액되었다고 기재되어 있는 것이므로 하나코의 저당권을 제4순위로 설정하면 담보 부족이 발생하는 것이 분명하다. 따라서 피항소인에게는 본건 대출에 있어서 하나코를 위해 저당권 기타 적절한 담보 설정을 받고 이것이 불가능한 경우에는 본건 대출을 중지해야 하는 주의의무가 있었다.

그런데도 피항소인은 이러한 주의의무를 게을리 하고 84쪽 전제사실 (6)과 같이 하나코에게 제4순위 저당권을 설정했을 뿐 (다른 추가 담보 없이) 본건 대출을 실행한 것이다.

이 점에 관하여 피항소인은 1990년 7월 10일 시점의 본건 부동산의 감정평가액이 18억 391만 엔이었으므로 담보 부족은 생기지 않는다고 주장하지만, 거품 경제가 붕괴하여 부동산 가격이 하락세를 보이고 있는 그러한 시점의 감정평가액을 바탕으로 검토하는 것 자체가 잘못이다. 또한 피항소인은 가사심판관에게 설명하고 그 승인을 얻어 본건 대출을 실행했다고 주장하지만, 담보 여력이 있다는 피항소인의 판단이 잘못되어 있으며, 잘못된 정보를 제공받은 가사심판관이 판단을

잘못하는 것은 당연한 것이므로, 가사심판관의 승인을 얻은 것이 선관주의의무 위반이 아니라는 점을 뒷받침하는 것은 아니다. 또한 피항소인은 후견인 직무대행자 또는 후견인은 가정재판소의 허가 내용이 명백히 위법·부당하지 않는 한 이에 따라야 한다고 주장하지만, 후견인제도는 피후견인의 재산에 관하여 명백하게 위법·부당한 행위가 되는 것을 저지하는 것만을 목적으로 하는 것은 아니고 더 나아가 피후견인의 재산이 적법·적절히 보존, 관리, 처분되는 것을 목적으로 하는 것이기 때문에, 피항소인의 위 주장은 후견인 직무대행자 또는 후견인의 직책을 부당하게 한정하는 것으로 독자적인 견해에 불과하다.

3. 본건 대출 실행 후의 선관주의의무 위반에 대해서

피항소인에게는 본건 대출의 실행 후 대출금 회수, 약정 이자 및 지연손해금의 징수 기타 본건 대출금의 적절한 관리를 해야 할 주의의무가 있었다.

그런데도 피항소인은 본건 대출금의 회수, 약정 이자 및 지연손해금의 징수를 하지 않고 본건 건물이 헐리는 것을 묵인하여 방지하지 않았기 때문에, 하나코의 저당권을 소멸시키고 이에 대체하는 새 건물이 건축된 때에도, 하나코를 위해 새 건물에 저당권의 설정을 받았어야 했는데도 이를 게을리 했다.

이 점에 관하여 피항소인은 새 건물에 대해서 고노상회 명의로 보존 등기 절차를 하지 못하고 있는 동안에, 하나코의 사망으로 인해 후견인의 임무가 종료되었다고 주장하지만, 후견인의 임무가 종료한 경우 급박한 사정이 있는 때에는 후견인은 필요한 처분을 하는 것을 요하는 것이므로(민법 874조가 준용하는 654조), 위와 같은 사정이 있었기 때문이라고 하여 피항소인이 선관주의의무 위반의 책임을 면하는 것은 아니다.

■■■ **피항소인의 주장**

항소인들의 주장을 다툰다.

1. 본건 허가 및 본건 대출 실행까지의 사이에 선관주의의무 위반에 대해서

피항소인은 본건 소송 제기 후에 고노상회 등의 대리인 E 변호사로부터 전술한 상신서를 입수한 것이며, 스스로 전술한 재판소의 허가를 요구한 것은 아니다. 피항소인은 본건 허가 직전 위 재판소의 가사심판관으로부터 위 상신서가 제출되었고 그 상신에 따라 허가를 할 의향이라고 전해 들었고, 하나코 및 다로의 장래 간호요양비로 거액의 지출이 예상되므로 신중히 배려하고 싶다고 말했다. 본건 대출은 위 재판소의 가사심판관이 판단하여 허가한 것이고 피항소인은 그 허가 결정에 따라 성실하게 사무를 집행한 것이다. 가정재판소는 후견 사무의 최고 감독기관이고 후견인 직무대행자 또는 후견인은 가정재판소의 감독 아래에 있는 것이기 때문에, 가정재판소의 허가 내용이 명백히 위법·부당하지 않는 한 이에 따라야 할 것인 바, 본건에서 이러한 사정은 없었으므로 피항소인에게 선관주의의무 위반은 없다. 본건 대출의 필요성에 대해서는 항소인들도 이에 동의한 점(을 16의 1·2), 다로가 본건 부동산을 매각한 당시의 적정 가격은 약 18억 엔이었는데, 매각 가격은 12억 엔으로 저가로 매각하였기 때문에 고노 집안이 되사는 방향으로 활동한 점, 하나코는 고노상회의 당초 대표이사이며, 주주여서 고노상회는 실질적으로 하나코의 것이라고 할 수 있어서 고노상회가 본건 부동산을 사들이는 것은 하나코가 되사는 것과 동일시할 수 있는 점 등에서 그 필요성이 있었던 것이다. 대출금 회수의 확실성에 대해서는, 고노상회의 1992년 무렵 연간 매출액은 15억 엔이었으므로 충분히 회수가 가능했다. 본건 대출금액은 3억 엔으로 고액이지만 하나코에게는 그 배 이상의 자산이 있었고, 이자에 대해서는 민법 소정의 이율과 동일하므로 상당하다고 하여야 할 것이다.

2. 본건 대출의 실행에서의 선관주의의무 위반에 대해서

피항소인은 위 재판소의 허가 내용에 따라 본건 대출을 실행한 것이다. 휴가는 1992년 10월 13일 당시, 고노상회에 대한 본건 부동산의 매각 가격을 15억 5,000만 엔으로 예정하고 있었고(갑 5), 1990년 7월 10일 시점의 감정평가액은 18억 391만 엔이었으므로(을 13), 선순위 채권액 합계를 6억 7,500만 엔으로 하여도 하나코의 채권액 3억 엔에 대해서 충분한 담보 여력이 있었던 것이고 피항소인은 그 점을 가사심판관에게 설명하고 그 승인을 얻어 실행한 것이다. 또한 위 전제사실 (6)과 같이, 본건 대출 시점에서 이미 거액의 저당권이 설정되어 있었기 때문에, 하나코의 저당권을 4번으로 한 것은 상당하였다.

3. 본건 대출 실행 후의 선관주의의무 위반에 대해서

피항소인은 1993년 10월 21일, 최초의 이자 지급일이 가까워졌으므로 고노상회에 대하여 지불 준비를 하도록 요구한 바, 휴가에게 1억 1,600만 엔의 이자로 매달 700만 엔을 지불하고 있으므로, 본건 대출금의 이자 지불이 곤란하다는 설명을 들었다. 피항소인은 이자를 강경하게 징수하면 고노상회의 경영 상황을 궁지에 몰아넣고 오히려 그 후의 대출금 회수나 이자의 징수가 불가능해지는 것을 우려하여, 그 경영을 지속시켜 회수 및 징수를 하는 것이 적절하다고 판단하여 같은 달 26일, 위 재판소에 대하여 고노상회의 위 설명을 보고했다(을 10).

위 재판소에 대하여 1994년 1월 12일, 고노상회로부터 본건 건물의 재건축 및 본건 대출의

상환 조건 변경 허가를 구하는 상신서가 제출되었고(을 6), 이어 같은 해 3월 24일 항소인들로부터 하나코가 소유권을 취득할 것이 예정되어 있던 별지 물건 목록 기재 4의 토지(이하 '나라시노習志野 토지'라 한다) 및 하나코 소유의 별지 물건 목록 기재 5의 건물(이하 '나라시노 건물'이라 한다)에 관하여 항소인들의 각 공유 지분을 3분의 1로 하여 피항소인과의 사이에서 사인 증여 계약을 체결 하는 것의 허가를 요구하는 취지 및 위 상신에 동의하는 취지가 기재된 상신서가 제출되었고(을 7, 24의 338쪽), 게다가 같은 날 지로로부터 고노상회의 위 상신이 허가되는 것을 조건으로 항소인 들의 위 상신에 동의하는 취지의 동의서가 제출되었고(을 8), 같은 해 4월 28일, 85쪽 전제사실 (7)과 같이 본건 변경 허가가 이루어졌다.

그 후 피항소인은 1995년 3월 20일, 고노상회에 대해 내용 증명 우편으로 본건 대출금의 상환 을 청구했으나(을 11), 고노상회는 본건 건물에 관한 증축에 의해 3분의 1의 지분이 있는 하나코에 대하여 본건 대출금과 거의 같은 금액의 구상 채권을 가진다고 하여 본건 대출금 채무와 상당액으 로 상계한다는 취지로 주장하므로(을 5), 피항소인은 자료(을 6 내지 10)를 지참하여 위 재판소에 설명하고 그 양해를 얻었던 바이며 이는 항소인들도 인식하고 있던 것이다(을 6 내지 10).

피항소인은 본건 건물이 헐리는 것에 관하여 새 건물의 수익력으로 본건 대출금의 회수가 가 능하다고 판단하여 재판소의 양해 하에, 새 건물에 하나코를 저당권자로 하는 저당권을 설정하는 약속을 고노상회로부터 받은 후 본건 건물이 헐리는 것을 양해했지만, 새 건물에 대해서 고노상회 와 그 건축을 도급 받은 주식회사 하자마구미間組(이하 '하자마구미'라 한다)와의 사이에 분쟁이 발생하여(을 12), 고노상회로의 인도도 고노상회 명의로의 보존 등기 절차도 할 수 없는 사이에, 하나코가 사망하여 피항소인의 후견인의 임무가 종료한 것이다. 또한 피항소인은 후견인의 임무 종료 후에도, 고노상회에 대하여 새 건물에 저당권을 설정하도록 요구하고 있었고 상속 재산 관리 인인 F 변호사에게 사무를 승계하도록 하고 있다.

이상과 같이 본건 대출의 실행 후에도 피항소인에게는 항소인들 주장과 같은 선관주의의무 위반은 없다.

쟁점 (2) 손해 발생 유무

■■■ 항소인들의 주장

고노상회 소유의 본건 토지 및 새 건물에 대해서 2000년 10월 3일자로 경매 개시 결정이 되어 같은 해 11월 2일자로 지바현千葉縣에서 압류를 받았고, 또한 항소인들이 요코 및 지로를 상대방으 로 하여 제기한 유산 분할 신청사건(2002년 10월 31일 결정. 갑 25)의 2001년 6월 8일 실시한 심판 기일에서 지로의 대리인 E 변호사는 본건 대출금의 회수 가능성은 없다는 취지로 분명히 말한 후 고노상회 및 지로는 85쪽 전제사실 (10)의 2000년 3월 22일의 재판상 화해 성립 후에도 현재까지 본건 대출금의 지불을 하고 있지 않은 것 등에서 보면, 본건 대출금 3억 엔의 회수는 불가능해졌다고 해야 할 것이고 항소인들은 상속분인 각 6,000만 엔의 손해를 입었다.

■■■ 피항소인의 주장

고노상회는 호텔 '○○' 및 파친코점 '××'을 경영하고 있으므로, 본건 대출금의 상환 능력이 있고 항소인들에게 현실의 구체적인 손해는 발생하지 않았다. 가령 어떤 손해가 발생하였다고 해도 이와 인과관계가 있는 피항소인의 선관주의의무 위반은 없다.

제3 본 재판소의 판단

1. 인정사실

전술한 전제사실 외에, 증거(뒤에서 드는 것 외 을 37, 38, 42, 피항소인 본인) 및 변론의 전체 취지에 의하면 다음의 사실을 인정할 수 있다.

(1) 피항소인은 1989년 10월 12일에 지바 가정재판소로부터 하나코의 임시 재산관리자로 선임되었을 때, 이 재판소의 가사심판관으로부터 다로가 같은 해 9월 18일 다이요부동산 주식회사에 매각한 본건 부동산의 매각 가격 12억 엔은 너무 저가여서 의심스럽다는 지적을 받아 조사했더니 위 지적대로 부당하게 염가라고 생각되어 위 재판소의 허가를 얻은 후, 같은 해 10월 23일, 지바 지방재판소에 위 회사를 피고로 하여 매매계약의 공서 양속 위반 등을 이유로, 본건 토지 및 본건 건물 중 하나코의 지분 10분의 9에 대해서 된 소유권 이전 등기 또는 지분 이전 등기의 각 말소 등기 절차를 구하는 소송을 제기했다(을 22의 312쪽). 피항소인은 같은 해 11월 13일 하나코의 후견인 직무대행자로 선임된 후 부동산 감정사인 모리시타 도시오森下俊夫에게 본건 부동산의 감정 평가를 의뢰했는데, 이 감정사로부터 본건 부동산의 1990년 4월 1일 시점의 감정평가액은 18억 391만 엔이 상당하다는 감정평가서(을 13)를 확보했으나 위 소송에서의 승소는 어렵다고 판단하여 지바 가정재판소의 허가를 얻은 후 1991년 8월 7일 위 소송을 취하했다(을 22의 375 내지 379쪽).

(2) 피항소인은 전술한 전제사실 (4)와 같이 지로로부터 1992년 10월 1일에 상신서가, 그 다음에 지로 및 고노상회로부터 같은 해 11월 11일에 상신서가 각각 제출된 것을 본건 허가가 된 같은 달 30일 직전이 되어 지바 가정재판소 가사심판관으로부터 구두로 전해 들어 알게 되었고(또한

피항소인 자신은 그 때까지 위 각 상신서를 본 적이 없었다), 위 각 상신서 기재의 취지에 따른 허가를 할 의향이라는 취지를 전해 들었다. 그래서 피항소인은 위 심판관에 대하여 하나코 및 다로의 장래 간호요양비로 거액의 지출이 예상되므로 신중하게 배려하였으면 한다는 의견을 말했지만 결국 본건 허가가 이루어졌다.

또한 휴가는 같은 해 10월 13일 당시, 고노상회에 대한 본건 부동산의 매각 가격을 15억 5,000만 엔으로 예정하고 있었다(갑 5).

(3) 피항소인은 본건 허가 후, 본건 대출의 필요성 및 상당성, 본건 대출금의 회수 가능성 등에 대해서 조사했는데 다음과 같은 결과를 얻었다. 즉, 전술한 것과 같이 다로는 1989년 9월 18일에 다이요부동산 주식회사에 본건 부동산을 12억 엔에 매각했지만, 본건 부동산의 1990년 4월 1일 시점의 가격은 18억 391만 엔이 상당하다는 감정 결과를 얻은 것 외에 고노상회는 본건 건물 중 3분의 1을 증축하여 이를 관리하고 하나코의 차남 지로의 가족이 그 일부에 거주하고 있는 것, 하나코는 고노상회가 설립된 지 얼마 되지 않은 무렵부터 그 대표이사이자 주주였던 것, 당시 하나코 명의의 정기예금 4억 엔 외 4,000만 엔을 넘는 보통예금이 있었던 것(을 23의 245쪽), 84쪽 전제사실 (6)과 같이 본건 부동산에 하나코를 위해 설정해야 할 담보권의 선순위로서 설정될 담보권의 피담보채권액은 합계 6억 7,500만 엔이었던 것, 어느 신용조사기관의 정보에 의하면 고노상회가 경영하는 파친코점 '××'의 1992년 당시 연간 매출액은 15억 엔이었다는 것 등이다.

(4) 피항소인은 위 조사 결과에 의하면, 하나코가 고노상회를 설립한 지 얼마 되지 않은 무렵부터 그 대표이사이며 주주였던 것 등에서 보면 고노상회가 본건 부동산을 사들이는 것은 실질상 하나코가 저렴한 가격으로 매각된 본건 부동산을 되사는 것이라고 할 수 있고 또한 3억 엔을 고노상회에 빌려준다고 해도, 하나코에게는 따로 1억 4,000만 엔 정도의 예금이 존재하고 더욱이 본건 부동산에는 선순위 담보권을 고려해도 충분한 담보 여력이 있고 또한 고노상회가 경영하는 파친코점의 1992년 당시 연간 매출액이 15억 엔 정도인 것에서 보면, 3억 엔의 회수는 충분히 가능하여 따라서 전술한 84쪽 전제사실 (5)와 같이 ① 지로를 본건 대출금 채무의 연대채무자 또는 연대보증인으로 할 것, ② 본건 부동산에 관하여 하나코를 저당권자로 한 저당권의 설정을 받을 것 및 ③ 고노상회와의 사이에서 적절한 이자 및 손해금의 약정을 할 것(이자 및 손해금의 구체적 이율 및 상환 방법에 대해서는 피항소인에게 일임한다)을 내용으로 하는 본건 허가에 근거하여 본건 대출을 하는 것에는 필요성과 상당성이 있고 또한 본건 대출금의 회수 가능성도 충분히 있는 것으로 판단하여, 본건 허가에 따라 전술한 84쪽 전제사실 (6)과 같이, 1993년 1월 12일, 본건 대출을 하

고, 본건 부동산에 대해서 모두 같은 일자로, 휴가로부터 고노상회에 대한 소유권 이전 등기, 주식회사 사쿠라은행(주식회사 미쓰이은행)을 저당권자로 하여 채권액을 3억 엔으로 하는 1번 저당권 설정 등기, 이 은행을 저당권자로 하여 채권액을 7,500만 엔으로 하는 2번 저당권 설정 등기, 휴가를 저당권자로 하여 채권액을 3억 엔으로 하는 3번 저당권 설정 등기, 하나코를 저당권자로 하여 채권액을 3억 엔으로 하는 4번 저당권 설정 등기의 각 절차가 이루어졌다.

또한 당시 항소인들도 본건 대출에 기본적으로는 찬성하는 의향을 가지고 있었고(을 16의 1·2. 또한 갑 29도 위 인정을 좌우할 만한 것은 아니다), 항소인들이 그 당시는 물론이고, 후술하는 (6)과 같이 1994년 3월 24일에 가정재판소에 상신서를 제출한 당시에도 본건 대출에 대해서 원래 반대했음을 위 재판소나 피항소인에게 어떠한 형태로 명시한 흔적은 증거상 보이지 않는다.

(5) 피항소인은 1993년 10월 21일, 최초의 이자 지급일이 가까워져서 고노상회에 지불 준비를 하도록 요구한 바, 고노상회에서 휴가에 대한 본건 부동산의 구입 대금의 지불을 게을리 해서 약 1억 1,600만 엔의 위약금의 지불 의무를 부담하여 매월 700만 엔을 지불하고 있으므로, 본건 대출금의 이자 지급이 곤란하다는 설명을 들었다. 피항소인은 이자 및 지연손해금을 강경하게 징수하면 고노상회의 경영 상황을 궁지에 몰아넣어 오히려 그 후의 본건 대출금의 회수 및 이자와 지연손해금의 징수가 불가능해 지는 것을 우려하여, 그 경영을 지속시켜 회수 및 징수를 도모하는 것이 적절하다고 판단하여 같은 달 26일, 위 재판소에 고노상회의 위 설명을 보고하여(을 10) 그 양해를 얻었다.

(6) 위 재판소에 1994년 1월 12일, 고노상회로부터 본건 건물의 재건축 및 본건 대출의 상환 조건 변경 허가를 구하는 상신서가 제출되었고(을 6), 이어 같은 해 3월 24일 항소인들로부터 하나코의 소유권 취득이 예정되어 있던 나라시노 토지 및 하나코 소유의 나라시노 건물에 관하여 항소인들의 각 공유 지분을 3분의 1로 하여 피항소인과의 사이에서 사인 증여 계약을 체결하는 것의 허가를 요구하는 취지 및 위 상신에 동의하는 취지가 기재된 상신서가 제출되었고(을 7, 24의 338쪽), 게다가 같은 날 지로로부터 고노상회의 위 상신이 허가되는 것을 조건으로 항소인들의 위 상신에 동의한다는 취지의 동의서가 제출되었으며(을 8), 전술한 85쪽 전제사실 (7)과 같이 같은 해 4월 28일 본건 변경 허가가 이루어졌다.

(7) 피항소인은 1995년 3월 20일, 고노상회에 내용 증명 우편으로 본건 대출금의 상환을 청구했지만(을 11), 고노상회에서 본건 건물에 관하여 증축에 의해 3분의 1의 지분이 있는 하나코에 대하여

본건 대출금과 거의 같은 금액의 구상 채권을 가진다고 하여 본건 대출금 채무와 상당액으로 상계하는 취지의 주장을 하여(을 5), 자료(을 6 내지 10)를 지참하여 위 재판소에 보고하고 그 양해를 얻어 상환을 사실상 유예했다.

(8) 전술한 전제사실 (8)과 같이, 본건 건물은 1995년 5월 29일에 헐렸고 1996년 5월 20일에 본건 토지 위에 새 건물이 건축되어 피항소인의 후견인 임무가 끝난 후인 1997년 1월 14일에 고노상회 명의로 소유권 보존 등기가 된 것인 바, 피항소인은 본건 건물의 철거에 관하여 새 건물에 의한 수익력으로 본건 대출금의 회수가 가능하다고 판단하여 위 재판소의 양해 하에 새 건물에 하나코를 저당권자로 하는 저당권을 설정하는 약속을 고노상회로부터 얻어 낸 후 본건 건물의 철거를 양해했지만, 새 건물에 대해서 고노상회와 그 건축을 도급받은 하자마구미와의 사이에 분쟁이 발생하여(을 12), 고노상회로의 인도도 고노상회 명의로의 보존 등기 절차도 하지 못하고 있는 사이에, 하나코가 사망하여 피항소인의 후견인 임무가 종료했다. 또한 피항소인은 후견인의 임무 종료 후에도 고노상회에 대하여 새 건물에 저당권을 설정하도록 요구해 두었고 또한 상속 재산 관리인인 F 변호사에게 사무를 인계한 때에도 위 사정을 설명했다.

2. 피항소인의 후견인 직무대행자 또는 후견인으로서의 선관주의의무 위반 유무에 대해서

(1) 본건 허가 및 본건 대출 실행까지의 사이에서의 선관주의의무 위반에 관하여

① 전술한 전제사실 및 위 인정사실에 의하면, 본건 대출은 지바 가정재판소의 가사심판관에 의한 본건 허가에 근거하여 이루어진 것인 바, 본건 허가는 당시 피후견인인 하나코의 후견인 직무대행자인 피항소인의 상신에 근거하여 이루어진 것은 아니고 하나코의 친족인 지로 및 지로가 대표이사를 맡은 고노상회로부터 제출된 각 상신서(갑 4, 을 1)에 근거하여 이루어진 것이고(또한 항소인들이 주장하듯이 피항소인 자신이 위 재판소에 본건 허가를 요청했다고 인정할 만한 증거는 없다), 그 후 피항소인은 본건 허가의 직전이 되어 위 각 상신서가 위 재판소에 제출되어 있는 것을 전혀 모르는 가운데, 위 심판관으로부터 위 각 상신서의 취지에 따라, 고노상회가 본건 부동산을 휴가로부터 사들이기 위해 하나코의 예금에서 자금의 대출을 받는 것을 허가할 의향이라고 들은 것이며, 그 때 피항소인은 위 심판관에게 하나코 및 다로의 장래의 간호요양비로 거액의 지출이 예상되므로 신중하게 배려했으면 한다는 의견을 말했지만 결국 그 후 얼마 안 되어 본건 허가가 이루어진 것이다.

② 그리고 피항소인은 본건 허가에 근거하여 본건 대출을 실행함에 있어 위 인정사실 (4)와 같이, 스스로 조사한 결과에 근거하여 하나코가 고노상회를 설립한 지 얼마 되지 않은 무렵부터

대표이사이며 주주였던 것 등에서, 고노상회가 본건 부동산을 사들이는 것은 실질상 하나코가 저가로 매각된 본건 부동산을 되사는 것이라고 할 수 있다, 고노상회에 3억 엔을 빌려 준다고 해도 하나코에게는 1억 4,000만 엔 정도의 예금이 존재한다, 본건 부동산에는 선순위 담보권의 존재를 고려해도 충분한 담보 여력이 있다, 고노상회가 경영하는 파친코점의 1992년 당시 연간 매출액이 15억 엔 정도인 것을 감안하면 3억 엔의 회수는 충분히 가능하다는 등, 이런 점에서 본건 허가에 부쳐진 세 가지 조건을 충족하는 형태로 본건 대출을 실행하는 것에는 필요성과 상당성이 있고 또한 본건 대출금의 회수 가능성도 충분히 있는 것으로 판단하여 본건 대출을 한 것이다.

③ 그런데 전술한 전제사실 및 위 1.의 인정사실에 근거하여 피항소인이 한 위 판단의 상당성 내지 합리성에 대해서 검토하면, ① 원래 본건 부동산은 하나코가 소유(본건 토지) 또는 다로와 공유(하나코의 지분 10분의 9)하고 있던 것으로, 그것이 하나코의 후견인이 된 다로에 의해 너무 염가라고 의심되는 가격으로 제3자에게 매각되었기 때문에 피항소인이 하나코의 후견인 직무대행자로 된 이후, 그것을 되찾기 위한 소송까지 제기한 것, 휴가로부터 본건 부동산을 사들이려고 한 고노상회는 하나코가 중심이 되어 본건 부동산 소재지를 본점 소재지로 하여(이 점에 관하여 을 44) 설립(조직 변경)하고 설립한 지 얼마 되지 않은 무렵부터 대표이사가 되어 그 경영을 맡아 온 것이며(지로가 설립 당시 27세였던 것에서 보면 그 경영은 하나코가 중심이 되어 한 것이라고 추인된다), 하나코는 본건 대출 당시 대표이사를 사임했지만 25%의 주식을 소유하고 있던 것, 본건 부동산에는 하나코와 함께 고노상회의 경영을 맡아 온 차남인 지로와 그 가족이 거주하고 있던 것, 하나코의 예금에서 3억 엔을 고노상회에 빌려 준다고 해도 여전히 하나코의 예금은 1억 4,000만 이상 있고, 이는 하나코나 다로의 요양간호의 자금으로는 충분한 것이라고 할 수 있는 것 등의 점을 종합하고 하나코의 뜻을 헤아리면, 본건 대출을 하는 것이 하나코의 의사에 따른 것이라고 할 수 없지도 않고 게다가 당시 항소인들도 본건 대출에 반대한다는 취지의 의사표시를 위 재판소나 피항소인에 대해서 하지 않았던 것이므로, 본건 부동산을 하나코 자신이 되사는 것은 아니고 고노상회는 당시 이미 하나코가 그 경영에서 물러나 있었던 것임을 고려해도, 여전히 피항소인이 하나코의 후견인 직무대행자로서 본건 대출의 필요성이 있다고 판단한 것에는 나름대로의 상당성 내지 합리성이 있다고 할 수 있다. 또한 ② 본건 부동산의 1990년 4월 1일 시점의 감정평가액은 18억 엔 남짓이었던 것에 대하여 본건 부동산에 본건 대출 당시 설정되어 있던 선순위 담보권의 피담보채권액은 합계 6억 7,500만 엔 정도였던 것에서 보아, 당시 이미 부동산 가격이 하락세에 있었음을 고려해도 본건 대출금 채권이 본건 부동산으로 충분히 담보된다고 판단한 것에도 나름의 합리성이 있고(또한 이 점에 대해서는 후술하는 (2)에서 상세히 기술한다), 게다가 ③ 고노상회의 당시 연간 매출액이 15억 엔 정도라는 신용조사기관의 정보에서 피항소인이 본건 대출금의

회수가 충분히 가능하다고 판단한 것에도 또한 나름대로 합리성이 인정된다.

④ 그런데 후견인 직무대행자 또는 후견인은 피후견인의 재산을 관리하고 또한 그 재산에 관한 법률 행위에 대해서 피후견인을 대표하고(민법 859조 1항), 후견 사무를 수행하는데 있어서는 선량한 관리자의 주의의무(선관주의의무)를 지는 것이지만(민법 869조에 의한 민법 644조의 준용), 가정재판소는 후견 사무의 감독으로 후견감독인, 피후견인의 친족 기타 이해관계인의 청구에 의해 또는 직권으로 피후견인의 재산의 관리 기타 후견 사무에 대해서 필요한 처분을 명할 수 있고(1999년 법률 제149호로 개정되기 전의 민법 863조 2항), 후견인 직무대행자 또는 후견인에 대하여 언제라도 피후견인의 재산의 관리 기타 후견 사무에 관하여 상당하다고 인정하는 사항을 지시할 수 있다(가사심판규칙 84조)고 되어 있어, 가정재판소는 후견인 직무대행자나 후견인과의 관계에서 그 후견 사무의 수행을 감독해야 할 입장에 서는 것이며 본건 허가도 지바 가정재판소가 위 각 규정에 근거하여 피항소인에 대하여 후견 사무 감독의 일환으로서 한 것으로 해석된다.

⑤ 본건 허가 내용에 덧붙여 전술한 것과 같은 본건 허가의 성질 및 본건 허가가 이루어지게 된 경위에 비추어 보면, 피항소인이 본건 허가에 근거하여 본건 대출을 하는 것에 필요성과 상당성이 있고 또한 본건 대출금의 회수 가능성도 충분히 있다고 판단한 것에 대해서 위 ③에서 설시한대로 나름의 상당성 내지 합리성이 인정되는 이상, 피항소인이 본건 허가에 근거하여 본건 대출을 실행하기로 한 것에 대해서 피항소인에게 항소인들 주장과 같은 후견인 직무대행자로서의 선관주의의무 위반이 있었다고 할 수는 없다고 하여야 할 것이다.

(2) 본건 대출의 실행에서의 선관주의의무 위반에 대해서

① 전술한 전제사실 (5)와 같이 본건 허가 내용은, ① 지로를 본건 대출금 채무의 연대채무자 또는 연대보증인으로 할 것, ② 본건 부동산에 관하여 하나코를 저당권자로 하는 저당권의 설정을 받을 것 및 ③ 고노상회와의 사이에 적절한 이자 및 손해금의 약정을 할 것(이자 및 손해금의 구체적 이율 및 상환 방법에 대해서는 피항소인에게 일임한다)이라고 하는 것이며, 피항소인은 본건 허가에 따라 본건 대출을 한 것인바 전술한 전제사실 (6)과 같은 본건 대출에 관한 상환 시기, 상환 방법, 약정 이율, 이자 지불 기한 및 지연손해금 이율의 정함이 부당하다고 할 수 없고 피항소인은 지로와의 사이에서 지로가 고노상회의 본건 대출금 채무를 연대보증하는 취지의 계약을 체결하고 본건 부동산에 대해서 하나코를 저당권자로 하고 채권액을 3억 엔으로 하는 4번 저당권 설정 등기의 절차를 마친 것이다.

② 이에 대하여 항소인들은 고노상회 등의 대리인 E 변호사가 지바 가정재판소에 제출한 1992년 11월 11일자 상신서(을 1)에는 대출 은행에 의한 본건 부동산 담보 평가가 12억 엔에서 8억

엔으로 대폭 감액되었다고 기재되어 있으므로, 하나코의 저당권을 제4순위로 설정하면 담보 부족이 발생하는 것이 분명하고 따라서 피항소인은 본건 대출에 있어서 하나코를 위해 저당권 기타 적절한 담보 설정을 받아야 했고 이것이 불가능한 경우에는 본건 대출을 중지해야 할 주의의무가 있었다는 취지로 주장한다.

③ 그렇지만 을 1에 의하면 전술한 대출 은행의 담보 평가는 본건 부동산을 담보로 한 대출 한도액을 말 그대로 인정한 것이며 게다가 91쪽 인정사실 (2)와 같이, 1990년 4월 1일 시점에서의 본건 부동산 가격은 피항소인이 의뢰한 감정에서 18억 391만 엔으로 평가되었던 것이며 항소인들 주장처럼 거품경제 붕괴에 의해 부동산 가격이 하락세에 있었다 해도, 역시 91쪽 인정사실 (2)와 같이 휴가는 1992년 10월 13일 당시 본건 부동산을 15억 5,000만 엔에 매각하기로 예정했던 것이므로, 피항소인이 본건 대출의 실행일인 1993년 1월 12일 당시에도 본건 부동산을 같은 정도 가격이라 판단했다 해도 그러한 판단에는 상응하는 합리성이 있다고 해야 할 것이다. 따라서 본건 대출 당시 본건 부동산에 대해 주식회사 사쿠라은행(주식회사 미쓰이은행)을 저당권자로 하는 채권액 3억 엔의 1번 저당권, 이 은행을 저당권자로 하는 채권액 7,500만 엔의 2번 저당권, 휴가를 저당권자로 하는 채권액 3억 엔의 3번 저당권이 선순위로 존재하고 있었다 해도 피항소인이 본건 부동산에 대해서 하나코를 저당권자로 하는 채권액 3억 엔의 4번 저당권을 위한 담보 여력이 있다고 판단한 것에는 상응하는 합리성이 있다고 할 수 있다. 항소인들의 위 주장은 채용할 수 없다.

④ 그렇다면 피항소인은 본건 허가에 붙은 조건을 충족하도록 충실하게 본건 대출을 한 것이라고 할 수 있고 그 담보 설정의 판단에 대해서도 상응하는 합리성이 인정되므로, 위 (1)에서 설시한 본건 허가의 성질 및 내용이나 본건 허가가 되게 이른 경위를 함께 생각하면, 피항소인이 본건 대출을 한 것에 대해서 피항소인에게 항소인들 주장과 같은 후견인 직무대행자로서의 선관주의의무 위반이 있었다고 할 수는 없다고 하여야 할 것이다.

(3) 본건 대출 실행 후의 선관주의의무 위반에 대해서

① 93쪽 인정사실 (5) 내지 (8)에 의하면 피항소인은 본건 대출의 실행 후, 고노상회에 본건 대출금의 이자 지불을 요구한 바, 휴가에 대한 위약금의 지불로 매월 700만 엔을 지불하고 있으므로, 위 이자 지불은 곤란하다는 설명을 들어 위 이자를 강경하게 징수하면 오히려 그 후의 본건 대출금의 회수 및 이자와 지연손해금의 징수를 할 수 없게 될 우려가 있으며, 오히려 그 경영을 지속시켜 회수 및 징수를 도모하는 것이 적절하다고 판단하여 그 취지를 지바 가정재판소에 보고하고, 그 양해를 얻어 위 이자 지불을 유예하고 또한 본건 변경 허가 후에도 본건 대출금 상환을 청구했으나 고노상회로부터 상계의 항변을 받았으므로, 그 취지를 위 재판소에 보고하고 그 양해

를 얻어 상환을 사실상 유예한 것, 본건 건물의 철거에 관해서도 피항소인은 새 건물에 의한 수익력으로 본건 대출금의 회수가 가능하다고 판단하여 재판소의 양해 하에 새 건물에 하나코를 저당권자로 하는 저당권을 설정하는 약속을 고노상회로부터 받은 다음 그 철거를 양해했지만, 새 건물이 건축된 것은 하나코의 사망으로 인해 피항소인의 후견인으로서의 임무가 끝나는 1개월 정도 전의 일이고 게다가 새 건물에 대해서 고노상회와 그 건축을 도급 받은 하자마구미와의 사이에 분쟁이 발생했다고 하는 피항소인의 영향력이 미칠 수 없는 사유에 의해, 새 건물에 대한 고노상회로의 인도도 고노상회 명의로의 보존 등기 절차도 하지 못하는 상태가 계속된 것이고 피항소인은 후견인으로서의 임무가 끝난 후 계속해서 고노상회에 대하여 새 건물에 하나코를 위해 저당권을 설정하도록 요구하고 상속 재산 관리인인 F 변호사가 사무를 승계한 때에도 위와 같은 사정을 설명한 것이 인정되며 또한 위와 같은 피항소인의 판단 및 행동에 상당하지 않다거나 불합리한 점이 있었다고 할 수 없다.

② 그렇다면 피항소인은 고노상회로부터의 본건 대출금의 회수 및 이자와 지연손해금의 징수나 새 건물에 대한 담보권의 설정 등에 대해서 후견인으로서의 임무 종료 후의 대응을 포함하여, 후견인 직무대행자 내지 후견인으로서 통상 요구되는 가능한 한의 상당한 수단 및 방법을 강구했다고 할 수 있는 것으로, 이러한 점에 대해서 피항소인에게 항소인들 주장과 같은 후견인 직무대행자 내지 후견인으로서의 선관주의의무 위반이 있었다고 할 수는 없다고 하여야 할 것이다.

결 론

이상과 같이 피항소인이 본건 허가 및 본건 대출의 실행까지의 사이에 선관주의의무, 본건 대출의 실행에서의 선관주의의무 및 본건 대출 실행 후의 선관주의의무에 위반했다고 하는 항소인들의 주장은 모두 채용할 수 없으므로, 그 외의 점에 대해서 판단할 것도 없이 항소인들의 청구는 모두 이유가 없다.

따라서 항소인들의 청구를 모두 기각한 원심 판결은 결론에서 상당하고 본건 항소는 모두 이유가 없으므로 이를 기각하는 것으로 하여 주문과 같이 판결한다.

■ 재판장 재판관 橫山匡輝, 재판관 佐藤公美
　재판관 萩本修은 인사이동으로 서명 날인할 수 없다. 재판장 재판관 橫山匡輝

별지 물건목록 <생략>

③ 성년후견인으로서의 임무를 전혀 하지 않은 사례

본인인 피후견인 A의 성년후견인인 피고는 A의 통장과 은행 도장을 맡아 스스로 관리하지 않고 A의 처인 B 등이 가지고 마음대로 출금을 하도록 방치하고 B가 C 변호사에게 지급하여야 할 거액의 변호사 비용이 A의 예금에서 출금되었음에도 불구하고 이러한 사실을 알지 못했다고 진술하였다. A의 대습상속인인 원고들은 피고가 이와 같이 후견인으로서의 임무를 해태하여 손해를 보았다고 주장하면서 피고에게 불법행위로 인한 손해배상을 청구한 사안이다.

재판소는 피고가 후견인의 직무에 대해서 전혀 이해하지 못하고 선임된 후견인으로서 완수해야 하는 역할을 전혀 하지 않았다고 판단하여 원고들의 청구를 전부 인용하는 판결을 내렸다.

사 건 번 호 平20(ワ)24810号	**사 건 명** 손해배상 청구 사건
재판연월일 平成23年³⁵⁾ 7月 29日	**재 판 소 명** 도쿄(東京) 지방재판소
재 판 구 분 판결	**재 판 결 과** 인용

주 문

1. 피고는 원고 X1에게 175만 엔 및 이에 대한 2005년 9월 12일부터 다 갚는 날까지 연 5%의 비율에 의한 돈을 지불하라.

2. 피고는 원고 X2에게 175만 엔 및 이에 대한 2005년 9월 12일부터 다 갚는 날까지 연 5%의 비율에 의한 돈을 지불하라.

3. 소송비용은 피고가 부담한다.

4. 이 판결은 가집행할 수 있다.

사실과 이유

제1 당사자가 구한 재판

1. 청구 취지
주문과 같은 취지

2. 청구 취지에 대한 답변
원고들의 청구를 모두 기각한다.
소송비용은 원고들이 부담한다.

제2 전제사실

당사자 사이에 다툼이 없는 사실, 증거(뒤에서 드는)에 의해 쉽게 인정할 수 있는 사실

---

35) 2011년

1. A(이하 'A'라 한다)는 1926년 ○월 ○일 출생했다(갑 3의 1 내지 5). A는 1962년 12월 12일, 화장품의 제조 판매를 목적으로 하는 주식회사 하나시마시만花島シーマン(이하 '본건 회사'라 한다)을 설립하고 대표이사이자 사장을 맡고 있었지만, 1998년 5월, 뇌경색으로 쓰러졌다.

2. B(이하 'B'라 한다)는 1929년 ○월 ○일 출생했고 A의 처이다(갑 3의 1 내지 3).

피고 보조참가인(이하 '보조참가인'이라 한다)은 1947년 ○월 ○일 출생했고 B의 조카인데 1960년 4월 11일, A 및 B와 양자결연을 맺었다. 보조참가인은 이혼한 후 2000년 무렵부터 A 및 B와 다시 동거하게 되었다(이상 갑 3의 1·2, 정 1, 증인 보조참가인).

3. C(이하 'C 변호사'라 한다)는 본래 재판관인 변호사이며 2004년 1월 14일, 도쿄 가정재판소에 신청인 B의 대리인으로서 A를 본인으로 하는 성년후견 개시 심판을 신청했다(도쿄 가정재판소 平成16年 (家) 第80029号. 이하 '본건 신청'이라 한다).

피고는 본래 재판관인 변호사이며 같은 해 5월 12일, 본건 신청에 대한 후견 개시 심판에 의해 A의 성년후견인(이하 '후견인'이라 한다)에 선임되어 이 심판은 같은 달 29일 확정되었다(을 1).

A에 대해서는 2002년 2월 20일, 본건 신청과 마찬가지로 B를 신청인으로 하여(대리인 C 변호사), 성년후견 개시의 심판이 신청되었지만, 같은 해 4월 5일에 취하된 바 있었다(도쿄 가정재판소 平成14年 (家) 第80244号. 이하 '14年 신청'이라 한다. 을 10).

4. D(이하 'D'라 한다)는 1951년 ○월 ○일 출생하였고 A의 조카인데 1961년 12월 28일, A 및 B와 양자결연을 맺었다(갑 3의 1·2, 갑 4의 1 내지 3).

D는 대학 졸업 후 본건 회사에 근무하였고 A가 쓰러지고부터는 본건 회사의 사실상의 사장으로서 경영에 종사하였고 2001년 3월부터는 등기부상으로도 본건 회사의 대표이사(사장)에 취임했다. A는 등기부상에는 대표이사로 남고 직함은 회장이 되었다.

그러나 D는 2003년 1월 20일 51세로 급사했다.

5. 원고들은 D와 E(이하 'E'라 한다)의 자녀로서 원고 X1(이하 '원고 X1'이라 한다)은 1976년 ○월 ○일 출생하였고 원고 X2(이하 '원고 X2'라 한다)는 1979년 ○월 ○일 출생하였다(갑 4의 1·2).

원고 X1은 2003년 1월 29일 본건 회사의 대표이사로 취임했지만 2005년 1월 29일 퇴임했다.

6. B는 2004년 3월 23일 G 변호사를 대리인으로 하고 원고들 및 E를 피고로 하여 본건 회사의

이사로서의 책임을 추궁하는 주주 대표 소송을 제기했다.

원고들과 B 사이에서 2005년 3월 7일, 화해 계약이 성립하여 위 주주 대표 소송은 취하되었다(갑 5, 을 2).

7. C 변호사에 대한 보수로 1,200만 엔(이하 '본건 1,200만 엔' 또는 '본건 1,200만 엔의 변호사 비용'이라 한다. 여기에서 말하는 변호사 비용에는 보수도 포함된다)이 A의 도쿄히가시東京東 신용 금고의 보통예금계좌에서 2005년 9월 12일에 출금되어 C 변호사에게 본건 1,200만 엔의 변호사 비용이 지불되었다(갑 6, 을 4, 5).

8. 피고가 추천한 세무사인 H는 2005년 1월 20일 본건 회사의 감사로 취임했다. C 변호사는 같은 해 7월 15일 본건 회사의 감사로 취임하여 2006년 5월 31일 사임했다(갑 1).

9. A는 2008년 2월 29일 사망하였고 상속 관계는 별지 상속 관계도와 같다. 상속인은 처인 B(법정 상속분 2분의 1), 양자인 보조참가인(법정 상속분 4분의 1), 양자인 D의 대습상속인인 원고 X1 및 원고 X2(각 8분의 1)이다.

10. 본건 회사는 B의 조카인 I가 대표이사로, B, 보조참가인, 그 자녀인 J가 이사로 취임하여 현재는 보조참가인도 대표이사이다(정 1).

11. 원고들은 B도 본소의 피고로 하여 현재의 피고와 함께 불법행위에 의거한 손해배상을 하도록 청구하였지만 B가 2010년 7월 11일에 사망하여 원고들은 같은 해 9월 9일, B에 대한 소를 취하하였다(일건 기록에 의한다).

제3 원고들의 주장

1. 원고들은 B가 A에 관한 상속세 신고 절차를 의뢰한 세무사로부터 2008년 6월, 재산 목록을 수령하고 본건 1,200만 엔의 출금 사실을 알았다.

A의 재산은 2005년 9월 12일 당시 후견인인 피고가 관리하고 있었기 때문에, B가 지급해야 할 C 변호사에 대한 변호사 비용을 A의 예금에서 출금하는 것은 B 및 피고의 공모 없이 할 수 없다. 이 출금은 B 및 피고에 의한 A 소유 재산의 영득행위가 되어 불법행위에 해당한다.

2. 피고는 변호사이며 후견인으로 선임되었으니 피후견인인 A의 재산을 보전해야 하는 것, A의 통장과 은행 도장을 맡아 스스로 관리하는 것이 요구되고 있는 것을 당연히 알고 있을 것인데도 그 임무를 전혀 이해하지 않고 통장과 은행 도장을 맡아 스스로 관리하지 않았다. 또한 피고는 후견인으로서 A의 채무가 아닌 것을 A의 재산에서 지출해서는 안 된다는 법적 의무가 있었다. 그리고 본건 신청에서 도쿄 가정재판소는 공정한 후견 사무를 기대하고 변호사인 피고를 A의 후견인으로 선임한 것이지만, 피고는 B의 입장에서 직무를 하고 A의 후견인으로서의 임무를 게을리 하였다.

피고가 본건 1,200만 엔이라는 거액이 지출된 것조차 알지 못했다고 주장하는 것 자체가 후견인으로서의 임무를 게을리 하고 있던 것을 자인하고 있는 것이라고 할 수 있다. 본건 1,200만 엔이 출금된 것은 피고가 A의 후견인으로 선임된 지 1년 4개월 가까이 지난 때의 일인데 이 시점에서 A의 재산 보전을 하는 의무를 지고 있던 것은 피고이고 C 변호사는 아니다.

3. (1) 본건 1,200만 엔의 변호사 비용은 B의 이익을 도모하기 위해서 필요한 비용이며, B가 A의 재산에서 보수를 지불하는 것은 허용되지 않으며 자기의 재산으로 지불해야 한다.

(2) A가 스스로를 위해 C 변호사에게 의뢰할 필요는 전혀 없었고 또한 뇌경색으로 쓰러진 뒤 의사 표시를 할 수 없게 되어 변호사에게 의뢰하는 판단 능력을 가지고 있지 않았다. 그러므로 B가 14年 신청을 한 것이다.

2002년 1월 24일 공증인 K(이하 'K 공증인'이라 한다)가 입회한 가운데 A와 C 변호사 사이에 체결된 위임계약에 대해서도 A가 위임의 취지를 어디까지 이해할 수 있었는지는 의문이고 같은 해 2월 20일에 14年 신청이 이루어져 A는 아무것도 이해할 수 없었다고 추인해야 한다. 또한 C 변호사도 K 공증인도 모두 본래 재판관이다.

(3) C 변호사는 B의 위임을 받았던 것이고 A의 대리인으로서 행동한 사실이 전혀 없다.

본건 1,200만 엔의 변호사 비용에 대해서는 C 변호사로부터 B 앞으로 청구서가 발행되었고 B 앞으로 영수증이 발행되어 있다. C 변호사도 본건 1,200만 엔의 변호사 비용을 지불해야 하는 사람이 A가 아니라 B라고 인식하고 있었다.

4. 따라서 원고들은 피고에 대해서 불법행위에 근거하여 법정 상속분에 따라 총 300만 엔(각 원고에 대해서 150만 엔씩)의 손해배상청구권을 취득했다. 또한 변호사 비용도 피고들의 불법행위에

의한 손해이고 적어도 총 50만 엔(각 원고에 대해서 25만 엔씩)이 인정되어야 한다.

원고들은 피고에게 각자 175만 엔의 지불을 요구한다.

제4 피고의 주장

1. (1) 피고는 C 변호사에 대한 본건 1,200만 엔의 변호사 비용 출금에 대해서는 알지 못한다.

피고는 C 변호사가 원고 X1에게 부당한 이익을 빼앗기지 않도록 노력하고 있었으므로[36] C 변호사에 대한 본건 1,200만 엔의 변호사 비용의 지불에 대해서 A를 지불 의무자로 인식하고 있었다.

피고는 본건 1,200만 엔의 변호사 비용의 내역에 대해서는 알지 못한다.

본건 1,200만 엔의 변호사 비용의 지불에 대해서는 도쿄 가정재판소에 대한 2006년 5월 9일자 수지(收支) 상황 보고서에 기재되어 있고 피고는 이 지불에 대해서 도쿄 가정재판소에 구두로 설명하고 양해를 얻었다.

(2) 피고는 C 변호사에 대한 보수 지급액이 어떻게 될지는 듣지 못했지만 퇴직 위로금의 액수가 A가 얻는 경제적 이익으로서 변호사 비용 계산의 근거가 될 것이라고 생각했다. 가령 2억 엔으로 하면 구(舊) 일본 변호사 연합회 보수 등 기준에 따르면 기준액은 1,338만 엔이므로 착수금이 어떻게 되는지는 모르겠지만 그 정도는 타당하다고 생각했다. 또한 C 변호사와 A 및 B에 대해서는 2002년 이전부터 포괄적 위임이 있었다. C 변호사가 위임 계약서를 작성하지 않은 것은 일반적이었다고 할 수 있다.

2. 본건 1,200만 엔의 변호사 비용은 A의 재산 보전을 도모하기 위해서 필요한 비용이며, A의 재산 보전을 도모하기 위한 일련의 업무는 당초 A가 직접 C 변호사에게 위임했다고 들었다. 피고가 A의 후견인으로 선임된 후에도 C 변호사는 계속 본건 회사의 이익을 보전하고 A의 재산을 보전하는 업무를 계속하고 있어 피고도 C 변호사로부터 여러 번 팩스로 재산 보전 등의 연락을 받았다.

A의 재산 보전에 필요한 한도에서 A가 부담하는 것은 민법 730조, 752조의 친족 간의 부조 의무, 부부의 협력 의무의 규정에서도 분명하다.

그리고 A는 C 변호사의 노력으로 스스로 창업한 본건 회사 경영의 적정화를 도모할 수 있었고

---

36) C 변호사가 'A를 위해' X1이 부당하게 A의 재산이나 이익을 빼앗지 못하도록 노력하였다는 취지로 보인다.

또한 3억 엔 남짓의 퇴직 위로금을 받을 수 있었다.

3. 가령 A와 C 변호사 사이에 명확한 위임 관계가 인정되지 않는다고 해도 A와 C 변호사는 본인과 관리자의 관계이며 본건 1,200만 엔은 A가 부담해야 할 사무 관리 비용이다.

4. A의 재산에 대한 피고에 의한 관리는 이른바 법정 관리로, 구체적인 관리는 전부터 관리하고 있던 세무사, 본건 회사의 경리 담당자, 보조참가인들이 하고 있었다. 이 관리 상황은 D나 원고 X1이 본건 회사의 대표이사였던 때와 같고 특히 그 관리에 대하여 이의를 하지 않았고 피고는 승인되어 온 것을 답습한 것이다.

5. 피고는 A의 재산에서뿐만 아니라 B나 보조참가인으로부터도 후견의 비용이나 보수 등 한 푼도 받지 않았다.

6. B는 A와 창업자 부부로서 오랜 세월 함께 지내고 A의 간병에 힘써 왔다. 원고들은 스스로 일으킨 사건에 의해 A에게 손해를 발생시킨 것이며, 그것을 방지한 B에게 유산 분할 미완료의 단계에서 원고들이 손해배상청구를 하는 것은 허용되지 않는다.

또한 그 시정에 노력한 대리인인 C 변호사에 대한 변호사 비용이 너무 거액이라고 하고 A가 아마도 청구하지 않을 것인 손해배상을 A로부터 상속했기 때문이라고 하여 B에게 손해배상청구를 하고 있는데 이는 권리의 남용이며 공서양속에 반하여 허용되지 않는다.

7. 원고들은 연대채무자인 B에 대한 청구권에 대해서 B가 사망하고 B의 채무를 상속한 것이 되므로 B에 대한 소를 취하했다.

민법 438조의 혼동에 의해 B는 원고들에게 변제를 했다고 간주되므로 원고들의 피고에 대한 손해배상청구권은 소멸했다.

8. 가령 본건 1,200만 엔의 변호사 비용을 B가 전액 부담해야 한다고 하더라도 피고에게 전혀 불법 영득 행위는 없기 때문에 원고들은 B가 지불한 전액에 대해서 지불을 면제했다고 해석해야 한다. 민법 437조에 따라 다른 연대채무자의 이익을 위해서도 그 효력이 생기게 되는 것이고 피고에게는 지불 의무가 없다.

9. 가령 피고에게 손해배상채무가 인정된다고 해도 피고가 부당 이득한 돈은 없고 피고는 B의 변호사 비용 채무를 승계한 원고들을 포함한 상속인들에게 구상하게 되고(민법 442조 이하), 그것을 가지고 피고는 원고들의 손해배상청구권과 상계한다.

10. 원고들은 본건 회사의 운영에 대해서 주주총회를 열지 않고 임원의 보수 한도액을 정하지 않고 경업 관계에 서는 터널 회사를 통해 본건 회사에서 (실제 거래는 하지 않았음에도 불구하고) 서류뿐인 거래를 하여 상법에 반하는 위법이 있고 선행 행위에 중대한 과실이 있다. 피고는 과실 상계를 주장한다.

11. 피고가 인용하는 소 취하 전의 피고인 B의 주장은 다음과 같다(덧붙여 피고에 의한 인용은 그 범위 등에 대하여 불명확하지만 되도록 넓게 인용하는 것으로 해석했다).

(1) D는 본건 회사 경영에 대해서 A의 의향을 무시하고 1999년 10월, A들에게 아무런 예고도 없이 자신의 급여를 월 500만 엔으로 하고 한편, A의 대표이사로서의 보수를 반감시키고 A의 주식에 대해서 스스로 매도하도록 몇 번씩이나 강요하는 등 하고 있었다.

　A는 뇌경색의 후유증에 의해 반신 마비의 장애를 입고 24시간 완전히 간병을 받으며 생활하고 있으며 월 100만 엔이 넘는 의료비를 지불하고 있었다. D에 의한 A의 보수 감액은 A의 요양 생활 그 자체에 큰 타격을 주는 것이었다. 또한 A가 보유한 재산의 중심은 본건 회사의 주식인데 D에게 터무니없는 보수를 지급한 것은 본건 회사의 자산을 짓궂은 장난으로 유출시킨 것이었다.

　그래서 A 및 B는 본건 회사에 2000년 6월 21일자로, D들 이사를 해임 내지 연임하지 말 것을 요구했다. 그러나 D들은 A의 의향을 들어주지 않고 본건 회사의 경영은 전혀 개선되지 않았다.

(2) A 및 B는 2001년 12월 무렵, C 변호사에게 그 동안의 방만 경영을 그만두게 하여 본건 회사의 경영을 정상화하고, A의 요양생활 비용으로 충분한 수입을 얻도록 하여 달라는 취지로 의뢰했다(이하 '본건 의뢰'라 한다). C 변호사는 우선 A의 재산이 흩어져 없어진 것이 없는지 조사하여 본건 회사에 A에 대한 적절한 처우를 하도록 청구하는 것, 주주 대표 소송을 제기하여 경영 정상화를 도모하는 것 등을 제안하고 A 및 B로부터 순차적으로 착수하도록 의뢰 받았다.

(3) A 및 B는 2001년 12월 무렵, C 변호사와의 사이에서 본건 의뢰에 대해서 변호사 보수의 기준으로 해야 할 경제적 이익의 액수가 불명했던 것, 당시 A 및 B가 D로부터 일방적으로 월급을

감액당한 데다가 A에게는 고액의 의료비 부담이 있었기 때문에 보수에 대해서는 경제적 이익을 얻었을 때에 협의하여 결정하기로 합의했다. 이 때, C 변호사는 장래 정산되는 보수에는 향후 실시하는 법률 상담, 문서 작성, 교섭 등의 비용이 포함되는 것을 설명하고 A 및 B는 이를 승낙했다.

(4) 본건 의뢰 또는 위 합의에 기초하여 C 변호사가 한 업무 또는 변호사 비용은 아래와 같다.

① A가 계약하고 있던 주식회사 도쿄 미쓰비시=菱은행의 대여금고 안의 재산 조사 및 그 보전

A는 2002년 1월 24일, C 변호사에게 K 공증인 입회 아래, 공정증서를 작성하여 대여금고의 보관품을 출고하는 것을 위임했다. C 변호사는 같은 해 4월 4일 무렵, A의 대여금고를 열고 본건 회사의 주권 등 일체를 보전하고 같은 해 9월 30일 대여금고 계약의 해약 절차를 밟았다.

② 14年 신청비용

B는 C 변호사에게 A의 후견 개시 심판 신청을 의뢰했다. C 변호사는 B에게 단순한 신청 절차인 것이 아닌 복잡한 사안이므로 변호사 비용이 200만 정도 드는데, 이 정산은 당초의 합의대로 경제적 이익이 생겼을 때에 하는 것으로 설명하고 B는 이에 동의했다.

후견제도는 피후견인의 재산을 적정하게 관리 보존하기 위한 제도이기 때문에, 신청비용은 피후견인을 위한 업무 관리로서 상환 대상이 된다. 14年 신청도 B가 A의 재산 관리를 위해 신청한 것이므로, 이 비용은 A가 부담해야 하고 이를 A의 예금에서 지급했다고 해도 아무런 위법성은 없다. 14年 신청은 통상의 신청과 달리 본건 의뢰를 위한 대응책의 일환으로서 이루어진 것이고 이 점에서도 신청비용을 A가 부담해야 한다는 것은 분명하다.

③ 본건 신청비용

C 변호사는 B에게 변호사 비용이 300만 엔 정도 드는 것, 그 정산은 A에게 경제적 이익이 생겼을 때에 하는 것을 설명하고 B는 이에 동의했다.

④ 법률 상담료, 주주 총회 출석 일당 등

A 및 B는 C 변호사에게 2001년 12월~2005년 8월까지 A의 재산 보전에 대해 몇 번이나 병상에까지 와 달라고 요구하고, 지속적으로 법률 상담을 의뢰하여 C 변호사는 이에 응하고 있었다.

또한 C 변호사는 본건 회사의 주주 총회에 출석하고 A 및 피고 B의 이익을 지키기 위해서 발언하고 협의에 참가했다. A에게는 후견인으로서 피고가 선임되어 있었기 때문에 C 변호사는 B의 대리인으로서 주주 총회에 참가했지만 일관하여 A의 이익을 도모하기 위해서 행동하고 있었다. C 변호사의 업무 결과 실제로 A에게 3억 엔의 퇴직 위로금이 지급되게 된 것이다.

법률 상담 및 주주 총회 출석 등의 업무는 모두 본건 의뢰에 따라 이루어진 것이고 그 비용 정산은 당초 합의에 근거하여 A가 경제적 이익을 얻은 시점에 이루어지는 것이다.

⑤ 계약서 등 작성 비용

2005년 3월 7일자 화해 계약서에 의해 원고들이 본건 회사의 임원을 퇴임하고 연임을 요구하지 않는 것이 확인되었다. 이에 의해 본건 회사 경영이 정상화되었다. 또한 C 변호사는 원고들의 대리인(본소 소송 대리인 변호사 하치노헤 다카히코八戸孝彦 변호사. 이하 원고들 대리인인 하치노헤 변호사'라 한다)에게 화해 계약서에서 A에 대한 퇴직 위로금의 지급을 요구하고 있는데 이것으로부터도 C 변호사가 A의 퇴직 위로금 채권 보전에 대해서 일관하여 배려하고 계속 주장한 것으로 나타났다.

화해 계약서 작성 업무도 모두 본건 의뢰에 따라 이루어진 것이고 그 비용 정산은 당초의 합의에 근거하여 A가 경제적 이익을 얻은 시점에 이루어지는 것이다.

⑥ 교섭비 등

C 변호사는 ① 2003년 11월부터 본건 회사의 경영권 등에 관하여 원고들 대리인과 교섭을 실시하고, ② 전술한 화해 계약의 성립을 위해 원고들 대리인인 하치노헤 변호사, 피고, 도쿄 가정 재판소와 교섭을 하고 ③ 퇴직 위로금 지급에 대해서 창업자로서 걸맞은 금액이 지불되도록 주장하며 그 지급이 실현되도록 본건 회사로부터 부당한 자금이 유출되어 원고들에게 흘러가는 것을 막기 위해 원고들과 교섭을 했다.

교섭 업무도 모두 본건 의뢰에 따라 이루어진 것이고 그 비용 정산은 당초의 합의에 근거하여 A가 경제적 이익을 얻은 시점에 이루어지는 것이다.

(5) A는 2005년 6월 30일, 본건 회사로부터 3억 엔(실수령액 2억 3,541만 6,900엔)을 지급받았다. 이에 의해 본건 의뢰가 실현되었다. 그래서 B와 C 변호사는 2001년 12월 무렵에 한 보수 지불 합의에 근거하여 변호사 보수에 대해서 협의하고, 최종적으로 A가 얻은 경제적 이익으로부터 청구서에 기재된 내용으로 합의하여 본건 1,200만 엔이 C 변호사에게로 송금되었다.

본건 1,200만 엔의 출금에 대해서 사전에 B가 피고에게 연락했는지 명확한 기억은 없지만, 사전에 서면에 의한 승낙 등을 요구한 적은 없다. B는 후에 피고에게 출금과 용도를 기재한 예금 통장을 제출했다.

제5 원고들의 반론

1. B는 D가 본건 회사를 경영하고 있던 당시부터 D가 B를 무시하고 있다고 하였고 D와의 사이에서 분쟁 상태에 있었고 원고 X1이 본건 회사의 대표이사로 취임한 후에도 같은 불만을 가지고

있었다. D는 A의 조카로 A의 지명을 받아 본건 회사의 후계자가 된 사람이며 본건 회사를 빼앗으려 했다거나 A를 몰아내려 했다는 등은 B의 일방적인 트집이다.

피고는 A의 후견인으로 선임되자 원고 X1이 하는 본건 회사 운영에 불만을 갖고 원고 X1을 본건 회사에서 추방하려고 획책하고 있던 B, 보조참가인에게 협력하여 A가 보유하고 있던 본건 회사 주식 75%의 주주권을 행사하고, 원고 X1을 이사로 선임하지 않는다는 압박을 가하고 원고 X1을 2005년 1월 29일, 본건 회사의 이사 및 대표이사로부터 임기 만료에 의해 퇴임시켰다. 본건 회사의 이사인 원고 X2, E도 퇴임하지 않을 수 없었다. 그 후 B는 본건 회사를 조카들과 뜻대로 움직이고 있다.

2. B가 C 변호사에게 2005년 9월 12일까지, 착수금, 수수료, 비용 실비 등을 전혀 지불하지 않았다고는 도저히 상식적으로는 생각할 수 없다. 변호사의 수임 방법으로서 상식에 반하고 있다. C 변호사는 의뢰인에게 변호사 보수에 대해서 설명 의무를 이행하지 않았고, 위임 계약서를 작성하도록 힘써야 한다는 의무도 이행하지 않았다.

3. A가 3억 엔 남짓의 퇴직금을 받는 것에 원고들은 전혀 반대하지 않았다. D의 사망 퇴직금이 2억 엔이었으므로 창업자로서 그 이상으로 되는 것은 당연하고, 원고들은 C 변호사와 후견인인 피고에게 적정한 금액을 제시해 달라는 대응을 했을 뿐이다. A의 퇴직금 취득에 C 변호사가 공헌했다고 하는 것은 전혀 없다.

또한 C 변호사가 본건 회사의 주주 총회에 출석한 것은 피고가 A의 후견인으로 선임된 후의 일로서 B의 대리인으로서 출석한 것이다.

4. 지출의 정당성과 금액의 정당성에 대해서
(1) 14年 신청비용
가령 변호사 비용이 정산되지 않았다고 해도 변호사 보수는 2년의 단기 소멸 시효가 정해져 있으므로 200만 엔이 지출된 당시에는 시효로 소멸했다. 피고는 후견인으로서 이 지출을 승인할 수 없으며 B의 지출을 알았으면 B에게 반환 청구해야 한다.

C 변호사의 200만 엔의 보수 청구는 당시의 변호사 보수 상당액의 약 10배의 부당한 청구가 되어 과다 청구로서 징계 대상이 될 수 있는 것이다.

(2) 본건 신청비용(300만 엔)

(1)과 같다.

(3) 법률 상담료, 주주 총회 출석 일당 등, 계약서 등 작성 비용, 협상 비용 등

C 변호사의 청구에는 전혀 구체성이 없고 피고는 후견인으로서 이 지출을 승인할 수 없으며, B의 지출을 알았으면 B에게 반환 청구를 해야 한다. C 변호사의 주주 총회 출석도 화해 계약서 작성도 교섭도 B를 위해 B의 대리인으로서 한 것이다. 또한 화해 계약서는 원고들 대리인인 하치노헤 변호사가 C 변호사, 피고와 협의하여 기안한 것이다.

5. 피고가 주장하는, 도쿄 가정재판소에 제출한 수지 상황 보고서에 본건 1,200만 엔의 기재가 있다는 것에 대해서는, '변호사 비용 12,000,000'으로 기재되어 있을 뿐 C 변호사에게 어떠한 변호사 보수로서 지급된 것인지 설명은 되어 있지 않다. 도쿄 가정재판소는 많은 동종 사건을 맡고 있어 위 기재에 의해 지출의 중요성을 이해하고 그것을 문제 삼지 않기로 했다고 인정할 수 없다. 가령 도쿄 가정재판소가 위 지출을 알고 불문에 부치기로 했다고 해도 성년후견인으로서 A의 재산의 유지 보전의 책임을 일차적으로 지고 있는 피고가 면책되지는 않는다.

제6 본 재판소의 판단

1. 증거(뒤에서 드는) 및 변론의 전체 취지에 따르면 아래의 사실이 인정된다.

(1) ① A는 1998년 5월 2일, 뇌경색이 발병하여 그 때문에 실어증, 오른쪽 마비가 되고 그 해 7월 7일, 사회복지법인 진세이샤 에도가와仁生社江戶川 병원(이하 '에도가와 병원'이라 한다)에서 진찰을 받아 이 달 9일부터 2000년 11월 21일까지의 사이, 에도가와 병원에 입원하여 치료를 받았다(을 1, 7, 병 2).

② A에 대해서 1998년 7월 7일자로 의료법인 세이시카이 오쿠라淸志会大倉 병원의 L 의사에 의해 병명이 뇌경색, 당뇨병, 고혈압이고 오른쪽 마비, 실어증에 걸렸지만 같은 해 6월 13일 시점에서 의사소통은 가능하다고 진단되었다(정 2).

③ A에 대해서 1999년 1월 16일자로 에도가와 병원의 M 의사에 의해 병명이 뇌경색, 당뇨병, 고혈압이고 이들 질환으로, 현재 입원 치료 중이지만 실어증이 중증이고, 실행(失行), 인지 장애가 있고 실무를 하는 것은 어렵다고 진단되었다(갑 16, 을 2).

④ A에 대해서 2001년 12월 18일자로 에도가와 병원의 N 의사에 의해 병명이 뇌경색, 당뇨병, 고혈압이고 뇌경색 때문에 오른쪽 마비, 실어증을 인정한다고 진단되었다(을 7).

(2) A가 C 변호사에게 주식회사 도쿄 미쓰비시은행과의 사이의 대여금고 계약에 근거하여 사용 중인 이 은행 가메아리龜有지점의 대여금고의 개폐, 내용물 출납의 권한을 위임하는 취지의 공정증서가 2002년 1월 24일자로 도쿄 법무국 소속의 K 공증인에 의해 작성되었다(을 7).

위 대여금고 계약은 C 변호사의 해약 신청에 의해 2002년 9월 30일 종료했다(을 8, 9).

(3) 14年 신청에 대해서

① B가 스스로 A의 후견인이 되기를 희망하고 있었다(을 1).

② D는 14年 신청에서 A에 대해서 판단능력(의사능력)이 결여되어 있으므로, 후견 개시에 이의가 없지만 B가 후견인으로 선임되는 것에는 절대 반대이며, 후견인에는 변호사 등의 공정하고 사회 상식이 있는 제3자가 선임되었으면 한다는 의견을 말했다. D는 B가 지금까지 A 명의의 예금을 인출하여 B 명의로 옮기고 있다는 혐의가 있어 B가 후견인으로 선임되면 A의 재산이 보전되지 않고 은닉될 우려가 있는 등으로서 위 의견을 말했다(이상, 갑 10의 1 · 2).

(4) A는 2003년 4월 22일부터 같은 해 5월 31일까지 에도가와 병원에 입원하여 치료를 받았다(을 1).

(5) C 변호사는 2003년 10월 3일, B의 대리인으로서 본건 회사(대표이사 원고 X1)에 대해서 유사 상호의 사용 및 경업 행위의 금지를 요구하는 취지의 내용 증명 우편을 발송했다(갑 17). 그리고 같은 달 27일, B의 대리인인 C 변호사가 C 변호사의 사무실에서 원고들 대리인인 하치노헤 변호사와 만났고 이후 두 변호사 사이에 교섭이 이루어지게 되었다(갑 18, 을 1, 증인 C 변호사).

(6) A에 대해서 2004년 1월 9일자로 에도가와 병원의 N 의사에 의해 병명이 급성기관지염, 뇌경색이고 오른쪽 마비와 실어증이 인정되고 지적 능력의 전반적인 저하가 있다고 진단되었다(을 1).

(7) 본건 신청에 대해서

① B는 신청 사정 설명서에서 A의 재산(주요 재산은 본건 회사의 주식, 토지)의 관리 · 처분에 대해서 친족 사이에 갈등이 생기지 않도록 시급하게 해 두고 싶은 것, A의 재산을 사실상 관리하

고 있는 것은 B인 것, 후견인으로 중립·공정한 사람이 선임되어 친족 사이에 갈등이 생기지 않도록 할 필요가 있는 것, 신청서와 함께 전달된 '성년후견 신청의 안내'를 모두 읽고 내용도 이해하고 있는 것, 원고들도 후견 신청에 찬성이라고 생각하는 것 등을 기재했다.

② A의 재산 목록에는 본건 회사의 주식, 부동산 이외에, 도쿄 미쓰비시은행 가메아리지점의 보통예금, 도쿄 히가시 신용금고 기요토淸戸지점의 보통예금·정기예금, 기요토우체국의 정액저금, 리소나りそな은행 기요토지점의 보통예금·정기예금 등이 기재되어 있었다.

③ B(신청인 대리인 C 변호사)는 당초 C 변호사를 후견인 후보자로 하고 있으며, C 변호사는 요양 간호에 필요한 비용을 A의 재산에서 지출하는 것, 본건 회사의 주식 등의 관리·처분에 대해서 친족 사이에 갈등이 생기지 않도록 중립·공정하게 대응하는 것을 항상 생각하고 싶은 것, '성년후견 신청의 안내'를 모두 읽고 내용도 이해하고 있는 것 등을 설명했다.

④ B(신청인 대리인 C 변호사)는 2004년 1월 28일, 친족 사이에서 갈등이 생기지 않도록 중립성이 높은 후견인을 선임하는 것이 적절하다고 생각해서 후견인 후보자를 C 변호사로부터 P 변호사로 변경하려고 상신했다.

⑤ 원고들은 본건 신청에 대해서 B가 원고들을 본건 회사 경영에서 추방할 목적으로 이루어진 것이고 후견제도의 악용이므로 이를 각하해야 한다는 의견을 밝힌 후 가령 후견 개시의 심판이 있을 경우, C 변호사와 친한 관계에 있는 P 변호사의 후견인 선임에 반대한다는 의견을 말하고 B 및 원고들과 전혀 관계없는 변호사가 선임되기를 희망했다.

⑥ 후견 개시의 심판서에는 이유 중의 본건 신청의 목적으로서 A가 대표이사를 맡고 있는 본건 회사의 경영 등을 둘러싸고 친족 사이에 대립이 있다고 기재되었다(이상, 을 1).

(8) 피고가 후견인으로 선임된 것은 본건 신청에서가 처음이었다(병 1, 피고).

(9) 피고는 후견인으로 선임된 후에도 A의 재산 목록만을 수중에 두고 통장이나 은행 도장 등을 맡아두지 않고 다른 부동산 및 골프 회원권 등 A의 재산에 대해서 B 등에게 보관시킨 채 그대로 두었다. 그리고 B나 보조참가인은 매일 A의 예금에서 입출금을 하고 자주 수십만 단위, 때로는 백만 엔 단위로 입출금을 하고 있었지만 피고는 이들의 입출금에 대해서 관여하지 않고, B 등에게 출금한 돈의 용도를 보고하도록 하거나 장부 작성과 영수증 제출을 지시하거나 하는 일이 없었고, 또한 스스로 확인하지도 않았다. 피고는 후일 시라이白井 세무회계사무소 ○○세무사가 몇 개월 단위로 정리해 온 A의 재산에 관한 보고를 받아 그 보고에 따라 도쿄 가정재판소에 대해서 재산 목록 및 수지 상황 등을 보고하고 있었다(이상, 을 1, 병 1, 증인 보조참가인, 피고).

(10) 2004년 6월 23일 B를 원고, 원고들 및 E를 피고들로 하는 손해배상 청구 소송(주주 대표 소송)이 제기되었다. B의 소송 대리인인 G 변호사는 C 변호사가 소개했다(이상, 을 2, 병 2, C 변호사).

(11) 2004년 7월 28일, 2005년 1월 20일 및 같은 해 3월 2일, 본건 회사의 주주 총회가 개최되어 C 변호사는 B의 대리인으로서 피고는 A의 후견인으로서, 각각 출석했다. 또한 C 변호사는 2005년 1월 14일, B의 대리인으로서 본건 회사(대표이사 원고 X1)에 대해서 본건 회사의 이사 및 감사 선임, A의 퇴직 위로금에 대해서 제안했다(이상, 을 1, 2, 병 2, 증인 C 변호사).

(12) ① 피고는 2004년 12월 9일, 도쿄 가정재판소에 대해서 같은 해 5월 12일부터 8월 31일까지의 재산 목록 및 수지 상황 등을 보고했다. 피고는 본건 회사의 정기 주주 총회의 일, 피고가 본건 회사의 임시 주주 총회의 통지를 하고 A의 퇴직 위로금에 대해서 협의하는 것 등을 보고했다.

　② 피고는 2005년 1월 28일, 도쿄 가정재판소에 대해서 그 달 20일에 개최된 본건 회사의 임시 주주 총회에 대해서 보고했다. 피고는 A의 퇴직 위로금이 3억 엔 이하로 된 것, 구체적인 금액, 지불 방법을 새로운 이사회에 일임하는 것, 이사 인선에 대해서 대립이 계속 되고 있었지만 원고들이 이사의 후보에서 사퇴하는 것으로 합의한 것, 원고 X1들의 퇴직 위로금에 대해서 대립이 있는 것 등을 보고했다.

　③ 피고는 2005년 3월 2일, 도쿄 가정재판소에 대해서 2004년 12월 31일 시점의 재산 목록 및 수지 상황 등을 보고했다. 피고는 원고 X1의 본건 회사 주식에 대해서 C 변호사가 B가 아니라 본건 회사가 매입하는 것을 제안하고 하치노헤 변호사가 B가 매입하는 것을 요구하여 합의가 이루어지지 않은 것, A의 도쿄 미쓰비시은행 가메아리지점 보통예금의 매월 300만 엔의 용도에 대해서 조회 중인 것 등을 보고했다(이상, 을 1).

(13) 원고들 및 피고는 2005년 3월 7일, C 변호사가 B의 대리인으로서, 하치노헤 변호사가 원고들의 대리인으로서 화해 계약을 체결했다. 이 화해 계약에서 원고들이 본건 회사의 이사를 퇴임하고 연임을 요구하지 않는 것이나 원고들에 대한 퇴직 위로금의 지급액이 확인되어 원고 X1이 본건 회사의 주식을 B(1,000주) 및 본건 회사(1,000주)에 매각하는 것, B가 본건 회사로부터 빌린 후 주식 대금을 지불하는 것, B의 원고들에 대한 주주 대표 소송을 취하하는 것 등이 합의되었다. 이 화해 계약에는 피고가 A의 후견인으로서 입회하고 화해 계약이 이행할 수 있도록 피고가 필요한 협력을 하는 것도 합의되었다(이상, 갑 5, 을 1).

　B는 이날 원고들에 대한 주주 대표 소송을 취하했다(을 2).

(14) 2005년 6월 30일, 본건 회사에서 A에게 3억 엔의 퇴직 위로금(실수령액 2억 3,541만 6,900엔)을 지급하였다(을 1).

(15) C 변호사는 2005년 8월 30일, B 앞으로 본건 1,200만 엔의 변호사 비용 청구서를 작성하여 B에게 그것을 교부했다. 그 내역은 성년후견 신청비용(2002년 2월 신청분) 200만 엔, 성년후견 신청비용(2004년 1월 신청분) 300만 엔, 법률 상담료, 주주 총회 출석 일당 등 150만 엔, 계약서 등 작성 비용 250만 엔, 교섭 비용 등 300만 엔이었다(이상, 을 3).

　A의 도쿄 히가시 신용금고의 보통예금계좌에서, 2005년 9월 12일, 본건 1,200만 엔이 출금되었다. 보조참가인은 B에게서 부탁을 받아 본건 1,200만 엔의 출금 절차와 미즈호みずほ은행 사기노미야 기타구치鷺宮北口출장소의 C 변호사의 계좌로 이체 송금 절차를 하고, 위 A의 계좌의 통장에 'C 선생님께'라고 손으로 썼다. C 변호사 계좌로의 이체 송금 절차는 B 명의로 이루어졌다(이상, 갑 6, 을 1, 3, 증인 보조참가인).

　C 변호사는 2005년 9월 12일, B 앞으로 본건 1,200만 엔의 변호사 비용 영수증을 작성하여 B에게 그것을 교부했다(을 4, 5).

　C 변호사가 B에 대해서 본건 1,200만 엔의 변호사 비용을 청구할 때 혹은 이 청구 후 B가 본건 1,200만 엔을 출금할 때까지의 사이에 C 변호사는 피고에게 변호사 비용의 금액을 상담하지 않고 B에게 청구서를 교부한 것도 전하지 않았다(병 2, C 변호사, 피고).

(16) ① 피고는 2005년 10월 17일, 도쿄 가정재판소에 대해서 A가 본건 회사에 2억 엔을 빌려주는 금전 소비대차 계약의 체결 및 A의 본건 회사의 주식 1만 4,000주를 본건 회사에 3억 2,492만 6,000엔에 양도하는 계약 체결에 대해서 상무(常務) 외 허가 신청을 했다. 또한 피고는 이 날 도쿄 가정재판소에 대해서 같은 해 1월 1일부터 8월 31일까지의 재산 목록 및 수지 상황 등을 보고했다(이상, 을 1).

　② 피고는 2006년 5월 9일, 도쿄 가정재판소에 대해서 2005년 9월 1일부터 2006년 2월 28일까지의 재산 목록 및 수지 상황 등을 보고했다. 이 보고에는 변호사 비용으로서 본건 1,200만 엔의 지출이 기재되었지만 구체적인 기재는 없었다(이상, 을 1, 피고).

　③ 피고는 2006년 9월 28일, 도쿄 가정재판소에 대해서 같은 해 3월 1일부터 7월 31일까지의 재산 목록 및 수지 상황 등을 보고했다. 도쿄 가정재판소는 피고에 대해서 입원비용 및 간병비용 영수증의 제출, 입원비용 및 요양비 내역을 밝힐 것을 요구했다(이상, 을 1).

　④ 피고는 2007년 7월 24일, 도쿄 가정재판소에 대해서 2006년 8월 1일부터 2007년 3월 31일

까지의 재산 목록 및 수지 상황 등을 보고했다. 피고는 지난 번 보고 때 도쿄 가정재판소가 한 요구에 응답하고 B 및 보조참가인에게 가급적 영수증을 모아 놓을 것 등을 요구하여 B들이 이에 응한 것 등을 보고했다(이상, 을 1).

2. 이상의 전제사실 및 인정사실을 바탕으로 피고에게 불법행위가 성립하는지 아래에서 검토한다.

(1) ① 후견인은 피후견인(본인)의 재산 관리 및 신상 감호를 하는 것을 직무로 하고 본인의 의사를 존중하면서 직무 수행에 있어서는 선량한 관리자로서의 주의의무를 지고 있다.

후견인은 선임된 후 피후견인의 재산 조사를 함과 동시에 피후견인의 재산에 예금이 있는 경우에는 후견인으로 명의를 변경하든지 혹은 통장이나 은행 도장 등을 맡아 후견인 스스로 예금을 관리하도록 요구되고 있다. 이것은 후견인으로서 적정하게 피후견인의 재산을 관리하기 위해서이다. 지금까지 후견인 이외의 자가 피후견인의 재산을 사실상 관리하고 있던 경우에는 신속히 그 재산에 관한 통장, 증서, 자료 등의 인수를 받는 것이 요구되고 있다.

후견인은 피후견인의 재산에 대하여 전반적인 관리권을 가지고 피후견인의 재산에 관한 법률 행위에 대해서 전반적인 대리권을 가지고 피후견인을 대신해 다양한 판단을 하고 그 이익이 되도록 행동할 것이 요구되고 구체적으로는 후견인은 피후견인을 대신해 예저금에 관한 거래, 치료나 간병에 관한 계약 체결 등 필요한 법률 행위를 하는 동시에, 피후견인의 재산이 타인의 것과 섞이지 않도록 하고 수지 계획을 세우는 등의 재산 관리, 일상의 자질구레한 금전 출납까지 요구되고 있다.

그리고 피후견인의 재산에서 지출할 수 있는 주된 것은 피후견인 자신의 생활비, 피후견인이 부양 의무를 지고 있는 배우자의 생활비, 피후견인이 지고 있는 채무의 변제 등이며, 거액의 지출이 예상되는 경우에는 가정재판소에 상담하여 사전 허가가 필요한 경우가 있고 피후견인의 재산을 배우자에게 빌려주는 것도 증여하는 것도 인정되지 않는다.

② 피고는 B 등이 A의 계좌에 관한 예금통장 및 은행 도장 등을 관리하고 있는 것이나 B 등이 예금통장 등을 이용해 입출금을 하고 있던 것으로 판명된 것이므로, A의 재산을 적정하게 관리하는 후견인으로서의 직무를 수행하기 위해서는 B 등으로부터 예금통장 등의 인도를 받고 스스로 보관해야 했음에도 불구하고 그것을 게을리 했다. 그 결과, B 등이 예금통장 등을 계속 보관하고 그것들을 이용해 입출금을 반복하고 본건 1,200만 엔의 출금도 되었다.

③ 피고는 도쿄 변호사회 소속인데 후견인으로 선임된 후에도 도쿄 가정재판소가 작성하여 배포한 책자 '성년후견인 Q&A'도, 변호사회가 2004년 3월에 배포한 도쿄 변호사회 고령자 · 장애

인의 권리에 관한 특별위원회 법정후견 부회편의 '법정 후견 매뉴얼'(이 매뉴얼에는 위 책자가 전면적으로 인쇄, 삽입되어 있다)도 본 적이 없었다(갑 15의 3 및 변론의 전체 취지에 의한다).

(2) ① 그런데 피고는 후견인으로 선임되기 전에 본건 신청의 심판을 담당한 사카노 세이시로坂野征四郎 재판관(이하 '사카노 재판관'이라 한다)으로부터 친족 사이의 대립이나 분쟁에 대해서 자세한 것은 듣지 않았다고 말했다(피고). 그러나 앞에서 인정한 것과 같이 본건 신청이 되고나서 후견 개시의 심판이 될 때까지의 경과, 특히 후견인 후보자에 대해서 B와 원고들 사이에 의견이 상이했다는 경과, 사카노 재판관이 피고를 지명하여 후견인 선임을 타진했던 것(병 1, 피고에 의한다)에서 보면, 사카노 재판관이 B와 원고들 사이의 대립이나 분쟁 등, A의 후견인으로 선임된 경우의 문제점을 전하지 않았다는 것은 생각하기 어렵고 피고의 진술은 채용할 수 없다. 또한 피고는 A의 후견인으로 선임되어서부터는 본건 신청의 기록과 신청인 B의 대리인인 C 변호사, 혹은 원고들 대리인인 하치노헤 변호사로부터 B와 원고들 사이의 대립이나 분쟁 등에 대해서 자세히 실정을 듣고 있었을 것이고(피고도 당사자 심문에서 본건 신청의 신청서는 읽었다고 말했다), 본건 1,200만 엔의 출금이 후견인 선임으로부터 1년 3개월 이상 경과하고 나서의 사건인 이상, 만일 피고가 사전에 사카노 재판관으로부터 본건 신청에 관한 상세한 것을 듣지 않았다고 해도, 피고가 A의 재산 관리라고 하는 직무를 다하지 않은 것으로써 생기는 책임을 면하는 것은 아니다.

② B 등에게 예금통장 등을 관리시키고 있었던 것에 대해서 피고는 이전부터 B 등이 관리하고 있었는데, 그에 대해서 이의를 하지 않았다고 주장하며 B 등에게 예금의 입출금을 시켜도 문제는 없었던 것처럼 말했지만(피고), 피고의 주장 및 진술은 후견인의 직무에 대해서 전혀 이해하지 못한 것을 자인하는 것일 뿐 아니라 본건 신청에서 선임된 후견인으로서 완수해야 하는 역할을 전혀 고려하지 않은 것으로 밖에 말할 수 없다.

B 등에 의해 A의 간병 비용을 위해 입출금이 매일 필요하더라도 후견인인 피고는 직무로서 선임된 초기에 A의 생활 및 요양 간호 등을 위해 매년 지출해야 할 금액을 예정해야 했다(민법 861조).

피고의 위 주장에는 이유가 없고 피고가 A의 재산 관리라고 하는 직무를 다하지 않은 것으로써 생기는 책임을 면하는 것으로는 되지 않는다.

3. (1) C 변호사는 2001년 12월, A 및 B로부터 D들에 의한 독단적 경영에서 본건 회사를 지키고 창업인인 A 및 B의 의향이 반영되도록 본건 회사 경영을 고쳐 A의 요양 생활비용으로 A 및 B가 충분한 수입을 얻을 수 있게 해 달라고 의뢰받았다(본건 의뢰)고 진술하고 본건 의뢰 시, A는 분명

히 말을 할 수 없는 상태였지만, B의 물음에 고개를 크게 끄덕이는 등 자신의 의사를 분명히 표시할 수 있어서 A에게서도 의사를 신중하게 확인했다고 말했다(병 2, 증인 C 변호사). 그러나 이 무렵에, C 변호사는 A 및 B와의 사이에서 본건 의뢰를 토대로 위임 계약에 관한 서류를 작성하지 않았고(병 2, 증인 C 변호사에 의한다), 변호사가 수임한 때의 의뢰인과의 사이의 계약서 등 서류를 작성하지 않는 것에 대한 일반적인 당부(當否)는 제쳐두더라도 본건 의뢰에 대해서는 명확한 증거가 없다고 할 수 있다.

또한 보조참가인은 1998년 5월에 뇌경색이 발병한 후 A는 말하는 것은 할 수 없게 되었고 고개를 끄덕인다거나 고개를 옆으로 흔들거나 손으로 밀어내거나 하여 의사표시를 하고 있었다고 말했고 2001년 12월 무렵, C 변호사가 A 및 B의 집에 와서 A 및 B로부터 본건 의뢰가 되었다고 말했는데 한편 A의 태도에 대해서는 끄덕이거나 고개를 흔들기도 하여 의사를 전달하고 있었다고 말했다(정 1, 증인 보조참가인).

그리고 앞에서 인정한 것과 같이 1998년 7월 7일자부터 2001년 12월 18일자까지의 A에 대한 진단 결과, 변호사인 C 변호사가 B의 대리인으로서 14年 신청(후견 개시의 심판 신청)을 한 것 등에서 적어도 14年 신청이 이루어진 2002년 2월 시점에서는 A는 사리 변식 능력이 없는 상황에 있었다고 인정되어 본건 의뢰가 있었다고 하는 그 2개월 전인 2001년 12월 시점에서도, A는 사리 변식 능력이 없었고 C 변호사에게 진의에 근거한 의뢰를 했다고는 인정하기 어렵다고 할 수 있다. 이렇게 판단하는 것과 A가 동거하는 가족인 B 및 보조참가인과는 어떻게든 의사소통을 하고 있었다는 것과는 모순되지 않는다.

(2) 2002년 1월 24일자로 A와 C 변호사 사이에서 공정증서에 의한 위임 계약이 체결되었는데 위임의 내용인 대여금고의 개폐 등은 본인인 A의 의사를 확인만 할 수 있으면 당연히 인정되어 그렇게 하는 것이 마땅한 바, 대여금고의 개폐 등에 대해서 공정증서에 의한 위임 계약이 필요했다는 것은 오히려 이 시점에서 A의 사리 변식 능력에 문제가 있었음을 보여 주는 것이다. A에 대한 진단 결과, 특히 위임 계약의 약 1개월 전인 2001년 12월 18일자의 진단 결과, 위임 계약의 약 1개월 후인 2002년 2월 20일에 14年 신청이 된 것은 바로 이것을 말해 주고 있다고 할 수 있다. 위 공정증서에 A가 K 공증인에 대하여 기재가 정확한 것을 승인하여 병 때문에 손이 불편한 A 대신 K 공증인이 서명 날인했다고 기재가 있으나(을 7), 이 기재를 가지고 A가 C 변호사에 대하여 본건 의뢰를 했다고 인정하는 것으로는 이어지지 않는다.

(3) 또한 C 변호사가 2003년 10월 3일자로 원고 X1에게 경업 행위의 금지 등을 요구하는 통지를

한 것은 B의 대리인으로서 한 것이며 그 후, C 변호사는 B의 대리인으로서 원고들 대리인인 하치노헤 변호사와 교섭한 것, 14年 신청에 이어 B의 대리인으로서 본건 신청을 한 것, B의 대리인으로서 본건 회사의 주주 총회에 출석한 것 등은 앞에서 인정한 것과 같다. C 변호사가 A의 대리인으로서 활동했다고 명확히 인정되는 것은 2002년 1월 24일자의 대여금고의 개폐 등에 관한 위임 계약에 근거하는 것 이외에는 보이지 않고 이 위임 계약의 효력에 대해서는 전술한 판단과 같다.

C 변호사는 B의 대리인으로서 활동하여 A의 이익을 도모할 수 있다는 점에서, A의 대리인으로서 표시하지 않았다고 말했지만(병 2, 증인 C 변호사), 변호사가 대리인으로서 행동하는 때에는 누가 본인인지 명확히 해야 하고 B의 대리인이었던 것과 동시에 A의 대리인이었던 것과 같은 C 변호사의 설명은 불합리하다고 하는 수밖에 없다. 이 점에 대해서 보조참가인은 C 변호사가 A를 위한 교섭이지만 B의 대리인으로서 명시하여 서면을 작성하고 발신하고 싶다고 말했다고 진술했다(정 1, 증인 보조참가인).

또한 C 변호사는 후일 후견 개시의 심판 신청을 할 가능성이 있고, A의 의사 능력에 대해서 반론을 받을 가능성이 있어서 A의 대리인으로 표시하지 않았다고 말했지만(병 2, 증인 C 변호사), 14年 신청에서 D는 A의 후견에 대해서 이의를 하지 않고 원고들로부터의 반론이라는 것은 생각하기 어려웠다(실제로 본건 신청에서 원고들의 이의의 주된 것은 후견인 후보자에 대해서였다). C 변호사의 위 진술은 오히려 A에게 사리 변식 능력이 없었다는 점이 엿보이는 것이다.

이 점에서도 A로부터의 본건 의뢰에 의거하여 C 변호사가 A의 대리인으로서 활동하고 있었다고는 인정되기 어렵다.

(4) 덧붙여 C 변호사는 2003년 8월, B와의 사이에서 고문료를 1개월 10만 엔으로 하여 본건 의뢰와는 별도의 고문 계약을 체결했다고 말했다(병 2, 증인 C 변호사). 이 고문 계약에 대해서는 증거상 명확하지 않고 본건 의뢰에 대해서는 B 및 A로부터 C 변호사에게 되었다는 것이 피고의 주장이고 가령 본건 의뢰와는 별도의 이 고문 계약이 존재하였고 고문료를 지급한 사실이 인정된다고 해도 본건 1,200만 엔의 지불이 A로부터의 본건 의뢰에 의거한 변호사 비용에 대한 것이라고는 인정되지 않는다.

(5) 그리고 C 변호사는 본건 1,200만 엔의 변호사 비용 청구서와 영수증을 모두 B 앞으로 작성하여 B에게 교부했다. 이 점에 대해서 C 변호사는 청구서를 교부한 때, B에게 피고에게 보고해 양해를 얻도록 전했다고 말했다(증인 C 변호사). 그 의미가 분명하지 않지만 C 변호사는 변호사이고

신청인 B의 대리인으로서 본건 신청을 한 것이므로, A에 관한 변호사 비용이 발생한 것이라면 당연히 그 청구는 후견인인 피고에게 해야 할 일로 알고 있었을 것이다. 본건 의뢰가 B뿐만 아니라 A에 의한 것이라면 C 변호사는 피고 앞으로도 청구해야 하는데 그렇게 하지 않은 것은 지금까지 진술해 왔던 대로이다. C 변호사의 진술에 의해서도 C 변호사는 B가 피고의 양해를 얻었는지 확인하지 않고 본건 1,200만 엔이 A의 예금에서 지출되었는지 여부의 확인도 하지 않았다.

(6) 이상의 사정을 종합하면 C 변호사는 B의 대리인으로서 활동하고 있던 것이 틀림없고 C 변호사는 B에 대해서 B의 대리인으로서 본건 1,200만 엔의 변호사 비용을 청구하여 수령했다고 해석해야 한다.

(7) 또한 세무사 법인 다쿠토タ夘컨설팅은 B로부터 A의 상속에 대해서 상속세의 신고를 의뢰받아 본소 제기 후인 2008년 12월 16일자로, B에 대한 대출금으로서 C 변호사에 대한 본건 1,200만 엔의 변호사 비용을 계상한 A의 재산 목록을 작성하고 B에게 보고했다(갑 7 및 변론의 전체 취지). 실제로는 이 재산 목록이 세무서에 제출된 것은 아닌 듯하다(정 5, 증인 보조참가인). 그러나 본소 제기 후에 이러한 재산 목록이 작성된 것은 본소에서의 원고들의 주장이 인정된 경우의 시산(試算)에 그치지 않고 A의 예금에서 본건 1,200만 엔이 지출된 것의 책임이 B에게 있음을 알고 있었다고 평가할 수도 있다. 위 재산 목록이 세무서에는 제출되지 않았던 것은 지금까지의 판단에 영향을 미치는 것은 아니다.

4. 이상에서 본건 1,200만 엔의 변호사 비용은 B가 지급해야 할 것이며, A의 예금에서 지급하는 것은 허용되지 않는다. 가령 B가 위임한 C 변호사의 활동이 결과적으로 A의 이익에 부합하는 부분이 있다고 해도 그에 따라 A의 예금에서 지급되는 것이 허용되는 것은 아니다.

5. (1) 피고는 본소에서 당초 A의 예금에서 본건 1,200만 엔이 출금된 것을 알지 못했다고 주장했지만 후에 본건 1,200만 엔의 지불 전에 도쿄 가정재판소에 구두로 설명하여 양해를 얻었다고 주장을 변경했다(2010년 3월 1일자 준비 서면 등). 그러나 변경 후 피고의 주장은 소 취하 전의 피고인 B의 본건 1,200만 엔의 출금에 대해서 피고에게 사전에 승낙을 얻지 못했다는 주장과 다르며 피고가 주장을 변경한 이유도 전혀 밝혀지지 않았다.
　　피고는 진술서(병 1)에서 본건 1,200만 엔의 지불 전에 도쿄 가정재판소에 구두로 설명하여 양해를 얻었다고 말했지만, 당사자 신문에서는 B가 C 변호사에게 본건 1,200만 엔을 지불하고부터 1주일 이내 혹은 1주 후 또는 10일 후에 B나 보조참가인으로부터 듣고 도쿄 가정재판소에 보고해야 한다고 생각하고 1개월 후 정도 혹은 1개월 이상 지나서 도쿄 가정재판소에 보고했으나 도쿄 가정재판소에서 이견이 나오지 않았다고 말했다. B로부터의 보고가 본건 1,200만 엔의 지불 전인가 후인가 하는 것은 중요한 점이라고 할 수 있는 바, 피고의 진술은 합리적인 이유 없이 변천하고 있고 또한 당사자 심문의 진술내용은 극히 애매하다. 또한 피고는 C 변호사가 작성한 B 앞으로의 청구서와 영수증에 대해서 본소에서 증거로 제출될 때까지 본 적이 없었다(피고에 의한다).

그리고 피고는 2005년 10월 17일에 도쿄 가정재판소에 대해서 상무(常務) 외 허가 신청과 동시에 재산 목록 및 수지 상황 등의 보고를 했지만 본건 1,200만 엔의 지출에 대해서는 보고하지 않았다. 피고는 그 때까지 도쿄 가정재판소에 후견 업무에 대해서 상담하고 의견을 요구하는 등 하고 있었는데, 본건 1,200만 엔의 변호사 비용에 대해서는 도쿄 가정재판소에 상담한 것도 의견을 구한 것도 인정되지 않는다.

이상에서 피고의 위 진술은 믿을 수 없다.

그렇다면 피고가 도쿄 가정재판소에 본건 1,200만 엔 변호사 비용의 지출을 보고한 것은 2006년 5월 9일이라고 인정되지만 이 보고를 가지고 도쿄 가정재판소가 피고의 후견인으로서의 직무 수행에 대해서 양해를 하였다고 볼 수 없다. B가 본건 1,200만 엔의 출금 전에 피고에게 보고했다거나 또는 피고로부터 확인을 받았다고는 인정되지 않는다.

(2) 보조참가인은 출금한 본건 1,200만 엔을 C 변호사에게 송금할 때, 그 전후 혹은 사전에 B가 피고에게 이야기하고 나서 송금했다고 생각한다고 진술했지만(정 1, 증인 보조참가인), 이 점에 관한 B의 전술한 주장과는 다르고 그러한 사실을 인정할 만한 증거도 없으므로 신용할 수 없다.

가령 보조참가인이 진술한 것처럼 피고에게 C 변호사에게 변호사 비용을 지불하는 것을 전했다면 피고는 변호사 비용의 지불 의무가 누구에게 있는지를 조사하여 C 변호사에 의한 과잉 청구(후술하는 것과 같이)에 대해서 적당한 대처를 하지 않으면 안 되었는데도 전혀 하지 않았다.

6. (1) C 변호사는 14年 신청의 비용에 대해서는 대여금고의 개폐 등에 대한 위임 계약도 포함되어 있고 본건 신청의 비용에 대해서도 주식 양도의 교섭, 주주 대표 소송의 조사나 상담 업무 등도 포함된다고 말했다(병 2). 그러나 후견 신청비용에 대여금고의 개폐 등이나 주식 양도의 교섭 등의 비용을 포함하는 것은 이해할 수 없고 또한 이들 비용과 본건 1,200만 엔의 변호사 비용에 포함되는 법률 상담료, 주주 총회 출석 일당, 계약서 등 작성비용, 교섭 비용 등과의 구별도 할 수 없다.

또한 A의 퇴직 위로금에 대해서 B와 원고들 사이에 분쟁이 발생하여 그 금액을 다투었다고 인정할 만한 증거는 없고(전체 증거에서는 오히려 A의 퇴직 위로금의 액수에 대해서는 원고들도 다투지 않은 것이 인정된다), C 변호사의 업무 결과 A의 퇴직 위로금이 3억 엔으로 되었다고는 인정되지 않고, 이 금액을 변호사 비용 산정 기준으로 삼는 근거는 보이지 않는다. 보조참가인은 C 변호사가 당초 B에게 청구한 변호사 비용의 액수는 1,800만 엔이었다고 말하고 있어(증인 보조참가인), 본건 1,200만 엔의 변호사 비용이 A의 퇴직 위로금의 금액을 기준으로 산정되었는지 여부가 의문이라고 하지 않을 수 없다.

(2) 또한 C 변호사 심지어 피고는 법률상담료, 주주 총회 출석 일당, 계약서 등 작성비용, 교섭비용 등에 대해서는 A에 관한 것이라고 주장하지만 이러한 활동은 변호사인 피고가 A의 후견인으로서 하면 좋은 일이다. 2005년 3월 7일의 화해 계약체결이나 주주 총회 출석 등은, C 변호사는 B의 대리인으로서 피고는 A의 후견인으로서 각각 관련되었다. 또한 이들 활동에 대해서 150만 엔, 200만 엔, 300만 엔이라는 거액의 변호사 비용이 발생한 것도 생각하기 어렵다.

(3) 나아가 14年 신청 및 본건 신청의 비용을 A의 재산에서 지출한다는 것은 각 신청에서 사전에 도쿄 가정재판소에 보고되지 않았다(을 1 및 변론의 전체 취지에 의한다).

(4) 그리고 2004년 4월 1일부터 변호사회의 보수 규정이 폐지되어 변호사 보수의 종류 등에 제한이 사라졌으나 2001년 5월 26일 시행된 일본 변호사 연합회 보수 등 기준이나 1996년 4월 1일 시행된 도쿄 변호사회의 변호사 보수 회규, 2003년 11월 발행한 일본 변호사 연합회의 설문 결과에 기초한 시민을 위한 변호사 보수의 기준(이상, 갑 11 내지 갑 13) 등은 변호사 비용 산정의 참고가 되어야 하는데, C 변호사가 후견 개시 심판 신청에 대해서 변호사 비용으로 200만 엔, 300만 엔을 청구하는 것은 B에 대한 것이라도 분명 과잉이다. A의 예금에서 이들 비용을 지급 받는 것은 더욱더 허용되지 않는 것으로 평가해야 한다.

7. 이상의 사정을 종합하면 피고는 A의 후견인으로서 A의 재산 관리에 대한 직무를 수행하지 않고 B에 의해 A의 예금에서 본건 1,200만 엔이 출금된 것에 대해서 B와 함께 A에 대한 불법행위가 성립하여 연대하여 1,200만 엔의 손해배상 책임을 지는 것으로 해석된다.

8. (1) 피고는 성년후견인으로서의 보수를 받지 않았다고 주장한다. 이 주장의 법적인 의미는 불명

이지만 보수를 받지 않은 것을 가지고 후견인으로서의 직무 태만이 허용되는 것은 아니다. 본건 1,200만 엔에서 피고가 이익을 얻지 않은 점에 대해서도 마찬가지이다.

(2) C 변호사는 B의 대리인으로서 행동하고 있었기 때문에 A를 위해 사무를 관리하고 있던 것으로는 인정되지 않으며 A와 C 변호사 사이에 사무 관리가 인정되지도 않는다.

(3) 피고 및 B의 불법행위에 의거하여 원고들이 손해배상청구를 하는 것이 권리 남용에 해당하는 사실이나 공서양속에 반하는 사실은 일체 인정되지 않는다.

(4) 피고는 B의 손해배상채무와 원고들의 손해배상청구권이 혼동에 의해 소멸되어 원고들의 피고에 대한 손해배상청구권도 소멸되었다고 주장한다. 하지만 피고 및 B의 불법행위에 의거한 손해배상채무는 부진정 연대 채무로, A 나아가 원고들에게서 본다면 채권을 만족시키는 사유 이외에는 채무자의 한 사람인 B에게 생긴 사항은 다른 채무자인 피고에게는 효력을 미치지 않는 것이라고 해야 하고 부진정 연대 채무인 피고의 손해배상채무에는 연대 채무에 관한 민법 438조의 적용은 없는 것으로 해석하는 것이 상당하다(최고재판소 昭和48年 1月 30日 판결 참조). 피고의 위 주장에는 이유가 없다.

(5) 원고들이 B가 지불한 전액에 대해서 지불을 면제했다는 피고의 주장도 그 취지가 불명이지만 피고가 B의 채무를 면제한 것은 전혀 인정되지 않고, 가령 B에 대한 소 취하를 가지고 이 주장을 하고 있다면 주장 자체로 분명히 부당하다.

(6) 피고의 원고들에 대한 구상권을 자동 채권으로 상계한다는 주장도 그 취지가 불명이지만 피고가 손해배상의 지불을 하지 않아 B에 대한 구상권이 발생하지 않았기 때문에 주장 자체로 분명히 부당하다.

(7) 과실 상계의 주장에 대해서도 그 취지가 불명이지만 피고 주장의 사실을 인정할 수 없고 또한 피고 주장의 사실에 의한 과실 상계 주장은 원고들의 피고에 대한 손해배상청구권에 대해서 주장할 수 있는 것은 아니므로 주장 자체로 분명히 부당하다.

(8) 덧붙여 손해배상청구권은 금전 채권으로 상속에 의해 당연히 분할되어 각 상속인이 상속분에

따라 승계하므로 원고들이 손해배상청구를 하는 것은 인정된다.

9. 이상에서 원고들은 피고에게 법정 상속분에 따라 각 150만 엔의 지불을 요구할 수 있고 피고의 불법행위와 상당한 인과관계에 있는 손해로서 변호사 비용 각 25만 엔의 지불을 구할 수 있다고 해석된다.

　　따라서 원고들은 피고에게 불법행위에 의거하여 각각 175만 엔 및 이에 대한 불법행위일인 2005년 9월 12일부터 다 갚는 날까지 민법 소정의 연 5%의 비율에 의한 지연 손해금 지불을 요구할 수 있다.

결 론

원고들의 피고에 대한 청구는 이유가 있으므로 모두 인용하고 소송비용의 부담에 대해서 민사소송법 61조를, 가집행 선언에 대해서 같은 법 259조 1항을 각각 적용하여 주문과 같이 판결한다.

■ 재판관 山城司

<이하 생략>

3

무권대리인이 체결한 계약의 추인 거절과 신의칙 위반

상고인의 큰언니는 상고인의 사실상 후견인으로서 상고인을 보살피고 상고인의 법률사무를 처리 하였는데 피상고인은 위 큰언니와 임대차계약을 체결하여 상고인 소유의 옛 건물을 사용·수익하 고 있었다. 그러던 중 옛 건물을 철거하여 새로운 건물을 건축하게 되자 피상고인은 일단 옛 건물 에서 퇴거하고 건축 완료 후에 새로운 건물을 다시 상고인으로부터 임대한다는 취지의 합의서(임 대차 예약)를 작성하게 되었는데 당시에도 위 큰언니가 상고인을 대리하여 위 합의서에 상고인의 기명·날인을 하였다. 이후 상고인이 금치산선고를 받고 상고인의 작은언니가 그 후견인으로 선 임되었다. 이후 위 큰언니 및 작은언니는 피상고인에게 위 임대차 예약의 본 계약의 체결을 거부 하는 의사를 표명하였고 피상고인은 상고인에게 손해배상을 청구하는 소송을 제기하였다.

항소심 재판소는 큰언니가 상고인의 대리인으로서 본건 예약을 한 것은 무권대리 행위이고 본건 예약은 그 합의 내용을 이행하기만 하면 상고인의 이익을 해하는 것은 아니고 상고인 측에는 본 계약의 체결을 거부할 합리적 이유가 없고 또한 후견인으로 선임된 작은언니는 본건 예약의 성립에 관여하여 그 내용을 양지하고 있었던 것이므로 본건 예약의 상대방인 피상고인의 보호도 충분히 고려되어야 한다는 등을 근거로 하여 후견인인 작은언니가 본건 예약의 추인을 거절하여 그 효력을 다투는 것은 신의칙에 반하여 허용되지 않는다고 판시하였다.

반면 최고재판소는 오랫동안 상고인의 사실상 후견인으로서 행동하고 있던 것은 큰언니이고 큰언니가 본건 예약을 하면서 그 후 제3자에게 본건 건물을 차입금의 담보로 양도했다는 등의 사실이 존재하는 본건에서 이전 판시와 같은 제반 사정, 특히 본건 예약의 4,000만 엔 손해배상액의 예정이 위 제3자에 대한 양도 대가(기록에 의하면 실질적 대가는 2,000만 엔인 것이 엿보인다) 등과 비교하여 피상고인이 옛 건물의 임차권을 포기하는 불이익과 합리적인 균형이 잡힌 것인지 여부 등에 대해서 충분히 검토하지 않고 후견인인 작은언니가 본건 예약의 추인을 거절하고 그 효력을 다투는 것은 신의칙에 반하여 허용되지 않는다고 한 원심의 판단에는 법령의 해석 적용을 잘못한 위법이 있다고 하여 원심(항소심)으로 환송하였다.

사 건 번 호 平4(オ)1694号	**사 건 명** 손해배상 청구 사건
재판연월일 平成6年[37] 9月 13日	**재 판 소 명** 최고재판소 제3소법정
재 판 구 분 판결	**재 판 결 과** 파기환송

주 문

1. 원판결을 파기한다.
2. 본건을 도쿄 고등재판소로 환송한다.

이 유

상고 대리인 지바 노리오千葉憲雄, 가네쓰나 마사미金綱正巳, 쓰루미 스케사쿠鶴見祐策의 상고 이유에 대해서

1. 원심이 확정한 사실 및 기록상 명백한 본건 소송의 경위는 다음과 같다.

(1) 상고인은 고노 구니치甲野国一와 마치まち 부부의 셋째 딸로서 1933년에 출생했는데 선천적으로 청각 등에 장애가 있고 성장기에 적절한 교육을 받지 못하였기 때문에, 정신 발달에 지체가 있고 읽기 쓰기도 거의 못해 6세 정도의 지능 연령에 있다.

(2) 상고인의 아버지 구니치는 1965년 3월 2일 사망했으며 그 상속인은 아내 마치, 장녀 레이코禮子, 차녀 에쓰코悅子, 삼녀 상고인 및 장남 유佑였지만 상고인을 제외한 상속인들은 구니치의 유지에 따라 상고인의 장래 생활비에 충당하기 위해 유산에 속해 있던 도쿄도東京都 시나가와구品川区 오사키大崎 4쵸메四丁目에 있는 목조 2층 건물인 가게(이하 '옛 건물'이라 한다)의 소유권 및 그 부지의 임차권을 상고인이 취득한다는 유산 분할 협의가 성립한 것으로서 상고인 명의로 옛 건물의 소유

---

37) 1994년

권 이전 등기 절차를 했다. 그리고 마치, 레이코, 에쓰코 및 유는 상고인이 위 (1)과 같은 상태에 있어서 이후 상고인과 동거하던 마치와 레이코가 상고인의 신변을 돌봐주고 주로 레이코가 옛 건물을 관리하는 것으로 했다. 옛 건물에 대해서 1968년 5월, 상고인을 임대인으로 하여 피상고인과의 사이에서 임대차 계약이 체결되어, 그 후의 임대료 개정, 계약의 갱신 등 교섭은 레이코가 맡았으나 그 일에 대해서 누구도 불평을 하지 않았다.

(3) 1980년 지산도칸地産一カン 주식회사에서 옛 건물의 부지 및 그에 인접하는 토지 위에 등가 교환 방식에 의해 건물을 건축할 계획이 세워져 위 계획을 실시하기 위해서는 옛 건물을 철거할 필요가 있었다. 이 건물의 건축을 둘러싼 피상고인과의 사이의 교섭은 주로 레이코가 맡아 같은 해 9월 19일 피상고인이 옛 건물에서 일단 퇴거하고 건물 완성 후에 상고인이 취득하는 구분 소유 건물을 다시 피상고인에게 임대하는 취지의 합의서(갑 제4호증)가 작성되었는데, 레이코가 위 합의서에 상고인의 기명 및 날인을 하고 또한 같은 해 11월 14일에 작성된 합의서(갑 제8호증)에 대해서도 레이코가 상고인의 기명 및 날인을 했다.

(4) 그 후 레이코와 에쓰코는 시청 법률 상담에서 알게 된 후쿠다 모리유키福田盛行 변호사에게 신축 후 건물 중에 상고인이 취득하게 되는 전유 부분의 건물(이하 '본건 건물'이라 한다)에 대한 피상고인과의 사이의 임대차 계약의 조항안의 작성 등을 의뢰해 이 변호사는 계약 조항안(갑 제32호증)을 작성했다. 이에 대하여 피상고인도 변호사에게 의뢰하여 계약서안(갑 제7호증)을 작성하고 레이코와 에쓰코에게 교부했다. 그리고 1981년 2월 17일 피상고인, 레이코 및 에쓰코가 후쿠다 변호사의 사무소에 모여 위 변호사가 미리 준비한 문서에 피상고인이 자기의 서명 및 날인을 하고 레이코가 상고인의 기명 및 날인을 하여 본건 건물에 대한 임대차의 예약(이하 '본건 예약'이라 한다)이 이루어졌다. 본건 예약에는 ① 피상고인은 상고인으로부터 본건 건물을 임차하는 것을 예약한다, ② 상고인은 피상고인에게 본건 건물을 인도하기까지 피상고인과의 사이에 임대차의 본 계약을 체결한다, ③ 상고인의 사정으로 임대차의 본 계약을 체결할 수 없는 때에는 상고인은 피상고인에게 4,000만 엔의 손해배상금을 지급한다고 하는 내용의 합의가 포함되어 있었다.

(5) 1981년 5월 7일에 상고인을 포함한 토지의 권리관계자와 지산도칸과의 사이에 등가 교환 계약이 체결되어 피상고인은 옛 건물을 명도하고 1982년 8월에 건물을 완성했다.

(6) 레이코는 피상고인에게 건물 완공 전인 1982년 4월 무렵, 시마다 요시나리島田善成를 통하여

임대차의 본 계약의 체결을 거부하는 의사를 표명했기 때문에 피상고인은 상고인에게 같은 해 5월 10일 및 26일에 본건 건물을 임대하도록 요구한다는 취지의 서면을 송부했지만 상고인 측은 이에 대한 응답을 하지 않았고, 구로사와 가즈오黑沢和男에게 같은 해 6월 17일자로 본건 건물을 차입금의 담보로 양도했다. 그래서 피상고인은 같은 해 7월 9일 본건 건물에 대한 지산도칸에 대한 상고인의 인도 청구권의 처분 금지 가처분 결정을 얻었고 또한 같은 해 8월 3일, 본건 예약에서 정해진 위약에 의한 손해배상청구권을 피보전권리로 하여 본건 건물에 관하여 가압류를 했다.

(7) 피상고인은 상고인에 대하여 1982년 8월 27일, 본건 예약 중 127쪽 (4)-③의 합의에 근거하여 4,000만 엔의 손해배상 등을 청구하는 소송을 제기하여 1986년 2월 19일, 위 청구를 인용하는 취지의 제1심 판결이 선고되었다. 이에 대하여 상고인이 항소를 제기했고 항소심은 상고인에 의한 소장 등의 송달의 수령 및 소송대리권의 수여가 의사무능력자의 행위로 무효라고 하여 민사소송법 387조, 389조 1항을 적용하여 제1심 판결을 취소한 후 제1심으로 환송했다. 환송 후의 제1심이 피상고인의 청구를 기각하였으므로 피상고인이 항소했다.

(8) 그 사이 레이코는 요코하마橫兵 가정재판소에 1986년 2월 21일, 상고인을 금치산자로 하여 후견인을 선임하도록 요구하는 신청을 했는데, 요코하마 가정재판소는 같은 해 8월 20일 상고인을 금치산자로 하고 에쓰코를 후견인으로 선임하는 결정을 했다.

2. 원심은 126쪽의 사실관계 아래에서 다음과 같이 판단하여 피상고인의 청구를 인용했다.

(1) 상고인이 레이코에게 본건 예약에 앞서 자기 재산의 관리 처분에 대하여 포괄적인 대리권을 수여하는 취지의 의사표시를 했다고는 인정할 수 없으므로 레이코가 상고인의 대리인으로서 본건 예약을 한 것은 무권대리 행위이다.

(2) 그러나 레이코가 상고인의 사실상 후견인으로서 옛 건물에 대한 피상고인과의 사이의 계약 관계를 처리해 왔으며, 본건 예약도 레이코가 같은 방법으로 한 것인 바, 본건 예약은 그 합의 내용을 이행하기만 하면 상고인의 이익을 해하는 것은 아니고 상고인 측에는 본 계약의 체결을 거부할 합리적 이유가 없고 또한 후견인으로 선임된 에쓰코는 본건 예약의 성립에 관여하여 그 내용을 양지하고 있었던 것이므로 본건 예약의 상대방인 피상고인의 보호도 충분히 고려되어야 하고 결국 후견인인 에쓰코가 본건 예약의 추인을 거절하여 그 효력을 다투는 것은 신의칙에 반하

여 허용되지 않는다.

3. 원심의 인정 판단 가운데 128쪽의 (1)은 정당하다고 하여야 할 것이지만 (2)는 시인할 수 없다. 그 이유는 다음과 같다.

(1) 금치산자의 후견인은 원칙적으로 금치산자의 재산상의 지위에 변동을 초래하는 일체의 법률 행위에 관하여 금치산자를 대리하는 권한을 가지는 것이며(민법 859조, 860조, 826조), 후견인 취임 전에 금치산자의 무권대리인에 의해 이루어진 법률·행위를 추인하거나 추인을 거절하는 권한도 그 대리권의 범위에 포함된다. 후견인이 무권대리 행위의 추인을 거절한 경우에는 위 무권대리 행위는 금치산자와의 관계에서는 무효인 것으로 확정되는 것인데 이 경우에 무권대리 행위의 상대방의 이익을 보호하기 위해 상대방은 무권대리인에게 이행 또는 손해배상을 요구할 수 있다(민법 117조). 또한 추인 거절에 의해 금치산자가 이익을 받고 상대방이 손실을 봤을 때는 금치산자에게 부당이득의 반환을 요구할 수 있는(민법 703조) 것으로 되어 있다. 그리고 후견인은 금치산자와의 관계에서는 오로지 그 이익을 위해 선량한 관리자의 주의를 가지고 위 대리권을 행사할 의무를 지므로(민법 869조, 644조), 후견인은 금치산자를 대리하여 어떤 법률 행위를 할 것인지 여부를 결정하는 때에는 그 시점에서 금치산자가 처한 제반 상황을 고려한 후, 금치산자의 이익에 부합하도록 적절한 재량을 행사할 것이 요청된다. 다만 상대방이 있는 법률 행위를 하는 때에는 후견인이 거래의 안전 등 상대방의 이익에도 상응한 배려를 해야 하는 것은 당연하며 당해 법률 행위를 대리해서 하는 것이 거래 관계에 입각한 당사자 간의 신뢰를 배신하고 정의의 관념에 반하는 예외적인 경우에는 그러한 대리권의 행사는 허용되지 않게 된다.

　　따라서 금치산자의 후견인이 그 취임 전에 금치산자의 무권대리인에 의해 체결된 계약의 추인을 거절하는 것이 신의칙에 반하는지 여부는 ① 위 계약의 체결에 이르기까지의 무권대리인과 상대방의 교섭 경위 및 무권대리인이 위 계약 체결 전에 상대방과의 사이에서 한 법률 행위의 내용과 성질, ② 위 계약을 추인함으로써 금치산자가 입는 경제적 불이익과 추인을 거절함으로써 상대방이 입는 경제적 불이익, ③ 위 계약의 체결부터 후견인이 취임할 때까지의 사이에 위 계약의 이행 등을 둘러싼 교섭 경위, ④ 무권대리인과 후견인의 인적 관계 및 후견인이 그 취임 전에 위 계약 체결에 관여한 행위의 정도, ⑤ 본인의 의사능력에 대해서 상대방이 인식하거나 인식할 수 있었던 사실 등 제반 사정을 감안하여 위와 같은 예외적인 경우에 해당하는지 여부를 판단하여 결정해야 한다고 하여야 할 것이다.

(2) 그렇다면 오랫동안 상고인의 사실상 후견인으로서 행동하고 있던 것은 레이코이고, 레이코가 본건 예약을 하면서 그 후 구로사와에게 본건 건물을 차입금의 담보로 양도했다는 등의 사실이 존재하는 본건에서 이전 판시와 같은 제반 사정, 특히 본건 예약의 4,000만 엔 손해배상액의 예정이 구로사와에 대한 양도 대가(기록에 의하면 실질적 대가는 2,000만 엔인 것이 엿보인다) 등과 비교하여 피상고인이 옛 건물의 임차권을 포기하는 불이익과 합리적인 균형이 잡힌 것인지 여부 등에 대해서 충분히 검토하지 않고 후견인인 에쓰코가 본건 예약의 추인을 거절하고 그 효력을 다투는 것은 신의칙에 반하여 허용되지 않는다고 한 원심의 판단에는 법령의 해석 적용을 잘못한 위법이 있다고 하여야 할 것이고 위 위법은 판결에 영향을 미친 것이 분명하다.

결 론

이상의 취지를 진술하는 것으로 논지는 이유가 있으며, 원심 판결은 파기를 면치 못한다. 그리고 위의 점에 대해서 더욱 심리를 다하게 하기 위해 본건을 원심으로 환송하기로 한다.

따라서 민사소송법 407조 1항에 따라 재판관 전원 일치 의견으로 주문과 같이 판결한다.

■ 재판장 재판관 尾崎行信 재판관 園部逸夫 재판관 可部恒雄 재판관 大野正男 재판관 千種秀夫
■ 상고 대리인 千葉憲雄, 金綱正巳, 鶴見祐策의 상고 이유 : 생략38)

---

38) 판결문에는 첨부되어 있으나 지면 관계상 필자가 생략.

4

피후견인의 재산 증여와 후견인의 권한 남용

민법 제1조는 민법의 기본원칙을 선언하면서 제3항에서 '권리의 남용은 이를 허용하지 않는다.'[39]라고 규정하고 있다.

'권리'란 일정한 구체적 이익(법익)을 누릴 수 있도록 법에 의하여 권리주체에게 주어진 힘을 말하는 반면 '권한'은 다른 사람을 위하여 그에게 일정한 법률효과를 발생케 하는 행위를 할 수 있는 법률상의 지위나 자격을 말한다.[40] 따라서 성년후견인이 성년후견 사무를 하는 과정에서 보유하게 되는 것은 권리가 아니라 권한이 되는데 이러한 권한도 당연히 남용하여서는 안 된다.

피후견인의 재산을 제3자에게 증여하는 것은 피후견인의 재산을 감소시키고 당해 제3자에게 이익을 주는 행위이기 때문에, 후견인으로서는 증여를 할 특별한 필요성이 있는 경우나 분명히 피후견인의 뜻에 부합한다고 생각되는 특단의 사정이 있는 경우를 제외하고 이를 하지 말아야 한다. 그런데 재판소는 특별한 필요성이나 특단의 사정이 없는데도 증여를 하는 것은 원칙적으로 후견인으로서의 선관주의의무에 위반하는 것으로 보면서도 이것이 즉시 후견인의 권한 남용 행위가 되는 것은 아니고 이것이 권한 남용 행위가 되기 위해서는, 당해 증여가 피후견인의 이익을 도모하지 않고 오로지 제3자의 이익을 도모하는 의도 아래 이루어진 경우여야 한다고 판시하였다.

---

39) (기본원칙)

　　제1조 3 권리의 남용은 이를 허용하지 않는다.

40) 『민법총칙』(제7판), 지원림, 홍문사, 2009, 35쪽

또한 재판소는 성년후견인은 피후견인의 재산에 대하여 포괄적인 재산 관리권이 인정되는데 이러한 권한은 피후견인의 이익을 위해 행사해야 한다고 전제한 후 성년후견인이 피후견인을 위해 한다는 의사를 보유하지 않고 오로지 성년후견인 자신 또는 제3자의 이익을 도모하기 위해서 피후견인을 대리하여 한 법률 행위는 권한을 남용하는 것으로서 그 상대방이 권한 남용의 사실을 알거나 또는 알 수 있었을 때는 민법 93조 단서[41]의 유추 적용에 의해 무효가 된다고 판시하였다.

본 사안에서 피고 Y3은 변호사로서 본인인 B의 성년후견인인데 B가 가지는 피고회사 주식 1만 5,000주 중 1만 4,000주를 3억 2,492만 6,000엔에 피고회사에 매각하는 것으로 하여 그 취지를 가정재판소에도 보고를 하여 승낙을 얻었지만 그 후, 주로 피고회사의 세금 부담을 경감하기 위해 피고회사에 대한 양도 주식수를 7,000주로 하고 나머지 7,000주 중 1,000주를 C가 매입하고 6,000주를 피고회사의 현 경영진인 C 및 그 가족들에게 증여했는데 B의 상속인들이 위 증여가 성년후견인의 권한 남용에 해당하여 무효라고 주장하면서 본건 소를 제기한 것이다.

재판소는 본건 증여는 실질적으로는 B가 가지는 1만 4,000주를 피고회사에 유상으로 양도할 때, 피고회사의 세금 부담을 경감하기 위한 절세 대책으로서 이루어진 것으로 평가할 수 있다는 등의 이유로 위 1만 4,000주의 양도가 B의 이익을 돌아보지 않고 오로지 피고회사 혹은 그 경영진의 이익을 도모하기 위해서 계획된 것으로까지는 평가할 수는 없다고 하였다. 그리고 이러한 평가를 전제로 하여 그 절세 대책으로서 이루어진 본건 증여에 대해서도 이것이 B의 이익을 돌아보지 않고 오로지 C들의 이익을 도모할 목적으로 된 것으로 평가할 수는 없다고 하여 본건 증여는 피고 Y3가 성년후견인으로서의 권한을 남용하여 한 것으로 인정할 수 없다고 판시하였다.

---

41) (심리유보)
　제93조 의사표시는 표의자가 진의 아님을 알고 한 것이라도 그 효력이 있다. 단 상대방이 표의자의 진의 아님을 알았거나 알 수 있었을 경우에는 그 의사표시는 무효로 한다.

주 문

1. 원고들의 본건 소 중 2006년 12월 27자로 이루어진 피고 주식회사 하나시마시만花島シーマン의 주식 각 2,000주(합계 6,000주)의 각 증여계약이 무효임의 확인을 구하는 부분을 각하한다.
2. 원고들의 나머지 청구를 모두 기각한다.
3. 소송비용은 원고들이 부담한다.

사실과 이유

제1 청구의 취지

1. 망 B와 망 C, 피고 Y1 및 Y2 사이에서 모두 2006년 12월 27일자로 이루어진 피고 주식회사 하나시마시만의 주식 각 2,000주(합계 6,000주)의 각 증여계약은 무효임을 확인한다.
2. 원고들과 피고 Y1, Y2 및 피고 주식회사 하나시마시만은 전항에 기재된 주식 6,000주가 피상속인 망 B의 유산에 속하는 것을 확인한다.
3. 피고들은 원고들에게 연대하여 각자 300만 엔 및 이에 대한 본 판결 확정일 다음날부터 연 5%의 비율에 의한 돈을 지불하라.

제2 사안의 개요

본건은 망 B의 상속인인 원고들이 B의 성년후견인이었던 피고 Y3가 B가 보유하는 피고 주식회사 하나시마시만(이하 '피고회사'라 한다)의 주식 6,000주를 그 권한을 남용하여 망 C, 피고 Y1 및

---

42) 2010년

피고 Y2에게 증여했다고 주장하여 피고들에 대하여 ① 위 증여계약의 무효 확인, ② 위 주식이 B의 유산에 속하는 것의 확인을 구함과 동시에 위 증여가 B에 대한 피고들의 공동불법행위를 구성하여 원고들이 그 손해배상청구권을 상속했다고 주장하며 피고들에게 손해배상으로 원고들 각자에게 300만 엔 및 이에 대한 지연손해금의 지불을 구한 사안이다.

1. 전제가 되는 사실(당사자 사이에 다툼이 없거나 변론의 전체 취지에 의해 인정되는 사실)

(1) 피고회사는 1962년 B에 의해 설립된 화장품의 제조 판매를 업으로 하는 회사이다. 1998년 9월 1일 원고들의 아버지이자 B의 양자인 D가 대표이사로 취임했지만 D가 2003년 1월 20일에 사망하였기 때문에 같은 달 29일 D의 장남인 원고 X1이 대표이사로 취임했다. 원고 X1은 2005년 1월 29일 대표이사에서 퇴임했다.

(2) B는 2004년 5월 29일 도쿄 가정재판소의 후견 개시 결정에 의해 성년후견인이 선임되어 변호사인 피고 Y3가 성년후견인으로 취임했다.

(3) B는 2008년 2월 29일에 사망했다. 그 상속인은 B의 처인 C, 양녀인 피고 Y1, D의 대습상속인인 원고들이다. C는 2010년 7월 11일에 사망하였고 상속인은 피고 Y1 및 원고들이다. 피고 Y2는 피고 Y1의 아들이다.

(4) B는 2004년 12월 31일 당시 피고회사의 주식 1만 5,000주를 보유하고 있었다. 피고 Y3은 B의 성년후견인으로서 2006년 4월 30일 피고회사에 B가 보유하는 위 주식 중 7,000주를 매각하고 다시 같은 해 12월 27일, C, 피고 Y1, 피고 Y2(이하, 이 세 사람을 'C들'이라 한다)에게 각 2,000주(합계 6,000주, 이하 이 6,000주를 '본건 주식'이라 한다)를 증여했다(이하 '본건 증여'라 한다).

2. 원고들의 주장

(1) 피고 Y3는 B의 성년후견인으로서 B의 이익을 위해 그 재산을 적절히 유지 관리할 의무를 지고 있었음에도 불구하고 제3자인 C들의 이익을 도모하여 본건 주식을 C들에게 증여했다. 이것은 성년후견인으로서의 권한을 남용하는 행위이며 C들도 이것이 피고 Y3에 의한 권한 남용 행위임을 알면서 본건 증여를 받았다. 따라서 민법 93조 단서의 유추 적용에 의해 본건 증여는 무효이다. 또한 본건 증여는 피고 Y3에 의한 배임행위이며 C들도 이에 가담한 것이므로 공서양속에 반하여

무효이다.

(2) 피고 Y3는 B의 성년후견인으로서 B의 재산을 유지·보전할 의무를 가지고 있었음에도 불구하고, 이에 위반하여 본건 주식을 C들에게 증여하여 B의 재산을 감소시켰다. 이것은 B에 대한 불법행위를 구성한다.

또한 C들은 본건 증여가 성년후견인의 임무에 위반하는 것을 알면서 원고들을 피고회사에서 추방하기 위해 본건 증여를 받았다. 피고회사 대표자인 A는 본건 증여가 위법임을 알면서 주식의 명의 개서에 응했다.

이상에 의하면 본건 증여는 피고들의 B에 대한 공동불법행위를 구성한다고 할 수 있다. 그리고 B의 상속인인 원고들은 손해를 회복하기 위해 변호사에게 의뢰하여 본건 소송을 제기할 수밖에 없게 되었으므로 변호사 비용 중 600만 엔(원고들 각자에 대해 300만 엔씩)은 위 불법행위와 상당인과관계가 있는 손해이다.

3. 피고들의 주장

(1) 원고들에 의한 본건 증여의 무효 확인 청구는 소의 이익이 없어 부적법하다.

(2) 본건 증여는 C들에게 일상적인 B의 간호에 덧붙여 장래 간병 비용이 부족한 경우에는 C들이 부담한다는 취지의 부담을 부과한 부담부 증여이고 피고회사의 경영 안정을 도모하고 이에 따라 B의 수입을 확보하고 또한 B를 실제로 감호하는 친족에게 주식을 증여함으로써 B에 대한 충분한 간병이 되도록 배려한 것으로 피후견인인 B의 이익을 위해 한 것이다. 그리고 소유하는 주식을 C들에게 증여하고 피고회사의 경영 안정을 도모한다는 것은 B의 종전부터의 의사이기도 하고 피고 Y3은 본건 증여에 대해서 가정재판소에 상담하여 이에 대한 양해를 얻고 있다. 또한 C들은 B의 재산을 보전한다는 피고 Y3의 의도를 이해한 후에 본건 증여에 따른 것으로 피고 Y3의 권한 남용에 대해서 악의였던 것 등이라고 할 수 없다.

따라서 본건 증여는 유효하고 피고 Y3의 행위가 불법행위를 구성하는 것도 아니다.

(3) 본건 주식은 B의 유산 분할 시에는 특별수익으로서 돌려놓은 것으로 되므로 원고들에게는 어떠한 손해도 발생하지 않는다. 원고들도 유산 분할 협의에서 본건 주식 그 자체의 취득은 희망하지 않고 금전 해결을 희망했다.

제3 본 재판소의 판단

1. 본건 증여의 무효 확인 청구에 대해서

확인의 소에서는 분쟁의 직접적인 대상인 현재의 권리 또는 법률관계에 대해서 개별적으로 그 확인을 요구하여야 할 것으로 그 전제가 되는 법률관계, 특히 과거의 법률관계에 거슬러 올라가 그 존재 여부의 확인을 구하는 것은 그러한 법률관계의 확인을 구하는 것이 분쟁의 근본적인 해결에 불가결하다는 특별한 사정이 없는 한 그 이익이 없다고 해석된다. 이를 본건에 대해서 보면 원고들은 본건 증여가 무효임을 전제로 하는 현재의 권리 또는 법률관계에 대해서 직접 확인을 구해야 하고 과거의 법률관계에 거슬러 올라가 본건 증여가 무효임의 확인을 구하는 것이 분쟁의 근본적 해결을 위해서 불가결하다는 사정은 보이지 않는다. 따라서 본건 증여의 무효 확인을 구하는 원고들의 소는 확인의 이익이 없어 부적법하다.

2. 본건 주식이 B의 유산에 속한다는 확인을 요구하는 소에 대해서

(1) 전술한 전제가 되는 사실에, 증거[갑 1~16, 19, 을 1, 5~16, 18~21, 24~29, 병 1, 4, 9~18, 20~25, 33, 48~54, 57~80, 84, 90, 94, 98, 99(모두 가지번호를 포함한다) 외에 아래에 개별적으로 드는 것] 및 변론의 전체 취지를 종합하면 다음의 사실이 인정된다.

① B는 1998년 5월에 뇌경색으로 쓰러져 피고회사의 경영에 관여하는 것이 곤란해졌기 때문에 같은 해 9월 양자인 D가 대표이사로 취임하여 피고회사의 경영을 맡고 있었다. 그런데 2003년 1월에 D가 사망하였기 때문에 그 후에는 D의 아들인 원고 X1이 대표이사로 취임하여 경영을 맡고 있었다.

② 피고회사는 주식의 양도 제한 규정이 있는 폐쇄 회사이며 2003년 당시 발행 완료 주식 총수 2만주 중 1만 5,000주를 B가, 3,000주를 C가, 2,000주를 원고 X1이 가지고 있었다.

③ C는 B와 동거하며 B의 간병을 전적으로 담당함과 동시에 피고회사의 이사이기도 했지만 원고 X1이 종종 B가 가진 피고회사의 주식을 양도하도록 요구해 온 것이나 원고 X1이 고액의 보수를 받고 자기의 관련 회사를 거래에 관여시키고 있던 것 등에서 원고 X1의 경영 내용에 불신을 품고서 원고 X1이나 그 가족을 피고회사의 경영에서 배제하는 것을 희망하게 되었다. 그래서 2003년 10월 무렵 이후, C의 대리인인 E 변호사와 원고들의 대리인인 하치노헤 다카히코八戸孝彦 변호사 사이에 교섭이 거듭되었지만 합의에는 이르지 못했다.

④ C는 2004년 1월 14일 E 변호사를 대리인으로 하여 B에 대해서 성년후견 개시 신청을 하고 후견인 후보자로서 C 또는 F 변호사를 추천했지만 원고들은 C가 추천하는 인물을 후견인으로 하

는 것에 반대했다. 또한 후견 개시의 심판 신청사건이 계속 중인 그 해 3월 23일, C로부터 원고 X1에 대하여 이사에 대한 소 제기 청구가 이루어지는 등 피고회사의 경영을 둘러싼 C와 원고들의 대립이 표면화되어 있었다. 도쿄 가정재판소는 같은 해 5월 12일, B에 대한 후견 개시 및 피고 Y3을 성년후견인으로 선임하는 취지의 심판을 했지만 심판서에는 친족 사이에 분쟁이 있음이 명기되어 있었다(병 28). 피고 Y3이 B의 성년후견인으로 선임된 당시 B는 의사소통이 불가능한 상태였다.

⑤ C는 2004년 6월 23일, 피고회사의 이사인 원고들 및 G(D의 처)를 피고로 하여 임원 보수의 위법 취득 및 관련 회사에 대한 위법한 이익 공여 등을 이유로 주주 대표 소송을 제기했다(을 1).

⑥ 피고회사에서는 2005년 1월 29일 임원의 임기가 끝나므로 그 후의 체제를 어떻게 하느냐가 문제가 되었다. 피고 Y3은 이 점에 대해서 C의 대리인인 E 변호사와 협의하여 C의 의향에 따라 원고 X1을 연임시키지 않고, 새로 A(C의 조카)와 피고 Y1을 선임하는 것 등을 주주 총회 의안으로 하는 것으로 했지만 하치노헤 변호사가 원고 X1을 연임시키지 않는 것에 대해서 이의를 하였기 때문에 도쿄 가정재판소의 담당 재판관과 면담하는 등 하여 향후의 방침에 대해서 검토했다. 같은 달 20일 피고회사의 임시 주주 총회가 개최되어 B에게 3억 엔의 퇴직 위로금을 지급하는 것을 결의하였지만 이사 선임에 대해서는 C와 원고들의 대립이 격화되어 결의에 이르지 못했다. 또한 B에 대한 퇴직 위로금은 같은 해 6월 30일 세후 금액인 2억 3,541만 6,900엔이 지급되었다(을 12).

⑦ 그 후 E 변호사와 하치노헤 변호사 사이에서 화해 협의가 이루어져 2005년 3월 2일, C와 원고들 및 G 사이에서 소송 외의 화해(이하 '본건 화해 계약'이라 한다)가 성립하여(단 화해계약서는 같은 달 7일에 교환했다), 전술한 대표 소송은 취하되었다. 화해의 내용은 원고들 및 G가 피고회사의 이사에서 퇴임할 것, 이 사람들에게 퇴직 위로금을 지급할 것, 원고 X1이 보유하는 피고회사의 주식 2,000주 중 1,000주를 피고회사에, 1,000주를 C에게 양도할 것을 내용으로 하는 것이었다. 피고 Y3는 B의 성년후견인으로서 화해에 관여하고 화해계약서에 입회인으로 서명 날인하였다(갑 16, 을 26).

⑧ 본건 화해 계약에 따라 2005년 3월 2일에 개최된 피고회사의 임시 주주 총회에서 원고들은 이사로 선임되지 않았고 C 및 A 외 두 사람이 이사로 선임되었으며 A가 대표이사로 취임했다.

⑨ C들은 본건 화해 계약의 성립 후에도 B가 사망하여 원고들이 피고회사의 주식을 상속하고 다시 경영권을 둘러싼 분쟁이 재연되는 것을 두려워하고 있으며, 피고 Y3도 상속 시의 혼란을 막기 위해서는 주식을 현금화 해두는 것이 바람직하다고 생각하고 있었다. 그래서 피고 Y3은 C나 A와 협의하여 B가 보유하는 피고회사 주식 1만 5,000주 중 1만 4,000주를 3억 2,492만 6,000엔(세금 공제 후 2억 6,134만 800엔)으로 피고회사에 매각하는 것으로 했다. 다만 피고회사의 자금 융통

때문에 위 매각 대금 중 2억 엔을 B가 이율 2%로 피고회사에 대출하고 이를 120회(10년 간)에 분할하여 변제를 받기로 했다. 그리고 2005년 7월 15일에 개최된 정기 주주 총회에서 이것이 승인 되었다. 또한 이 총회에서 피고 Y1이 이사로 선임되었다.

피고 Y3은 위 주식 매각 및 대출에 대해서는 사전에 도쿄 가정재판소에 보고하고 그 양해를 얻고 있었다(을 25의 1, 2).

⑩ 하지만 그 후, 세무사로부터, 자기 주식을 취득할 때의 주식 평가액에 대해서 세무서의 지도가 있어서 위 양도가격은 7,000주 상당으로 밖에 평가되지 않고 그대로 1만 4,000주를 피고회 사에 양도하면 나머지 7,000주에 대해서 수증 이익이 발생하여 피고회사에 거액의 세금이 부과될 가능성이 있다는 보고가 있었다. 그래서 피고 Y3과 C들 피고회사의 임원이 협의한 결과 피고회사 가 취득하는 것은 7,000주로 하고(병 98), 나머지 7,000주 중 1,000주를 C가 2,320만 9,000엔으로 매입하고 6,000주(본건 주식)를 C들이 각자 증여를 받는 것으로 했다(을 20, 병 94). 피고 Y3은 이러한 처리에 대해서 도쿄 가정재판소에 보고했지만 원고들에게 의견을 구하지 않았다.

⑪ B는 2006년 4월 30일 피고회사와의 사이에서 피고회사 주식 7,000주에 대한 양도 계약을 체결하고(병 98), 같은 해 7월 10일 피고회사로부터 세금 공제 후의 매매대금 2억 6,134만 800엔을 수령했다. 또한 피고회사는 같은 날 B와의 사이에서 2억 엔에 대한 금전 소비대차 계약을 체결하 고 같은 달 13일, 2억 엔의 대출을 받았다(을 16, 병 95). 피고회사에서 B에 대한 변제는 그 후 예정대로 이루어지고 있다(갑 19의 3).

(2) 이상의 사실을 바탕으로 검토한다.

① 성년후견인은 피후견인을 대신하여 그 재산을 관리하는 포괄적 권한을 가지고 피후견인의 재산에 관한 일체의 법률 행위에 대해서 피후견인을 대리하는 권한을 가지는 것이다. 하지만 성년 후견인은 본인의 이익을 위해 선량한 관리자의 주의를 가지고 본인의 재산을 적절히 유지하고 관리하는 의무를 지는 것이며(민법 869조), 위의 포괄적인 재산 관리권도 피후견인의 이익을 위해 행사해야 하기 때문에, 성년후견인이 피후견인을 위해 한다는 의사를 가지지 않고 오로지 성년후 견인 자신 또는 제3자의 이익을 도모하기 위해서 피후견인을 대리하여 한 법률 행위는 권한을 남용하는 것으로서 그 상대방이 권한 남용의 사실을 알거나 또는 알 수 있었을 때는 민법 93조 단서의 유추 적용에 의해 무효가 된다고 해석해야 한다.

그런데 피후견인의 재산을 제3자에게 증여하는 것은 피후견인의 재산을 감소시키고 당해 제3 자에게 이익을 주는 행위이기 때문에, 후견인으로서는 증여를 할 특별한 필요성이 있는 경우나 분명히 피후견인의 뜻에 부합한다고 생각되는 특단의 사정이 있는 경우를 제외하고 이를 하지 말아야 한다. 따라서 위와 같은 특별한 필요성이나 특단의 사정이 없는데도 증여를 하는 것은 원칙적으로 후견인으로서의 선관주의의무에 위반하는 것으로 생각되는데, 이것이 즉시 후견인의 권한 남용 행위가 되는 것은 아니고 이것이 권한 남용 행위가 되기 위해서는, 당해 증여가 피후견인의 이익을 도모하지 않고 오로지 제3자의 이익을 도모하는 의도 아래에 이루어졌음을 요한다고 해석해야 한다.

② 이 견지에서 본건에 대해서 보면, 피고 Y3은 B의 처이며 종래부터 계속해서 그 간병을 담당해 온 C 및 그 가족에 의해 경영되고 있는 피고회사의 경영 안정을 도모하는 것이 B의 의사에 맞고 B의 이익에도 부합한다는 고려 아래, B가 가지는 피고회사 주식 1만 5,000주 중 1만 4,000주를 3억 2,492만 6,000엔에 피고회사에 매각하는 것으로 하여 그 취지를 가정재판소에도 보고를 하여 양해를 얻었지만 그 후, 주로 피고회사의 세금 부담을 경감하기 위해 피고회사에 대한 양도 주식수를 7,000주로 하고 나머지 7,000주 중, 1,000주를 C가 매입하고 6,000주를 피고회사의 현 경영진인 C 및 그 가족들에게 증여하기로 한 것이다.

이렇게 본건 증여는 실질적으로는 B가 가지는 1만 4,000주를 피고회사에 유상으로 양도할 때에, 피고회사의 세금 부담을 경감하기 위한 절세 대책으로서 이루어진 것으로 평가할 수 있다. 그리고 위와 같은 세무상의 처리에서 본다면 그 양도 가격인 3억 2,492만 6,000엔은 피고회사 주식 1만 4,000주의 대가로서 부당하게 염가였을 가능성이 높고, 피고 Y3에게 선관주의의무 위반의 책임을 생기게 할 여지는 있다고 해도 당시는 본건 화해 계약에 의해 피고회사의 경영을 둘러싼 분쟁은 일단 결착을 보았고 피고 Y3이 피고회사의 현 경영진에 의한 경영 안정이 B의 생활 안정에 이바지한다고 생각한 것도 반드시 불합리하다고는 할 수 없는 것, B가 수완을 발휘해 2억 6,000만 엔 이상의 대가를 취득한 것에서 보면 위 1만 4,000주의 양도가 B의 이익을 돌아보지 않고 오로지 피고회사 혹은 그 경영진의 이익을 도모하기 위해서 계획된 것으로까지는 평가할 수 없다. 그렇다면 그 절세 대책으로서 이루어진 본건 증여에 대해서도 그 상대방의 선택의 당부(當否)는 어쨌든 이것이 B의 이익을 돌아보지 않고 오로지 C들의 이익을 도모할 목적으로 된 것으로 평가할 수는 없다고 할 수 있다.

이상에 의하면 본건 증여는 피고 Y3이 성년후견인으로서의 권한을 남용하여 한 것으로 인정할 수 없다.

③ 또한 원고들은 본건 증여가 공서양속에 반하여 무효라고도 주장한다. 확실히 본건 증여는 원고들과의 관계에서 보면, 그대로 B가 보유하고 있으면 유산이 될 재산을 상속인의 일부인 C나 피고 Y1에게 취득하도록 하는 것으로 상속인 사이의 공평을 해하는 것임은 분명하고 후견인으로서는 적어도 원고들의 의견을 듣는 등 하여 신중하게 그 당부를 검토해야 했다고 할 수 있다. 그러

나 당시에는 본건 화해 계약에 의해 피고회사의 경영을 둘러싼 분쟁은 일단 결착을 보았고 피고회사의 경영은 오로지 C 및 그 가족에게 맡겨져 있던 것, 본건 증여가 실질적으로는 피고회사에 1만 4,000주를 매각하는 데 있어서의 절세 대책으로서 이루어진 것이며 B는 수완을 발휘 해 2억 6,000만 엔 이상의 대가를 취득하고 있는 것, 가령 본건 주식이 B의 유산으로 되더라도 원고들은 그 4분의 1의 준공유지분을 가지는 것에 그쳐 피고회사의 경영권에 영향을 주는 것이 아닌 점 등에서 보면, 본건 증여가 공서양속에 반한다고까지는 할 수 없다

④ 이상에 의하면 본건 증여가 무효라고는 인정되지 않기 때문에 본건 주식이 B의 유산에 속한다는 확인을 구하는 원고들의 청구는 이유가 없다.

3. 불법행위에 의거한 손해배상청구에 대해서

원고들은 본건 증여가 B에 대한 불법행위에 해당한다고 주장하여 본건 소송을 제기하기 위해 소요한 변호사 비용의 배상을 요구한다. 그러나 본건 증여가 유효하다는 것은 전술한 대로이기 때문에 본건 증여가 무효임을 전제로 하는 법률관계의 확인을 구하는 본건 소송에 든 비용이 원고들이 주장하는 불법행위와 상당한 인과관계가 있는 손해가 되지 않는다는 점은 분명하다.

따라서 원고들의 청구는 그 외의 점을 판단할 것도 없이 이유가 없다고 할 수 있다.

결 론

이상에 의하면 원고들의 본건 소 중 본건 증여의 무효 확인을 구하는 부분은 부적법하므로 각하하고 그 외의 부분에 관련된 청구는 모두 이유가 없으므로 기각하는 것으로 한다.

■재판관 谷口安史

5

후견인의 횡령 범죄에 친족상도례 적용 가부

친족 사이의 재산에 관련된 범죄에 대한 특례를 친족상도례(親族相盜例)라고 한다. 강도와 손괴를 제외한 재산 범죄에서 친족 간의 범행에 대해 형을 면제하거나 친고죄로 하는 법례이다. 형법은 다음과 같은 조문을 통해 친족상도례를 규정하고 있다.

<형법>

(친족 사이의 범죄에 관한 특례)

제244조 배우자, 직계혈족 또는 동거친족과의 사이에 제235조의 죄,[43] 제235조의2의 죄[44] 또는 이러한 죄의 미수죄를 범한 자는 그 형을 면제한다.

2 제1항 이외의 친족 사이에 범한 동항에 규정한 죄는 고소가 있어야만 공소를 제기할 수 있다.

3 친족이 아닌 공범에 대해서는 전 2항을 적용하지 아니한다.

---

43) 제235조(절도)
44) 제235조의2(부동산 침탈)

> **(준용)**
>
> **제251조** 제242조, 제244조 및 제245조의 규정은 이 장의 죄[45])에 준용한다.
>
> **(준용)**
>
> **제255조** 제244조의 규정은 이 장의 죄[46])에 준용한다.
>
> **(친족 등 사이의 범죄에 관한 특례)**
>
> **제257조** 배우자와의 사이 또는 직계혈족, 동거친족 또는 이러한 자의 배우자와의 사이에서 전조의 죄[47])를 범한 자는 그 형을 면제한다.
> 2 친족이 아닌 공범에 대해서는 전항을 적용하지 아니한다.

친족 사이에서 발생한 재산 범죄가 그 친족 사이에서만 법적인 영향을 미친다면 그러한 경우에는 친족 간의 자율에 맡기는 것이 바람직하고 모든 경우에 국가 차원에서 형벌권을 발동할 필요는 없다는 정책적 고려에서 친족상도례를 규정하고 있다.

친족상도례 규정에 따라 배우자, 직계혈족 또는 동거친족 사이에서 재산범죄가 발생하면 그 형을 면제하고 그 외의 친족 사이에서 재산범죄가 발생하면 피해자인 친족의 고소가 있어야 공소를 제기할 수 있다. 재산범죄를 저질러 유죄로 인정을 받아도 형을 면제하므로 실제로는 처벌을 받지 않고 친족의 고소가 없으면 검사는 공소를 제기할 수 없으므로[48]) 이러한 규정은 피의자에게 상당히 유리한 규정이다.

그런데 성년후견인이 성년피후견인과 친족 관계에 있을 때 성년후견인이 성년피후견인에 대하여 재산범죄를 저지른 경우에도 친족상도례 규정이 적용되는지가 문제된다.

▌**1** 미성년후견인 사안의 판례

최고재판소는 미성년피후견인의 할머니가 미성년후견인으로 후견 사무를 보면서 업무상 맡아

---

45) 제246조(사기), 제246조의2(전자계산기 사용 사기), 제247조(배임), 제248조(준사기), 제249조(공갈)
46) 제252조(횡령), 제253조(업무상 횡령), 제254조(분실물 등 횡령)
47) 제256조(도품 양수 등)
48) 범죄의 피해자나 고소권자의 고소가 있어야 공소를 제기할 수 있는 죄를 '친고죄'라고 한다.

보관 중인 미성년피후견인(손자)의 저금을 인출하여 횡령한 사안에서 미성년후견인이 업무상 점유하는 미성년피후견인 소유의 재물을 횡령한 경우에는 친족상도례 규정이 준용되지 않는다고 판시하였다[최고재판소 平成20年[49] 2月 18日 平19(あ)1230号 업무상 횡령 피고 사건].

최고재판소는 형법 제255조가 준용하는 같은 법 제244조 제1항은 친족 간의 일정한 재산범죄에 대해서는 국가가 형벌권의 행사를 삼가는데 친족 간의 자율에 맡기는 것이 바람직하다는 정책적 고려에 근거하여 범인의 처벌에 대해 특례를 마련한 것에 불과하여, 그 범죄의 성립을 부정한 것은 아니라고 전제하였다.

그리고 민법상 미성년후견인은 미성년피후견인과 친족관계에 있는지 여부와 관계없이 한결같게 미성년피후견인을 위해 그 재산을 성실히 관리해야 할 법률상의 의무를 지고 있으므로 미성년후견인의 후견 사무는 공적 성격을 가지는 것으로 가정재판소에서 선임된 미성년후견인이 업무상 점유하는 미성년피후견인 소유의 재물을 횡령한 경우 앞서 기술한 것과 같은 취지에서 정해진 형법 제244조 제1항을 준용하여 형법상 처벌을 면하는 것으로 해석할 여지는 없다고 판시하였다.

---

49) 2008년

<table>
<tr><td>**사 건 번 호** 平19(あ)1230号</td><td>**사 건 명** 업무상 횡령 피고 사건</td></tr>
<tr><td>**재판연월일** 平成20年[50] 2月 18日</td><td>**재 판 소 명** 최고재판소 제1소법정</td></tr>
<tr><td>**재 판 구 분** 결정</td><td>**재 판 결 과** 상고기각</td></tr>
</table>

주 문

1. 본건 각 상고를 기각한다.

이 유

피고인 세 명의 변호인들인 무나카타 노리오宗像紀夫, 무토 마사타카武藤正隆의 상고취지 중 헌법 위반이라는 점은 실질은 단순한 법령 위반이라는 주장이고 판례 위반이라는 점은 원심 판결은 형법 244조 소정의 친족의 범위에 관하여 민법이 정한 바와 다른 판시를 한 것은 아니므로 소론은 전제가 없고 나머지는 단순한 법령 위반의 주장으로 형사소송법 405조의 상고 이유에 해당하지 않는다.

또한 소론에 비추어 피고인 A의 업무상 횡령죄에 대해서 직권으로 판단한다(이하, 이 피고인을 단순히 '피고인'이라 한다).

본건은, 가정재판소에서 선임된 미성년후견인인 피고인이 공범자 두 명과 공모한 후 후견 사무로서 업무상 맡아 보관 중인 미성년피후견인의 저금을 인출하여 횡령했다는 업무상 횡령의 사안인 바, 소론은 피고인은 미성년피후견인의 할머니이기 때문에 형법 255조가 준용하는 같은 법 244조 1항에 의해 형을 면제해야 한다고 주장한다.

하지만 형법 255조가 준용하는 같은 법 244조 1항은 친족 간의 일정한 재산범죄에 대해서는 국가가 형벌권의 행사를 삼가 친족 간의 자율에 맡기는 것이 바람직하다는 정책적 고려에 근거하여 범인의 처벌에 관하여 특례를 마련한 것에 불과하고, 범죄의 성립을 부정한 것은 아니다(최고재판소 昭和25年 (れ) 第1284号, 昭和25年 12月 12日 제3소법정 판결 · 형집(形集) 4권 12호 2543쪽 참조).

---

50) 2008년

한편, 가정재판소에서 선임된 미성년후견인은 미성년피후견인의 재산을 관리하고, 그 재산에 관한 법률 행위에 대해서 미성년피후견인을 대표하지만(민법 859조 1항), 그 권한의 행사에 있어서는 미성년피후견인과 친족관계에 있는지 여부를 불문하고, 선량한 관리자의 주의를 가지고 사무를 처리할 의무를 지고(민법 869조, 644조), 가정재판소의 감독을 받는다(민법 863조). 또한 가정재판소는 미성년후견인에게 부정한 행위 등 후견 임무에 적합하지 않은 사유가 있는 때에는 직권으로도 이를 해임할 수 있다(민법 846조). 이와 같이 민법상 미성년후견인은 미성년피후견인과 친족관계에 있는지 여부의 구별 없이 동일하게 미성년피후견인을 위해 그 재산을 성실히 관리해야 할 법률상의 의무를 지고 있는 것은 분명하다.

그렇다면 미성년후견인의 후견 사무는 공적 성격을 가지는 것으로 가정재판소에서 선임된 미성년후견인이 업무상 점유하는 미성년피후견인 소유의 재물을 횡령한 경우에 전술한 것과 같은 취지에서 정해진 형법 244조 1항을 준용하여 형법상 처벌을 면하는 것으로 해석할 여지는 없다고 할 것이다. 따라서 본건에 이 조항을 준용하지 않고 피고인의 형은 면제되지 않는다고 한 원심 판결의 결론은 정당하다고 인정할 수 있다.

따라서 형사소송법 414조, 386조 1항 3호에 의해 재판관 전원 일치 의견으로, 주문과 같이 결정한다.

■재판장 재판관 甲斐中辰夫 재판관 橫尾和子 재판관 泉德治 재판관 才口千晴 재판관 涌井紀夫

2 성년후견인 사안의 판례

[1] 아키타 지방재판소 平成18年[51] 10月 25日 平18(わ)136호 업무상 횡령 피고 사건

위 사안에서 아키타秋田 지방재판소는 업무상 횡령죄에 친족상도례가 준용된 취지는 친족 사이에서 이 범죄가 이루어진 경우, 그 처리를 친족 내의 자율적 판단에 맡기려고 한 것으로 해석되는데 업무상 횡령죄는 타인의 위탁에 근거한 물건을 점유하는 자가 그 위탁의 취지에 반하여 그 물건을 부정 취득하여 소유권 기타 본권을 침해하는 범죄로서 위탁 관계 위배를 그 행위의 핵심적 요소로 하는 것으로 이해되므로, 전술한 자율적 판단에 맡길 수 있는 것은 행위자와 소유자 및 위탁자 상호 간에 친족관계가 존재하는 경우에 한한다고 판시하였다.

그런데 피고인은 가정재판소의 선임에 의해 후견인의 지위에 취임하여 가정재판소의 광범위한 감독을 받으며, 피후견인의 재산을 관리하는 업무에 종사하고 있었고 가정재판소는 위탁자의 입장에 있었다고 인정되므로 행위자와 소유자 및 위탁자 상호 간에 친족관계가 존재하는 경우에 해당하지 않아 친족상도례가 적용되지 않는다고 판시하였다.

---

51) 2006년

사 건 번 호 平18(わ)136号	**사 건 명** 업무상 횡령 피고 사건
재판연월일 平成18年[52] 10月 25日	**재판소명** 아키타(秋田) 지방재판소
재판구분 판결	**재판결과** 유죄

주 문

1. 피고인을 징역 2년에 처한다.
2. 미결구류일수 중 80일을 그 형에 산입한다.

이 유

죄가 될 사실

피고인은 2003년 1월 10일, 아키타秋田 가정재판소 요코테橫手 지부 가사심판관에 의해 고노 하나코 甲野花子의 성년후견인으로 선임되어 위 사람의 재산관리 등의 업무에 종사하였는데,

제1

2004년 1월 23일부터 2005년 9월 7일 사이, 별지 범죄사실 일람표에 기재된 대로 25회에 걸쳐 아키타현秋田県 오가치군雄勝郡(번지 생략) 소재의 일본우정공사 미와三輪 우편국 외 네 곳에서, 고노 하나코 명의의 우편저금종합계좌 및 주식회사 호쿠토北都은행 니시모나이西馬音内 지점 보통예금계 좌에서 현금 합계 951만 5,000엔을 인출하여 전술한 고노 하나코를 위해 업무상 맡아 보관 중, 모두 그 무렵 제멋대로 자기의 용도에 소비할 목적으로 그 중 합계 827만 1,759엔을 착복하여 횡령하고,

---

52) 2006년

제2

2005년 9월 27일, 아키타현 오가치군⟨번지 생략⟩ 소재의 주식회사 호쿠토은행 니시모나이 지점에서 이 은행 정기예금계좌(3,000만 엔)를 해약하여 현금 1,000만 엔을 인출하여 전술한 고노 하나코를 위해 업무상 맡아 보관 중, 그 무렵 제멋대로 자기의 용도에 소비할 목적으로 그 중 988만 7,197엔을 착복하여 횡령했다.

증거 목록

⟨생략⟩

법령의 적용

처벌 조항   모두 형법 253조
병합죄 가중   형법 45조 전단, 47조 본문, 10조(판시 제2의 죄의 형에 가중)
미결구류일수   형법 21조
소송비용 부담 없음   형사소송법 181조 1항 단서

보충 설명

변호인은 본건은 친고죄이므로 그 고소는 고소인이 본건 사실의 개요를 안 2005년 11월 18일부터 고소기간인 6개월 이상이 경과한 2006년 5월 19일에 이루어져 무효이므로 본건 공소는 적법하지 않아 기각되어야 한다고 주장한다.

하지만 업무상 횡령죄에 친족상도례가 준용된 취지는 친족 사이에서 이 범죄가 발생한 경우, 그 처리를 친족 내의 자율적 판단에 맡기려고 한 것으로 해석되는 바, 업무상 횡령죄는 타인의 위탁에 근거하여 물건을 점유하는 자가 그 위탁의 취지에 반하여 그 물건을 부정 취득하여 소유권 기타 본권을 침해하는 범죄로서 위탁관계 위배를 그 행위의 핵심적 요소로 하는 것으로 이해되므로, 전술한 자율적 판단에 맡길 수 있는 것은 행위자와 소유자 및 위탁자 상호 간에 친족관계가 존재하는 경우에 한한다고 할 것이다.

이를 본건에 적용해 보면, 피고인은 아키타 가정재판소 요코테 지부의 선임에 의해 후견인의 지위에 취임하여 위 재판소의 광범위한 감독을 받으며, 피후견인 고노 하나코의 재산을 관리하는 업무에 종사하고 있었고 위 재판소는 전술한 위탁자의 입장에 있었다고 인정할 수 있다.

따라서 행위자와 소유자 및 위탁자 상호 간에 친족관계가 존재하는 경우에 해당하지 않아 본건에 친족상도례는 적용되지 않는다고 할 것이며 변호인의 주장은 채용할 수 없다.

형량의 사정

본건은 성년후견인의 입장에 있던 피고인이 피후견인의 재산을 횡령했다는 사안이다.

피고인은 튀김국수 가게의 경영이 부진해서 그 운영자금이나 생활비 마련을 위해 진 빚을 갚느라 쪼들리고 있던 바, 숙모가 쓰러져 그 예금통장을 관리하게 되자 같은 행위를 반복하게 되더니 급기야는 숙모 명의의 예금을 인출하는 데에는 영수증 등이 필요하여 숙모를 피후견인으로, 스스로를 성년후견인 후보자로 하여 후견 개시 신청을 하고 성년후견인으로 선임되어 본건 각 범행을 저지른 것이며, 그 탐욕적 동기에 참작할 여지는 인정되지 않고, 상습성도 인정되며 피해액은 총 약 1,800만 엔으로 상당히 거액이다. 특히, 판시 제2의 범행은 가정재판소에서 재산 목록의 제출을 요구하자 피고인이 범행이 발각될 것을 각오한 후, 그 전에 가급적 자신의 빚을 청산하려고 하여 감행된 것으로 범정은 매우 나쁘다. 또한 본건은 피후견인의 재산을 관리 보존해야 할 후견인 자신이 당초부터 피후견인의 재산을 횡령하려는 의도에 근거하여 가정재판소를 이용해 성년후견인에 취임하여 감행된 것으로 성년후견제도의 신뢰의 근간을 흔드는 것이라고 할 수 있어 사회에 미치는 영향이 심각하다.

따라서 피고인의 형사책임은 중대하다고 해야 하며 피고인이 그 죄를 순순히 인정하고 진지한 반성의 태도를 보이고 있는 점, 약 550만 엔의 피해 변상금이 지급된 외에 남은 채무에 대한 대물변제로서 그 소유하는 토지가 제공되고 분할 변제도 약속되어 있는 점, 피고인은 당초부터 재산을 노린 것은 아니었고 피후견인의 신상 감호에 관해서는 응분의 노력을 해왔다고 여겨지는 점, 피고인은 전과가 없는 점 등의 사정을 참작하여도 피고인에 대하여는 주문에 기재한 형에 처하는 것이 상당하다.

■재판관 藤井俊郎

별지 범죄사실 일람표 <생략>

[2] 센다이 고등재판소 아키타 지부 平成19年[53) 2月 8日 平18(う)50호 업무상 횡령 피고 사건

위 [1] 사례의 항소심에서 센다이仙台 고등재판소 아키타秋田 지부 역시 성년후견인의 업무상 횡령에 대해 친족상도례의 준용을 부정하는 판결을 하였다.

항소심 재판부는 친족상도례는 친족 사이에서 발생한 재산 범죄가 그 친족 사이에서만 법적인 영향을 미치는 경우에만 적용되므로 친족 이외의 자가 당해 재산 범죄에 관한 법률관계에 중요한 관계를 가지는 경우에는 친족상도례의 적용 내지 준용은 배제된다고 하였다.

재판부는 업무상 횡령죄에 친족상도례가 준용되려면, 행위자와 물건의 소유권 기타 본권을 가지는 피해자의 사이에 친족관계가 존재할 뿐만 아니라 행위자와 위탁 신임 관계를 형성한 자와의 사이에도 친족관계가 있는 것을 요한다고 하면서 그런데 성년후견인은 가정재판소의 선임 · 감독이라는 관여 아래에서만 피해자의 재산을 점유, 관리할 수 있는 지위를 유지할 수 있는 것이므로 성년후견인과 가정재판소 사이에는 위탁 신임 관계가 형성되어 있는데 가정재판소와는 친족관계에 있지 않으므로 친족상도례 규정을 적용할 수 없다고 하였다.

재판부는 실제로는 피후견인의 친족이 성년후견인으로 선임되는 경우가 많기 때문에 애초에 친족이라고 해서 성년후견인이 피후견인에 대하여 저지른 재산 범죄에 대해 국가 형벌권의 간섭을 삼가야 한다는 배려가 필요한 것이 아니라 오히려, 가정재판소의 선임, 감독 아래에서 성년후견이 행해지는 이상, 성년후견인에 의한 피후견인에 대한 재산 범죄 등의 부정행위에 대해서는 국가가 책임지고 엄정한 대처를 해야 한다는 요청이 한층 강하게 작용한다고 판시하였다. 게다가 성년후견인에 의한 (업무상) 횡령죄의 피해자인 피후견인은 정신적 장애로 인해 사리를 변식하는 능력이 없는 상황에 있는 자로서 피해를 당한 때 스스로 가해자를 고소하는 등의 적절한 대처를 하는 것에는 곤란을 수반하는 것이 보통이어서 이 점도 이러한 요청을 더욱 강하게 작동시키는 요소라고 판시하였다.

---

53) 2007년

사 건 번 호 平18(う)50号	**사 건 명** 업무상 횡령 피고 사건
재판연월일 平成19年54) 2月 8日	
재판소명 센다이(仙台) 고등재판소 아키타(秋田) 지부	
재판구분 판결	**재판결과** 항소기각

주 문

1. 본건 항소를 기각한다.
2. 항소심에서의 미결구류 일수 중 80일을 원심 판결의 형에 산입한다.

이 유

1. 본건 항소의 취지는 변호인 다나카 신이치田中伸一가 작성한 항소이유서 기재대로이며, 이에 대한 검찰관의 답변은 검찰관 사쿠하라 다이세이佐原大成가 작성한 답변서 기재대로이므로, 이들을 인용한다. 변호인의 소론(이하 단순히 '소론'이라 한다)은 요컨대, 피고인은 본건의 피해자인 피후견인의 조카이며, 형법 255조가 준용하는 같은 법 244조 2항 소정의 친족관계가 피해자와의 사이에 존재하므로 이들 규정에 의해 본건 업무상 횡령죄는 친고죄에 해당하고, 그 기소가 소송 조건을 충족시키기 위해서는 피해자의 법정대리인인 피고인의 후임인 성년후견인이 범인이 피고인이라는 것을 안 날(성년후견인으로 선임된 2005년 10월 18일 내지 늦어도 피고인과의 사이에서 피해 변상을 위한 채무변제계약 등을 체결한 2005년 11월 18일)로부터 고소기간인 6개월(형사소송법 235조 1항 본문) 내에 고소를 할 필요가 있었던 바, 실제의 고소는 고소기간 경과 후인 2006년 5월 19일이 되어 하였으므로, 본건 공소제기는 위법하며 공소를 기각하여야 했음에도 불구하고 유죄 판결을 선고한 원심 판결은 형법 255조, 244조 2항의 적용에 관하여 판결에 영향을 미친 것이 분명한 잘못이 있다고 하는 법령 적용의 잘못 및 가령 본건에 관하여 형법 255조, 244조 2항의 적용이 없다고 해도 피고인을 징역 2년의 실형에 처한 원심 판결의 형량은 부당하게 무겁다는 양형 부당의 주장이다.

---

54) 2007년

2. 법령 적용을 잘못했다는 논지에 대해서

친족상도례는 '법은 가정에 들어가지 않는다'는 사상 아래, 친족 간에 감행된 일정한 재산범죄에 관하여 그 법률관계가 친족 간에만 그치는 경우에는 국가가 형벌권 발동을 삼가 행위자와 피해자의 관계에 의해 행위자의 형을 면제하고(형법 244조 1항이 적용 내지 준용되는 경우), 혹은 친고죄로서 형벌권의 발동을 피해자의 의사에 맡기는(형법 244조 2항이 적용 내지 준용되는 경우) 것이 바람직하다는 취지에서 형사정책적으로 마련된 규정이다. 따라서 친족 이외의 자가 당해 재산범죄에 관한 법률관계에 중요한 관계를 가지는 경우에는 그 자가 직·간접적으로 법익 침해를 받는다는 의미에서의 '피해자'에는 해당하지 않는다고 할지라도 그 법률관계는 이미 순수하게 '가정 내 인간관계'에 국한된 것이라는 성격을 잃고 있다고 볼 수밖에 없고 그러한 의미에서 친족상도례의 적용 내지 준용은 배제된다고 할 것이다.

업무상 횡령죄는 타인의 위탁에 근거하여 업무로서 물건을 점유하는 자가 위탁의 취지에 반하여 물건을 부정하게 취득하여 소유권 기타 본권을 침해하는 범죄이며, 소유권 기타 본권을 그 보호법익으로 하고 있는 점에서 본권을 가지는 자가 누구인가 하는 것도 물론 중요한 범죄요소이지만, 행위의 특질이라는 면에서는 오히려 위탁자와의 위탁신임관계 위배의 점을 핵심적 요소로 하는 것이기 때문에, 이에 친족상도례가 준용되려면, 행위자와 물건의 소유권 기타 본권을 가지는 피해자 사이에 친족관계가 존재할 뿐만 아니라 행위자와 위탁신임관계를 형성한 자(이 자는 전술한 의미에서 당해 법률관계에 중요한 관계를 가지는 자라고 할 수 있다) 사이에도 친족관계가 있을 것을 요한다고 할 것이다.

그리고 피해자의 친족이 가정재판소에 의해 피해자의 성년후견인으로 선임되어 가정재판소의 감독을 받으며 피해자의 재산을 점유, 관리하는 중에 업무상 횡령죄를 저지른 경우에는 그 성년후견인은 가정재판소의 선임·감독이라는 관여 아래에서만 피해자의 재산을 점유, 관리할 수 있는 지위를 가질 수 있다고 할 것이므로 피해자와의 사이에 친족관계가 존재하더라도 친족관계를 상정할 수 없는 가정재판소와의 사이에서 전술한 것과 같은 위탁신임관계가 형성되어 있는 이상 이에 위배하여 한 범죄에 대해서 친족상도례의 준용은 있을 수 없다고 해석하는 것이 상당하다.

이 점에서 확실히 성년후견인이 가정재판소에 의해 선임되어 그 감독을 받는다 하더라도, 성년후견인이 점유하는 재산의 소유자가 피후견인인 것은 물론 재산의 점유, 관리에 관하여 성년후견인과 민법상의 위임관계에 있는 것은 어디까지나 피후견인이며, 가정재판소와 성년후견인 사이에 민법상의 위임관계가 있다고는 할 수 없으므로 성년후견인에 의한 피후견인 재산의 업무상 횡령에 관하여 가정재판소를 그 피해자로 볼 수는 없다(따라서 가정재판소는 고소권자라고는 할 수 없다. 본건에서도 고소를 한 것은 피고인의 후임 성년후견인이고[갑2], 가정재판소는 고소를 하지 않고 가정재판소장이 고발을 하였다[갑1]). 그러나 이러한 사안에서 가정재판소가 이른바 '피해자'에는 해당하지 않는다고 해도 그 점이 친족상도례의 준용을 배제하는 것을 방해하지는 않는다고 해석하여야 한다는 점은 앞서 본 바와 같다.

다음으로 성년후견제도의 실태 및 거기에서의 성년후견인의 특질 등에 관하여 보다 구체적으로 보면, 성년후견제도는 정신적 장애로 인해 사리를 변식하는 능력이 없는 상황이고(민법 7조), 스스로 적절한 재산관리를 할 수 없게 된 피후견인을 위해 가정재판소의 선임·감독 아래, 성년후견인에게 그 재산을 점유, 관리시켜 피후견인의 재산을 보호하는 것을 목적으로 한 제도이다. 그리고 일정한 친족이 후견개시 심판의 청구권자로 되어 있는 점(민법 7조), 피후견인의 일상생활의 실정을 파악하고 있는 점이나 비용의 점 등의 사정으로, 실제로는 피후견인의 친족이 성년후견인으로 선임되는 경우가 많기 때문에 애초에 친족이라고 해서 성년후견인이 피후견인에 대하여 저지른 재산범죄에 관하여 국가가 형벌권의 간섭을 삼가야 한다는 배려가 필요한 것이 아니라 오히려 가정재판소의 선임·감독 아래에서 성년후견이 이루어지는 이상, 성년후견인에 의한 피후견인에 대한 재산범죄 등의 부정행위에 대해서는 국가가 책임지고 엄정한 대처를 해야 한다는 요청이 한층 강하게 작용한다고 할 것이다. 게다가 성년후견인에 의한 (업무상) 횡령죄의 피해자인 피후견인은 전술한 것처럼 정신적 장애로 인해 사리를 변식하는 능력이 없는 상황에 있는 사람이며 피해를 당한 때 스스로 가해자를 고소하는 등의 적절한 대처를 하기가 곤란한 것이 보통이어서 이 점도 전술한 요청을 더욱 강하게 작동시켜야 할 요소라고 할 수 있다.

또한 전술한 것과 같이 행위자와의 사이의 위임관계가 민법상은 행위자와 피후견인 사이에 성립하는 것이며 가정재판소와의 사이에 성립하는 것은 아니라고 해도, 피후견인이 전술한 것처럼 정신적 장애로 인해 사리를 변식하는 능력이 없는 상황에 있는 사람이며, 피후견인 본인이 사리변식능력을 회복하고 있는 시기에 본인에 의한 청구가 이루어질 수도 있지만, 기본적으로는 본인 이외의 친족 등이나 검찰관의 청구에 의해 가정재판소가 성년후견인을 선임하는 것인 점(민법 7, 8조, 843조 1항)에서 보면 실질적으로는 피후견인의 재산 관리를 성년후견인에게 위탁하는 것은 성년후견인을 선임·감독하는 가정재판소라고 할 수 있다. 따라서 형법상 업무상 횡령죄와의 관계에서 가정재판소를 성년후견인에 대하여 피후견인의 재산 관리를 위탁하는 자로 해석하는 것 자체가 충분한 근거·이유가 있다고 할 것이다.

이상과 같은 친족상도례의 취지 및 성년후견제도의 취지·실태 등을 감안해 보면, 가정재판소의 선임·감독 하에 피후견인의 재산을 점유·관리하는 성년후견인이 저지른 업무상 횡령죄에 대해서는 가령 피후견인과의 사이에 형법 255조가 준용하는 같은 법 244조 1항 내지 2항 소정의 친족관계가 있더라도 친족상도례의 준용은 없다고 할 것이다.

소론은 공무소의 명령을 이유로 자기의 재물 등에 대한 절도죄나 횡령죄가 성립하는 경우에 대해서 형법 242조나 같은 법 252조 2항에 의해 그 처벌 근거를 분명히 하고 있으므로, 성년후견인을 선임·감독하는 가정재판소와 친족관계가 없다는 이유로 친족상도례의 준용을 제외하려면 그 취지를 명문으로 규정하는 것이 죄형법정주의의 요청이라는 취지로 주장한다.

그러나 형법 242조나 같은 법 252조 2항은 범죄 구성요건에 관한 규정으로 바로 죄형법정주의의 요청에 의해 절도죄 등의 대상인 '타인의 재물'과 똑같이 간주해야 할 것을 명문으로 규정하고 있는 것이다. 이에 대하여 친족상도례는 범죄 구성요건에 관한 규정이 아닌 범죄가 성립하는 것을 전제로, 그 형을 면제하는 경우나 공소 제기의 조건으로 고소를 필요로 하는 경우에 관하여 규정한 것에 불과하기 때문에 형법 242조나 같은 법 252조 2항과 마찬가지로 논할 수는 없다. 행위자는 형법 235조나 같은 법 253조의 규정에 의해 무엇이 형법에서 금지된 절도죄나 업무상 횡령죄에 해당하는 행위인지에 대해서 사전에 인식할 수 있는 상태에 있기 때문에 범죄가 성립하는 것을 전제로 예외적으로 형의 면제가 있거나 고소가 공소 제기의 요건이 된다는데 그치는 친족상도례에 관하여 그 자체가 상당히 모호하고 불명확한 규정이라면 별문제겠지만 그 규정의 해석에 관하여 소론과 같은 반대설이 있을 수 있다는 것만으로는 죄형법정주의 내지 그 정신에 반하는 규정이라고 할 수는 없다.

또한 소론은 성년후견인에 대해서 친족상도례의 준용을 인정해도 가정재판소는 성년후견인에 의한 후견 사무를 감독하고(민법 863조), 그 후견 사무에 문제가 있으면 성년후견인을 해임하고(민법 846조), 새로운 성년후견인을 선임할 수 있으며(민법 843조 2, 3항), 새로 선임된 성년후견인은 피해자의 법정대리인으로서 해임된 성년후견인을 고소할 수 있으므로(형사소송법 231조 1항) 무엇도 피후견인 보호에 부족함이 없다고 한다.

그러나 형법 244조 1항 소정의 친족이 성년후견인이 된 경우(실제로는 형법 244조 1항 소정의 친족이 성년후견인으로 선임되는 경우가 가장 많다고 볼 수 있다), 친족상도례를 준용하면, (업무상) 횡령죄를 저지른 성년후견인의 형이 면제되게 되는데, 그러한 결과가 피후견인을 보호하기에 부족한 것은 분명하다. 그리고 친족상도례를 준용하는 것이 옳은지 그른지에 관하여 같은 조 1항과 2항의 경우를 구별해야 할 합리적인 근거는 전혀 찾아낼 수 없다. 따라서 소론은 채용할 수 없다.

이상과 같이 본건에 친족상도례를 준용하는 것을 전제로 하여 법령 적용의 잘못을 이유로 공소 기각 판결을 구하는 논지는 이유가 없다.

3. 양형 부당의 논지에 대해서

　　본건에서의 주된 양형 사정은 원심 판결이 '이유' 중의 '양형의 사정'의 항에서 설시한 대로이며 또한 이에 근거하여 피고인을 징역 2년의 실형에 처한 원심 판결의 양형 자체도 상당하여 이것이 너무 무거워서 부당하다고는 인정할 수 없다.

　　소론은 (1) 피고인은 횡령한 돈을 자신의 유흥에 사용한 것이 아니라 사업 실패로 인해 발생한 소비자금융회사에 대한 채무의 변제 등에 충당하고 있고 가령 피고인에게 채무 청산의 방법에 관한 지식이 있었더라면 변호사 등에게 상담해 채무 청산 문제를 해결하고 횡령 행위에 이르지 않았을 것이며 그러한 의미에서 피고인은 다중 채무 문제의 피해자라고도 할 만한 측면을 가지고 있다, (2) 피고인은 깊이 반성하고 소유하는 부동산을 양도함과 동시에 소비자금융회사에서의 과불금 반환금의 대부분을 피후견인에게 인도하고 앞으로도 피해 변상을 계속하기로 약속하고 있어, 피해액은 크지만 그 피해 회복 노력은 최대한으로 하고 있는 것이라고 할 수 있다고 하여 피고인에게는 정상으로 특히 참작할 점이 있으므로 집행유예 판결이 선고되어야 한다고 한다.

　　그러나 (1)의 점에 대해서는 확실히 피고인은 사업 실패로 인해 거액의 채무를 지기에 이르렀지만 사업을 그만두면 채무의 증가를 막을 수 있다는 것을 알고 있으면서 친척이나 이웃 사람에 대한 체면 때문에 사업을 그만두지 않고 만연히 채무를 증가시켰다(을 3)는 것이므로 거기에 참작할 사정은 없다. 또한 채무에 대한 대처 방법에 대해서도 소론과 같이 채무 청산의 방법에 관한 지식이 없었던 것은 아니고 파산이라는 방법이 있음을 알면서도 역시 일가의 가장으로서 파산 등을 하는 것은 볼썽사납다는 체면치레도 있어서 파산을 하지 않고 굳이 피해자의 재산을 횡령하게 되었다는 것(을 5)이므로, 파산에 의해 채무를 청산하고 면책을 받는 방법조차 알지 못한 다중 채무자의 경우와 마찬가지로 논할 수는 없다. 피고인의 진술 중에는 피고인이 파산을 하지 않은 이유에 대해서 전술한 것과 같은 체면치레만이 아니라 파산을 함으로써 연대보증인에게 폐를 끼치고 싶지 않았다고 하는 부분도 있는데(을5) 횡령 행위에 이르러 연대보증인에게 폐를 끼치지 않은 만큼 피해자인 피후견인에게 엄청난 피해를 끼친 것은 본말 전도라고 하지 않을 수 없다.

　　이러한 점도 염두에 두면 유흥비 때문이 아니라 채무 상환 때문에 범행을 저질렀다고 하는 점은 범행을 시작한 계기로서 유흥비 목적인 경우만큼의 위법성까지는 없다고 볼 수 있다는 것에 그친다. 게다가 계기는 그런 것이라 할지라도 피고인은 맡고 있던 피해자의 예저금에서 횡령 행위를 반복하는 동안, 예저금의 인출을 자유롭게 할 수 없게 된다고 보아 자유로운 인출을 확보하는 수단으로서 성년후견인의 지위를 얻은 후 본건 각 범행을 저질렀다는 것이고(을4 등), 범행 자체로 피후견인의 재산을 보호하기 위한 성년후견제도를 피후견인의 재산을 횡령하기 위해 역이용한 지극히 계획적이고 악질적인 것인 이상, 성년후견제도에 대한 신뢰를 현저하게 해친다는 의미에서 사회적으로도 큰 악영향을 가져왔다고 할 것이다. 게다가 가정재판소에서 재산 목록을 제출하라고 한 때 범행이 발각될 것을 각오하지 않을 수 없는 상황이 된 것이므로, 본래라면 거기에서 거듭된 범행만은 단념할 강한 억제가 작용하여야 마땅할 것인 바, 오히려 피고인은 범행의 기회가 얼마 남지 않은 기간에 한정된 것에서 자기의 채무를 완제하는 마지막 기회로 보아 거액의 횡령을 하여 그 목적을 달성한 것(을 6 등)이고, 지극히 자기중심적인 행태의 극치라고 할 수밖에 없다. 이렇게 피고인의 형사 책임의 중심은 어디까지나 범행의 계획성·집착성이나 양태의 악질성, 결과의 크기 등에 두어야 하고 이것들을 종합한 형사 책임의 중대성이 범행의 계기에 관련된 사정에 의해 크게 좌우되는 것이 아님은 분명하다고 할 수 있다.

다음으로 (2)의 점에 대해서는 확실히 부동산을 제공하는 등 피해 변상에 노력하고 있는 것 그 자체는 피고인에게 상당히 유리하게 해석하여야 할 사정이라 할 수 있다. 그러나 이 점도 그러한 피해 변상에도 불구하고 아직 거액의 피해가 남아 있으며 피해가 완전히 회복될 전망도 없는 상황에 있는 점, 전술한 대로 이른바 범정에 관한 피고인의 형사 책임이 너무나도 중대한 것과 대비하여 전술한 피해 변상의 사실을 형의 집행을 유예할 유력한 사정으로 보기는 도저히 불가하고 기타 피고인에게 유리한 사정을 충분히 고려해도 역시 원심 판결이 선고한 형량은 불가피하다고 할 수 있다.

이상과 같이 양형 부당의 논지도 이유가 없다.

결 론

따라서 형사소송법 396조에 의해 본건 항소를 기각하고 형법 21조, 형사소송법 181조 1항 단서를 적용하여 주문과 같이 판결한다.

■ 재판장 재판관 畑中英明, 재판관 寺西和史, 재판관 山地修

[3] 최고재판소 平成24年[55]) 10月 9日 平24(あ)878号 업무상 횡령 피고 사건

최고재판소는 성년피후견인의 양아버지가 성년후견인으로 후견 사무를 보면서 업무상 맡아 보관 중인 성년피후견인(양자)의 예금을 인출하여 횡령한 사안에서 친족상도례 규정을 적용하여 형법상 처벌을 면제할 수 없는 것은 물론 친족관계를 고려하여 형량을 감경할 수도 없다고 판시하였다.

최고재판소는 가정재판소에서 선임된 성년후견인의 후견 사무는 공적 성격을 가진 것으로 성년후견인은 성년피후견인을 위해 그 재산을 성실하게 관리해야 할 법률상의 의무를 지고 있기 때문에 성년후견인이 업무상 점유하는 성년피후견인 소유의 재물을 횡령한 경우, 성년후견인과 성년피후견인 사이에 형법 제244조 제1항 소정의 친족관계가 있어도 이 조항을 준용하여 형법상 처벌을 면제할 수 없는 것은 물론 그 형량에 이 관계를 참작할 사정으로 고려하는 것은 상당하지 않다고 판시하였다.

---

55) 2012년

사 건 번 호 平24(あ)878号	**사 건 명** 업무상 횡령 피고 사건
재판연월일 平成24年56) 10月 9日	**재판소명** 최고재판소 제2소법정
재판구분 결정	**재판결과** 상고기각

<h1 style="text-align:center">주 문</h1>

1. 본건 상고를 기각한다.

<h1 style="text-align:center">이 유</h1>

변호인 이소베 도시히데五十部紀英의 상고취지는 양형이 부당하다는 주장으로 형사소송법 405조의 상고이유에 해당하지 않는다.

또한 본건은 가정재판소에서 선임된 성년후견인이며 성년피후견인의 양아버지인 피고인이 후견 사무로서 업무상 맡아 보관 중인 성년피후견인의 예저금을 인출하여 횡령했다는 업무상 횡령의 사안인 바, 소론은 피고인이 성년피후견인의 양아버지인 것은 형법 255조가 준용하는 같은 법 244조 1항의 취지에 비추어 양형판단에 참작할 사정이라고 주장한다. 그러나 가정재판소에서 선임된 성년후견인의 후견 사무는 공적 성격을 가진 것으로 성년피후견인을 위해 그 재산을 성실하게 관리해야 할 법률상의 의무를 지고 있기 때문에 성년후견인이 업무상 점유하는 성년피후견인 소유의 재물을 횡령한 경우, 성년후견인과 성년피후견인 사이에 형법 244조 1항 소정의 친족관계가 있어도 이 조항을 준용하여 형법상 처벌을 면제할 수 없는 것은 물론 그 형량에 이 관계를 참작할 사정으로 고려하는 것은 상당하지 않다고 할 것이다(최고재판소 平成19年 (あ) 第1230号, 최고재판소 平成20年 2月 18日 제1소법정 결정 · 형집(形集) 62권 2호 37쪽 참조).

따라서 형사소송법 414조, 386조 1항 3호, 181조 1항 단서에 의해 재판관 전원 일치 의견으로 주문과 같이 결정한다.

■재판장 재판관 竹内行夫 재판관 須藤正彦 재판관 千葉勝美 재판관 小貫芳信

---

56) 2012년

6

성년후견 관련 국가배상 청구 사례

국가배상법 제1조 제1항은 '국가 또는 공공단체의 공권력의 행사에 해당하는 공무원이 그 직무를 함에 있어서 고의 또는 과실에 의해 위법으로 타인에게 손해를 가한 때에는 국가 또는 공공단체가 이를 배상해야 할 책임을 진다.'라고 규정하고 있다.[57] 성년후견제도의 운영 과정에서 공무원인 가정재판소의 조사관, 가사심판관이 고의 또는 과실에 의해 위법으로 타인에게 손해를 가한 때에는 위 조항에 따라 국가 또는 공공단체가 이를 배상하여야 하는데 이와 관련한 국가배상 청구 사례를 살펴보면 다음과 같다.

▮ 후견감독인이 장기간 성년후견인들에 대한 감독을 하지 않은 사안

원고의 성년후견인이었던 자들이 원고의 예저금을 인출하여 횡령한 것에 대해서 후견감독인이었던 피고 Y1에 대하여 후견감독인의 선관주의의무에 위반했다고 하여 채무불이행에 근거하여 또한 피고 국가에 대해서는 가사심판관에 의한 후견 사무 감독에 위법이 있었다고 하여 국가배상법 제1조 제1항에 근거하여 연대하여 손해배상을 청구한 사건이다.

---

57) 제1조 국가 또는 공공단체의 공권력의 행사에 해당하는 공무원이 그 직무를 함에 있어서 고의 또는 과실에 의해 위법으로 타인에게 손해를 가한 때에는 국가 또는 공공단체가 이를 배상해야 할 책임을 진다.

[1] 피고 Y1의 손해배상 책임

재판부는 피고 Y1이 후견감독인으로 선임된 후 일건 기록의 등사를 했을 뿐 후견감독인으로 선임된 지 3년 5개월가량 성년후견인들에 의한 본인 소유의 재산 관리 상황을 전혀 파악하지 않았고 그 사이에 성년후견인들에 의해 거액의 돈이 횡령된 것이므로 감독 의무를 게을리 한 것으로 인정하여 손해배상 의무가 있다고 판시하였다.

[2] 국가의 손해배상 책임

재판부는 재판관이 한 쟁송의 재판에 상소 등 소송법상의 구제방법에 의해 시정될 하자가 존재한다고 해서 바로 국가배상법 제1조 제1항에 따라 국가의 손해배상 책임이 인정되는 것은 아니고 위 책임이 긍정되기 위해서는 당해 재판관이 위법 또는 부당한 목적을 가지고 재판을 했다는 등 재판관이 그 부여된 권한의 취지에 명백히 위배하여 이를 행사한 것으로 인정할 수 있는 특별한 사정이 있다는 것을 필요로 한다고 전제하였다.

이 점은 가사심판관의 업무에 대해서도 마찬가지라고 하면서 가사심판관에 의한 후견 사무의 감독에 대해서 직무상의 의무 위반이 있다고 하여 국가배상법상의 손해배상 책임이 긍정되기 위해서는 가사심판관이 위법 또는 부당한 목적을 가지고 권한을 행사하거나 가사심판관의 권한 행사의 방법이 심히 부당하다는 등 가사심판관이 그 부여된 취지에 위배하여 권한을 행사하거나 행사하지 않았다고 인정할 수 있는 특별한 사정이 있어야 한다고 보았다.

본 사안에서 담당 가사심판관은 제2회 후견 감독 사건을 종료시켰을 때 다음 입건 시기를 정하지 않고 그 뒤 3년 이상 동안 후견감독인인 피고 Y1에게 보고 등을 재촉하거나 직접 성년후견인들에게 재산 목록, 수지 계산서 등의 제출 등을 요구하거나 하지 않고 감독 입건도 하지 않았다.

이 점에 대해서 재판부는 전문직의 후견감독인을 선임한 사안에 관해서는 선량한 관리자의 주의를 가지고 성년후견인의 후견 사무를 감독하는 책무를 가진 후견감독인으로부터 필요에 따른 후견 사무의 보고 등이 이루어지는 것을 기대할 수 있고 후견감독인의 보고 등에 의해 부정행위 등이 의심되는 정보를 접한 때에 필요에 따라 감독 권한을 행사하는 것으로 했다고 해도 그것 자체는 불합리하다고 할 수 없다고 판시하였다. 또한 부정행위 등의 징후를 특별히 접하지 않은 상황 하에서는 가사심판관들이 능동적으로 조사 등의 권한을 행사하지 않은 것을 가지고 심히 부당하다고 할 수도 없다고 보아 피고 국가는 원고에게 국가배상법 제1조 제1항에 의거한 손해배상 책임을 지지 않는다고 판시하였다.

주 문

1. 피고 Y1은 원고에게 4,094만 1,404엔 및 이에 대한 2011년 1월 30일부터 다 갚는 날까지 연 5%의 비율에 의한 돈을 지불하라.

2. 원고의 피고 국가에 대한 청구 및 피고 Y1에 대한 나머지 청구를 모두 기각한다.

3. 피고 손보재팬損保Japan은 원고의 피고 Y1에 대한 본 판결 1항이 확정된 때에는 피고 Y1에게 3,794만 1,404엔 및 이에 대한 2011년 1월 30일부터 다 갚는 날까지 연 5%의 비율에 의한 돈을 지불하라.

4. 피고 Y1의 피고 손보재팬에 대한 나머지 청구를 기각한다.

5. 소송비용은 甲사건에 관하여 발생한 부분은 원고와 피고 Y1 사이에서는 이를 10분하여 그 1을 원고가 부담하고 그 나머지를 피고 Y1이 부담하며 원고와 피고 국가 사이에서는 모두 원고가 부담하고, 乙사건에 관하여 발생한 부분은 이를 20분하여 그 3을 피고 Y1이 부담하고 그 나머지를 피고 손보재팬이 부담한다.

6. 이 판결은 1항에 한하여 가집행할 수 있다.

사실과 이유

제1 청구

甲사건

피고 국가 및 피고 Y1은 원고에게 연대하여 4,479만 3,458엔 및 이에 대한 2011년 1월 30일부터

---

58) 2013년

다 갚는 날까지 연 5%의 비율에 의한 돈을 지불하라.

乙사건

피고 손보재팬은 피고 Y1에게 4,479만 3,458엔 및 이에 대한 2011년 1월 30일부터 다 갚는 날까지 연 5%의 비율에 의한 돈을 지불하라.

제2 사안의 개요 등

甲사건은 원고의 당시 성년후견인이었던 자들이 원고의 예저금을 인출하여 횡령한 것에 대해서 후견감독인이었던 피고 Y1에 대하여는 후견감독인의 선관주의의무에 위반했다고 하여 채무불이행에 근거하여 또한 피고 국가에 대해서는 가사심판관에 의한 후견 사무 감독에 위법이 있었다고 하여 국가배상법 1조 1항에 근거하여 연대하여 손해금 4,479만 3,458엔 및 2011년 1월 30일부터 다 갚는 날까지 민법 소정의 연 5%의 비율에 의한 지연 손해금의 지불을 요구하는 사안이다.

乙사건은 변호사인 피고 Y1이 원고에게 배상책임을 부담함으로써 입는 손해에 대해서 피고 손보재팬에게 변호사 배상 책임 보험 계약에 근거하여 보험금으로 甲사건에서 원고로부터 청구되고 있는 금액의 지불을 요구하는 사안이다.

1. 전제사실

아래의 사실은 당사자 사이에 다툼이 없거나 뒤에서 든 각 증거 및 변론의 전체 취지에 의해 쉽게 인정되는 사실이다.

(1) 당사자 등

① 원고(1953년 ○월 ○일생)는 뇌성소아마비에 의해 유아기 때부터 중증 지적 장애와 운동 장애를 가지고 있어서 말하는 단어를 통해 사물을 이해하고 표현하는 것은 전혀 할 수 없고 필담 기타의 방법에 의해서도 의사를 전달할 수 없는 상태에 있어 단독 생활은 불가능하고 전면 (다른 사람의) 시중이 필요하다.

원고는 2000년 4월부터 현 주소인 사회복지법인 a회 장애자지원시설 b(입소 당시는 나라奈良현립. 이하 'b시설'이라 한다)에 입소해 있다.

원고의 친족 관계는 별지 '관계자 일람' 기재와 같다(갑 3, 4).

② 피고 Y1은 1998년 법조 자격을 취득한 나라 변호사회 소속 변호사이며, 변호사법인 c 법률

사무소의 사원이다.

(2) 후견감독에 이르게 된 경과

① 원고의 외숙모인 D(1921년 0월 0일생. 이하 'D'라 한다)는 2002년 10월 23일, 나라 가정재판소 가쓰라기葛城 지부(이하 '본건 재판소'라 한다)에 대하여 원고에 관하여 성년후견 개시 신청을 했다. 담당 가사심판관 E(이하 'E 심판관'이라 한다)는 2003년 6월 18일 성년후견을 개시하여 성년후견인으로서 D 외, D의 장남인 F(1947년 0월 0일생. 이하 'F'라 하고 D와 F를 아울러 '성년후견인들'이라 한다)를 선임하는 심판을 했다(갑 1, 2, 5).

② E 심판관은 2003년 11월 14일 원고에 관하여 후견감독을 시작하여(이하 '제1회 후견감독'이라 한다), F에게 재산 목록, 수입지출 계산서 등을 제출시킨 후 2004년 1월 21일 참여원 2명을 관여시켜 F를 조사하고 같은 달 22일에 이 사건을 종료시켰다(갑 29, 을 5 내지 7, 병 10의 1 내지 6).

③ 성년후견인들은 같은 해 7월 5일 변호사 G(이하 'G 변호사'라 한다)를 대리인으로 하여 본건 재판소에 대하여 성년후견인들이 이사를 맡고 있는 주식회사 d가 원고로부터 3,000만 엔을 빌린다는 취지의 금전 소비대차 계약을 체결하기 위해 원고에 관하여 특별대리인 선임의 신청을 하였다. 하지만 성년후견인들은 같은 해 11월 15일 이 신청을 취하하였다(갑 6, 7).

한편 성년후견인들은 같은 해 7월 23일 G 변호사를 대리인으로 하여 본건 재판소에 대하여 원고에 관하여 후견감독인 선임의 신청을 했지만 같은 해 9월 13일 이 신청을 취하하였다(갑 8, 9, 27).

④ 본건 재판소의 담당 가사심판관 H(이하 'H 심판관'이라 한다)는 같은 해 11월 16일 원고에 관하여 후견감독을 개시하고(이하 '제2회 후견감독'이라 한다) 같은 해 12월 3일에 F를 심문했다. H 심판관은 F의 해임을 예상하고 같은 달 8일, 나라 변호사회에 성년후견인 후보자의 추천을 의뢰했다. G 변호사는 같은 달 13일 본건 재판소에 대하여 F에게는 해임 사유가 없고 후견 사무를 계속할 필요가 있다는 등의 의견서를 제출하여 H 심판관은 결국 F를 해임하지 않고 직권으로 후견감독인을 선임하는 것으로 하여 2005년 3월 25일, 피고 Y1을 원고의 후견감독인으로 선임하는 취지의 심판을 했다(같은 달 29일 확정).(갑 1, 10 내지 14, 30)

(3) 횡령 행위

① 성년후견인들은 사실상 F의 장녀인 I(1977년 0월 0일생. 이하 'I'라 하고 F, D 및 I의 세

명을 아울러 'F들'이라 한다)에게 재산 관리의 후견 사무를 담당시키고 있었다.

② F들은 2003년 8월 8일부터 2008년 8월 1일까지의 사이에 별지 1과 같이 원고 성년후견인 F·D 명의의 예금계좌 및 원고 명의의 예저금 계좌에서 합계 8,986만 2,945엔을 출금하여(단 이 금액은 입금한 금액을 포함한 정산 합계액이다) 이 중 7,451만 2,918엔을 부정하게 착복하였다(갑 20, 21의 1 내지 4, 25, 26, 31).

③ D는 2007년 5월 1일에 사망했다.

④ 피고 Y1은 2008년 8월 13일 무렵 본건 재판소의 담당 서기관으로부터 연락을 받고 2003년 12월 무렵 이후 성년후견인들로부터 재산 상황의 보고 등이 되지 않은 것을 알았다. 피고 Y1은 2008년 9월 25일 F와 면담을 하여 F들에 의한 횡령이 발각되었다. 그 후 본건 재판소는 심판 전의 보전처분을 거쳐 2009년 2월 24일 F를 성년후견인에서 해임했다.

(4) 변호사 배상 책임 보험 계약

변호사법인 c 법률사무소는 피고 손보재팬과의 사이에서 2004년 7월 1일 이후 다음과 같은 변호사 배상 책임 보험 계약(이하 '본건 보험 계약'이라 한다)을 체결했다(병합 전의 乙사건의 갑 1의 1 내지 3, 2의 1·2, 3의 1·2, 4의 1·2, 5의 1·2).

① 피고 손보재팬의 전보책임(변호사 특약 조항 1조)

피고 손보재팬은 피보험자가 변호사법에 규정된 변호사 자격에 근거하여 수행한 같은 법 3조에 규정된 업무에 기인하여 법률상의 배상책임을 부담함으로써 입는 손해를 전보한다.

② 피보험자 피고 Y1을 포함하는 변호사법인 c 법률사무소에서 근무하는 변호사

③ 보험기간 매년 7월 1일부터 이듬해 7월 1일까지

④ 보험금액 1 청구 당 2억 엔(보험기간 중 6억 엔)

⑤ 면책(변호사 특약 조항 3조)

피고 손보재팬은 직접이고 간접이고를 묻지 않고 보통약관 제4조(면책) 각 호에 규정하는 배상책임 외에 피보험자가 다음의 각호에 규정하는 어느 하나의 배상책임을 부담함으로써 입는 손해를 전보하지 않는다.

(1) 피보험자의 범죄행위(과실범을 제외합니다) 또는 타인에게 손해를 줄 것을 예견하면서 한 행위(부작위를 포함합니다)에 기인한 배상책임(이하 '본건 면책조항'이라 한다)

(2) 이하 <생략>

(5) 피고 Y1의 피고 손보재팬에 대한 청구

피고 Y1은 2009년 6월 22일자로 피고 손보재팬에 대하여 본건에 관한 보험사고의 발생을 통지하고 관계 자료를 송부하는 등 한 다음 2010년 10월 22일자로 피고 손보재팬의 의견을 구했다. 이에 대하여 피고 손보재팬은 2011년 9월 27일자로 피고 Y1에 대하여 피고 Y1이 요구되는 후견감독인의 업무를 하지 않았기 때문에, 본건 면책조항에 해당하여 보험의 대상 외로 판단하였다는 취지를 통지했다(정 9, 병합 전 乙사건의 을 5, 6).

2. 쟁점

(1) 피고 Y1의 책임(원고에게 발생한 손해에 관하여 피고 Y1에게 선관주의의무 위반이 있는가)

(2) 피고 국가의 책임(담당 가사심판관의 후견감독은 국가배상법상 위법이라고 할 수 있는가)

(3) 피고 손보재팬의 면책(피고 손보재팬은 본건 면책조항에 의해 면책되는가)

(4) 손해액

3. 쟁점에 대한 당사자의 주장

쟁점(1) 피고 Y1의 책임에 대해서

■■■ 원고의 주장

① 피고 Y1은 후견감독인으로서 원고에 대하여 선량한 관리자의 주의를 가지고 성년후견인의 후견 사무를 감독하는 등의 의무를 지고(민법 851조, 852조, 644조), 후견감독인으로 선임된 후 즉시 그 후에도 정기 또는 수시로 성년후견인에게 후견 사무의 보고, 재산 목록의 제출을 요구하고 필요에 따라 후견 사무나 재산의 상황을 조사해야 할 의무를 지고 있었다(민법 863조 1항).

② 본건 재판소에서 피고 Y1에게 재산 상황의 보고 요구 방식 등에 관하여 특별한 지시를 하고 있지 않았다고 해도 후견감독인은 가정재판소가 '필요하다고 인정될 때'(민법 849조)에 특별히 선임되고 그러한 사안에는 어떤 문제가 있는 것이 보통이므로 피고 Y1은 선임 후 즉시 사안 및 후견감독인이 선임된 이유를 파악하고 성년후견인들과 면담하여 재산 상황 등을 확인해야 할 의무가 있었다.

③ 그런데 피고 Y1은 성년후견인들로부터 이익상반 행위를 희망하는 취지의 연락이 온 경우에 대응하면 충분하다 등으로 생각하여, 2005년 3월 25일에 후견감독인으로 선임된 후 2008년 8월 중순 무렵에 이르기까지의 사이에 성년후견인들에게 후견 사무의 보고, 재산 목록의 제출을 요구하지 않고 조사도 하지 않았다. 그 때문에 F들에 의해 (이루어진) 오랜 기간에 걸친 횡령 행위

를 막지 못했다.

④ 따라서 피고 Y1은 원고에게 발생한 손해에 관하여 채무불이행(선관주의의무 위반)에 의거한 손해배상 책임을 진다.

■■■ 피고 Y1의 주장

① 민법 863조 1항은 후견감독인이 성년후견인에게 후견 사무의 보고나 재산 목록의 제출을 요구하고 재산 상황 등의 조사를 '할 수 있다'고 규정하지만 감독 권한을 행사할 시기나 빈도는 의무화하고 있지 않다.

② 가정재판소는 광범위한 재량에 의해 후견감독인을 선임하는 때에는 후견감독인에게 상당하다고 생각하는 감독 권한 행사의 방침 등을 지시해야 한다. 실제로 피고 Y1이 다른 재판소에서 성년후견인이나 보좌인으로 선임된 때에는 선임 시에 직무 내용을 설명하는 문서, 그 후에도 정기적으로 후견 사무의 조회(照会)를 요구하는 문서가 교부되는 등 하였다.

또한 가정재판소는 후견감독인을 선임했다고 해서 감독 권한을 잃는 것은 아니므로 본건 재판소가 후견감독인을 선임한 경우 재판소에서 직접 성년후견인에게 정기적인 보고를 요구하지 않고 후견감독인에게 감독을 맡긴다는 방침이 있었다면, 감독 권한의 분담에 대해서 그러한 방침임을 피고 Y1에게 분명히 전했어야 했다.

③ 그런데 피고 Y1이 원고의 후견감독인으로 선임된 때, 담당 가사심판관은 피고 Y1에게 '후견인이 향후에도 본인과 이해상반이 되는 행위를 하는 것을 요청해 올 가능성이 있으니까.'라고 전했을 뿐 구체적인 직무의 지시를 하지 않고 선임 후 즉시 그 후에는 일정한 빈도로 원고의 재산 상황 등의 보고를 요구하는 등과 같은 지시도 전혀 하지 않았다. 원래 이 심판관 자신이 당시 성년후견인들이 원고의 재산을 부정하게 취득한다는 등과 같은 의구심을 품고 있지 않았던 것이다.

또한 본건 재판소는 감독 권한의 분담에 대해서 아무런 설명을 하지 않았기 때문에, 피고 Y1은 성년후견인들에 대한 정기적인 보고는 인계받은 본건 재판소가 요구하는 것이라고 이해하고 있었다. 당시, 후견감독인이 선임된 사건의 수가 매우 적었던 것도 감안하면 피고 Y1이 변호사라고 해서 실제로는 전술한 것과 같은 운용임을 알고 있어야 마땅한 상황도 아니었다.

④ 따라서 피고 Y1이 성년후견인들에게 재산 상황 보고 등을 요구하지 않았던 것이 후견감독인으로서의 '위임의 본래 취지'에 반하였다고는 할 수 없어 피고 Y1에게 선관주의의무 위반은 없다.

쟁점 ⑵ 피고 국가의 책임에 대해서

■■■ 원고의 주장

① 성년후견제도는 가정재판소가 후견 사무의 감독을 하는 것이 전제가 되어 있고 가사심판관은 법률상 주어진 권한(민법 863조 1항, 2항 등)을 행사하여 후견 사무를 감독하고 피후견인의 재산이 낭비되지 않도록 해야 할 의무를 지고 있다. 이러한 가사심판관의 직무는 사인 간의 생활 관계에 후견적으로 개입하여 그 재량에 따라 장래에 향해 법률관계를 형성하는 작용이므로 본래 적으로는 행정작용에 유사하다. 게다가 후견감독에는 상소 제도가 없어 피후견인 스스로가 절차에 관여할 수 없으며 국가배상 청구 이외에는 구제 수단이 없다. 또한 재판관의 독립은 재판관이 절 대적으로 책임을 지지 않아도 좋다는 것을 의미하는 것은 아니다.

따라서 후견 사무의 감독에 대해서는 쟁송의 재판에 관한 최고재판소 昭和53年 (オ) 第69号, 昭和57年 3月 12日 제2소법정 판결·민집(民集) 36권 3호 329쪽(이하 '최고재판소 昭和57年 판결' 이라 한다)의 판단에 의한 것이 아니라 일반적인 규제 권한 불행사의 경우와 마찬가지로 국가배상 법상의 위법 판단을 해야 하고 그 권한을 정한 법령의 취지, 목적이나 그 권한의 성질 등에 비추어 구체적 사정 아래에서 그 불행사가 허용되는 한도를 벗어나 현저하게 합리성을 결여하였다고 인 정될 때[덧붙여 최고재판소 昭和61年 (オ) 第1152号, 平成元年 11月 24日 제2소법정 판결·민집(民 集) 43권 10호 1169쪽, 최고재판소 平成元年 (オ) 第1260号, 平成7年 6月 23日 제2소법정 판결·민 집(民集) 49권 6호 1600쪽 참조]에 국가배상법상 위법이라고 판단되어야 한다. 또한 가령 최고재판 소 昭和57年 판결의 판시가 타당하더라도 쟁송의 재판에서 재판관의 재량과 후견 사무 감독에 관련된 가사심판관의 재량에는 그 폭에서 큰 차이가 있으며 후자에 대해서 위법이라고 판단되는 범위는 보다 넓게 인정되어야 한다.

② 본건에서 추정 상속인이 없는 원고의 재산이 고액에 이르고 부동산을 제외하면 처분이 용 이한 유동 자산이 대부분이나 전문직이 아닌 근친자를 성년후견인으로 선임한 후 F가 스스로 대 표자를 맡은 회사를 위해 원고의 재산에서 차입을 할 것을 생각하여 특별대리인이나 후견감독인 의 선임 신청을 하는 등 성년후견인의 공정성에 중대한 의문을 품게 하는 사정이 있고, 성년후견 인들의 부채에 관하여 진실을 보고하지 않은 혐의도 있었던 것이기 때문에 담당 가사심판관으로 서는 피고 Y1을 후견감독인으로 선임한 전후를 불문하고 F들이 부정행위를 할 우려가 있는 것을 염두에 두고 적극적으로 후견 사무를 감독해야 했다.

그런데도 담당 가사심판관들은 2003년 12월 및 2004년 1월 이후에는 재산 목록이나 수지(收 支) 상황 명세서 등의 제출을 요구하는 등 하지 않았다. F들이 원고의 이익을 손상시키는 부정행위 에 이를 우려가 있는 것을 예견했기 때문에 피고 Y1을 후견감독인으로 선임했는데도 선임 후에는 피고 Y1이나 F에 대하여 아무런 보고 등을 요구하지 않고 게다가 피고 Y1에게 후견감독인의 직무에 관하여 잘못된 설명을 하고 적절한 지시 등을 하지 않고 2008년 9월에 이르기까지 3년 반의 장기간에 걸쳐 아무런 후견 사무의 감독을 하지 않은 채 방치하고 그 결과 원고의 재산은 부동산을 제외하고 대부분이 소비되기에 이르렀다.

③ 따라서 본건 재판소의 담당 가사심판관들은 가사심판관으로서 부여된 권한을 일탈한 것이며 또한 그 권한 불행사가 현저하게 합리성을 결여한 경우에 해당한다. 가령 최고재판소 昭和57年 판결의 판시에 따라 판단한다고 하는 경우에도 가사심판관들이 그 부여된 권한의 취지에 명백히 위배하여 행사해야 할 권한을 행사하지 않았다고 인정되는 특별한 사정이 있다.

이상에 의해 피고 국가는 원고에게 국가배상법 1조 1항에 의거하여 손해배상책임을 진다.

■■■ 피고 국가의 주장

① 재판관의 직무 행위에 관하여 국가배상법 1조 1항의 위법이 긍정되기 위해서는 해당 재판관이 위법 또는 부당한 목적을 가지고 재판을 하였다는 등, 재판관이 그 부여된 권한의 취지에 명백히 위배하여 이를 행사한 것으로 인정할 수 있는 특별한 사정이 있는 것을 필요로 하는 견해(최고재판소 昭和57年 판결)가 확립되어 있다.

이는 양심에 따른 재판과 재판관의 독립을 보장할 필요, 재판 행위의 판단 작용으로서의 성격 등이나 재판의 종국성·완결성 등을 근거로 하고 있지만 이러한 점은 쟁송의 경우에 한정된 것은 아니고 가사심판관에 의한 후견 감독에 대해서도 타당하다.

따라서 당해 가사심판관이 위법 또는 부당한 목적을 가지고 직무 행위를 하거나 하지 않았다는 등 가사심판관이 그 부여된 권한의 취지에 명백히 위배하여 이를 행사하거나 혹은 행사하지 않은 것으로 인정할 수 있는 특별한 사정이 있는 경우에 한하여 국가배상법 1조 1항의 적용상 위법으로 평가할 수 있는 것에 그친다.

② 어떤 후견 사무가 상당한 것인가는 가사심판관의 재량적 판단 사항이지만 본건에서 성년후견인들에 의한 특별대리인이나 후견감독인의 선임 신청은 변호사가 대리인이 되어 절차를 이행하는 신청을 하고 있어 F들이 부적절한 후견 사무를 했던 것을 보여 주는 사정은 없었다. 그 후의 경과에 대해서도 제2회 후견감독 시의 심문에 의해서도 횡령을 보여 주는 것과 같은 사정은 없고 변호사인 피고 Y1을 후견감독인으로 선임하고 있는 이상 가사심판관이 F들에게 재산 상황에 관한 자료를 제출시킨 적이 없었다고 하더라도 그 판단이 불합리한 것이라고는 할 수 없다. 또한 H 심판관이 후견인으로 선임된 경험도 있는 변호사인 피고 Y1에게 개별 구체적인 지시를 하지 않아도 피고 Y1이 재판소의 지시를 기다릴 것도 없이 후견 감독의 직무를 성실히 이행하는 것으로

생각하는 것은 합리적이다. 게다가 만일 H 심판관이 피고 Y1에게 '후견인이 향후에도 본인과 이해상반이 되는 행위를 하는 것을 요청해 올 가능성이 있으니까.'라고 말한 사실이 있더라도 이를 가지고 재산 관리 사무에 주력하도록 요구한 것으로 받아들이는 것이 일반적이라고 할 수 있다. 덧붙여 후견감독인이 선임되어 있는 경우 제1차적으로는 후견감독인이 성년후견인에게 재산 목록의 제출 등을 요구하고 가정재판소는 후견감독인의 재량을 존중하면서 후견 감독을 실시하는 것이 예정되어 있는 것이고, 피고 Y1에게서 특별한 보고가 없는 상황 아래에서 담당 가사심판관이 후견 사무에 특히 문제가 없는 것으로 생각하여 성년후견인들이나 피고 Y1에게 자세히 보고를 요구하지 않았다고 해도 그것이 불합리한 것이라고는 할 수 없다.

③ 따라서 담당 가사심판관들은 원고에게 적절한 후견 감독을 실시하고 있었다고 할 수 있고 국가배상법상의 위법이 인정될 수 있는 전술한 특별한 사정은 인정되지 않고 원고는 이를 입증할 수 없다.

쟁점 (3) 피고 손보재팬의 면책에 대해서

■■■ 피고 손보재팬의 주장

① 본건 면책조항인 '타인에게 손해를 줄 것을 예견하면서 한 행위(부작위를 포함합니다)'란 타인에게 손해를 줄 개연성이 높다는 것을 인식하면서 행위하는 것을 의미하고 부작위이란 법령·계약·관습 또는 조리에 근거하여 타인에게 손해를 발생하는 것을 방지해야 할 작위 의무를 지는 자가 당해 손해 발생을 방지하는 행위를 하지 않는 것을 의미한다고 해석되고 있다.

② 본건에서 원고에게는 거액의 유동 자산이 있어 근친자가 성년후견인으로 선임되어 그 성년후견인이 원고로부터 차입을 한다고 하여서 성년후견인의 해임이 검토되고 있었다. 이러한 상황에서 피고 Y1은 원고의 재산을 보호할 목적으로 법률 전문가로서 후견감독인으로 선임된 것이므로 평균적인 지식을 가진 변호사라면 F들의 불법행위로 인하여 원고에게 손해를 주는 것을 구체적으로 예견할 수 있었다.

그런데도 피고 Y1은 후견감독인으로 선임되어 기록을 등사한 후 지체 없이 F들의 후견 사무의 조사 등에 착수하여 후견 사무의 보고와 재산 목록의 제출을 요구하고 그 후에도 연 1회 꼴로 이를 요구하지 않으면 안 되었던 것인데 선임 후 약 3년여의 기간 동안 후견 사무에 관하여 아무런 감독도 하지 않고 방치하였기 때문에 F들은 원고 재산의 횡령을 되풀이했다.

③ 따라서 피고 Y1은 원고에게 손해가 발생할 고도의 개연성이 있음을 인식하고 후견감독인으로서 이를 방지해야 할 의무가 있었는데 해야 할 직무를 전혀 하지 않고 손해 발생에 이르는 원인과 결과를 방치한다는 선택을 한 것이며, 원고에게 손해가 발생하는 것을 용인하고 있던 것과

같다. 따라서 피고 Y1의 행위는 본건 면책조항에 해당하여 피고 손보재팬에게 보험금 지급 의무는 없다.

▪▪▪ 피고 Y1의 주장

① 손해를 줄 것의 예견 유무를 통상의 변호사라면 어땠을까 하는 기준으로 판단하면 대부분의 경우에 면책조항에 해당하게 되어 버려, 책임 보험에 가입하는 의미가 없어져 버린다. 본건 면책조항의 해석에 있어서는 책임 보험에 대해서 중과실이 면책 사유로 되지 않는 것(보험법 17조 2항), 본건 면책조항이 변호사의 윤리관에 반하는 행위를 면책하려고 하는 취지임을 고려해야 한다.

② 피고 Y1은 후견감독인으로 선임된 때 담당 가사심판관에게서 문제의식과 임무 내용을 설명 · 지시받지 않았고, 또한 후견감독인이 선임된 경우에는 재판소에서 성년후견인에게 보고를 요구하지 않는 운용을 하는 것도 전해 듣지 않았기 때문에, 본건 재판소가 성년후견인들에 대하여 계속해서 정기적으로 원고의 재산 상황에 대해서 보고 등을 요구하고 있다고 인식하고 있었다.

또한 담당 가사심판관도 성년후견인들의 대리인 G 변호사도 F들이 이미 횡령 행위를 하고 있다는 사실을 인식하지 못하여, F들이 법에 정해진 절차를 무시하고까지 이익상반 행위를 할 위험이 있다는 인식은 없었던 것에서 보면, 피고 Y1이 F들이 횡령 행위를 할 개연성이 높다고 의심할 사정은 표면화되지 않았다. 게다가 원래 보고서 등의 제출을 요구하지 않는다고 해서 높은 비율로 성년후견인이 횡령 행위를 한다고는 할 수 없다.

③ 따라서 피고 Y1이 성년후견인에게 보고서 등의 제출을 요구하지 않고 재산 상황 등의 조사를 하지 않았다고 해도 원고에게 손해를 줄 개연성이 높다는 것을 인식하고 있던 것은 아니고, 또한 변호사의 윤리관에 반하는 부작위라고도 할 수 없으므로 피고 Y1의 행위는 본건 면책조항에는 해당하지 않는다.

쟁점 (4) 손해액에 대해서

▪▪▪ 원고의 주장

F들이 횡령한 총액은 7,451만 2,918엔인 바, 피고 Y1이 후견감독인으로 선임된 후 즉시 F들에게 재산 상황 등의 보고를 요구했으면 후견감독인으로 선임되고 1개월 정도 후인 2005년 4월 30일까지는 F들의 부정 지출을 인식할 수 있었을 것이고 담당 가사심판관도 이 시기에는 부정 지출을 확인할 수 있었을 것이다.

같은 해 5월 1일 이후에 원고의 계좌에서 부정하게 출금되어 횡령된 금액은 별지 1과 같이 5,156만 2,945엔이지만 이 중 676만 9,487엔에 대해서는 검찰청이 원고를 위한 적정한 지출이라고 인정하고 있으므로 이를 공제한 4,479만 3,458엔이 피고 Y1의 선관주의의무 위반 내지 담당 가사 심판관의 감독상의 위법과 상당한 인과관계가 있는 손해이다.

▪▪▪ 피고 Y1의 주장

당시 본건 재판소의 운용에서는 성년후견인에 대해서는 1년에 1회 정도의 빈도로 재산 상황 등의 보고를 요구하고 있던 것 같은데 후견감독인이었던 피고 Y1도 재판소의 특별한 지시가 없는 상황에서는 선임 후 1년을 경과한 시점 및 이후 1년에 1회 정도 F들에게 재산 상황 등의 보고를 요구하면 충분했다고 할 수 있다.

또한 피고 Y1이 2008년 8월 중순 무렵에 F들에게 원고의 재산 상황 등의 보고를 요구한 후 실제로 F들에게서 불완전하지만 보고를 받을 수 있었던 것은 같은 해 9월 25일이고 심판 전의 보전 처분이 인정된 것이 같은 해 10월 1일이었음에 비추어 보면 피고 Y1이 F들에게 재산 상황의 보고를 요구해도 실제로 F들에 의한 원고의 재산 지출을 멈추기에는 2개월에서 약간 모자라는 기간이 걸렸다.

그렇다면 피고 Y1의 선관주의의무 위반과 상당한 인과관계가 있는 손해는 피고 Y1의 후견감 독인 선임 심판이 확정된 날로부터 1년 2개월을 경과한 후인 2006년 5월 30일 이후에 횡령된 2,831만 2,945엔에서 이날 이후에 원고를 위해 사용된 462만 2,952엔을 공제한 잔액 2,368만 9,993 엔에 한정된다.

▪▪▪ 피고 국가의 주장

부인 내지 다툰다.

▪▪▪ 피고 손보재팬의 주장

피고 Y1은 후견감독인으로 선임되고 약 3개월이 경과한 2005년 6월 30일까지는 일건 기록의 검토 및 본건 재판소와의 협의 등을 마치고 성년후견인들에 의한 횡령 행위를 멈출 수 있었다고 할 수 있으므로 같은 해 7월 1일 이후의 횡령 금액인 4,094만 1,404엔이 피고 Y1의 행위와 상당인 과관계 있는 손해이다.

제3 본 재판소의 판단

1. 전술한 전제사실, 증거(뒤에서 드는 각 증거) 및 변론의 전체 취지에 의하면 다음의 사실이 인정된다.

(1) 후견 개시에 이른 경위

① 원고는 2000년 4월, b시설에 입소했다. 입소에 전후하여 1999년 12월 19일에 원고의 아버지가, 2001년 8월 25일에 원고의 어머니가 각각 사망했지만 다른 상속인이 없었기 때문에 원고가 부모의 자산을 모두 상속 받았다. 또한 원고에게는 추정 상속인은 없다(갑 3).

② D는 원고의 어머니가 사망한 뒤 원고의 예금을 인출할 수 없게 된 것 등을 계기로 하여 2002년 10월 23일 본건 재판소에 대하여 원고에 관하여 자신을 성년후견인 후보자로 하는 성년후견 개시 신청을 했다[본 재판소 平成14年 (家) 第1624号. 갑 2].

③ 담당 가정재판소 조사관은 E 심판관의 조사 명령에 근거하여 같은 해 11월부터 2003년 4월에 걸쳐 D를 포함한 관계자와 면접 등을 실시하여 원고의 생활력, 심신 등의 상황, 가정상황, 자산 등 및 그 관리 상황 등의 조사를 한 바, 원고는 사망한 아버지 명의의 자택부지 및 자택건물에 더하여 19개 계좌의 예금과 적금(합계 9,187만 9,245엔)을 가지고 그 중 1개 계좌(130만 9,318엔)는 b시설이 관리하고 있으며, 그 나머지는 D가 관리하고 있는 것, 원고의 입소에 필요한 비용은 주로 b시설이 관리하고 있는 계좌에 입금되는 장애 기초 연금으로 조달하고 있는 것 등을 파악한 후, 같은 해 4월 8일자 조사 보고서에서 원고에 관하여 후견을 개시하고 성년후견인으로는 b시설에서 원고의 보증인이 되어 있으며 원고의 재산을 관리하고 있던 D가 좋다고 생각되지만 D가 고령이기 때문에 D의 장남인 F도 성년후견인으로 하여 공동으로 직무를 하게 하는 것이 상당한 것, 거액의 재산이 있고 추정 상속인이 없고 사안이 복잡한 면도 있으므로 후견 감독의 구분은 정기적으로 후견 감독 사건을 입건하는 구분 중 'C2 구분'이 상당하다고 하여 첫 회의 후견 감독 사건의 입건 시기를 후견 개시 5개월 후로 하는 것이 적당하다는 등의 의견을 첨부했다(갑 3).

또한 이 후견 개시 신청서의 표지에는 본건 재판소에서 '실제 후견 사무 담당은 F의 딸 I'라는 메모가 된 쪽지가 붙어 있다(갑 2).

④ E 심판관은 같은 해 6월 18일 원고에 대해서 성년후견을 개시함과 동시에 그 성년후견인으로 D 및 F를 선임하고 두 사람이 공동으로 권한을 행사하도록 명하는 취지의 심판을 했다(갑 5).

(2) 제1회 후견 감독

① 전술한 172쪽 (1)-③의 가정재판소 조사관의 의견에 의한 입건 시기가 도래했기 때문에 E 심판관은 2003년 11월 14일 제1회 후견 감독 사건을 입건하고[본 재판소 平成15年 (家) 第1759号],

본건 재판소의 담당 서기관은 같은 달 27일자로 F 및 사실상 후견 사무를 담당하고 있는 I에 대하여 재산 목록, 부동산 등기부 등본, 예저금 통장 사본, 연금 자료, 금전 수지표의 제출을 요구한 바, 같은 해 12월 22일 재산 목록, 부동산 등기부 등본, 예저금 일람, 예저금 통장·증서의 사본, 납세증명서, 금전출납장(같은 해 8월 8일에 300만 엔을 출금하여 원고를 위한 각종 지출에 충당했다고 하고 그 일부 영수증이 첨부되어 있는 것)이 제출되었다(갑 29, 을 3의 1 내지 6, 을 4의 1 내지 3, 병 10의 3·4).

E 심판관은 2004년 1월 7일자로 후견 감독 사무의 상황에 대해서 보고를 받기 위해 성년후견인들에게 같은 달 21일 재판소에 출두하라고 통지하고 I의 동행도 요구했다. 또한 담당 서기관은 I로부터 해약한 것을 포함한 모든 통장 등을 이 날에 지참할 것 등을 확인했다(을 5, 6, 병 10의 5).

② I는 같은 달 21일, 2004년 6월부터 같은 해 11월분까지의 수지(收支) 계산서를 제출했다. 이 날 참여원 2명을 관여시켜 F들에 대한 조사를 벌여 참여원들은 원고의 재산 상황에 관하여 큰 변화가 없는 것, 재산 관리는 적당한 것 등으로 심사하고 농협의 정기 적금의 명의를 바꾸도록 지시한 후 후견 감독 사건을 입건하는 구분을 'b 구분'으로 하고 다음 번 감독 입건 시기를 2005년 1월로 하는 의견을 붙인 심사표를 작성하여 E 심판관에게 제출했다. E 심판관은 2004년 1월 22일, 위 심사표[59]의 의견대로 판단을 하여 제1회 후견 감독 사건을 마무리했다(갑 29, 을 4의 4, 병 10의 1·2 및 6).

이때 이후 본건 재판소에서 F들에게 재산 목록의 제출 등을 요구한 적은 없다.

(3) 특별대리인 선임 신청 등

① 성년후견인들은 2004년 7월 5일 G 변호사를 대리인으로 하여 본건 재판소에 대하여 성년후견인들이 이사를 맡고 있는 주식회사 d가 원고로부터 3,000만 엔을 빌린다는 취지의 금전 소비 대차 계약을 체결하기 위해 원고에 관하여 특별대리인 선임의 신청을 하였다[본 재판소 平成16年(家) 第1179号]. 그러나 성년후견인들은 같은 달 22일자의 취하서를 제출하고 같은 해 11월 15일에 위 신청을 취하하였다. 더욱이 G 변호사는 신청서에서 주식회사 d가 원고에 대하여 정기성 예금 이상의 이자를 지급하게 되면 원고를 위해 이익이 되고 또한 F 소유 부동산에 제1순위의 저당권을 설정하므로 회수 불능의 위험도 없는 것 등을 말했다(갑 6, 7).

② 한편 성년후견인들은 같은 해 7월 23일 G 변호사를 대리인으로 하여 원고에 관하여 후견감

---

59) 원문에는 '심판표'로 되어 있으나 '심사표'의 오기로 보인다.

독인 선임의 신청을 하였다[본 재판소 平成16年 (家) 第1307号]. 그러나 성년후견인들은 그 해 9월 13일 위 후견감독인 선임의 신청도 취하하였다. 또한 이 신청에 관련된 본건 재판소에 보관된 사건기록의 표지에는 특별대리인의 선임이 인정되지 않으므로, 후견감독인 선임의 신청을 한 취지의 담당 서기관이 기재한 것으로 보이는 메모와 F를 해임한 후에 변호사를 성년후견인으로 선임하여 D를 신상 감호만 하게 한다는 취지의 H 심판관이 기재한 것으로 보이는 메모가 붙어 있다(갑 8, 9, 27).

⑷ 제2회 후견 감독

① H 심판관은 2004년 11월 16일 제2회 후견 감독 사건을 입건했다[본 재판소 平成16年 (家) 第1958号]. 그 해 12월 3일 F에 대한 심문이 이루어져 F는 I가 통장을 관리하고 있는 것, 원고의 재산으로부터의 차입을 향후에는 할 생각이 없는 것 등을 진술함과 동시에 F를 성년후견인에서 해임하고 다른 사람을 선임하는 것을 생각하고 있다는 H 심판관의 설명에 대해 승낙했다(갑 10, 11, 30).

② H 심판관은 같은 달 8일, 나라 변호사회에 원고의 성년후견인 후보자로서 변호사의 추천을 의뢰했다(갑 12).

G 변호사는 F의 대리인으로서 같은 달 13일 본건 재판소에 대하여 위 같은 달 3일 심리 기일에서 F는 H 심판관으로부터 "애당초 돈을 빌린다는 생각이 떠오른 것이 후견인으로서 어울리지 않으므로 후견을 그만둬 주십시오." 등으로 말을 들었지만 전술한 특별대리인 선임의 신청에 관하여 F는 원고에게 손해를 주는 것을 전혀 의도하지 않고 충분한 담보 제공을 예정했던 것이므로 F에게 후견인 해임 사유는 존재하지 않고 원고의 요양ㆍ감호를 위해서는 친족인 F가 후견 사무를 계속할 필요가 있다는 등의 의견서를 제출했다(갑 13).

③ 피고 Y1은 같은 달 24일 무렵 본건 재판소에 원고의 성년후견인으로 선임되는 것에 대해서 승낙서를 제출했다.

H 심판관은 2005년 2월 24일 무렵 피고 Y1에게 성년후견인이 아니라 후견감독인으로서 선임해도 좋은가를 확인했는데 피고 Y1은 이를 승낙했다. 그 무렵의 피고 Y1과 H 심판관과의 전화 통화에서 H 심판관은 피고 Y1에게 후견인이 향후에도 본인과 이익상반이 되는 행위를 하는 것을 요청해 올 가능성이 있다는 등의 취지의 발언을 했다(갑 15, 정 9).

또한 피고 Y1은 성년후견인이나 보좌인의 직무 경험은 있었지만 후견감독인으로 선임되는 것은 처음이었다. 피고 Y1은 이전에 성년후견인이나 보좌인으로 선임되었을 때에는 재판소에서 선임 시에 '성년후견인의 직무에 대해서', '보좌인 등의 일과 책임에 대해서' 등의 설명문이 교부되었고 정기적으로 사무 보고를 요구하는 조회서를 교부 받았지만 원고의 후견감독인에 관해서는 본건 재판소로부터 이러한 문서를 포함하여 특별한 설명을 받지 않았다(병 6의 1·2, 7의 1·2·4 내지 7, 8의 1 내지 5).

④ H 심판관은 같은 해 3월 25일, 직권으로 피고 Y1을 원고의 후견감독인으로 선임하는 취지의 심판을 하고 감도 구분이나 다음 번 입건 시기를 정하지 않고 제2회 후견 감도 사건을 마무리했다(갑 1, 14, 30).

(5) 후견감독인 선임 후

① H 심판관은 피고 Y1을 후견감독인으로 선임하고 곧 2005년 4월 8일자로 재판관에서 퇴임했다.

② 피고 Y1은 같은 달 11일, 일건 기록의 등사를 했지만 피고 Y1은 이익상반 거래를 희망하는 취지의 연락을 받지 않는 한 당분간 아무것도 하지 않아도 되며, 정기적인 재산 상황 등의 보고는 본건 재판소에서 성년후견인에게 하게 하는 것으로 인식하고 F들에게 원고의 재산 상황 등의 보고를 요구하거나 하는 일은 전혀 없었다(을 8, 정 9).

③ F들(주로 I. 더구나 D는 2007년 5월 1일 사망)은 2003년 8월 8일부터 2008년 8월 1일까지의 사이에 별지 1과 같이 원고 성년후견인 F·D 명의의 예금계좌 및 원고 명의의 예저금 계좌에서 합계 9,197만 7,000엔(별지 1의 합계액 8,986만 2,945엔에 2007년 1월 9일에 입금된 200만 엔, 같은 해 11월 13일에 입금된 3,000엔 및 2008년 10월 3일에 입금된 11만 1,055엔을 더한 금액)을 출금하여 그 중 7,451만 2,918엔을 부정하게 착복하였다(갑 20, 21의 1 내지 4, 25, 26, 31).

(6) 횡령 행위의 발각

① 본건 재판소의 담당 서기관은 2008년 8월 13일 무렵 피고 Y1에게 b시설에서 성년후견인과 연락이 되지 않는다는 연락이 있었음을 전했다. 이 때 피고 Y1은 2003년 12월 무렵을 마지막으로 성년후견인으로부터 원고의 재산 상황, 수입 지출 상황의 보고 등이 되지 않은 것을 알았다.

피고 Y1은 2008년 8월 20일자로 F에게 원고의 재산에 관한 보고를 요구하고 몇 차례에 걸쳐 일시가 변경된 뒤 그 해 9월 25일, 피고 Y1의 사무소에서 F 및 I와 면담했다. 피고 Y1은 이때 I로부터 제출된 예저금 통장 등에 의해 후견 개시 시점에서 9,000만 엔 이상이었던 원고의 예저금이 금고에 보관하고 있는 현금 약 345만 엔과 예저금 잔고 약 4,000엔밖에 남지 않은 것 등을 알았다(갑 15).

② 피고 Y1은 본건 재판소에 대하여 같은 달 26일자로 F에 대해서 성년후견인 해임의 심판을

신청함과 동시에 직무 집행 정지 및 직무 대행자 선임의 심판 전의 보전 처분을 신청했다. 담당 가사심판관 J는 그 해 10월 1일 F의 직무 집행을 정지하고, 피고 Y1을 직무 대행자로 선임하는 심판을 하고 나아가 2009년 2월 24일, 후견 임무에 적합하지 않은 사유가 있다고 하여 F를 성년후견인에서 해임함과 동시에 피고 Y1에 대하여 후견감독인의 직을 그만두게 한 후에 성년후견인으로 선임하는 심판을 했다(갑 1, 15 내지 19).

③ 피고 Y1은 원고의 법정대리인인 성년후견인으로서 같은 해 6월 9일, F 및 I를 피고로 하는 불법행위에 의거한 손해배상 청구 소송을 나라 지방재판소 가쓰라기 지부에 제기했다[본 재판소 平成21年 (ワ) 第328号].

F는 2010년 2월 16일 원고에게 손해배상금의 일부로서 1,200만 엔을 지불했다. 게다가 원고와 F는 같은 해 8월 16일에 또한 원고와 I는 2011년 8월 24일에 각각 ① 원고가 보유하는 재산에서 지출된 돈 중 원고를 위해 지출된 1,535만 27엔을 제외한 7,451만 2,918엔이 부정하게 지출된 것 ② 이미 지불한 돈 1,200만 엔을 공제한 6,251만 2,918엔의 손해배상금의 지불 의무가 있음을 인정하는 것 등을 내용으로 하는 소송상의 화해를 했는데(갑 26, 31), F와 I에게는 지불 능력이 없다.

④ 피고 Y1은 2009년 6월 18일, 나라 지방검찰청에 F 및 I를 업무상 횡령죄로 고소했다. 나라 지방검찰청은 2010년 2월 24일 및 같은 해 3월 17일 업무상 횡령죄로 I를 나라 지방재판소에 기소했지만 F에 대해서는 같은 달 26일에 불기소 처분을 했다(갑 22 내지 24, 병 5의 7).

F는 그 해 10월 23일, 나라 지방재판소에 파산 신청을 하여 관재사건으로 되어 있다(병 5의 1 내지 8).

⑤ 피고 Y1은 2010년 1월 8일 원고의 성년후견인을 사임하여 본건 소송의 원고 법정대리인이 원고의 성년후견인으로 선임되었다(갑 1).

2. 쟁점 (1) 피고 Y1의 책임에 대해서

(1) 피고 Y1은 본건 재판소에 의해 원고의 후견감독인으로 선임된 것이므로 피후견인을 위해 선량한 관리자의 주의를 가지고 후견인의 사무를 감독하는 등의 직무를 부담하고 있었다(민법 851조 1호, 852조, 644조). 그런데 피고 Y1은 앞에서 인정한 것과 같이 후견감독인으로 선임된 후, 일건 기록의 등사를 했을 뿐 성년후견인들에 의한 원고의 재산 관리 상황을 파악하지 않았고 그 사이에 F들에 의해 거액의 돈이 횡령된 것이므로 전술한 감독 의무를 게을리 한 것으로 인정된다.

(2) 이에 대하여 피고 Y1은 본건 재판소로부터 구체적인 직무의 지시가 없었기 때문에 성년후견인들에게 재산 상황 보고 등을 요구하지 않은 것이 후견감독인으로서의 '위임의 본래 취지'에 반한다

고는 할 수 없다고 주장한다.

그러나 가정재판소는 필요하다고 인정될 때에 후견감독인을 선임하는 것이므로(민법 849조) 피고 Y1은 그 취지를 이해하고 가정재판소로부터의 구체적인 교시(教示), 지시가 없어도 후견감독인으로서 자신의 판단으로 후견 사무를 감독해야 할 직무를 성실히 이행하지 않으면 안 되었다고 할 수 있고 피고 Y1의 위 주장은 채용할 수 없다. 그리고 피고 Y1은 후견감독인으로서의 의무를 이행하기 위해 성년후견인의 후견 사무 상황 등을 파악해야 하며 등사한 일건 기록 등을 검토하여 원고가 거액의 유동 자산을 가지고 있는 것, 제출된 재산 목록, 수지 계산서 등은 약 1년 2개월 이상 전인 제1회 후견 감독 때의 것인 것, 제1회 후견 감독 종료 시에 예정되어 있던 다음 번 감독 입건 시기가 도래하고 있던 것, 추정 상속인이 아닌 성년후견인들이 자신의 회사를 위해 원고로부터 돈을 빌릴 생각을 한 것 등을 파악하고 신속하게 F들에게 후견 사무의 보고나 재산 목록의 제출을 요구하고 후견 사무나 재산 상황의 조사(민법 683조 1항)를 해야 했다. 그럼에도 불구하고 피고 Y1은 후견감독인으로 선임된 지 3년 5개월 미만 동안 일체의 조사를 하지 않았으므로 전술한 선관주의의무 위반이 있음은 분명하다.

더구나 피고 Y1은 성년후견인이나 보좌인으로 선임된 때에는 재판소로부터 직무 내용에 대한 설명서면이나 정기적인 조회를 요구하는 서면이 교부되었지만, 원고의 후견감독인에 관해서는 같은 서면이 교부되지 않은 점을 지적하지만 이들 서면은 변호사에 한정하지 않고 성년후견인이나 보좌인으로 선임된 사람에게 준 주위환기의 서면에 불과하여 이에 따라 위임을 받은 직무의 내용이 정해지는 것은 아니므로 이 취지의 서면이 교부되지 않은 점을 가지고 감독 의무가 경감되거나 면제되거나 하는 것은 아니다.

(3) 피고 Y1은 H 심판관으로부터 후견인이 향후에도 본인과 이익상반이 되는 행위를 하는 것을 요청해 올 가능성이 있다는 등과 같은 취지의 발언이 있었던 것과 함께 성년후견인들로부터 이익상반 거래를 희망하는 취지의 연락이 온 경우에 대응하면 충분하다는 등으로 마음먹고 있었던 것을 엿볼 수 있다.

그러나 전술한 인정사실대로 H 심판관은 피고 Y1의 후견감독인 선임에 앞서 F에게 원고로부터 돈을 빌리려는 생각이 떠오르는 것 자체가 성년후견인의 자질로서 적합하지 않다고 생각하여 일단은 F를 해임하고 피고 Y1을 성년후견인으로 선임하려고 생각하고 있던 것에 비추어 보면 H 심판관이 피고 Y1의 후견감독인의 직무를 이익상반 행위에 대해서 피후견인을 대표하는 것(민법 851조 4호)에 한정하려는 의도였다고는 생각하기 힘들고 위 H 심판관의 발언을 가지고 피고 Y1이 후견 사무의 감독을 게을리 한 것을 정당화할 수 없다.

또한 피고 Y1은 정기적인 재산 상황 등의 보고는 본건 재판소에서 성년후견인들에게 시키고 있는 것으로 오인하고 있던 것을 볼 수 있다. 하지만 피고 Y1이 본건 재판소에 대하여 재판소에 제출되고 있을 것이라고 한 재산 목록 등에 관하여 문의하여 이를 열람 등 하려고 한 흔적은 인정되지 않는 것 등에 비춰보면, 피고 Y1이 감독 의무를 게을리 한 것은 분명하다고 할 수 있다.

(4) 그리고 피고 Y1이 감독 의무를 게을리 하는 동안 F들은 원고의 재산 횡령을 반복하고 있었다는 것이므로 피고 Y1은 후견감독인의 선관주의의무 위반에 의해 원고에게 생긴 손해에 대해서 배상해야 할 책임을 진다.

3. 쟁점 (2) 피고 국가의 책임에 대해서

(1) 재판관이 한 쟁송의 재판에 상소 등 소송법상의 구제 방법에 의해 시정될 하자가 존재한다고 해도 이에 따라 당연히 국가배상법 1조 1항에 규정된 위법한 행위가 이루어진 것으로서 국가의 손해배상책임 문제가 생기는 것은 아니고 이 책임이 긍정되기 위해서는 당해 재판관이 위법 또는 부당한 목적을 가지고 재판을 했다는 등, 재판관이 그 부여된 권한의 취지에 명백히 위배하여 이를 행사한 것으로 인정할 수 있는 특별한 사정이 있다는 것을 필요로 한다고 해석된다(최고재판소 昭和57年 판결 참조).

가정재판소에 의한 성년후견인의 후견 사무 감독의 목적은 가정재판소가 성년후견인이 하는 사무가 적정하게 되고 있는지 여부를 확인함으로써 성년후견인의 상당하지 않은 후견 사무를 조기에 발견하여 후견 사무를 적정한 것으로 수정하고 적정한 재산 관리 및 신상 감호를 실현하는 것에 있다. 가사심판관은 이 목적을 달성하기 위해 필요에 따라 성년후견인에게 후견 사무의 보고나 재산 목록의 제출을 요구하고 후견 사무나 피후견인의 재산 상황을 조사하여[민법 863조 1항, 2012년 최고재판소 규칙 제9호로 폐지되기 전의 가사심판규칙 88조 1항, 3항, 2011년 법률 제53호로 폐지되기 전의 가사심판법(이하 단순히 '가사심판법'이라 한다) 9조 1항 갑류 21호], 피후견인의 재산 관리 기타 후견 사무에 관하여 필요한 처분을 명하거나(민법 863조 2항, 가사심판법 9조 1항 갑류 21호) 성년후견인의 추가 선임을 하거나(민법 843조 3항, 가사심판법 9조 1항 갑류 14호) 공동으로 또는 사무를 분장하고 권한을 행사할 것을 정하거나 정한 것을 취소하거나(민법 859조의 2 제1항, 2항, 가사심판법 9조 1항 갑류 18호) 후견감독인을 선임하거나(민법 849조, 가사심판법 9조 1항 갑류 14호) 후견인 내지 후견감독인을 해임하거나(민법 846조, 852조, 가사심판법 9조 1항 갑류 16호) 할 수 있다. 그리고 후견 사무 감독의 필요성 및 정도는 피후견인이 소유하는 재산의 다과(多寡) 및 유동 자산의 비율, 심신의 상황, 관계 친척 유무, 피후견인의 재산 관리 및 신상 감호를 둘러싼 친족 사이의 분쟁 유무, 후견인의 적격성, 경제상태 기타 여러 사정에 의해 천차만별이다. 후견 사무 감독은 이러한 감독의 필요성·정도나 감독에 관련된 재판소 내외의 체제 등을 감안하면서 가사심판관이 그 이름으로 실시하는 것이지만, 위 권한의 행사 등 구체적인 모습은 각각의 사건에 대해서 독립한 판단권을 가지면서 그 직책을 지는 가사심판관의 광범위한 재량에 위임하고 있는 것으로 해석하는 것이 상당하다.

이러한 후견 감독에 관한 가사심판관의 직무 행위의 내용, 특징을 감안하면 가사심판관에 의한 후견 사무의 감독에 대해서 직무상의 의무 위반이 있다고 하여 국가배상법상의 손해배상 책임이 긍정되기 위해서는 쟁송의 재판을 하는 경우와 마찬가지로 가사심판관이 위법 또는 부당한 목적을 가지고 권한을 행사하거나 가사심판관의 권한 행사 방법이 심히 부당하다는 등 가사심판관이 그 부여된 취지에 위배하여 권한을 행사하거나 행사하지 않았다고 인정할 수 있는 특별한 사정이 있을 것을 필요로 하는 것으로 해석해야 한다.

이 점에 관하여 원고는 후견 사무의 감독에 대해서는 쟁송의 재판에 관한 최고재판소 昭和57年 판결의 판시에 의할 것이 아니라 일반적인 규제 권한 불행사의 경우와 마찬가지로 그 권한을 정한 법령의 취지, 목적이나 그 권한의 성질 등에 비추어 구체적 사정 아래에서 그 불행사가 허용되는 한도를 일탈하여 현저하게 합리성을 결여하였다고 인정될 때에는 국가배상법상 위법이라고 판단해야 한다고 주장한다. 그러나 원고의 이 주장은 독립된 판단권을 가지는 것 등 재판관의 직무 행위의 내용, 특질에 비추어 채용할 수 없다.

(2) 그러면 앞에서 인정한 본건 경과에 비추어 검토한다.

① 제2회 후견 감독이 개시되었을 무렵 실제로는 F들에 의해 부정한 예저금의 인출이 이루어졌기 때문에 담당 가사심판관이 당초 생각했던 대로 이때에 F를 해임하고 재산 관리를 위해 변호사를 성년후견인으로 선임했다면 결과적으로 원고가 보유한 거액의 예저금이 인출되는 것을 막을 수 있었다고는 할 수 있다.

하지만 이 무렵 담당 가사심판관은 F가 자신이 경영하는 회사를 위해 금전 소비대차를 생각하고 있던 것에 대해 그 발상 자체가 성년후견인으로서 어울리지 않는다고 느끼고 있었지만 F들이 대리인 변호사를 통하여 법률에 따라 특별대리인 선임 또는 후견감독인 선임의 신청을 하고 특별한 부정의 징후가 보인 것은 아니었다는 점에서 보면 대리인 변호사로부터의 반대 의견을 받아 최종적으로는 F에게 법률상의 해임 사유(민법 846조)가 없다고 판단한 것은 불합리한 것은 아니다.

또한 담당 가사심판관은 제2회 후견 감독에서 F들에 대하여 후견 사무에 대한 문제를 발견하는데 중요한 단서가 된 재산 목록, 수지 계산서 등의 제출 등은 요구하지 않았지만 F들에 대한 감독을 강화하기 위해 변호사인 피고 Y1을 후견감독인으로 선임한 것 등을 고려하면 이것이 현저하게 상당하지 않았다고는 할 수 없다.

② 담당 가사심판관은 제2회 후견 감독 사건을 종료시켰을 때 다음 입건 시기를 정하지 않았고 그 뒤 3년 이상 동안 본건 재판소에서 피고 Y1에게 보고 등을 재촉하거나 직접 F들에게 재산목록, 수지 계산서 등의 제출 등을 요구하거나 하지 않고 감독 입건도 하지 않았다.

그러나 성년후견 등 사건의 급증에 따라 후견 등 감독 처분 사건이 누적적으로 증가하고 있는 상황 아래, 구태여 전문직의 후견감독인을 선임한 사안에 관해서는 선량한 관리자의 주의를 가지고 성년후견인의 후견 사무를 감독하는 책무를 가진 후견감독인으로부터 필요에 따른 후견 사무의 보고 등이 이루어지는 것을 기대할 수 있고 후견감독인의 보고 등에 의해 부정행위 등이 의심되는 정보를 접한 때에 필요에 따라 전술한 감독 권한을 행사하는 것으로 했다고 해도 그것 자체는 불합리하다고 할 수 없다. 그리고 본건 재판소가 부정행위 등의 징후를 특별히 접하지 않은 상황 하에서는 가사심판관들이 능동적으로 조사 등의 권한을 행사하지 않은 것을 가지고 심히 부당하다고 할 수는 없다.

(3) 이상에 의하면 담당 가사심판관들의 부작위에 대해서 가사심판관의 직무상 권한의 취지에 위배하여 권한을 행사하지 않았다고 인정할 수 있는 특별한 사정이 있다고는 인정되지 않는다.

따라서 피고 국가는 원고에게 국가배상법 1조 1항에 의거한 손해배상 책임을 지지 않는다.

4. 쟁점(3) 피고 손보재팬의 면책에 대해서

(1) 본건 면책조항은 변호사 윤리관에 반하는 행위에 대해서까지 보상의 대상으로 해서는 안 된다는 취지에서 마련되어 있는 것으로 해석되므로, '타인에게 손해를 줄 것을 예견하면서 한 행위(부작위를 포함합니다)에 기인하는 배상책임'이란 타인에게 손해를 줄 개연성이 높다는 것을 인식하면서 행위 하거나 행위를 하지 않았던 것을 의미하는 것으로 해석해야 한다.

(2) 앞에서 인정한 사실에 의하면 피고 Y1은 본건 재판소가 후견 감독이 필요하다고 인정하여 후견감독인으로 선임된 것인데 등사한 일건 기록에서 원고에게 거액의 유동 재산이 있고 F가 자신이 경영하는 회사를 위해 원고로부터 돈을 빌리려고 생각하고 있던 일 등은 인식하고 있었다고 할 수 있지만, 그 이상으로 F들의 횡령 등이 의심되는 사실은 인식하지 못하였고 이러한 인식을 전제로 하면 피고 Y1이 F들이 부정행위에 이르러 원고에게 손해를 줄 개연성이 높다고 인식하고 있었다고까지는 인정되지 않는다.

(3) 이에 대해 피고 손보재팬은 평균적인 지식을 가진 변호사라면 F들의 불법행위를 예견할 수 있었다는 취지로 주장한다. 하지만 피고 Y1이 후견감독인으로 선임되었을 때, H 심판관은 F들이 부정행위에 이를 개연성이 높다고 인식하지 않았기 때문에 최종적으로 F에게는 해임 사유가 없다고 판단하고 있는 것도 고려하면 피고 Y1이 F들이 부정행위에 이를 개연성이 높다고 인식할 수 있는 전제사실을 인식하고 있었던 것으로 인정하기는 힘들다고 하지 않을 수 없다. 피고 Y1은 후견감독인으로 선임된 후에도 정기적인 재산 상황 등의 보고는 본건 재판소가 성년후견인들에게 시키고 있으며, 자신은 성년후견인들로부터 이익상반 거래를 희망하는 취지의 연락이 온 경우에 대응하면 충분하다는 등으로 오인한 결과 F들의 부정행위를 엿볼 수 있는 정보에 전혀 접하고 있지 않았던 것이고, 피고 Y1이 인식하는 사실 관계를 전제로 하는 한 평균적인 지식을 가진 변호사를 기준으로 해도 F들이 부정행위에 이를 개연성이 높다고 인식하고 있었던 것으로 인정할 수 없다.

(4) 따라서 피고 Y1이 원고에게 손해를 줄 것을 예견하면서 후견 감독을 게을리 하고 있던 것으로는 인정되지 않는다. 따라서 피고 손보재팬은 본건 면책조항에 따라 보험금의 지불 의무를 면할 수는 없다.

5. 쟁점 (4) 손해액에 대해서

(1) 전술한 176쪽 2.의 (2)와 같이 피고 Y1은 원고의 후견감독인으로 선임된 후 일건 기록을 등사하여 신속하게 성년후견인의 후견 사무 보고 등을 요구해야 했는데 한편 실제로 피고 Y1이 2008년 8월 20일 무렵에 F에게 원고의 재산에 관한 보고를 요구하고부터 같은 해 10월 1일에 F의 직무집행이 정지되고 직무대행자가 선임되기까지 일정한 시간을 필요로 하고 있다.

그래서 선임 후의 조사에 필요한 기간이나 예저금의 인출을 저지하기 위해 필요한 기간을 포함하여 제반 사정을 종합 고려하면 F들의 횡령 행위에 의한 원고의 손해 중 피고 Y1의 감독 의무 해태와 상당한 인과관계가 있는 손해는 피고 Y1이 후견감독인으로 선임되고 3개월 이상 지난 뒤인 2005년 7월 1일 이후에 인출된 부정 지출의 합계 금액이라고 인정하는 것이 상당하다.

(2) 원고의 피고 Y1에 대한 청구
앞서 (1)에 의하면 피고 Y1은 별지 1 중, 2005년 7월 1일 이후의 출금 합계액 4,721만 2,945엔에서 이 날 이후 원고를 위해 사용된 금액 627만 1,541엔(별지 2 중 이 날 이후의 출금 합계액)을 공제한 잔액 4,094만 1,404엔과 그 지연 손해금을 지불할 의무를 진다.

(3) 피고 Y1의 피고 손보재팬에 대한 청구

① 본건 보험 계약에 의하면 피고 손보재팬이 전보해야 할 금액은 면책 금액(피보험자 부담액)을 초과하는 손해액으로 되어 피고 Y1에 관한 면책 금액은 30만 엔 또는 손해배상금의 10% 중 큰 액수이자 300만 엔을 한도로 하고 있다(병합 전의 乙사건의 갑 1의 1 내지 3, 2의 1·2, 3의 1·2, 4의 1·2, 5의 1·2).

따라서 피고 손보재팬이 피고 Y1에게 지불해야 하는 보험 금액은 위 (2)의 4,094만 1,404엔과 그 지연 손해금에서 면책 금액인 300만 엔을 공제한 3,794만 1,404엔과 그 지연 손해금이 된다.

② 본건 보험 계약에 의해 피고 손보재팬에 지불 의무가 생기는 것은 피고 Y1이 부담해야 할 손해액이 확정된 때라고 해석되고(보통 보험 약관 18조) 피고 Y1도 그것 자체는 다투지 않는다.

③ 따라서 피고 손보재팬은 피고 Y1에게 원고의 피고 Y1에 대한 위 (2)에 관한 판결이 확정된 때에 3,794만 1,404엔과 그 지연 손해금을 지불해야 할 의무를 진다

결 론

이상에 의하면 원고의 청구는 피고 Y1에게 4,094만 1,404엔 및 이에 대한 소장 송달일의 다음날인 2011년 1월 30일부터 다 갚는 날까지 민법 소정의 연 5%의 비율에 의한 지연 손해금의 지불을 요구하는 한도에서 이유가 있으므로 이를 인용하고 그 나머지는 이유가 없으므로 이를 기각하고 피고 국가에 대한 청구는 이유가 없으므로 이를 기각한다. 그리고 피고 Y1의 피고 손보재팬에 대한 청구는 위 원고의 피고 Y1에 대한 본 판결이 확정된 때에 보험금 3,794만 1,404엔 및 이에 대한 2011년 1월 30일부터 다 갚는 날까지 민법 소정의 연 5%의 비율에 의한 지연 손해금의 지불을 요구하는 한도에서 이유가 있으므로 이를 인용하고 그 나머지는 이유가 없으므로 이를 기각한다. 그리고 소송비용의 부담에 관하여 민사소송법 64조 본문, 61조를, 원고의 피고 Y1에 대한 청구에 관한 가집행 선고에 관하여 민법 259조 1항을 각각 적용하고 피고 Y1의 피고 손보재팬에 대한 청구에 관한 가집행 선언에 대해서는 상당하지 않으므로 이를 붙이지 않는 것으로 하고 주문과 같이 판결한다.

■재판장 재판관 大籔和男 재판관 佐藤克則 水木淳

② 지적 장애인이 성년후견인에 선임된 후 업무상 횡령을 한 사례

성년후견인 후보자인 A가 지적 장애인임에도 불구하고 가정재판소의 조사관 및 가사심판관이 이러한 사실을 알지 못하고 A를 본인(피후견인)의 성년후견인으로 선임하였는데 A가 본인의 재산을 횡령한 사안에서 본인이 가정재판소가 A를 성년후견인으로 선임한 것 및 그 후견감독 등에 관하여 담당 가정재판소 조사관 및 담당 가사심판관의 행위에 위법성 내지 직무상 과실이 있거나 최고재판소의 담당 직원의 조직적인 미필적이고 개괄적인 고의에 의한 체제 미비가 있어 이들 국가공무원의 직무 행위에 있어서의 고의·과실에 의해 혹은 인권옹호위원에 위촉된 B가 A에게 지적 장애가 있는 것을 알면서 가정재판소 조사관에게 이를 고지하지 않은 공무 종사자로서의 불법행위가 성립한다고 주장하면서 국가배상을 청구한 사안이다.

[1] 원심(1심) : 히로시마 지방재판소 후쿠야마 지부 平成22年 9月 15日 平21(ワ)252号 손해배상 청구 사건

(1) 가정재판소 조사관의 주의의무 위반에 대해서

원심 재판부는 가정재판소 조사관은 그 전문성을 활용하여 사안에 따른 적절한 조사를 할 것이 기대되고 있어 조사 대상, 방법, 정도 등에 대해서 재량을 가지고 후견인에 대해서는 후견인 후보자의 직업 및 경력 그리고 피후견인과의 이해관계 유무, 피후견인의 의견 기타 일체의 사정을 고려하여 가정재판소가 직권으로 선임하도록 되어 있으며(민법 제843조), 후견인 선임에 관한 가정재판소의 조사 및 선임에 대해서는 광범위한 재량이 인정되고 있다고 전제하였다.

이러한 전제 하에 이 사건 사실관계를 검토하면 D 조사관이 조사 시 A의 지적 장애의 정도 혹은 그 가능성을 쉽게 인식할 수 있는 상황이었다고는 인정되지 않으므로 D 조사관이 A의 지적 장애 등에 대해서 인식할 수 없었다고 해도 어쩔 수 없다고 할 것이고, D 조사관이 굳이 A의 구체적인 지적 능력이나 재산 관리 능력에 대하여 추가적으로 조사를 하지 않은 것을 가지고 그 재량을 일탈하여 직무상의 주의의무에 위반한 것이라고는 인정할 수 없다고 판시하였다.

또한 가정재판소가 후견인의 재산 관리 상황에 대해서 어느 정도의 보고를 후견인에게 요구하거나 조사를 할지는 그 필요성, 즉 후견인에 의한 부정행위의 위험성의 정도에 따른 가정재판소의 합리적인 재량에 맡기고 있다고 전제하였다. 그리고 이러한 전제 하에 이 사건 사실관계를 검토하면 E 조사관은 제1회 후견 감독 사건 단계에서 A에 의한 부정행위를 의심했어야 했다고는 할 수 없으며 다음 번 후견 감독 사건의 입건을 약 1년 후인 2006년 2월로 한다는 취지의 의견을 제출한 것을 포함하여 E 조사관의 조사에 상당하지 않은 점은 없고 그 재량권에 일탈, 남용이 있었다고는 할 수 없다고 판시하였다. 그리고 그 후의 조사 보고서 제출 등도 적절한 것이고 E 조사관에게 그 재량을 일탈한 직무상의 주의의무 위반은 인정되지 않는다고 하였다.

(2) 가정재판소 가사심판관의 주의의무 위반에 대해서

원심 재판부 담당 가사심판관이 지적 장애가 있는 A를 성년후견인으로 선임한 것과 관련하여 위법 또는 부당한 목적을 가지고 재판했다는 등의 특별한 사정은 인정되지 않으므로 A를 원고의 성년후견인으로 선임한 심판에 관하여 담당 가사심판관에게 직무상의 주의의무 위반은 없고 그 행위에 위법성 내지 과실은 없다고 판시하였다. 이후의 업무 수행과 관련하여서도 담당 가사심판관에게 위법 또는 부당한 목적을 가지고 다음 번 입건을 약 1년 후로 하여 감독 사건을 종료한 특별한 사정도 가사심판관이 위법 또는 부당한 목적을 가지고 방치했다는 등의 특별한 사정도 인정되지 않으므로 담당 가사심판관에게 직무상의 주의의무 위반은 없고 그 행위에 위법성 내지 과실은 없다고 판시하였다.

(3) B가 공무 종사자로서의 불법행위를 하였는지에 대해서

원심 재판소는 B는 인권옹호위원이 아니라 사인으로서 A의 상담에 응하고 있던 것이며, 원고가 주장하는 B의 본건에 대한 관여는 인권옹호위원으로서 한 것이라고는 인정되지 않으므로 공권력의 행사에 관련된 것으로는 인정되지 않고 B는 A에 대한 조사 면접에 동석하지 않았으므로 A가 지적 장애인임을 고지해야 할 의무가 발생한다고도 할 수 없다고 판시하였다.

(4) 최고재판소 담당 직원의 조직적인 미필적이고 개괄적인 고의에 대해서

원고는 최고재판소 담당 직원이 성년후견제도의 인사 및 예산 등의 태세를 충분히 정비해 오지 않았기 때문에 담당 조사관 혹은 담당 심판관에게 직무상의 주의의무 위반을 초래하여 A들의 횡령을 가져왔다고 하여 최고재판소 담당 직원의 조직적인 미필적이고 개괄적인 고의를 주장하였다. 하지만 원심 재판부는 담당 조사관 혹은 담당 심판관에게 직무상의 주의의무 위반이 있는 것으로 인정할 수 없는 것이므로 이 주장은 전제를 결여한 것으로서 받아들일 수 없다고 판시하였다.

<table>
<tr><td>**사 건 번 호** 平21(ワ)252号</td><td>**사 건 명** 손해배상 청구 사건</td></tr>
<tr><td>**재판연월일** 平成22年[60] 9月 15日</td><td></td></tr>
<tr><td colspan="2">**재 판 소 명** 히로시마(広島) 지방재판소 후쿠야마(福山) 지부</td></tr>
<tr><td>**재 판 구 분** 판결</td><td>**재 판 결 과** 청구기각</td></tr>
</table>

주 문

1. 원고의 청구를 기각한다.
2. 소송비용은 원고가 부담한다.

사실과 이유

제1 청구

피고는 원고에게 3,794만 3,877엔을 지불하라.

제2 사안의 개요

본건은 원고가 원고의 성년후견인이었던 A(이하 'A'라 한다)들이 2004년 3월 11일부터 2006년 10월 17일까지의 사이에 원고의 재산에서 3,794만 3,877엔을 업무상 횡령하여 소비한 것에 관해 A에게는 지적 장애가 있어 그 때문에 재산 관리 능력이 없었음에도 불구하고, 히로시마広島 가정재판소 후쿠야마福山 지부가 A를 성년후견인으로 선임한 것 및 그 후견감독 등에 관하여 담당 가정재판소 조사관 및 담당 가사심판관의 행위에 위법성 내지 직무상 과실이 있거나 최고재판소의 담당 직원의 조직적인 미필적이고 개괄적인 고의에 의한 체제 미비가 있어 이들 국가 공무원의 직무 행위에 있어서의 고의 · 과실에 의해 혹은 인권옹호위원에 위촉된 B가 A에게 지적 장애가 있는 것을 알면서 가정재판소 조사관에게 이를 고지하지 않은 공무 종사자로서의 불법행위가 성립하고 이들에 의해, 전술한 횡령에 관련된 금액만큼의 손해를 입었다며 국가배상법 1조 1항에

---

60) 2010년

근거하여 손해배상금 3,794만 3,877엔의 지불을 피고에게 요구한 사안이다.

1. 전제사실(당사자 사이에 다툼이 없는 사실 및 들고 있는 증거 또는 변론의 전체 취지에 의해 쉽게 인정할 수 있는 사실)

(1) 당사자 등

① 원고는 A의 외삼촌이고 2001년 12월 26일 교통사고를 당해 뇌좌상 등 상해를 입고 의식장애, 사지마비 등의 후유 장애가 남아 병원을 옮기기를 거듭한 후, 2004년 12월 14일 사회복지법인 a홈에 입소하여 뇌혈관 장애에 의한 체간기능장애 1급의 인정을 받았다(갑 9, 10).

② A는 1977년 10월 경증 정신박약으로 진단을 받아 장애정도 B의 요육(療育)수첩[61]을 교부받았지만 그 뒤 정시제[62] 고등학교에 다니는 등 하고 섬유회사에서 7년간 일한 후 홈센터에서 물건의 출납 관리를 담당하는 등으로 일하고 있었다. A는 1993년 무렵부터 부모 슬하에서 독립하여 아버지가 다른 남동생, 여동생과 동거하며 자신의 수입이나 장애인 연금 외에 동생들의 수입, 지인으로부터의 원조 등에 의해 생계를 유지하고 있었지만 A를 포함하여 동생들에게도 병이 있어 통원 치료 시의 택시 요금도 늘어나는 등 경제적으로 힘든 상황이 계속되고 있었다. A는 2004년 1월에는 중증 정신지체라고 진단을 받아 장애정도 B로서 요육수첩도 고쳐 썼다(갑 2, 9, 10).

③ C(이하 'C'라 한다)는 원고의 누나이며 A의 어머니로, 남편과 함께 시가 운영하는 주택에서 거주하며 장애인 연금이나 생활 보호를 받으며 A의 거처를 방문하여 자식들이 병원에 다니는 것을 곁에서 돌봐주는 등을 하고 있었다. C도 중증 정신지체로서 장애정도 B의 요육수첩을 교부받았다(갑 2, 9, 10).

④ B(이하 'B'라 한다)는 A의 정시제 고교 시절의 담임교사의 처로 A는 B에게 전술한 원고의 교통사고 합의 교섭의 상담을 하고 있었다. B는 1997년 3월 1일부터 2003년 2월 28일까지와 2004년 1월 1일 이후 인권옹호위원에 위촉되어 있었다(갑 9, 10).

(2) 원고의 후견 개시 전 조사 및 후견 개시의 심판

A는 2003년 12월 1일 자신을 원고의 후견인 후보자로 하여 히로시마 가정재판소 후쿠야마 지부에 원고의 성년후견 개시 신청을 했다. 히로시마 가정재판소 후쿠야마 지부는 D 가정재판소 조사관(이하 'D 조사관'이라 한다)이 같은 달 19일 A 및 C에 대한 면접 조사를 포함한 조사를 하여 2004

---

61) 지적 장애인에게 도지사 등이 발행하는 장애인 수첩이다.
62) 학교 교육에서 야간·조조 등 특별한 시기·시간에 이루어지는 학습 과정을 뜻한다. 흔히 전일제의 반대말로 사용된다.

년 2월 9일 원고에 관하여 후견을 개시하고 A를 후견인으로 선임하여 후견 감독 구분은 B(정기적으로 조사, 조정 또는 지도를 실시할 필요가 있는 것)로 하여 제1회 후견 감독 사건의 입건을 1년 후인 2005년 2월 무렵으로 하는 것이 상당하다는 취지의 의견을 붙여 조사 보고를 하였고 위 조사 보고에 기초하여 2004년 2월 18일 담당 가사심판관이 원고의 후견을 개시하고 그 후견인으로서 A를 선임한다는 취지로 심판하여 그 심판은 같은 해 3월 11일 확정되었다. 담당 가사심판관은 조사관 의견대로 후견 감독 처리를 했다(갑 3, 10).

(3) 원고에 대한 교통사고에 관련된 보험금 입금

그 후 전술한 원고가 당한 교통사고의 상대방 보험회사와의 사이에 화해가 성립하여 2004년 11월 1일 주식회사 중국은행 신스新市지점의 A 명의의 보통예금계좌에 상대방 보험회사가 합계 4,803만 1,500엔을 입금하였다(갑 9).

(4) 제1회 후견 감독

2005년 1월 제1회의 후견 감독 사건이 입건되고 조사 명령이 발령되어 히로시마 가정재판소 후쿠야마 지부 E 가정재판소 조사관(이하 'E 조사관'이라 한다)이 같은 해 2월 22일 후견인인 A에 대한 면접 조사를 실시했다. 그 때 어머니인 C도 동석했다. E 조사관은 A에게 원고의 예금 전액을 A 명의의 위 예금계좌에서 원고 명의로 바꾸도록 지도하고 A는 위 지도에 따라 2005년 2월 22일 주식회사 중국은행 신스지점에서 'X 후견인 A' 명의의 보통예금계좌를 개설하여 4,333만 768엔을 이 예금계좌(이하 '본건 예금계좌'라 한다)에 입금했다.

    E 조사관은 감독구분을 B인 채로 두고 1년 후인 2006년 2월에 제2회 후견감독 사건을 입건하는 것이 상당하다고 의견을 진술하고 담당 가사심판관은 위 의견과 같은 처리를 하는 것으로 하여 제1회 후견감독을 종료했다(갑 4, 9, 10).

(5) 제2회 후견 감독

2006년 2월 제2회의 후견감독 사건이 입건되고 조사 명령이 발령되어 E 조사관이 같은 해 3월 15일 후견인인 A에 대한 면접 조사를 실시했는데, 그 때 어머니인 C도 동석했다. E 조사관은 A로부터 전화 연락이 있어 다음날인 16일에도 A에 대하여 면접 조사를 실시했다. 그 때 B가 동석했다.

    위 조사 결과 전술한 예금 대부분이 소비되어 3,600만 엔을 넘는 용도 불명의 돈이 있는 것이 밝혀졌다. 그래서 E 조사관은 A(필요에 따라 어머니 C)에 대한 심문을 하여 용도가 불명한 돈을 확정하고 전문 제3자 후견인으로서 변호사를 선임하여 후견 사무를 분장한 후 A와의 사이에서 상환에 대한 대책을 마련하는 것이 상당하다는 취지의 의견을 진술했다.

그리고 담당 가사심판관은 위 의견에 따라 심리를 한 후, 같은 해 7월 14일 F 변호사(현재의 후견인)를 원고의 성년후견인으로 선임하는 심판을 하고 게다가 그 뒤 A가 전술한 거액의 용도 불명금에 대해서 합리적인 설명을 할 수 없는 것 등에서 A에게 후견 임무에 적합하지 않은 사유가 있음이 분명하다고 하여 같은 해 10월 17일 원고의 성년후견인 A를 해임하는 심판을 하였다(갑 6).

(6) A들에 의한 원고의 예저금 채권 횡령

A는 C와 공모한 후 본건 예금계좌에서 2005년 2월 24일부터 2006년 8월 10일까지의 사이에 74차 례에 걸쳐 A 또는 C 혹은 그 동거 친족 또는 지인들의 용도에 소비할 목적으로 A 또는 C 혹은 정을 모르는 A의 여동생인 G를 통하여 현금 합계 3,629만 엔을 인출한 외에 같은 해 2월 9일, 본건 예금계좌에서 다른 금융기관으로 예치하기 위해 인출한 865만 3,877엔 중 165만 3,877엔을, 앞에서와 같은 목적으로 바꾸어 예치하려던 계좌에 입금하지 않고 수중에 두고 착복하여 합계 3,794만 3,877엔을 업무상 횡령했다(갑 10).

(7) 손해 전보

A들에 의한 횡령에 의해 원고에게 생긴 손해 3,794만 3,844엔 중 A 및 C 그리고 그 가족의 생활지 원을 하는 지원자의 원조에 의해 원고의 현재 후견인에게 300만 엔이 송금되어 손해의 일부가 회복되었다(갑 9).

2. 쟁점 및 쟁점에 대한 당사자 쌍방의 주장

(1) 담당 조사관의 조사에서의 위법성 내지 과실 유무

■■■ 원고의 주장

1. D 조사관은 2003년 12월 19일 A에 대한 면접 조사에서 A에 대한 질문과 그에 대한 응답에 관하여 아주 약간의 수고도 하지 않고 동석한 B의 설명을 들었을 뿐 A의 지적 능력에 의구심마저 가지지 않고, A의 지적 장애 및 재산 관리 능력에 관하여 조사가 충분하지 못한 채로 재산 관리 능력이 없는 A를 후견인으로 선임하는 것이 상당하다는 취지의 조사 보고를 했다. 또한 A에게

성년후견인의 직무나 재산 관리를 적정하게 하여야 하는 것에 관하여 팸플릿을 교부하는 것으로만 설명을 마쳤다. 그 때문에 정신연령 8세 4개월, IQ 46인 A가 후견인으로 선임되고 혹은 A에게 성년후견제도에 대한 인식이 없었기 때문에 A의 횡령 행위가 이루어진 것이므로, D 조사관에게는 직무상의 주의의무 위반이 있다.

2. E 조사관은 2005년 2월 22일 제1회 후견감독 사건에서 A에 대한 조사 면접을 실시했을 때, 그 시점에서의 계좌 잔고가 약 4,333만 엔이 되어 있었기 때문에, A에게 사정을 물었더니 늘 수중에 현금으로 300만 엔을 관리하고 있고 매달 필요한 액수는 25만 엔 정도라는 설명을 들었지만 출납 장부도 없고 일부 보존하고 있는 영수증도 정리되지 않고 지출 내용이 불명확한데도 A의 설명을 그대로 받아들이고, 다음의 입건을 약 1년 후인 2006년 2월이 상당하다고 의견을 냈다. 그러나 만일 다음의 입건을 약 1년 후로 하지 않고 게다가 A에게 금전 출납 장부를 쓰도록 하고 그것을 3개월마다 제출이라도 하게 했으면 A에 의한 횡령 행위는 없었을 것이다. 따라서 E 조사관의 행위에 과실이 있다.

3. E 조사관은 2006년 3월 16일 제2회 후견감독 사건에서 면접 시에 A의 부정행위를 알아차렸지만 너무 늦었다. 그러나 이 시점에서도 즉시 대응하였더라면 같은 해 4월 28일 이후 A들의 횡령에 의한 손해는 막을 수 있었던 것이다.

■■■■ 피고의 반론

1. ① 가정재판소 조사관은 그 직무를 함에 있어서 재판관의 명령에 따르고(재판소법 61조의2 제4항) 가정재판소(가사심판관)의 심판 및 조정에 관하여 가정재판소(가사심판관)의 명령에 근거하여 사실의 조사를 하고(가사심판규칙 7조의2 제1항), 조사결과를 가정재판소(가사심판관)에 보고한다(가사심판규칙 7조의2 제3항). 가정재판소 조사관의 조사는 가정재판소(가사심판관)에 그 심판의 참고 자료를 제공하기 위해 이루어지며 최종적인 판단을 하는 것은 가정재판소(가사심판관)이다. 가정재판소 조사관의 직무상 의무는 가정재판소의 내부적인 것에 그쳐 후견인 선임의 조사에 대해서 말하면 피후견인에게 직무상의 의무를 지는 것은 아니다. 따라서 가정재판소 조사관의 조사에 관하여 피후견인에 대한 직무상의 주의의무 위반에 의한 불법행위는 성립하지 않는다.

가정재판소 조사관의 조사는 필요에 따라 사건 관계인의 성격, 경력, 생활 형편, 재산 상태 및 가정 그 밖의 환경 등에 대해서 의학, 심리학, 사회학, 경제학 기타 전문적 지식을 활용하여 하도록 노력하지 않으면 안 되고(가사심판규칙 7조의 3), 조사 시에 고려해야 하는 요소가 많고 조사대상, 방법, 정도 등에 대해서 일률적으로 논할 수는 없다. 가정재판소 조사관은 그 전문성을 활용하여 사안에 따른 적절한 조사를 할 것이 기대되고 있어 조사대상, 방법, 정도 등에 대해서 재량을 가지고 있다. 따라서 가정재판소 조사관이 그 재량의 범위를 현저하게 일탈·남용했다고 인정되지 않는 한, 그 조사에는 주의의무 위반은 없고 국가배상법 1조 1항의 위법을 인정할 수 없다고 해야 할 것이다.

② D 조사관은 후견인 후보자인 A에 대하여 2003년 12월 19일 면접 조사를 벌여 이 조사에서 A가 원고의 생육력, 생활 형편, 심신의 상황, 자산, 수입, 지출에 대해서 대체로 파악하고 있는지 확인하고 A가 정시제 고등학교를 거쳐 일하고 있는 것 등 A 자신의 생활력, 가정상태, 후견인 선임 후 사무의 방침에 대해서도 청취한 다음, A들로부터 A가 지적 장애인임을 고지 받지 못하고 A가 질문에 대하여 적절하게 응답하고 서류 등의 제출 지시에도 적절하게 응했기 때문에, A에게 지적 장애가 있는 것을 인식할 수 없는 상황에서 종합적으로 판단하여 A를 후견인으로 선임하는 것이 상당하다고 의견을 냈다. 이처럼 전술한 것과 같이 D 조사관은 A가 고등학교를 거쳐 일하고 있는 것 외 다양한 사항을 청취하여 A와 대화가 이루어진 것이 강하게 추인되고 또한 형사재판에서 A의 정신감정을 담당한 감정인도 A와 통상의 대화를 하고 있는 한에서는 A의 지적 장애를 알지 못할 가능성이 있다는 취지로 진술하고(갑 10) 있어서, D 조사관은 A가 지적 장애인임을 인식할 수 없었던 것으로 인정되어 종합적으로 판단한 후 A가 후견인에 적임이라고 의견을 제출한 것에 상당하지 않은 점은 없고 그 조사에 재량권의 일탈, 남용이 있었다고는 할 수 없다.

덧붙여 D 조사관은 갑 제7호증과 같은 후견인 후보자에 대한 조회서를 사용하지 않았지만, 위 조회서는 청취해야 할 사항을 일반적으로 정리한 것에 불과하고 필요한 사항에 대해서는 A로부터 청취하였다. 담당 조사관은 성년후견인의 직무나 재산 관리를 적정하게 하여야 한다는 것에 관하여 팸플릿을 교부하는 때에는 일반적으로 성년후견제도에 대해서 설명하고 있으며, 팸플릿을 건네주는 것만으로 설명을 끝냈다고 하는 A의 진술은 믿을 수 없다.

따라서 D 조사관의 조사에 국가배상법 1조 1항의 위법을 인정할 수 없다.

2. ① 189쪽 1.-①과 같이 가정재판소 조사관은 원고에게 직무상의 의무를 부담하는 것이 아니기 때문에 감독조사 담당 조사관의 조사에 국가배상법 1조 1항의 위법을 인정할 수 없다.

② E 조사관은 2005년 2월 22일 제1회 후견 감독 사건에서의 면접 조사 때에 A로부터 인출된 약 470만 엔에 대해서 '급한 지출에 대비하여 늘 수중에 현금으로 300만 엔을 관리하고 있다'는 것, 100만 엔을 4개월 동안의 정기적 지출(월 약 25만 엔)에 썼다는 것, 나머지 약 70만 엔을 침대 구입비 등 시설 입소에 즈음한 지출이나 제반 잡비에 소비한 것을 청취하였다(갑 4). 그리고 E 조사관은 수중에 현금으로 300만 엔을 관리하는 것에 대해서 현금으로 관리한다면 출납장을 기재

하거나 수중에 현금을 두지 말고 매월 필요한 정액을 인출하여 임시 지출도 따로 그 금액을 인출하도록 할지(이 경우는 통장에 비목을 기재한다), 어느 하나의 방법으로 하도록 지도하였다(갑 4).

후견인은 성년후견제도에서 본인의 재산을 관리하는 포괄적인 권한을 부여 받고 있으며(민법 859조 1항), 재산 관리의 방법도 후견인이 재량적으로 결정해야 할 사항이며 기본적으로는 후견인의 재량적 판단에 맡기고 있다. 그리고 가정재판소가 후견인의 재산 관리 상황에 대해서 어느 정도의 보고를 후견인에게 요구 또는 조사를 할지는 그 필요성, 즉 후견인에 의한 부정행위 위험성의 정도에 따른 가정재판소의 합리적인 재량에 맡기고 있다. 본건에서는 ① A의 위 설명 그 자체에 모순이 없는 것, ② 후견 개시·후견인 선임 절차의 때에 후견인의 적격성에 의문이 있음을 보여주는 사정이 없었던 것, ③ E 조사관이 조사 기일의 통지서를 송부했는데 그 다음 날에 A로부터 기일 변경을 의뢰하는 전화가 있었고 변경 후의 기일에 A가 출두했으며 성실한 대응이 이루어지고 있는 것(갑 4), ④ E 조사관이 면접 조사 기일에 A에게 원고의 재산을 관리하는 계좌를 A 명의의 예금계좌에서 원고 명의의 예금계좌로 옮기도록 지도했는데 그 날 은행에서 E 조사관에게 문의가 있어 E 조사관의 지시에 즉시 따르고 있는 것(갑 4) 등의 사정이 인정된다. 그 때문에 E 조사관은 이 단계에서 A에 의한 부정행위를 의심해야 했다고는 할 수 없으며 다음 번 후견 감독 사건의 입건을 약 1년 후인 2006년 2월로 한다는 취지의 의견을 제출한 것을 포함하여 E 조사관의 조사에 상당하지 않은 점은 없고 그 재량권에 일탈, 남용이 있었다고는 할 수 없다.

③ 가령 E 조사관의 조사가 불충분하였다고 하더라도 조사보고서 기재를 바탕으로 한층 더 조사나 심문 등을 할 것인가 후견 감독 처분 사건을 종료시킬 것인가는 가사심판관의 판단에 의한 것이며 다음 번 감독 사건의 입건 시기도 가사심판관이 정하는 것이므로 E 조사관의 조사와 손해 사이에 인과관계를 인정할 수 없다.

(2) 담당 가사심판관의 행위에 대한 위법성 내지 과실 유무

■■■ 원고의 주장

1. 188쪽 2.-(1)과 같이 담당 조사관의 의견에 근거하여 가사심판관이 A를 성년후견인으로 선임한 것에는 과실이 있다.

2. 188쪽 2.-(1)과 같이 담당 조사관의 의견에 근거하여 가사심판관이 다음 번 후견 감독 처분의 입건을 약 1년 후로 한 것에는 과실이 있다.

3. 188쪽 2.-(1)과 같이 A의 부정행위를 알아차렸음에도 불구하고 가사심판관이 즉시 대응하지 않았던 것에는 과실이 있다.

■■■ 피고의 반론

1. 재판관의 독립이나 상소제도에 의한 시정제도의 존재에 비추어 재판관의 직무행위에 국가배상법 1조 1항의 위법이 인정되기 위해서는 당해 재판관이 위법 또는 부당한 목적을 가지고 재판을 했다는 등 그 부여된 권한의 취지에 명백히 위배하여 이를 행사한 것으로 인정할 수 있는 '특별한 사정'이 필요한 바, 담당 심판관은 담당 조사관의 조사를 포함한 사실 조사 결과를 바탕으로 A를 후견인으로 선임했으며 A가 지적 장애인인 것을 인식하지 못한 것으로 그 심판에 상당하지 않은 점은 없다. 따라서 담당 심판관이 A를 후견인으로 선임한 것에 대해서 위법 또는 부당한 목적을 가지고 재판했다는 등의 '특별한 사정'은 없고 국가배상법 1조 1항의 위법을 인정할 수 없다.

2. 마찬가지로 2005년 제1회 후견 감독 사건의 담당 심판관이 다음 번 후견 감독 사건의 입건을 2006년 2월로 한 것에 대해서도 원고는 당해 심판관에게 위법 또는 부당한 목적을 가지고 재판을 했다는 등의 '특별한 사정'에 해당하는 구체적인 사실의 주장을 하지 않았다. 또한 전술한 것과 같이 E 조사관의 조사에 상당하지 않은 점은 없고 이를 바탕으로 가사심판관이 다음 번 후견 감독 처분 사건의 입건을 2006년 2월로 한 것을 상당하지 않다고 할 수도 없다. 따라서 그 행위에 국가배상법 1조 1항의 위법을 인정할 수 없다.

3. 마찬가지로 2006년 제2회 후견 감독 사건 담당 심판관이 한 E 조사관의 조사 보고 후의 대응에 대해서 원고는 당해 재판관에게 위법 또는 부당한 목적을 가지고 재판을 했다는 등의 '특별한 사정'에 해당하는 구체적인 사실의 주장을 하지 않았다. 따라서 2006년 제2회 후견 감독 사건 담당 심판관에게도 '특별한 사정'을 인정할 수 없으므로 그 행위에 국가배상법 1조 1항의 위법을 인정할 수 없다.

(3) B에게 공권력의 행사에 해당하는 공무원의 불법행위가 성립하는지

■■■ 원고의 주장

B는 2004년 1월 1일자로 인권옹호위원에 재임되어 2003년 12월 19일 시점에서 인권옹호위원으로 내정되어 있던 것인 바, A의 상담에 응해 원고를 위해 보험회사와의 합의 교섭을 한 후 스스로 원고의 후견 개시 신청서의 신청의 실정란에 기입하여 2003년 12월 19일 D 조사관에게 인권옹호위원이라고 칭하고 A에 대한 면접 조사에 동석했지만 그 때 A에게 지적 장애가 있는 것을 잘

알고 있었음에도 불구하고 이를 조사관에게 고지하지 않았기 때문에 A를 후견인으로 선임하는 결과를 초래하여 A에 의한 횡령을 야기하게 한 불법행위가 성립한다.

국가배상법의 공무원에는 국가의 위촉에 의해 공무에 종사하거나 보조하는 사람이 포함된다. 인권옹호위원은 법무대신에 의해 위촉되고 그 직무에는 '소송 원조' 기타가 포함되어 있는 것이며, 피후견인인 원고를 위해 보험회사와 합의 교섭을 하고 후견 개시 신청서에 직접 기입하고 인권옹호위원인 것을 나타내어 가정재판소 조사관에게 신청의 실정을 설명하고 보험금을 후견인이 수령하도록 하고 그 후에도 후견인을 원조하는 것은 공권력의 행사에 해당한다.

우연히 B가 인권옹호위원으로서의 임기를 마치던 시기에 후견 개시 신청과 조사 면접이 이루어졌다는 이유로 B의 고지 의무 위반이 공무원의 공권력 행사에 해당하지 않는다고 주장하는 것은 피후견인과의 관계에서는 허용되지 않는다. 그렇지 않다고 해도 인권옹호위원에 재임된 2004년 1월 1일 이후 가정재판소에 A가 지적 장애인임을 고지해야 할 의무가 있었다고 하여야 할 것이다.

■■■ 피고의 반론

B에게 가정재판소에 대한 고지의무가 발생하는 법적 근거는 찾을 수 없다. 애당초 B는 2003년 12월 19일 D 조사관에 의한 면접 조사에 동석하지 않았다. 또한 B가 후견 개시 신청서에 A의 주소와 성명, 신청의 실정을 기입한 것은 종전부터 B가 A의 상담 상대가 되어 있었다고 하는 경위에 의한 것이고 인권옹호위원의 직무로서 한 것은 아니다. B의 행위는 사인으로서 한 것일 뿐 국가배상법 1조 1항에서 규정하는 공권력의 행사에는 해당하지 않는다.

(4) 최고재판소의 조직적인 위법성 내지 고의 유무

■■■ 원고의 주장

최고재판소는 1955년대부터 후견제도에 대한 대응에 대해서 소극적이었고 후견인의 선임에 대해서도 사후 감독에 대해서는 말할 것도 없이 충분한 조사를 할 만한 기능과 예산을 각 가정재판소에 부여하지 않고, 직원 인사에도 대책을 강구하지 않고 방치하고 있었다. 성년후견인 제도가 도입되어서도 그 태도는 바뀌지 않고 예산도 인원 증가도 조치가 이루어지지 않았다. 원래 재판소는 사법기관이자 행정기관이며 최고재판소는 하급 재판소에 대해서는 행정기관의 정점이며, 하급 재판소의 사법의 원활한 수행을 위한 지침과 원조와 감독의 책임이 있다. 예를 들면, 후견인 후보자에게 현재 오사카大阪 가정재판소에서 사용하는 조회서(갑 7) 등에 기재를 하게 하는 등, 정형적인 서면을 활용하는 운용을 각 가정재판소에 대하여 지도해야 했다. 또한 작업량에 따른 예산 조치도 강구되지 않아서 가사심판관이나 조사관, 서기관은 사건 수가 증가하는 가운데 적은 인원 때문에 심문에도 사정청취에도 필연적으로 시간을 아끼며 후견인 후보자의 지능지수 · 상식의 존재 여부 · 정도의 파악도 불충분하게 되어 본건과 같은 사태가 발생하게 된다. 본건 A들에 의한 횡령은 전술한 이유로 일어나게끔 해서 일어난 최고재판소 담당관의 조직적인 미필적 고의와 개괄적 고의에 의한 것이다.

■■■ 피고의 반론

원고의 주장은 담당 조사관 및 담당 가사심판관의 행위가 국가배상법 1조 1항의 위법이 있는 것을 전제로, 성년후견제도 운용을 위해 히로시마 가정재판소 후쿠야마 지부의 가사심판관이나 가정재판소 조사관의 인적 태세의 불비를 말하는 것이고 담당 조사관 및 담당 가사심판관의 행위에 국가배상법 1조 1항의 위법성이 부정될 때, 태세 불비에 관하여 독자적으로 국가배상법 1조 1항의 위법성이 긍정되는 것은 아니라고 해석된다. 따라서 태세 불비의 주장이 본건 소송에서 의미 있는 주장이라고는 할 수 없다. 또한 히로시마 가정재판소 후쿠야마 지부의 가사심판관이나 가정재판소 조사관의 태세에 불비도 없다.

제3 본 재판소의 판단

1. 전제사실에 증거(갑 2 내지 5, 9, 10) 및 변론의 전체 취지를 종합하면 다음의 사실이 인정된다.

(1) A는 입원 내지 입소 중인 원고를 문병하여 교통사고의 상대방이 가입한 보험회사와의 사이에서 합의 교섭을 하고 그 과정에서 B에게 상담을 받고 있었다. A는 합의 교섭 중에 상대방 보험회사로부터 조언을 받아 2003년 12월 1일 자기를 후견인 후보자로 하여 히로시마 가정재판소 후쿠야마 지부에 원고의 성년후견 개시 신청을 했다. A는 그 때 후견 개시 신청서의 신청인란, 본인 및 성년후견인 후보자란 등에 대해서는 스스로 기재했지만 신청의 실정란에 대해서는 기재해야 하는 내용을 자신이 정확하게 기재하는 것은 어렵다고 느꼈기 때문에 B에게 의뢰하여 기재 받았다.

전술한 후견 개시 사건의 조사를 담당한 D 조사관은 원고의 병세나 원고와 A의 관계 등을 확인하여 같은 달 19일 A에 대한 면접 조사에서 A의 경력이나 생활력, 생활 형편, 심신의 상황, 경제 상태, 후견의 방침 등을 청취했다. 그 때, A가 요육수첩을 교부 받은 것 등 정신지체를 보여주는 사정이나 어려운 경제 상태 등에 대해서 A나 동석한 C로부터 신고가 없고 A의 거동 등에서도 의심을 품을 상황은 없었다. 그래서 D 조사관은 다시 필요한 조사를 한 후 2004년 2월 9일 원고에 대해서 후견을 개시하고 A를 후견인으로 선임한 후 합의의 상황에 따라 원고의 재산에 변동이 있을 것이 예측된다고 하여 후견 감독 구분을 B로 하고 다음 번 후견 감독을 2005년 2월 무렵에 하는 것이 상당하다고 하는 의견을 붙인 조사보고서를 제출했다.

담당 심판관은 2004년 2월 18일 D 조사관의 위 조사 보고 등에 근거하여 원고에 대해서 후견을 개시하고 그 후견인으로서 A를 선임한다는 취지로 심판하고 그 심판은 같은 해 3월 11일 확정되었다. 또한 후견 감독 구분을 B로 하고 다음 번 후견 감독을 2005년 2월 무렵에 실시하기로 했다.

(2) 그 후 원고가 당한 교통사고의 상대방 보험회사와 화해가 성립하여 2004년 11월 1일 A 명의의 보통예금계좌에 상대방 보험회사로부터 합계 4,803만 1,500엔이 입금되었지만 A는 C와 함께 같은 달에 10회에 걸쳐 합계 160만 엔 남짓을, 같은 해 12월에 6회에 걸쳐 합계 160만 엔 남짓을, 2005년 1월에 3회에 걸쳐 합계 90만 엔 남짓을 각각 위 예금계좌에서 인출하여 일부를 원고의 필요 경비로 지출한 외에는 그 대부분을 A들의 생활비나 파친코 등의 유흥비 등으로 소비했다.

(3) E 조사관은 원고의 제1회 후견감독 사건에서 A에게 조사기일 통지서를 송부했는데, 그 다음날에 A로부터 기일 변경을 의뢰하는 전화가 있어 변경 후의 기일인 2005년 2월 22일에는 A가 출두하고 C도 동석하여 A에 대한 면접 조사를 실시하였고 후견 사무나 재산 관리 상황에 대해서 청취했는데 위 예금계좌에 잔고가 4,333만 엔 남짓으로 되어 있던 점에 대해서 사정을 물었다. 이에 대해 A가 "급한 지출에 대비하여 늘 수중에 현금으로 300만 엔을 관리하고 있다."고 설명하고 원고를 위해 매달 필요한 지출 합계액은 25만 엔 정도라는 등의 설명을 들었지만 출납장 등이 없었고 일부 보존하고 있는 영수증도 정리되지 않았고, 지출 내역이 불분명했기 때문에 향후의 관리방법으로서 현재대로 현금을 관리한다면, 출납장을 기재하거나 수중에는 현금을 두지 말고, 매달 필요한 정액을 인출하고 임시 지출이 있으면 별도로 그 금액을 인출하도록 하고 그 경우에는 통장에 비목을 기재하든가 (둘 중) 하나의 방법으로 하도록 A를 지도했다. 또한 E 조사관은 원고의 예금 전액을 A 명의의 위 예금계좌에서 피후견인인 원고 명의로 바꾸도록 A에게 지도하고 A는 이 날 주식회사 중국은행 신스지점에서 'X 후견인 A' 명의의 보통예금계좌를 개설하여 4,333만 768엔을 이 예금 계좌에 입금했다. E 조사관은 위 예금이 바뀌어 예치되었음을 확인하고 A의 정신지체에 대해서 의심을 품지 않고 같은 달 23일 가사심판관에게 당분간은 수입 지출의 확인을 중심으로 한 감독을 계속해 나갈 필요가 있다며 감독 구분은 B 그대로, 다음번은 약 1년 후인 2006년

2월에 입건하는 것이 상당하다는 취지의 의견을 보고했다.

그러나 늘 수중에 현금으로 300만 엔을 관리하고 있다는 A들의 위 설명은 사실에 반하는 거짓을 말한 것이고 원고를 위해 매달 필요한 지출 합계액이 25만 엔 정도라는 설명도 필요 경비의 금액을 부풀려서 신고한 것이었다.

이러한 경과로 A는 C와 공모한 후 위 예금 계좌에서 합계 3,794만 3,877엔을 업무상 횡령했다.

(4) E 조사관은 제2회 후견 감독 사건에서 2006년 3월 15일, 후견인인 A에 대한 면접 조사를 실시했는데 그 때 어머니인 C도 동석했다. E 조사관은 A의 전화 연락이 있어서 다음날인 16일에도 A에 대하여 면접 조사를 실시했다. 그 때, B가 동석했다. 위 면접 조사 결과, 피후견인의 재산의 대부분이 사라졌으며 3,614만 2,196엔의 용도 불명의 돈이 있는 것이 밝혀졌다. A 및 C는 "피후견인을 위해 소비한 것 이외에 사용한 기억은 없다. 마음에 짚이는 것이 없다." 등으로 불합리한 변명을 되풀이했기 때문에 E 조사관은 A들에 의해 사적으로 소비된 것을 의심하고 A에 대하여 피후견인의 계좌로 되돌려 놓아야 할 재산이 있으면 시급히 송금해 둘 것, 계좌의 카드는 후견인이 관리할 것, 향후 인출은 필요 최소한으로 그치고 지출 비목과 금액을 명확히 하고 영수증을 보관해 두도록 지시했지만 이대로 방치해 두면, 피후견인의 재산이 끊임없이 감소할 위험이 있기 때문에 빨리 절차를 추진할 필요가 있다고 생각하여 향후의 방침으로서 ① 후견인(필요에 따라 후견인의 어머니 O)에 대한 심문을 하고 없어진 재산의 용도를 확인하고 용도 불명금의 금액을 확정한다, ② 제3자(변호사)를 새로 후견인으로 추가하여 재산 관리를 맡기고 현재 후견인의 권한은 신상 감호에 그치게 하여 후견 사무를 분장한다, ③ 후견인과의 사이에서 용도 불명금에 대한 채권 채무를 확정하여 변제에 관한 결정을 한다고 하는 흐름을 생각할 수 있다는 의견을 붙인 조사 보고서를 같은 달 28일 제출했다.

(5) 담당 가사심판관은 위 조사보고의 의견에 따라 심리를 하고 같은 해 7월 14일 F 변호사(현재의 후견인)를 원고의 성년후견인으로 선임하는 심판을 하고 게다가 그 후 A가 위 거액의 용도 불명금에 대해서 합리적인 설명을 하지 못하는 것 등으로부터 A에게 후견 임무에 적합하지 않은 사유가 있음이 분명하다고 하여 같은 해 10월 17일 원고의 성년후견인 A를 해임하는 심판을 하였다.

2. 담당 조사관의 조사에서의 위법성 내지 과실 유무에 대해서

(1) 가정재판소 조사관의 조사는 가정재판소에 그 심판의 참고 자료를 제공하기 위해 이루어지고 가사심판관이 이를 참고하여 심판을 한다. 가정재판소 조사관은 그 전문성을 활용하여 사안에 따

른 적절한 조사를 할 것이 기대되고 있어 조사 대상, 방법, 정도 등에 대해서 재량을 가진다.

후견인에 대해서는 후견인 후보자의 직업 및 경력 그리고 피후견인과의 이해관계 유무, 피후견인의 의견 기타 일체의 사정을 고려하여 가정재판소가 직권으로 선임하도록 되어 있으며(민법 843조), 후견인 선임에 관한 가정재판소의 조사 및 선임에 대해서는 광범위한 재량이 인정되고 있다.

(2) D 조사관은 A의 면접 조사에서 A의 경력이나 생활력, 생활 형편, 심신의 상황, 경제 상태, 후견의 방침 등을 청취한 결과, A가 고등학교에 진학하고 몇 년 이상 일정한 직장에 다닌 것에 대해서 독립한 가계를 영위하는 능력을 가지고 있는 것으로 인정하고 그 때, A가 요육수첩의 교부를 받고 있는 것 등의 정신지체를 보여주는 사정이나 어려운 경제 상태 등에 대해서 A나 동석한 C로부터 신고가 없었고 A의 거동 등에서도 의심을 품을 상황은 아니었으며 원고 주장의 조회서(갑 7의 1, 2)를 사용하고 있었다고 해도 그 상황에 변동을 가져올 것으로 인정할 사정은 찾을 수 없다. A들에 대한 업무상 횡령 형사재판에서 A의 정신 감정을 담당한 H 증인도 A와 통상의 대화를 하고 있는 한에서는 지적 장애라고는 알지 못할 가능성이 있다는 취지를 공판정에서 진술한 것(갑 10)을 고려하면 D 조사관이 조사 시 A의 지적 장애의 정도 혹은 그 가능성을 쉽게 인식할 수 있는 상황이었다고는 인정되지 않는다. 그렇다면 D 조사관이 A의 지적 장애 등에 대해서 인식할 수 없었다고 해도 어쩔 수 없다고 할 것이고, D 조사관이 굳이 A의 구체적인 지적 능력이나 재산 관리 능력에 대하여 추가적으로 조사를 하지 않은 것을 가지고, 그 재량을 일탈하여 직무상의 주의의무에 위반한 것이라고는 인정할 수 없다. 또한 D 조사관이 성년후견인의 직무나 재산 관리를 적정하게 하여야 할 것에 관하여 설명하지 않고 A에게 팸플릿을 건넸을 뿐이었다고 하는 A의 진술은 피고인으로서 재판 받던 A의 입장이나 통상 조사의 운용에 비추어 보면 믿을 수 없고, 가령 위 조사관이 그러한 설명을 하지 않았더라도 A가 업무상 횡령을 해서는 안 되는 것은 충분히 인식하고 있었음은 분명하므로 A가 업무상 횡령한 것과 인과관계를 가지는 직무상의 위반이라고는 할 수 없다.

(3) 제1회 후견 감독 사건에서 E 조사관은 470만 엔 남짓의 인출에 대한 A에 의한 허위의 설명이나 원고를 위한 필요 경비의 과대 신고를 믿고 인출된 470만 엔 남짓의 대부분이 원고와 상관없이 A들을 위해 소비된 것을 간파할 수 없었던 것으로 되었지만, A의 설명 그 자체에 모순이 없었던 점이나 후견 개시·후견인 선임 절차의 때에 후견인의 적격성에 의문이 있음을 보여 준 사정이 없었던 것, 또한 E 조사관이 조사기일 통지서를 송부했는데, 그 다음날에 A로부터 기일 변경을

의뢰하는 전화가 있었고 변경 후의 기일에 A가 출두했으며 성실한 대응이 이루어진 것, E 조사관이 면접 조사 기일에 A에게 원고의 재산을 관리하는 계좌를 A 명의의 예금계좌에서 원고 명의의 예금계좌로 옮기도록 지도했는데, 그날 중에 은행에서 E 조사관에게 문의가 있어, E 조사관의 지시에 즉시 따르고 있는 점에 비추어 보면 E 조사관이 A의 거짓말을 간파할 수 없었던 것도 어쩔 수 없었던 것이라 할 것이다. 후견인은 성년후견제도에서 본인의 재산을 관리하는 포괄적인 권한을 부여 받고 있으며(민법 859조 1항), 재산 관리의 방법도 후견인이 재량적으로 결정해야 할 사항이며, 기본적으로는 후견인의 재량적 판단에 맡기고 있다. 그리고 가정재판소가 후견인의 재산 관리 상황에 대해서 어느 정도의 보고를 후견인에게 요구하거나 조사를 할지는 그 필요성, 즉 후견인에 의한 부정행위 위험성의 정도에 따른 가정재판소의 합리적인 재량에 맡기고 있다. E 조사관은 이 단계에서 A에 의한 부정행위를 의심했어야 했다고는 할 수 없으며 다음 번 후견 감독 사건의 입건을 약 1년 후인 2006년 2월로 한다는 취지의 의견을 제출한 것을 포함하여 E 조사관의 조사에 상당하지 않은 점은 없고 그 재량권에 일탈, 남용이 있었다고는 할 수 없다.

(4) 제2회 후견 감독 사건에서 E 조사관은 A에 대한 면접 조사 결과, 거액의 용도 불명금이 있는 것이 판명되자 이대로 방치하면 피후견인의 재산이 끊임없이 감소할 위험이 있기 때문에 빨리 절차를 추진할 필요가 있다고 생각하여 신속하게 한층 더 횡령이 이루어지지 않도록 A에게 필요한 제반 사항을 지시한 후, 향후의 방침으로서 ① 후견인(필요에 따라 후견인의 어머니 C)에 대한 심문을 하고 없어진 재산의 용도를 확인하고 용도 불명금의 금액을 확정한다, ② 제3자(변호사)를 새로 후견인으로 추가하여 재산 관리를 맡기고 현재 후견인의 권한은 신상 감호에 그치게 하여 후견 사무를 분장한다, ③ 후견인과의 사이에서 용도 불명금에 대한 채권 채무를 확정하여 변제에 관한 결정을 한다고 하는 흐름을 생각할 수 있다는 의견을 붙인 조사 보고서를 제출했으며 위의 방침은 대처 방법으로서 적절한 것이라고 할 것이고, E 조사관에게 그 재량을 일탈한 직무상의 주의의무 위반은 인정되지 않는다.

3. 담당 가사심판관의 행위에 대한 위법성 내지 과실 유무에 대해서

(1) 재판관의 직무행위에 국가배상법 1조 1항의 위법이 인정되기 위해서는 당해 재판관이 위법 또는 부당한 목적을 가지고 재판을 했다는 등 그 부여된 권한의 취지에 명백히 위배하여 이를 행사한 것으로 인정할 수 있는 특별한 사정이 있을 것을 필요로 하는[최고재판소 昭和57年 3月 12日 제2소법정 판결 · 민집(民集) 36권 3호 329쪽] 바, 가사심판관은 D 조사관의 조사 결과 등을 바탕으로 A를 후견인으로 선임했으며 A에게 정신지체가 있는 것이나 A의 경제 상태가 나쁜 것을

의심하고 추가적으로 보충 조사를 명하거나 스스로 사실 조사를 실시할 것이 필요한 상황에 있었던 것으로는 인정할 수 없으므로 A를 성년후견인으로 선임했다고 해도 어쩔 수 없다고 할 수밖에 없고 위법 또는 부당한 목적을 가지고 재판했다는 등의 특별한 사정은 인정되지 않는다. 따라서 A를 원고의 성년후견인으로 선임한 심판에 관하여 담당 가사심판관에게 직무상의 주의의무 위반은 없고 그 행위에 위법성 내지 과실은 없다.

(2) 제1회 후견 감독 사건에서 가사심판관이 A의 거짓말을 간파하지 못하고 다음번 후견 감독 사건의 입건을 2006년 2월로 하여 종료한 것에 관하여도 E 조사관의 조사 결과 등을 감안한 판단이며, A들의 횡령을 의심하고 더욱 뒤쫓아 보충 조사를 명하거나 스스로 사실 조사를 실시할 것이 필요한 상황에 있었던 것으로는 인정할 수 없으므로 담당 가사심판관에게 위법 또는 부당한 목적을 가지고 다음 번 입건을 약 1년 후로 하여 감독 사건을 종료한 특별한 사정은 인정되지 않는다. 따라서 담당 가사심판관에게 직무상의 주의의무 위반은 없고 그 행위에 위법성 내지 과실은 없다.

(3) 제2회 후견 감독 사건에서 담당 가사심판관은 E 조사관으로부터 거액의 용도 불명금이 있는 것이 판명되었다는 취지의 보고를 받고 조사관의 의견에 따라 대응하고, 제3자(변호사)를 새로 후견인으로 추가하여 재산 관리를 맡기고 현재 후견인의 권한은 신상 감호에 그치게 하여 후견 사무를 분장하는 심판을 하고 있으며 가사심판관이 위법 또는 부당한 목적을 가지고 방치했다는 등의 특별한 사정은 인정되지 않는다. 따라서 담당 가사심판관에게 직무상의 주의의무 위반은 없고 그 행위에 위법성 내지 과실은 없다.

4. B에게 공권력의 행사에 해당하는 공무원의 불법행위가 성립하는지

(1) 전제사실과 증거(갑 2, 3, 5) 및 변론의 전체 취지를 종합하면 B는 후견 개시 신청 때 및 2003년 12월 19일 당시에는 인권옹호위원이 아니었고 A에게 사적으로 상담을 해 주고 있었는데 후견 개시 신청서의 신청의 실정란에 관하여 A가 기재해야 할 내용을 자신이 정확하게 기재하는 것은 어렵다고 느꼈기 때문에 B에게 의뢰하여 기재 받은 것, 2003년 12월 19일 B는 A와 함께 가정재판소에 갔지만 면접 조사 때에는 A와 동석하지 않은 것, 면접 조사 때에 B가 동석한 것은 2006년 3월 16일 면접 조사 때인 것, B는 보험회사와의 합의 교섭 자리에는 동석한 것이 인정된다.

(2) 인권옹호위원은 국민의 기본적 인권이 침해되지 않도록 감시하고 만약 이것이 침해된 경우에는 그 구제를 위해 신속하고 적절한 조치를 취함과 동시에 항상 자유 인권 사상의 보급 및 고양에

노력하는 것이 그 사명으로 되어 있다(인권옹호위원법 2조).

이 인권옹호위원의 사명 및 전술한 전제사실 그리고 위 (1)의 인정사실에 의하면 B는 인권옹호위원이 아니라 사인으로서 A의 상담에 응하고 있었던 것이며, 원고가 주장하는 B의 본건에 대한 관여는 인권옹호위원으로서 한 것이라고는 인정되지 않으므로 공권력의 행사에 관련된 것으로는 인정되지 않는다.

또한 2003년 12월 19일 A에 대한 조사 면접에 B는 동석하지 않았던 것이므로 위 조사 면접에서 가정재판소 조사관에 의한 조사가 어떻게 이루어졌는지를 직접 보고 듣지 않은 이상 A의 정신지체는 성년후견인의 결격 사유(민법 847조)에 해당하지 않으므로 B가 인권옹호위원에 재임된 2004년 1월 1일부터 인권옹호위원으로서 가정재판소에 대하여 A가 지적 장애인임을 고지해야 할 의무가 발생한다고도 할 수 없다.

5. 최고재판소의 조직적인 위법성 내지 고의 유무에 대해서

원고는 성년후견제도의 인사 및 예산 등의 태세를 충분히 정비해 오지 않았기 때문에 담당 조사관 혹은 담당 심판관에게 직무상의 주의의무 위반을 초래하여, A들의 횡령을 가져왔다고 하여 최고재판소 담당 직원의 조직적인 미필적이고 개괄적 고의를 주장하고 있는데 담당 조사관 혹은 담당 심판관에게 직무상의 주의의무 위반이 있는 것으로 인정할 수 없는 것은 앞서 보인 인정과 같으므로 전제를 결여한 것으로서 채용할 수 없다.

결 론

이상에 의하면 원고의 본건 청구는 이유가 없으므로 기각해야 하기 때문에 주문과 같이 판결한다.

■재판장 재판관 金馬健二 재판관 山口格之 長谷川利明

[2] 항소심 : 히로시마 고등재판소 平成24年 2月 20日 平22(ネ)450号 손해배상 청구 항소 사건

항소심에서도 B가 인권옹호위원으로서가 아니라 사인으로서 A의 상담에 응하고 있었던 것으로 추인되며 또한 가정재판소 조사관의 면접 조사에 B가 입회한 것을 인정할 확실한 증거도 없기 때문에 항소인이 주장하는 위법을 인정하지 않았고 최고재판소 담당 직원에게 조직적인 미필적이고 개괄적 고의가 있다는 주장도 받아들이지 않았다.

다만 원심과 달리 항소심 재판부는 제2회 후견 감독 이후에 A들이 항소인의 예금에서 돈을 인출하여 착복한 총액인 231만 엔에 대해서 피항소인인 국가는 국가배상법 제1조 제1항에 의거하여 항소인(피후견인)이 입은 손해 231만 엔을 배상해야 할 의무가 있다고 판시하였다.

항소심 재판부는 재판관의 독립과 상소 제도에 의한 시정 제도의 존재에 비추어 보면 재판관의 직무 행위에 국가배상법 제1조 제1항의 위법이 인정되기 위해서는, 당해 재판관이 위법 또는 부당한 목적을 가지고 재판을 했다는 등 그 부여된 권한의 취지에 명백히 위배하여 이를 행사한 것으로 인정될 수 있는 '특별한 사정'이 필요하다고 한 피항소인 국가의 주장에 대해서 위 법리는 재판관이 하는 쟁송의 재판에 대해서 적용되는 것인 바, 가사심판관이 직권으로 하는 성년후견인의 선임과 그 후견감독은 심판의 형식을 가지고 이루어지지만 그 성질은 후견적인 입장에서 하는 행정 작용에 유사한 것으로, 쟁송의 재판과는 성질을 달리하는 것이라고 하면서 받아들이지 않았다.

그리고 항소심 재판부는 가사심판관이 하는 성년후견인의 선임이나 후견 감독이 피해를 입은 피후견인과의 관계에서 국가배상법 제1조 제1항의 적용상 위법으로 되는 것은 구체적 사정 아래에서, 가사심판관에게 주어진 권한이 일탈되어 현저하게 합리성을 결하였다고 인정되는 경우에 한한다고 할 수 있다고 전제하였다. 따라서 가사심판관이 한 성년후견인의 선임과 그 후견 감독에 어떠한 불비가 있었다는 것만으로는 부족하고 가사심판관이 그 선임 시에 성년후견인이 피후견인의 재산을 횡령하는 것을 인식하고 있었다거나 또는 성년후견인이 피후견인의 재산을 횡령하는 것을 용이하게 인식할 수 있었음에도 불구하고 그 사람을 성년후견인으로 선임했다든가, 성년후견인이 횡령 행위를 하고 있는 것을 알고 있었다든가 횡령 행위를 하고 있는 것을 쉽게 인식할 수 있었음에도 불구하고 추가 피해의 발생을 방지하지 않았던 경우 등에 한정된다고 판시하였다.

항소심 재판부는 담당 조사관이나 담당 가사심판관이 A를 항소인의 성년후견인으로 선임한 때, A가 항소인의 재산을 횡령하는 것을 인식하고 있었다고 인정할 만한 증거는 없고 인정사실에 의해서도 위 담당 조사관과 담당 가사심판관이 A가 항소인의 재산을 횡령하는 것을 용이하게 인식할 수 있었다고 할 수도 없다고 판단하여 담당 가사심판관이 A를 항소인의 성년후견인으로 선임한 것이 위법하다는 항소인의 주장을 받아들이지 않았다.

그리고 제1회 후견 감독과 관련해서는 A가 조사관의 지도를 순순히 따르고 있으므로 조사관이 A의 설명을 믿고 A의 횡령에 대해서 의심을 품지 않았던 것이 현저하게 합리성을 결여하였다고까지 말할 수는 없고, 적어도 조사관이나 담당 가사심판관이 A가 횡령 행위를 하고 있는 것을 쉽게 인식할 수 있었다고 할 수는 없다고 판시하였다.

반면 제2회 후견 감독과 관련해서는 A들이 항소인의 예금에서 돈을 인출하여 이를 착복하는 횡령을 하고 있었음에도 불구하고 이를 인식한 담당 가사심판관이 이를 방지하는 감독 처분을 하지 않았던 것은 가사심판관에게 주어진 권한을 일탈하여 현저하게 합리성을 결여하였다고 인정되는 경우에 해당하여 국가배상법 제1조 제1항의 적용상 위법으로 된다고 할 것이고 또한 담당 가사심판관에게 과실이 있었던 것도 분명하다고 하면서 제2회 후견 감독 이후에 A들이 항소인의 예금에서 돈을 인출하여 착복한 총액인 231만 엔을 손해배상으로 항소인에게 지급할 의무가 있다고 판시하였다.

주 문

1. 원심 판결을 다음과 같이 변경한다.

   (1) 피항소인은 항소인에게 231만 엔을 지불하라.

   (2) 항소인의 나머지 청구를 기각한다.

2. 소송비용은 제1, 2심을 통하여 이를 15분하여 그 1을 피항소인이 부담하고 나머지는 항소인이 부담한다.

사실과 이유

제1 항소의 취지

1 원심 판결을 취소한다.

2 피항소인은 항소인에게 3,494만 3,877엔을 지불하라.

3 소송비용은 제1, 2심 모두 피항소인이 부담한다.

제2 사안의 개요(약칭은 특별히 기재하지 않는 한 원심 판결에 따른다)

1. A는 히로시마(広島) 가정재판소 후쿠야마(福山) 지부에서 항소인의 성년후견인으로 선임되었는데 그 재임 기간 중에 항소인의 예금에서 3,794만 3,877엔을 횡령했다.

   본건은 항소인이 A에게 지적 장애가 있어서 재산 관리 능력이 없었기 때문에 가사심판관의 A에 대한 성년후견인의 선임, 그 후의 후견 감독 등에 위법이 있었다는 등으로 하여, 또한 인권옹호위원에 위촉되어 있던 B가 가정재판소 조사관에게 A의 지적 장애를 고지하지 않은 것에 위법이

---

63) 2012년

있었다고 하여, 국가배상법 1조 1항에 근거하여 피항소인에 대하여 배상금 3,794만 3,877엔의 지불을 요구하는 것에 대하여 피항소인이 항소인의 청구를 다투는 사안이다.

원심 판결은 항소인의 청구를 기각했기 때문에 항소인이 항소를 했다. 또한 항소인은 이번 재판에서 A 등으로부터 300만 엔의 변제를 받았다고 하여 위 제1의 2와 같이 청구를 감축했다.

2. 전제사실은, 원심 판결의 '사실 및 이유'란 '제2 사안의 개요'의 1항(원심 판결 2쪽 11행부터 5쪽 20행까지. 단, 4쪽 1행의 '4,803만 엔'을 '4,803만'으로 고친다)에, 쟁점 및 쟁점에 대한 당사자의 주장은 후술하는 3.에 당사자의 본 재판에서의 주장을 부가하는 외에는, 원심 판결의 '사실 및 이유'란의 '제2 사안의 개요'의 2항(원심 판결 5쪽 21행부터 13쪽 23행까지)에 기재된 대로이므로 이것들을 인용한다.

3. 당사자의 본 재판에서의 주장

■■■ 항소인

(1) A를 성년후견인으로 선임한 것의 위법

① 가사심판관은 항소인이 받는 보험금이 수천만인 것을 인식하고 있었으므로 A에 대한 적격성 심사를 신중하게 해야 했다. 그러한 심사를 했으면 타인의 재산을 관리할 능력이 없는 A를 항소인의 성년후견인으로 선임하는 일은 없었을 것이다. 그러나 가사심판관은 그 재량권을 일탈, 남용하여 A를 항소인의 성년후견인으로 선임한 것이므로 이 선임은 위법이다.

② 담당 가정재판소 조사관(이하 '담당 조사관'이라 한다)은 A에게 성년후견인의 역할 및 임무에 대해서 충분한 설명을 하지 않았다. 이것이 이루어졌다면 항소인의 손해 확대를 저지할 수 있었다.

(2) 후견 감독의 위법

① 제1회 후견 감독에 대해서

담당 조사관은 A의 면접 조사에서 A가 보험금 입금 후 4개월이 안 되는 중에 470만 엔을 인출하였음을 확인하였고 이에 대한 A의 설명은 예금의 인출 상황과 조화를 이루지 못한 부자연스러운 것이었다. 그렇다면 담당 조사관은 A의 지적 장애를 의심하여 적어도 3개월 정도 먼저 A가 수중에 보유하는 돈의 관리를 변경하고 있는지 확인했어야 했다. 그러나 담당 조사관은 위 조사를 게을리 하여 그 다음의 후견 감독 사건의 입건을 1년 후로 설정한 것이므로 그 재량권을 일탈, 남용한 위법이 있다.

② 제2회 후견 감독에 대해서

담당 조사관은 A의 면접 조사에서 거액의 용도 불명금이 있는 것을 발견하고, 이대로 방치하면 피후견인의 재산이 더욱 감소할 위험이 있다고 하여 시급하게 절차를 진행할 필요가 있다고 생각했음에도 불구하고 불충분한 대처 방침을 입안한 것에 불과해서 그 후의 A들의 횡령을 막지 못한 것이므로 재량권을 일탈, 남용한 위법이 있다.

(3) 최고재판소의 조직적인 위법에 대해서

최고재판소는 전국의 성년후견제도 운용 상태를 파악할 수 있었던 것이므로, 성년후견인의 선임과 그 감독, 피후견인이 소유하는 돈의 부정사용을 점검하는 구조 등을 전국적으로 지도 내지 제도화해야 하였는데 이를 게을리 했다. 그 때문에 본건 횡령이 발생한 것이다.

■■■■ **피항소인**

(1) 담당 조사관의 직무상의 주의의무는 가정재판소 내부의 것에 그치고 피후견인에 대하여 부담하는 것은 아니다. 또한 가사심판관의 직무행위에 국가배상법 1조 1항의 위법이 인정되기 위해서는 가사심판관이 위법, 부당한 목적을 가지고 재판을 했다는 등 그 부여된 권한의 취지에 위배하여 이를 행사했다고 인정될 수 있는 특별한 사정이 필요하지만 그러한 사정은 없다.

(2) A를 성년후견인으로 선임한 것의 위법에 대해서

① A를 성년후견인으로 선임한 것에 대해서 담당 조사관의 조사 및 가사심판관의 심판에 위법한 점은 없다.

담당 조사관은 A가 성년후견인 후보자로서 신청되었기 때문에 A를 조사하여 임무에 적합하다고 판단하고 그 취지의 의견을 제출한 것이다. 그 때 A로부터 여러 사항을 청취했지만 그 대화에서 A에게 지적 장애가 있는 것까지는 인식할 수 없었다. 또한 신청서의 일부가 A 이외의 자에 의해 기재되어 있었지만 실무상 그러한 일은 드문 것은 아니다.

② A는 성년후견인의 직무를 이해하고 있으며 담당 조사관으로부터도 그 역할 및 임무에 대해서 설명을 듣고 있었다. 가령 설명에 문제가 있었다고 해도 그것과 A의 횡령과의 사이에 상당인과 관계는 없다.

(3) 후견 감독의 위법에 대해서

① 제1회 후견 감독에 대해서

성년후견인에게는 본인의 재산을 관리하는 포괄적인 권한이 부여되어 있고 그 재산 관리의 방법은 후견인이 재량적으로 결정해야 할 사항이다. 담당 조사관은 A에게 현금 관리의 방법을 지도하고 예금을 피후견인(항소인) 명의의 계좌로 바꾸도록 지도한 바, A가 즉시 지도에 따랐다. 그래서 담당 조사관은 다음번의 후견 감독 사건의 입건 시기를 1년 후로 하는 의견을 제출한 것이 므로 재량권의 일탈, 남용은 없다. 또한 가사심판관은 A의 부정행위를 의심해야 할 상황이 없었기 때문에 거듭 추궁하는 보충 조사를 명하지 않았던 것이다.

② 제2회 후견 감독에 대해서

담당 조사관이 보고서에 기재한 향후의 방침은 대처 방법으로서 적절하며 재량권의 일탈, 남용은 없다.

(4) 항소인은 2011년 ○월 ○일, C 및 A의 사이에서 A의 C에 대한 400만 엔의 손해배상채권을 A가 항소인에게 부담하는 손해배상 의무 중 400만 엔의 대물변제로서 항소인에게 양도하는 취지의 화해를 성립시켰으므로 항소인의 손해의 일부는 회복되었다.

제3 본 재판소의 판단

1. 결론

본 재판소는 항소인의 청구는 피항소인에 대하여 231만 엔을 항소인에게 지불하도록 구하는 한도에서 이유가 있고 나머지 청구는 이유가 없는 것으로 판단한다. 그 이유는 아래와 같다.

2. 본건 분쟁에 이른 경위

전술한 전제사실, 증거(갑 2, 11, 21 내지 49 및 관계 부분에서 든 각 증거) 및 변론의 전체 취지를 종합하면 본건 분쟁에 이른 경위로서 다음과 같은 사실이 인정된다.

(1) A들의 지적 장애(갑 13, 16, 20)

① A는 1969년 ○월 ○일, D의 자녀(여성)로 출생했지만 어릴 적부터 정신 발달이 늦어 1977 년 ○월, 경증 정신박약(IQ 65, 정신 연령 5세 2개월)으로 판정되어 장애정도 B의 요육수첩의 교부

를 받아 초중학교를 장애아 학급에서 공부하고 졸업 후에는 D가 근무하고 있던 ○○공장에서 일하는 동시에 정시제 고등학교에 통학하고, 도중 통신제 고등학교로 전학했다. A는 위 ○○회사에 약 7년간 근무했고 그 후 ○○에서 물품의 출납 등의 아르바이트를 하였고 그 사이 1993년 무렵, 양친(D와 양아버지)의 슬하에서 독립하여 아버지가 다른 남동생 및 여동생과 동거하면서 자신의 수입이나 장애인 연금 외에 동생들의 수입, 교제 상대인 남성(C)의 원조 등에 의해 생계를 유지하고 있었는데 2004년 ○월 중증 정신지체(IQ 47, 정신 연령 8세 4개월)로 판정되어 장애정도 B의 요육수첩이 교부되었다.

A는 한정된 범위 내라면 일상대화를 할 수 있지만 복잡한 이야기는 어렵고 간단한 읽기와 쓰기(대부분 히라가나의 문장 밖에 작성하지 못한다)나 간단한 금전의 계산과 어느 정도 추상적 사고는 가능하고 직업생활도 그럭저럭 가능하며 ATM(현금 자동 입출금기)을 조작하여 예금을 인출하거나 은행 창구에서 예금을 인출할 수 있지만 그 지적 능력은 초등학교 3학년 내지 4학년 정도밖에 되지 않았다. 또한 후술하는 형사재판의 정신 감정의 검사(2008년 ○월 ○일)에서도, IQ 46, 중증 정신지체로 감정되었다.

② D도 2004년 ○월, 중증 정신지체(IQ 40, 정신 연령 7세 2개월)로 판정되어 장애정도 B의 요육수첩을 교부 받았고 사회 적응 능력은 A보다 뒤처져 있었는데 남편과 시가 운영하는 주택에 거주하고 장애인 연금이나 생활 보호를 받아 생활하면서 A와는 빈번하게 교류를 하고 있었다.

(2) 항소인의 상해와 그 후의 경과

① 항소인은 D의 남동생(A의 외숙부)인데 2001년 ○월 ○일, 교통사고를 당해 뇌좌상 등의 상해를 입고 의식장애, 사지 마비 등의 후유장애가 남아 병원을 옮기기를 거듭한 후, 2004년 ○월 ○일, 사회복지법인 ○○신체장애자 치료보호시설 ○○홈에 입소하였고 뇌혈관 장애에 의한 체간 기능장애 1급 인정을 받았다. 항소인은 이른바 식물인간 상태에 빠져서 다른 사람과의 의사소통이 불가능하게 되었다.

② D 및 그 가족은 항소인과 친척으로 교제를 하고 있었는데 D와 A는 입원 중인 항소인을 정기적으로 문안하고 기저귀, 파자마 등을 구입하고 그 비용을 교통사고의 상대방이 가입한 보험회사(E 손해보험)에 청구하는 등 하고 있었다. 또한 항소인에게는 처자식은 없었지만 D 말고도 두 명의 형제자매가 있었다.

③ E 손해보험은 항소인의 입원비 등을 부담하고 있었는데, 항소인과 화해를 하여 보험금을 지불하고 싶었지만 항소인이 의사 능력이 없기 때문에 2003년 무렵, 전술한 ②의 비용 청구 절차를 담당하고 있던 D 및 A에게 이야기를 꺼내 A가 이에 대응하게 되었다. 그러나 A는 복잡한 대화

는 할 수 없었기 때문에 A의 정시제 고교 시절의 담임교사의 처인 B에게 상담하였고 B가 교섭에 관여한 적도 있었다. B는 지방의회 의원이 된 적도 있고, A들의 요육수첩의 재교부 신청 절차도 도왔으며 또한 1997년 ○월 ○일부터 2003년 ○월 ○일까지와 2004년 ○월 ○일 이후 인권옹호위원에 위촉되어 있었다.

(3) A를 항소인의 성년후견인으로 선임

① A는 E 손해보험에서 화해 계약의 체결 및 이에 근거하여 지급되는 보험금 수령을 위해 항소인에게 성년후견인을 선임할 필요가 있다고 촉구하고 있었으므로 B의 도움을 얻어 필요한 서류를 모아 2003년 ○월 ○일, 히로시마 가정재판소 후쿠야마 지부에 자신을 후견인 후보자로 하여 항소인의 성년후견 개시 신청을 했다. A는 후견 개시 신청서의 신청인란, 본인란 및 성년후견인 후보자란 등에는 스스로 기재했지만 신청의 실정란에 대해서는 기재해야 하는 내용을 정리하거나 그것을 표현하는 것이 어려웠기 때문에 B에게 의뢰하여 기재를 받았다(갑 12).

② 위 후견 개시 신청사건의 담당 가사심판관(F)은 G 조사관에게 조사 명령(포괄 조사)을 내렸다.

G 조사관은 2003년 ○월 ○일, A 및 D에 대하여 면접 조사를 실시하여 항소인의 심신 상황, E 손해보험으로부터 거액의 보험금이 입금될 예정인 것, 항소인에게는 D 말고 누나 H와 형이 있지만 형은 지적 장애자 갱생 시설에 입소 중인 것, 항소인의 누나인 D를 후견인 후보자로 하여야 하는데 D는 건강이 좋지 않기 때문에 A가 후보자로 된 것, A는 정시제 고등학교를 거쳐, ○○ 회사에 7년 동안 근무하고 현재는 ○○에서 상품의 출납 사무를 하고 있으며 항소인과는 이전부터 친척으로서 교제가 있었고 사고 후에는 D와 함께 주 1회 병원에 가서 면회하고 있는 것 등을 청취했다.

G 조사관은 위 면접 조사 후 항소인과의 면접, 호적 조회, 의사에 대한 조회 등 필요한 조사를 하는 동시에 항소인의 누나인 H에게 조회서를 발송했지만 회답이 없었기 때문에, 2004년 ○월 ○일 무렵, 담당 가사심판관(F)에게 항소인에 관하여 후견을 개시하여 A를 성년후견인으로 선임하고 또한 거액의 보험금이 입금될 예정이므로 후견 감독 구분은 B(정기적으로 조사, 조정 또는 지도를 할 필요가 있는 것)로 하여 제1회 후견 감독 사건의 입건을 1년 후인 2005년 ○월 무렵으로 하는 것이 상당하다는 취지의 조사보고서(갑 3)를 제출했다. 또한 G 조사관은 A가 요육수첩을 교부받은 지적 장애인임을 알아차리지 못했다.

담당 가사심판관(F)은 2004년 ○월 ○일, 위 조사 보고에 근거하여 항소인에 대해서 성년후견을 개시하는 동시에 그 성년후견인으로서 A를 선임하는 취지의 심판을 하고 그 심판은 2004년

○월 ○일 확정되었다. 또한 담당 가사심판관(F)은 G 조사관의 위 의견과 같은 후견 감독 처리를 했다.

(4) A의 보험금 수령과 그 관리 개시

① A는 교통사고의 상대방과의 사이에서 화해계약을 체결하고 보험금 수령을 위해 2004년 ○월, ○○은행 ○○지점에 A 명의의 예금계좌(이하 'A 예금계좌'라 한다)를 개설한 바, 같은 해 ○월 ○일, E 손해보험에서 A 예금계좌에 위 화해계약에 근거하여 보험금 4,770만 엔이 입금되었다.

② A는 성년후견인은 피후견인의 재산을 관리하는 것으로 피후견인의 재산을 사적으로 사용해서는 안 된다는 것을 인식하고 있었지만, 보험금이 입금되면 D와 공모하여 이것의 일부를 인출하여 사적으로 사용하는 것을 되풀이했다.

(5) 제1회 후견 감독

담당 가사심판관(F)은 2005년 ○월, 제1회의 후견 감독 사건을 입건하고 같은 달 ○일, I 조사관에게 조사명령(포괄 조사)을 내렸다.

① I 조사관은 후견 사무나 재산 관리 상황에 대해서 조사하기 위해 같은 해 ○월 ○일, A 예금 계좌의 통장이나 영수증을 제시하도록 시켜, A(D도 동석)에 대한 면접 조사를 한 바, 출납장부 등이 없고 일부 보존하고 있는 영수증도 정리되어 있지 않았기 때문에 지출 내역이 확실하지 않고, A 예금 계좌에 4,770만 엔의 보험금이 입금되었고 그 후 고도 장애 보장으로 33만 1,500엔이 입금되었지만, 보험금이 입금된 때로부터 약 4개월 동안 470만 엔이나 되는 돈이 인출되어 그 잔고가 4,333만 768엔이 된 것을 발견했다. 그래서 I 조사관은 A에게 위 사정을 물은 바, A는 위 (4)-②의 사적사용 사실을 은폐하기 위해 매월 필요한 지출 합계액이 25만 엔 정도이며, 70만 엔은 침대의 구입 등 시설 입소에 즈음한 임시 지출 등에 소비했고 급한 지출에 대비하여 항상 수중에 현금으로 300만 엔을 관리하고 있다는 거짓 설명을 했다. 더욱이 항소인의 필요 경비는 정기적으로 받는 고도 장애 보상금으로 조달할 수 있어 보험금을 사용할 필요성은 존재하지 않았다. I 조사관은 위 설명을 믿고 A에게 현재 상황처럼 현금을 관리하려면 출납장부에 기재하도록 하고 수중에 현금을 두지 말고 매달 필요한 정액을 인출하고 임시 지출이 있어서 별도로 그 금액을 인출한다면 통장에 비목을 기재하도록 시키고 또한 항소인의 예금 전액을 A 명의의 예금 계좌에서 피후견인인 항소인 명의의 계좌로 바꾸도록 지도했다. A는 위 지도에 따라 이 날, 주식회사 ○○은행 ○○지점에 '항소인 후견인 A' 명의의 보통예금계좌(본건 예금계좌)를 개설하고 4,333만 768엔을

이 예금계좌에 입금하고 그 통장과 도장, 현금 카드는 A가 D에게 맡기는 등 하여 보관했다.

I 조사관은 같은 날 위 예금의 변경이 이루어졌음을 확인했으므로, A들의 횡령에 대해서 의심을 품지 않고 같은 달 ○일 무렵, 담당 가사심판관(F)에게 당분간은 수입 지출의 확인을 중심으로 한 감독을 계속해 나갈 필요가 있다고 하여 감독 구분은 B인 채로 두고 다음번은 약 1년 후인 2006년 ○월에 입건하는 것이 상당하다는 취지의 의견을 붙여 조사 보고서(갑 4)를 제출했다.

② 담당 가사심판관(F)은 I 조사관의 위 의견과 같이 처리하기로 하고 제1회의 후견 감독을 종료했다.

(6) 제1회 후견 감독 이후 A들의 횡령 반복

① A 및 D는 제1회 후견 감독에서 항소인의 예금을 사적으로 사용한 사실이 발각되지 않았던 것에 안심하고 위 면접 이틀 후인 2005년 ○월 ○일, 본건 예금계좌에서 30만 엔을 인출하여 이를 사적으로 소비하고 그 후 스스로 또는 정을 알지 못하는 여동생인 J에게 의뢰하여 본건 예금 계좌에서 다음과 같이 돈을 인출하여 생활비, 음식비, 유흥비, 게다가 교제하는 남성(C)을 위해 물품을 구입하는 등 하여 소비하고 그 금액은 2005년 ○월 초부터 같은 해 ○월 말까지 7개월 사이에만도 1,120만 엔에 달하였다.

2005년　○월, 3회에 걸쳐 100만 엔

같은 해　○월, 3회에 걸쳐 120만 엔

같은 해　○월, 3회에 걸쳐 110만 엔

같은 해　○월, 4회에 걸쳐 180만 엔

같은 해　○월, 5회에 걸쳐 200만 엔

같은 해　○월, 3회에 걸쳐 120만 엔

같은 해　○월, 5회에 걸쳐 290만 엔

② A는 D과 공모하여 2005년 ○월, 회사 동료에게 부탁을 받아 본건 예금계좌의 돈에서 280만 엔을 대여하였고 게다가 교제하는 남성(C)이 사는 집의 공사 대금을 지불하거나 동료의 결혼 축하에 텔레비전을 구입해 주는 등 하여 그 달에 5회에 걸쳐 합계 570만 엔을 인출하여 이를 착복했다.

③ A는 D과 공모하여 2005년 ○월, 자택용으로 TV를 1대, 어머니 집용으로 TV를 2대 구입하고 교제하는 남성(C)에게 TV 등을 증여하기로 하여 TV 3대와 디지털 카메라 1대 등을 구입하고

(대금 합계 250만 6,900엔) 그 때문에 본건 예금 계좌에서

　같은 해 ○월은 4회에 걸쳐 1,000만 엔

　같은 해 ○월은 3회에 걸쳐 330만 엔

　2006년 ○월은 2회에 걸쳐 150만 엔을 인출하여 이를 착복했다.

　또한 같은 해 ○월 ○일, 본건 예금계좌에서 100만 엔을 인출하여 소파를 구입하는 등 했다.

　④ A는 같은 해 ○월 ○일 무렵, TV에서 은행 예금의 페이오프(payoff)[64]를 듣고 본건 예금 계좌에 300만 엔을 남겨 놓고 865만 3,877엔을 인출하여, 료비兩備신용조합에 A 명의의 계좌를 개설하여 이 중 700만 엔을 예치하고 나머지 현금을 D와 공모하여 착복했다.

　A는 D와 공모하여 같은 날, 본건 예금 계좌에서 10만 엔을 인출하고 같은 해 ○월 ○일 88만 엔을 인출하여 자신의 반지 구입 대금 등에 충당했다.

　⑤ A 및 D의 위 횡령의 자세한 내용은 별지 일람표 기재 대로이다.

(7) 제2회 후견 감독과 횡령 발각

　① 담당 가사심판관(F)은 2006년 ○월 무렵, 제2회 후견 감독 사건을 입건하고 같은 달 ○일 I 조사관에게 조사명령(포괄 조사)을 내렸다.

　② I 조사관은 같은 해 ○월 ○일(D가 동석) 및 같은 달 ○일(B가 동석), A에게 본건 예금 계좌의 통장 등과 영수증을 제시하도록 하고 면접 조사를 실시하여 예금 잔고 등에 대해서 확인한 바, 제1회 후견 감독 시에 예금 약 4,333만 엔과 현금 300만 엔의 약 4,633만 엔이 존재하였는데 예금 1,075만 7,069엔 밖에 보이지 않아 1년간 약 3,559만 엔이 감소하였고 그 후에 입금된 고도 장애 보상금과 필요 생활비를 맞추어 생각하면 3,614만 2,196엔의 소비에 이유가 없었고 이에 대하여 A는 그 용도 등에 대해서 알지 못한다는 등으로 말하고 거의 대답하지 못해 그 전부가 용도 불명금으로 되어 있는 것을 확인했다.

　I 조사관은 A에게 함부로 쓰면 경찰에 잡힌다고 주의를 줌과 동시에 항소인의 계좌에 되돌릴 재산이 있으면 시급히 송금해 둘 것과 지출 용도에 관한 자료를 준비하도록 지시했다.

　③ A는 위 조사로 인해 불안이나 공포심을 안고서 같은 해 ○월 ○일, 동료에게 빌려 준 돈 중 100만 엔을 반환 받아 본건 예금계좌에 입금하고 같은 달 ○일 무렵, 그 사본을 I 조사관에게

---

64) 금융기관이 파산할 경우 예금자의 이익을 보호하기 위해 도입된 것으로 예금 보험기구가 원금 1천만 엔과 그 이자를 한도로 예금을 되돌려주는 것을 말한다.

송부했다.

④ I 조사관은 같은 달 ○일 무렵, 담당 가사심판관(F)에게 조사 보고서(갑 5)를 제출하여 3,600만 엔을 초과하는 용도 불명금이 있고 그 용도를 설명할 수 없으므로 이들이 A들에 의해 사적으로 소비됐다고 생각할 수밖에 없다고 하여, A(필요에 따라 D)에 대한 심문을 하여 용도 불명금을 확정하고 제3자(변호사)를 새로 후견인에 추가하여 재산 관리를 맡기고 A의 권한을 신상 감호에 그치게 하며 A와의 사이에서 변제에 대한 결정을 하는 것이 상당하고 이대로 방치하면 피후견인의 재산이 끊임없이 감소될 위험이 있기 때문에 시급하게 절차를 진행할 필요가 있다고 보고했다.

(8) 횡령 발각 후 A들의 횡령 반복

① A들은 I 조사관으로부터 제멋대로 사용하면 경찰에 잡힌다고 이야기를 들어서 불안이나 공포심을 안고서 항소인의 예금을 인출하여 착복하는 것을 중단했지만 위 면접 조사로부터 약 1개월 반이 경과해도 가정재판소로부터 아무런 지시도 없으므로 다시 다음과 같이 항소인의 예금에서 돈을 인출하여 이를 착복하는 것을 되풀이했다. 그 합계액은 231만 엔이 된다. 자세한 것은 별지 일람표 기재 대로이다.

> 2006년 ○월 ○일 50만 엔
> ○월 ○일 20만 엔
> ○일 3만 엔
> ○일 2만 엔
> ○월 ○일 20만 엔
> ○일 20만 엔
> ○월 ○일 50만 엔
> ○일 10만 엔
> ○일 5만 엔
> ○일 6만 엔
> ○일 5만 엔
> ○월 ○일 10만 엔
> ○일 10만 엔
> ○일 10만 엔
> ○일 10만 엔

② 담당 가사심판관은 제2회 후견 감독의 조사보고서가 제출된 때부터 약 4개월 후인 2006년 ○월 ○일, K 변호사(현재의 후견인)를 항소인의 두 번째 성년후견인으로 선임하는 심판을 했다.

K 변호사는 같은 날 A 앞으로 본건 예금계좌 등의 통장과 인감의 교부를 요구하는 서면을 송부했지만 A는 이에 응하지 않았고 위 ①과 같이 그 후에도 항소인의 예금 계좌에서 돈을 인출하여 이를 착복하는 것을 계속했다. 그래서 K 변호사는 금융기관에 대하여 항소인의 예금의 지불을 정지하도록 의뢰하여 같은 해 ○월 ○일 무렵까지 위 조치가 취해진 결과 A들은 항소인의 예금 계좌에서 돈을 인출하여 이를 착복할 수 없게 되었다.

③ 담당 가사심판관(L)은 제2회 후견 감독의 조사 보고서가 제출된 때로부터 약 7개월 후인 2006년 ○월 ○일, A는 본건 예금 계좌를 관리하고 있는 바, 2005년 ○월 ○일부터 2006년 ○월 ○일까지의 사이에 위 계좌에서 4,263만 6,922엔이 인출되었고 그 중 3,000만 엔 이상의 용도 불명금이 발생하였지만 그 용도에 대해서 합리적인 설명을 할 수 없으므로 후견 임무에 적합하지 않은 사유가 있는 것이 분명하다고 하여 A를 항소인의 성년후견인에서 해임하는 취지의 심판을 했다 (갑 6).

(9) A들에 대한 형사 사건과 본건 소송 제기

① 히로시마 가정재판소는 2006년 ○월 하순 무렵, A를 업무상 횡령으로 고발하여 A에 대한 수사가 개시되었다. A는 2006년부터 2007년에 걸쳐 업무상 횡령죄로 히로시마 지방재판소 후쿠야마 지부에 공소 제기되어 이 재판소는 2009년 ○월 ○일, A를 징역 1년 10월, D를 징역 1년 8월 집행유예 3년의 각 형에 처한다는 유죄 판결을 선고하였고, A 및 D는 이에 항소했지만 히로시마 고등재판소는 2009년 ○월 ○일, 원판결을 파기한 후 A를 징역 1년 8월, D를 징역 1년 6월 집행유예 3년의 각 형에 처한다는 유죄 판결을 선고하여 이 판결은 확정되었다(갑 9, 10).

위 형사판결에 의하면 A는 D와 공모하여 별지 일람표와 같이 2005년 ○월 ○일부터 2006년 ○월 ○일까지 1년 6개월 동안, 74회에 걸쳐 본건 예금 계좌에서 현금 합계 3,629만 엔을 인출하고 또한 2006년 ○월 ○일, 본건 예금 계좌에서 다른 금융기관으로 바꾸어 예치하기 위해 인출한 865만 3,877엔 중 165만 3,877엔을 착복하여 이로써 합계 3,794만 3,877엔을 횡령했다고 인정되었다. A는 별지 일람표 21 내지 59에 기재된 범행 및 165만 3,877엔을 착복한 당시 조증 상태 및 지적 장애 때문에 심신 미약 상태에 있었으며 D는 위 각 범행 당시 지적 장애 때문에 심신 미약 상태에 있었다고 판단되었다.

② 항소인의 성년후견인인 K 변호사는 2009년 ○월 ○일, 항소인을 대리하여 피항소인에게 형사 판결에서 횡령이라고 인정된 금액인 3,794만 3,877엔의 손해배상을 요구하여 본건 소송을

제기했다.

3. 쟁점에 대한 판단

(1) A를 항소인의 성년후견인으로 선임한 것 및 그 후견 감독에 대해서

① 항소인은 항소인의 성년후견인인 A가 2005년 ○월 ○일부터 2006년 ○월 ○일까지 약 1년 6개월 동안 74회에 걸쳐 피후견인인 항소인의 본건 예금계좌 등에서 현금 합계 3,629만 엔을 인출하고 또한 2006년 ○월 ○일 본건 예금 계좌에서 다른 금융기관으로 바꾸어 예치하기 위해 인출한 865만 3,877엔 중 165만 3,877엔을 착복하여 이로써 합계 3,794만 3,877엔을 횡령한 것에 대해서 담당 가사심판관이 A를 항소인의 성년후견인으로 선임한 것, 그 후의 A에 대한 후견 감독에 위법이 있고 담당 조사관 및 담당 가사심판관에게 고의, 과실도 있다고 하여 피항소인에 대하여 국가배상을 요구한다.

② 그런데 성년후견제도(법정후견)는 가정재판소가 판단 능력(사리 변식 능력)이 불충분한 자를 보호하기 위해 심판에 의해 그 성년후견인을 선임하는 제도이다. 성년후견인은 피후견인의 재산 관리 등을 하는 것으로, 그 때문에 피후견인의 재산에 대해서 재산 관리권과 그 재산에 관한 법률 행위에 대해서 피후견인을 대표하는 권한(민법 859조 1항)이 주어져 있다. 피후견인과 성년후견인의 관계는 위임의 한 형태로 생각되므로 성년후견인은 이러한 권한의 행사에 대해서 피후견인에 대하여 선량한 관리자로서의 주의의무를 부담하고 이 주의의무에 반하여 피후견인의 재산을 횡령하는 등의 부정행위를 저지른 경우에는 피후견인에게 손해배상 의무를 지는 것이다. 한편, 가정재판소는 선임한 성년후견인의 직무를 감독할 수 있지만 이것은 성년후견인의 권한이 광범위하기 때문에 일단 부정행위가 이루어진 때에는 피후견인에게 회복하기 어려운 손해가 발생할 우려가 있으므로 가정재판소에 일정한 범위에서 성년후견인에 의한 후견 사무가 적정하게 이루어지고 있는지 여부를 확인하는 것을 가능하게 한 것이라고 해야 할 것이다.

위 성년후견제도(법정후견)의 취지, 목적, 후견 감독의 성질에 비추어 보면 성년후견인이 피후견인의 재산을 횡령한 경우에 성년후견인의 피후견인에 대한 손해배상 책임과는 별도로 가정재판소가 피후견인에 대하여 국가배상 책임을 지는 경우, 즉 가사심판관이 한 성년후견인의 선임이나 후견 감독이 피해를 입은 피후견인과의 관계에서 국가배상법 1조 1항의 적용상 위법으로 되는 것은 구체적 사정 아래에서, 가사심판관에게 주어진 권한이 일탈되어 현저하게 합리성을 결하였다고 인정되는 경우에 한한다고 할 수 있다. 그렇다면 가사심판관이 한 성년후견인의 선임과 그 후견 감독에 어떠한 불비가 있었다는 것만으로는 부족하고 가사심판관이 그 선임 시에 성년후견인이 피후견인의 재산을 횡령하는 것을 인식하고 있었다거나 또는 성년후견인이 피후견인의 재산을 횡령하는 것을 용이하게 인식할 수 있었음에도 불구하고 그 사람을 성년후견인으로 선임했다든가 성년후견인이 횡령 행위를 하고 있는 것을 알고 있었다든가 횡령 행위를 하고 있는 것을 쉽게 인식할 수 있었음에도 불구하고 추가 피해의 발생을 방지하지 않았던 경우 등에 한정된다고 할 수 있다.

또한 피항소인은 재판관의 독립과 상소 제도에 의한 시정 제도의 존재에 비추어 보면 재판관의 직무 행위에 국가배상법 1조 1항의 위법이 인정되기 위해서는 당해 재판관이 위법 또는 부당한 목적을 가지고 재판을 했다는 등 그 부여된 권한의 취지에 명백히 위배하여 이를 행사한 것으로 인정될 수 있는 '특별한 사정'이 필요하다고 주장하지만, 위 법리는 재판관이 하는 쟁송의 재판에 대해서 적용되는 것인 바, 가사심판관이 직권으로 하는 성년후견인의 선임과 그 후견 감독은 심판의 형식을 가지고 이루어지지만 그 성질은 후견적인 입장에서 하는 행정 작용에 유사한 것으로 쟁송의 재판과는 성질을 달리하는 것이기 때문에 위 주장은 채용할 수 없다.

③ 그래서 위 관점에 서서 항소인의 주장을 검토한다.

㉮ A를 항소인의 성년후견인으로 선임한 것에 대해서

히로시마 가정재판소 후쿠야마 지부의 담당 조사관(G 조사관)이나 담당 가사심판관(F)이 A를 항소인의 성년후견인으로 선임한 때, A가 항소인의 재산을 횡령할 것을 인식하고 있었다고 인정할 만한 증거는 없고 또한 전술한 인정사실에 의해서도 위 담당 조사관과 담당 가사심판관이 A가 항소인의 재산을 횡령할 것을 용이하게 인식할 수 있었다고 할 수도 없다.

따라서 담당 가사심판관(F)이 A를 항소인의 성년후견인으로 선임한 것이 위법하다는 항소인의 주장은 채용할 수 없다.

또한 항소인은 A에게 지적 장애가 있었던 것이 A의 횡령 행위의 직접적인 원인이라고 주장하는 것 같지만 A에게 선악의 판단 능력이 있었던 것은 전술한 인정사실에서도 분명하고 A에게는 형사 책임 능력도 인정되고 있었기 때문에 A의 횡령 행위는 A의 자유로운 의사에 의해 이루어진 것으로, 그 지적 장애에 의해 생긴 것이라고는 할 수 없다. 따라서 A의 지적 장애의 점은 본건의 판단에 직접 영향을 미치는 사정은 아니라고 할 수 있다.

㉯ 제1회 후견 감독에 대해서

히로시마 가정재판소 후쿠야마 지부의 담당 가사심판관(F)이나 담당 조사관(I 조사관)이 제1회 후견 감독에서 A가 항소인의 예금을 사적으로 사용하고 있었던 것을 인식하고 있었다고 인정할 만한 증거는 존재하지 않는다.

단, 209쪽 (4)의 인정사실에 의하면 A는 2004년 ○월 ○일, A 예금 계좌에 항소인의 보험금 4,770만 엔이 입금되자 D와 공모하여 이 예금에서 돈을 일부 인출하여 사적으로 사용하는 것을 반복하고 있었는데, I 조사관은 제1회 후견 감독의 면접 조사일인 2005년 ○월 ○일, 보험금이 입금된 때로부터 약 4개월 동안에 470만 엔이나 되는 돈이 인출된 것을 발견했다.

그러나 피후견인의 재산을 관리하는 방법은 성년후견인의 재량적 판단에 맡기고 있는 바, 209쪽 (5)-①의 인정사실에 의하면, I 조사관이 A에게 사정을 묻자 A는 매월 필요한 지출 합계액이 25만 엔 정도이며, 70만 엔은 침대의 구입 등 시설 입소에 즈음한 임시 지출 등에 소비했지만 급한 지출에 대비하여 항상 수중에 현금으로 300만 엔을 관리하고 있다는 일단 합리적인 설명을 하고 있는 것이다. 또한 I 조사관이 A에게 항소인의 예금 전액을 A 명의의 예금 계좌에서 항소인 명의의 계좌로 바꾸어 예치하도록 지도한 바, A는 같은 날 위 지도에 따라 주식회사 ○○은행 ○○지점에서 '항소인 후견인 A' 명의의 본건 예금 계좌를 개설하고 4,333만 768엔을 이 예금 계좌로 입금하여 순순히 따르고 있는 것이다. 그렇다면 I 조사관이 A의 위 설명을 믿고 A의 횡령에 대해서 의심을 품지 않았던 것에 대하여 현저하게 합리성을 결여하였다고까지 말할 수는 없고 적어도, I 조사관이나 담당 가사심판관(F)이 A가 횡령 행위를 하고 있는 것을 쉽게 인식할 수 있었다고 할 수는 없다.

그렇다면 담당 가사심판관(F)이 제1회 후견 감독 후 A에 대하여 추가 피해 발생을 방지하기 위한 감독 처분을 하지 않은 것이 위법이라고 할 수는 없다.

㉺ 제2회 후견 감독에 대해서

전술한 212쪽 (7)-④의 인정사실에 의하면 담당 조사관인 I 조사관은, 2006년 ○월 ○일 및 같은 달 ○일 A들에 대한 면접 등의 조사에 의해 같은 달 ○일 무렵, 담당 가사심판관(F)에게 3,600만 엔을 초과하는 용도 불명금이 있고 그 용도를 설명할 수 없는 것에서 이들이 A들에 의해 사적으로 소비됐다고 생각할 수밖에 없다, 이대로 방치해 두면 피후견인의 재산이 끊임없이 감소될 위험이 있기 때문에 시급하게 절차를 진행할 필요가 있다는 조사 보고를 하였다. 따라서 담당 가사심판관(F)은 같은 날 무렵 A가 항소인의 예금에서 거액을 횡령하고 있으며 방치하면 앞으로도 마찬가지의 횡령이 반복될 가능성이 높다는 것을 인식했다고 할 수 있다. 그런데 담당 가사심판관(F들)은 추가 횡령을 방지하는 적절한 감독 처분[또한 가정재판소는 직권으로 피후견인의 재산 관리 기타 후견 사무에 대해서 필요한 처분을 할 수 있고(민법 863조 2항), 후견인에게 부정행위, 현저한 나쁜 행실 기타 후견 임무에 적합하지 않은 사유가 있는 때에는 직권으로 후견인을 해임할 수 있는데도(민법 846조)]을 하지 않았다. 그 때문에 A들은 본건 예금 계좌의 통장, 도장, 현금 카드를 계속 소지하면서 아무런 제약도 받지 않고 이를 행사할 수 있었던 바, 위 면접 조사로부터 약 1개월 반 후인 같은 해 ○월 ○일 50만 엔, 같은 해 ○월 ○일 20만 엔, 같은 달 ○일 3만 엔, 같은 달 ○일 2만 엔, 같은 해 ○월 ○일 20만 엔, 같은 달 ○일 20만 엔, 같은 해 ○월 ○일 50만 엔, 같은 달 ○일 10만 엔, 같은 달 ○일 5만 엔, 같은 달 ○일 6만 엔, 같은 달 ○일 5만 엔, 같은 해 ○월 ○일 10만 엔, 같은 달 ○일 10만 엔, 같은 달 ○일 10만 엔, 같은 달 ○일 10만 엔으로 반복하여 항소인의 예금에서 돈을 인출하여 이를 착복(합계 231만 엔)하고 있었던 것이다.

또한 담당 가사심판관은 같은 해 ○월 ○일(횡령 발각으로부터 약 4개월 후), K 변호사를 두 번째 성년후견인으로 선임했지만 A가 본건 예금 계좌의 통장, 도장, 현금 카드를 소지하고 횡령을 반복하고 있었으므로 이것은 실제로 이루어지고 있는 횡령 행위를 즉시 방지하는 유효한 처분에 해당하지 않는다고 할 수밖에 없다. A들의 횡령을 막은 것은 K 변호사가 금융기관에 항소인의 예금의 지불을 정지하도록 의뢰하여 같은 해 ○월 ○일 무렵까지 그 조치가 취해졌기 때문이다. 그리고 담당 가사심판관(L)이 A를 해임한 것은 위 조치 이후로 횡령 발각으로부터 약 7개월이나 지난 같은 해 ○월 ○일이다.

위 사실에 의하면 A들이 항소인의 예금에서 돈을 인출하여 이를 착복하는 횡령을 하고 있었음에도 불구하고 이를 인식한 담당 가사심판관(F들)이 이를 방지하는 감독 처분을 하지 않았던 것은 가사심판관에게 주어진 권한을 일탈하여 현저하게 합리성을 결여하였다고 인정되는 경우에 해당하여 국가배상법 1조 1항의 적용상 위법으로 된다고 할 것이고 또한 담당 가사심판관(F들)에게 과실이 있었던 것도 분명하다.

(2) 최고재판소의 조직적인 위법에 대해서

항소인은 성년후견 제도에서의 인사 및 예산 등의 태세를 충분히 정비하지 않았기 때문에 담당 조사관 혹은 담당 가사심판관의 직무상의 주의의무 위반을 초래하여 A들의 횡령을 가져왔다고 하여 최고재판소 담당 직원에게 조직적인 미필적이고 개괄적인 고의가 있다고 주장하지만, 위 주장은 애당초 A의 횡령에 관련된 국가배상 청구의 이유로서는 합당하지 않고 위 주장을 뒷받침하는 사실도 인정되지 않으므로 위 주장은 부당하다.

(3) B에게 공무원으로서 불법행위가 성립하는지

항소인은 인권옹호위원에 위촉된 B가 A에게 지적 장애가 있는 것을 알면서 담당 조사관에게 이를 고지하지 않은 것이 공무 종사자로서의 불법행위가 성립한다고 주장하지만, B는 인권옹호위원으로서가 아니라 사인으로서 A의 상담에 응하고 있던 것으로 추인되며 또한 G 조사관의 면접 조사에 입회한 것을 인정할 확실한 증거도 없기 때문에 항소인이 주장하는 위법은 인정되지 않고 위 주장은 부당하다.

4. 정리

이상의 경위로 피항소인은 항소인에게 국가배상법 1조 1항에 의거하여 항소인이 입은 손해 231만 엔을 지불해야 할 의무가 있다.

이에 대하여 피항소인은 2011년 ○월 ○일, C 및 A와의 사이에서, A의 C에 대한 400만 엔의 손해배상채권을 A가 항소인에게 부담하는 손해배상 의무 중 400만 엔의 대물변제로서 항소인에게 양도하는 취지의 화해가 성립하였기 때문에 항소인의 손해의 일부는 회복되었다고 주장하지만, A의 항소인에 대한 손해배상 의무는 3,494만 3,877엔이 되는 바, 위 채권 양도가 위 손해 중 피항소인이 책임을 부담하는 231만 엔의 부분에 충당된다는 입증이 없으므로 본건의 변제로 인정할 수 없다.

결 론

따라서 원심 판결은 일부 부당하므로 위 판단에 따라 원심 판결을 변경하는 것으로 하여 주문과 같이 판결한다.

■재판장 재판관 宇田川基 재판관 近下秀明 재판관 松葉佐隆之

7

후견 개시 신청권 남용

1 후견 개시 신청권

민법 제1조 제1항은 '사권은 공공복리에 적합하지 않으면 안 된다.'라고, 제2항은 '권리의 행사 및 의무의 이행은 신의에 따라 성실히 하여야 한다.'라고, 제3항은 '권리의 남용은 허용하지 않는다.'라고 규정[65]하고 있다.

그리고 민법 제843조 제1항은 '가정재판소는 후견 개시의 심판을 하는 때에는 직권으로 성년후견인을 선임한다.'라고 규정하고 제2항은 '성년후견인이 없는 때에는 가정재판소는 성년피후견인 또는 친족 기타 이해관계인의 청구에 따라 또는 직권으로 성년후견인을 선임한다.'라고 규정[66]하여 친족 등이 가정재판소에 성년후견인을 선임해 달라고 청구를 할 수 있다고 규정하고 있다. 이처럼 친족 등에게 후견 개시 신청권이 인정되나 이러한 신청권 역시 민법 제1조 제2항 및 제3항

---

65) (기본원칙)
　제1조 사권은 공공복리에 적합하지 않으면 안 된다.
　2 권리의 행사 및 의무의 이행은 신의에 따라 성실히 하여야 한다.
　3 권리의 남용은 허용하지 않는다.
66) (성년후견인의 선임)
　제843조 가정재판소는 후견 개시의 심판을 하는 때에는 직권으로 성년후견인을 선임한다.
　2 성년후견인이 없는 때에는 가정재판소는 성년피후견인 또는 친족 기타 이해관계인의 청구에 따라 또는 직권으로 성년후견인을 선임한다.

에 따라 그 권리의 행사를 신의에 따라 성실히 하여야 하고 남용하여서는 안 된다.

다음 판례는 '보좌 개시 신청'이 신청권 남용에 해당하는지가 문제된 사안이다.

② 사안의 개요

본인은 25년 가까이 정신 증상으로 입원을 되풀이하고 있으며 현재는 정신분열증 만성기에 있다. 그래서 본인은 상해사건을 일으키고 선풍기 등을 정원에 투척하고 집에 화재가 발생하여 사정청취를 하러 온 경찰관에게 박치기를 하는 등 여러 가지 사회적 일탈 행동을 반복하고 있다. 또한 금전에 관한 판단력이 저하되어 계획성이 없고 충동적으로 낭비하는 점이 있고 자기의 재산을 관리 처분하려면 항상 다른 사람의 도움이 필요하다.

항고인은 본인의 어머니로서 본인에 대한 보좌 개시 신청을 하면서 보좌인에 대하여 본인과 친족의 사이를 중재하거나 사회적 일탈 행동을 하지 않도록 본인의 행동을 감독하는 역할까지 기대하는 내용의 신청서를 제출했다.

③ 재판소의 판단

이에 대하여 원심(1심) 재판소는 항고인의 신청은 원래 보좌제도의 목적에 적합하지 않아 신청권의 남용이며 보좌인을 선임할 필요성이 극히 부족하다고 하여, 항고인의 신청을 각하하는 취지의 심판을 했다.

하지만 항소심 재판소는 항고인이 보좌인에 대하여 거는 기대에는 보좌인이 본래 하여야 할 역할을 초과하는 것이 있음을 부정할 수 없지만, 그렇다고 하더라도 보좌 개시의 필요성이 인정되는 이상 항고인의 신청이 제도의 취지에 적합하지 않아 신청권의 남용이라고 판단해서는 안 된다고 하면서 C 변호사를 보좌인으로 선임하는 결정을 하였다.

주 문

1. 원심판을 취소한다.
2. 본인에 대해서 보좌를 개시한다.
3. 본인의 보좌인으로서, 사무소 ○○市 ○○区 ○○町 ○○丁目 ○番 ○号 변호사 C를 선임한다.
4. 항고비용은 항고인이 부담한다.

이 유

제1 사안의 개요 등

1. 사안의 개요

(1) 항고인(본인의 어머니)은 2003년 8월 14일, 원심에 본인에 관하여 후견을 개시하도록 청구하는 신청을 했지만 2004년 4월 19일 신청의 취지를 보좌 개시로 변경했다.

(2) 원심은 2004년 9월 17일 감정 결과에 의하면 본인은 정신분열증 만성기에 있고 자기 재산을 관리 처분하려면 항상 도움이 필요한 상황에 있지만, 항고인의 신청은 그 진의에서 원래 보좌제도 의 목적에 적합하지 않아 신청권의 남용이며 보좌인을 선임할 필요성이 극히 부족하다고 하여 항고인의 신청을 각하하는 취지의 원심판을 했다.

(3) 그래서 항고인이 원심판에 불복하여 즉시항고를 한 것이 본건이다.

---

67) 2006년

2. 항고의 취지 및 이유

(1) 항고인은 원심판을 취소하고 본건을 원심으로 환송하는 취지의 재판을 청구했다.

(2) 항고이유의 요지는 원심판은 감정 결과를 받아 보좌인 후보자를 찾고 있었음에도 불구하고 정신병이 있는 본인의 주장을 중시하여 항고인의 신청을 각하한 것으로 부당하다, 본인과 친족 사이에 보좌인이 개입함으로써 상황의 개선을 기대할 수 있으므로 보좌인을 선임할 필요성이 있다는 것이다.

제2 본 재판소의 판단

1. 본건의 사실관계는 다음과 같다.

(1) 기록에 의하면 다음과 같이 수정하는 외에는 원심판 1쪽 25행부터 5쪽 1행까지에 기재된 사실을 인정할 수 있다.

　① 원심판 2쪽 5행의 '1997년부터 1999년 8월까지 약 2년 반'을 '1998년 5월부터 2001년 2월까지'로, 2쪽 7행의 '17세 때'를 '16세 때'로, 2쪽 15행의 '1998년'을 '1999년 4월'로, 2쪽 18행의 '연금은 종결되었다'를 '본인의 근로 의욕을 환기하기 위해 연금은 반납하였다'로 각 고친다.

　② 원심판 3쪽 19행의 '응하지 않고'에서 3쪽 20행 말미까지를 '응하지 않았다.'로 고친다.

　③ 원심판 4쪽 6, 7행의 '일체 도와주지 않고 있다.'를 '이들의 요청을 거절하고 있다.'로 고친다.

(2) 기록에 의하면 그 위에 다음 사실을 인정할 수 있다.

　① 본인은 2004년 ㅇ월 ㅇ일, ㅇㅇ신용금고 ㅇㅇ지점에서 상해사건을 일으켜 체포 구류되어 약식명령에 의해 10만 엔의 벌금형에 처해졌는데 이를 지불할 수 없어 노역장에 유치되어 같은 해 ㅇ월 ㅇ일 이 조치를 마쳤다.

　② 본인은 2005년 ㅇ월 무렵, 원심판에 기재된 지역(00시)의 자택 안에서 불단을 태우거나 선풍기 등을 정원에 투기하거나 하는 등의 행위를 하여 같은 달 ㅇ일, 관할 보건소의 권유로 ㅇㅇ병원에 임의입원했다가 같은 달 ㅇ일 같은 병실의 환자에게 폭행을 가하고 병원으로부터 권고를 받아 퇴원했다.

　③ 그래서 본인은 ㅇㅇ시의 자택에 돌아왔지만 그 직후, 집에서 발화하여 안채가 전소했다. 그 때, 본인은 현장에 임장하여 사정청취를 하려고 한 경찰관에게 박치기를 하는 행위를 하였기

때문에 공무집행방해죄의 현행범으로 체포되었다.

　본인은 같은 해 ○월 ○일, 같은 죄로 기소됐으나 같은 해 ○월, 집행유예의 유죄 판결을 받고 석방되어 중학교 시절의 1년 선배인 남성의 집에 피신하였다.

　④ 본인은 같은 해 ○월 ○일, 담배를 먹는 행위를 해서 병원에 입원했다가 다음날 퇴원했다.

　⑤ 본인은 같은 달 ○일, 순찰차를 파손하여 경찰관에 의해 ○○병원으로 옮겨져 같은 달 ○일, 조치입원이 되었다. 그 후 본인은 같은 해 ○월 ○일, 임의입원으로 전환된 후 같은 해 ○월 ○일, 의료보호 입원 절차가 이루어졌지만, 2006년 ○월 ○일, 다시 임의입원이 되었고 이 병원에 입원한 채 현재에 이르고 있다.

2. 보좌 개시의 필요성

(1) 이상의 사실(본 심판에서 인용하는 원심 감정인의 감정 결과를 포함하는 원심판 인정사실을 포함한다)에 의하면, 본인은 1991년 무렵부터 정신 증상으로 입원을 되풀이하고 있으며 현재는 정신분열증 만성기에 있는 것, 그 때문에 본인은 여러 가지 사회적 일탈 행동을 반복하고 있으며, 금전에 관한 판단력이 저하되어 계획성이 없고 충동적으로 낭비하는 점이 있고 자기의 재산을 관리 처분하려면 항상 도움이 필요하다는 점이 인정되므로, 민법 11조 소정의 '정신적 장애로 인해 사리를 변식하는 능력이 현저하게 불충분한 사람'에 해당한다고 평가할 수 있다.

(2) 그리고 본인은 재산으로서 본건 예금을 가지고 있고, 월 9만 엔 이상의 장애 연금을 수급하고 있는 바, 전술한 정신질환 때문에 이들을 충동적으로 낭비할 우려가 있는 점, 본인에 관하여 보좌가 개시되면 보좌인에 대한 대리권 수여에 대해서 본인의 동의가 없어도 예금의 환급은 원금을 받는 것으로서 보좌인의 동의를 요하는 행위가 되므로(민법 13조 1항 1호), 본건에서 보좌를 개시하는 것은 본인의 전술한 충동적인 낭비를 방지하고 본인의 보호에 이바지하는 유효한 방법이라고 할 수 있다.

　따라서 본건에서는 본인에 관하여 보좌를 개시해야 할 필요가 있다고 할 수 있다.

(3) 기록에 의하면 항고인은 보좌인에 대하여 본인과 친족의 사이를 중재하거나 사회적 일탈 행동을 하지 않도록 본인의 행동을 감독하는 역할까지 기대하고 있는 듯이 보이는 바, 거는 기대에는 보좌인이 본래 하여야 할 역할을 초과하는 것이 있음을 부정할 수 없지만, 그렇다고 하더라도 전술한 것과 같은 필요성이 인정되는 이상 항고인의 본건 신청이 제도의 취지에 적합하지 않아 신청권의 남용이라고 판단해서는 안 된다.

3. 보좌인의 선임

전술한 경위를 검토하고 있는 본건에서는 보좌인 취임을 승낙하는 제3자를 얻기 곤란하였으므로 이 심판에서 적임자의 추천을 요구한 바, 겨우 ○○변호사회로부터 주문에 적힌 C 변호사를 추천받을 수 있었다.

그래서 위 변호사를 본인의 보좌인으로 선임하도록 한다.

결 론

이상의 사정으로 원심판은 상당하지 않고 본건 항고는 이유가 있으므로 가사심판규칙 19조 2항에 따라 원심판을 취소하고 심판을 대신한 재판을 하기로 하여 주문과 같이 결정한다.

■ 재판장 재판관 田中壯太 재판관 松本久 村田竜平

8

후견 사무로 인한 수입 감소

신청인은 후견인의 직무를 하느라 자신이 하던 본연의 생업에 전념하지 못하여 수입이 감소하게 되었다고 하여 후견인 보수의 증액을 요구하였으나 재판소는 이를 받아들이지 않았다. 다만 손해배상 또는 부당이득으로 청구를 한다면 인정받을 수도 있음을 시사하였다.

재판소는 일반적으로 후견인에 취임하여 후견 사무를 처리하고 그로 인해 어느 정도 자기가 경영하는 사업에 전념할 수 없게 되는 결과 다소 사업 수입이 감소하는 것은 추측하기 어렵지 않은 것이지만 관련된 수입 감소는 이른바 일실이익의 손실로서 별도로 청구하는 것은 별도의 논의로 하고 당연히 후견인에 대한 보수에 가산될 것은 아니므로 신청인에 대하여는 후견인으로서 실질적으로 사무 처리를 한 일수만큼의 일당을 보수로 지급하면 충분하다고 해석해야 한다고 판시하였다.

사 건 번 호	昭36(家)1484号·昭36(家)1483号	
사 건 명	후견인에 대한 보수 지급 사건	재판연월일 昭和36年[68] 11月 13日
재 판 소 명	요코하마(横浜) 가정재판소	재 판 구 분 심판

주 문

신청인이 피후견인 나카야마 다카시中山孝와 나카야마 다케시中山武의 후견인에 취임한 때부터 1961년 5월 15일까지의 직무집행에 대한 보수로 16,802엔을 지급한다.

이 유

신청인은 '피후견인 나카야마 다카시와 나카야마 다케시의 후견인으로서 보수금의 지불을 구한다.'고 하였는데 그 이유를 다음과 같이 진술하였다.

신청인은 1960년 11월 4일 요코하마横兵 가정재판소에서 피후견인 나카야마 다카시와 나카야마 다케시의 후견인으로 선임되었는데 신청인이 후견인에 취임 후 이미 1960년 10월 1일 피후견인 등의 친형 나카야마 가즈오中山一男가 교통사고로 사망하였기 때문에 가즈오에 관하여 상속이 개시되어 피후견인 두 사람이 상속인이었으므로, 후견인에게 전술한 가즈오의 교통사고 상대방인 가와사키시川崎市 나카지마쵸中島町 잇초메一丁目 ○○번지 ○○운송주식회사에 대하여 수차례에 걸쳐 위자료 지불 교섭을 하는 동시에, 필요한 서류의 작성, 현금 수령 등을 하고 그 위에 가즈오의 생명보험금 수령에 관한 일체의 행위를 하고 한편 피후견인 두 사람의 주거를 찾고 이들 소유의 현금을 운용하는 등 상당히 번잡한 사무를 처리하여 그에 소요된 교통비, 일당액은 합계 25,080엔에 달한다. 더욱이 후견인은 도쿄도東京都 분쿄쿠文京区 긴스케쵸金助町 ○○번지에서 전국교통서비스협회라고 칭하는 운송업을 하고 있었던 바, 전술한 후견 사무 처리와 경합하여 사업에 전념할 수 없었기 때문에 점차 영업 부진에 빠져 1960년 10월 이후 1961년 4월까지 합계 55,804엔의 수입 감소가 이루어져서 위 금액의 합계인 80,884엔을 후견

---

68) 1961년

인에 대한 보수금으로 그 지불을 구한다.

따라서 본건 기록에 첨부되어 있는 각 호적등본 및 관련 기록인 요코하마 가정재판소 昭和35年 (家) 第3,444号와 3,445号 후견인 선임 사건 기록 및 가정재판소 조사관의 조사 결과를 종합하면, 신청인은 피후견인 나카야마 다카시와 나카야마 다케시의 큰아버지로 1960년 11월 4일 요코하마 가정재판소에서 후견인으로 선임되어 그 후 신청인 주장과 같이 가즈오에 관한 교통사고에 의한 사망에 대한 위자료, 생명보험료 등의 청구, 수령한 현금 보관 등의 사무를 처리하였고 그 때문에 1960년 10월 12일부터 1961년 5월 4일까지 전후 37회에 걸쳐, 신청인의 주소지인 가나가와켄神奈川県 후지사와시藤沢市 쓰지도辻堂 ○○번지에서 가즈오의 근무지였던 가나가와켄 가와사키시川崎市 모토키쵸元木町 ○○번지 가나가와 도시 교통주식회사 영업소 또는 요코하마시 소재의 이 회사의 본사 등으로 가서 합계 6,180엔의 교통비를 지출한 것이 인정되지만 위 교통비는 후견 사무비로 인정해야 하며 후견인의 보수에 가산되어야 할 것은 아니다.

다음으로 신청인은 위 기간에 실질적으로 후견 사무를 처리한 일수는 31일 반이므로 하루 600엔으로 계산한 합계 18,900엔을 일당으로 청구하고, 그 위에 위 사무 처리에 근거한 사업의 수입 감소를 보충하고자 55,804엔을 청구하고 있지만 일반적으로 후견인에 취임하여 후견 사무를 처리하고 그로 인해 어느 정도 자기가 경영하는 사업에 전념할 수 없게 되는 결과 다소 사업 수입이 감소하는 것은 추측하기 어렵지 않은 것이지만 관련된 수입 감소는 이른바 일실이익의 손실로써 별도로 청구하는 것은 별론으로 하고 당연히 후견인에 대한 보수에 가산될 것은 아니므로 신청인에게는 후견인으로서 실질적으로 사무 처리를 한 일수만큼의 일당을 보수로 지급하면 충분하다고 해석할 것인 바, 전술한 각 증거 자료에 따르면 신청인의 평균 임금은 신청인이 운영하는 사업이 정상적으로 운영되던 1959년 1월부터 1960년 9월까지를 기준으로 산출하면 하루 611엔이 되고, 그 위에 신청인이 1960년 11월 4일 후견인에 취임한 이후 1961년 5월 15일 현재까지, 실질적으로 후견 사무를 처리한 일수는 27일 반이므로 여기에 전술한 평균 임금 하루치 611엔을 곱한 16,802엔을 전술한 일시 현재까지, 신청인에게 후견인에 대한 보수로 지급해야 할 금액으로 인정하는 것이 상당하다.

따라서 주문과 같이 심판한다.

■ 가사심판관 安達昌彦

9

후견인의 보수

금치산자의 후견인이 후견 사무에 대한 보수 지급을 청구한 사건에서 재판소는 심판 때까지의 기간에 해당하는 보수의 지급을 명하였다.

후견인은 앞으로 매달 3만 엔씩의 보수를 계속 지급받아야 한다고 주장하였지만 본래 후견인의 보수는 그간 후견 사무에 대하여 보수의 지급 여부 및 금액을 결정함을 원칙으로 해야 한다고 해석된다고 하면서 장래에 걸친 보수 지급 신청 부분은 인정하지 않았다. 후견인의 보수는 선불이 아니라 후불이라는 결론이다.

<table>
<tr><td>**사 건 번 호** 昭48(家)2119号</td><td>**사 건 명** 후견인에 대한 보수 지급 신청사건</td></tr>
<tr><td>**재판연월일** 昭和48年[69] 5月 29日</td><td>**재 판 소 명** 도쿄(東京) 가정재판소</td></tr>
<tr><td>**재 판 구 분** 심판</td><td></td></tr>
</table>

주 문

신청인이 피후견인 미나미다 히사코南田寿子를 위해 한 1973년 5월 31일까지의 후견 사무 보수로 100만 엔을 피후견인의 재산에서 주는 것으로 한다.

이 유

신청인은 '피후견인은 후견인에게 (1) 1973년 2월 이후 후견 사무 완료에 이르기까지 매달 3만 엔씩의 보수를 지불하라, (2) 1958년 11월에서 1973년 1월말까지의 기간에 대한 사무처리 보수로 100만 엔의 채권이 존재함을 확인하라'는 심판을 청구했다. 본 재판소 昭和44年 (家) 第4195号, 4196号 사건기록, 본 재판소의 신청인에 대한 후견감독 기록, 신청인의 본건 신청서 및 준비서면이라고 제목 붙인 진술서 및 신청인의 심문결과에 의하면 다음의 사실을 인정할 수 있다.

1. 피후견인 미나미다 히사코는 신청인의 누나인 사실, 피후견인은 1958년 무렵부터 정신분열증에 걸렸고 피후견인에게는 당시 아오키 구니오青木邦男라는 내연남이 있었지만 신청인이 피후견인이 거주하는 집의 부지 안에 집을 지어 피후견인을 돌보아 온 사실,

2. 미나미다 히사코에 대해서는 본 재판소 昭和44年 (家) 第4195号, 4196号 사건에 의해 1969년 10월 5일 금치산선고, 신청인을 후견인에 선임하는 취지의 심판이 있었고 이를 토대로 신청인은 미나미다 히사코의 후견인에 취임한 사실,

3. 피후견인은 당시 전술한 아오키 구니오로부터 토지와 집을 증여받아 이에 따른 증여세 등 총액

---

69) 1973년

644만 5,192엔의 빚이 있어 후견인에 취임한 신청인은 채무의 변제와 피후견인의 치료비 변통을 위해 피후견인의 재산을 유리하게 이용할 방안을 계획하고 전술한 토지와 집을 주식회사 나카노구미中野組에 매각하여 이 회사에서 이 지상에 철근 콘크리트 구조로 7층짜리인 분양 주택을 건축하고 그 1층 전부와 별도로 현금 400만 엔을 제공하는 것으로 위 매매대금을 정산하기로 하여(다만 토지 중 13평을 주차장용으로 피후견인에게 남긴다), 이에 따라 400만 엔 외에 1층(101호, 102호, 103호의 3개 사무실)의 임대에 따른 보증금, 임차료 거기에 주차장의 임대에 따른 보증금, 임차료 등을 합쳐 총액 826만 2,305엔을 취득하여 전술한 피후견인의 부채를 전액 순차적으로 변제를 마무리했고 현재는 임대에 의한 임대료 수입 월액 합계 19만 1,000엔을 얻어 이로부터 피후견인의 입원비용(용돈을 포함한다) 약 3만 5,000엔, 공과금 연간 40만 엔(매달 약 3만 3,000엔)을 지불하고 잔금 12만 6,000엔이 순이익으로 피후견인이 취득할 수 있는 체제로 한 사실,

4. 신청인은 분양 주택의 3층의 방 하나를 전술한 나카노구미로부터 토지 임차권의 대가로 분양받아 처, 장남과 함께 거주하고 스스로는 승용차 운전기사로서 연간 153만 엔의 수입을 얻고 있는 사실, 그리고 그 나머지 시간을 이용하여 피후견인의 재산 관리를 하고 있는 사실.

이상의 인정사실에서 보면, 신청인의 피후견인 미나미다 히사코에 대한 1973년 5월 31일까지의 후견 사무 처리는 상당한 노력이 필요했고 또한 현명한 것이었다고 할 만하여 이에 대하여 상당액의 보수를 피후견인의 재산에서 지불하도록 하는 것이 상당하다고 할 것이다. 전술한 인정 사정 및 피후견인의 자산 및 후견인의 자력 등을 감안하여 보수액을 100만 엔으로 정한다.

덧붙여 신청인은 앞으로 매달 3만 엔씩의 보수를 계속 지급받아야 한다고 주장하고 있지만, 본래 후견인의 보수는 그간 후견 사무에 대하여 보수의 지급 여부 및 금액을 결정함을 원칙으로 해야 한다고 해석되므로, 장래에 걸친 보수 지급 신청 부분은 채용하지 않는다.

따라서 주문대로 심판한다.

■가사심판관 渡瀨勳

10

후견인의 본인 확인 서류

재판소는 성년후견인은 파산관재인과 다르므로 성년후견인이 피후견인의 예금을 환급받기 위해서 '금융기관 등에 의한 고객 등 본인 확인 등 및 예금계좌 등의 부정 이용의 방지에 관한 법률'[70]에 근거하여 자신의 신분증명서를 제시하여야 한다고 판시하였다.

성년후견인인 변호사가 금융기관에 재판소가 교부한 증명서를 제시한 후 성년피후견인 명의 예금의 환급을 청구하였는데 금융기관에서 신분 확인을 위해 운전면허증 등의 제시를 요구하였고 위 변호사가 운전면허증 등의 제시를 하지 않아 환급이 거부되었다. 위 변호사는 결국 성년피후견인 본인의 명의로 위 금융기관에 예금의 환급을 구하는 소송을 제기하였다.

위 변호사는 성년후견인도 파산관재인도 재판소의 기관인 이상, 법의 운용에 있어서도 동등하게 취급해야 하며, 자신이 재판소가 교부한 증명서를 제시한 후 피후견인 명의 예금의 환급 청구

---

70) 자금 세탁 방지 및 테러 자금 대책을 위해 금융기관에 대해서 특정 거래를 하는 고객의 신원을 공적 증명서를 이용하여 확인하고 그 기록을 작성하여 보존하는 의무와 특정한 거래를 할 때에 그 기록을 작성하여 보존하는 의무를 지게 하는 '금융기관 등에 의한 고객 등의 본인 확인 등에 관한 법률'은 2002년 법률 제32호로 제정되어 2003년 1월 6일부터 시행되었다. 2004년 12월 30일부터 명칭을 '금융기관 등에 의한 고객 등 본인 확인 등 및 예금계좌 등의 부정이용의 방지에 관한 법률'로 변경하여 시행하였는데 타인으로 행세하면서 계좌를 개설하는 행위나 타인에게 양도할 목적으로 계좌를 개설하거나 계좌를 양도하거나 양수하는 등의 행위에 벌칙을 마련(제16조의2)하였다. 위 두 법률은 '본인확인법'이라는 약칭으로 불렸는데 2008년 3월 1일 '범죄에 의한 수익의 이전 방지에 관한 법률'의 전면 시행에 따라 폐지되었다[위키피디아 일어판(http://www.ja.wikipedia.org/)의 '本人確認法' 검색내용].

를 하고 있는 이상, 금융기관은 위 법률 시행규칙 2조 10호 ㅁ에 규정하는 '파산관재인 또는 이에 준하는 자가 법령상의 권한에 근거하여 하는 거래로 그 선임을 재판소가 증명하는 서류 또는 이와 비슷한 것이 제시 또는 송부된 것'으로 취급하여 그 이상으로 자신에게 운전면허증의 제시 등을 요구하지 말고 환급 청구에 응하여야 한다고 주장하였다.

하지만 재판소는 변호사가 파산관재인으로 금융기관과 거래하는 경우에는 '금융기관 등에 의한 고객 등의 본인 확인 등 및 예금계좌 등의 부정이용의 방지에 관한 법률'에 따라 신분 확인을 위하여 운전면허증을 제시할 필요가 없지만 성년후견인의 경우는 이에 해당하지 않고 오히려 위 법률에 근거하여 운전면허증 등 신분을 증명하는 서류를 제시할 필요가 있다고 판시하였다.

본 판결은 형사판결이 아님에도 불구하고 이례적으로 판결문 말미에서 금융기관에 환급 청구를 시작한 때로부터 이미 1년 이상이 경과되었으며 변호사가 환급에 응하지 않으면 소송을 제기한다고 고지한 기한인 2007년 4월부터 본건 소송 제기까지 사이에도 5개월이 경과하고 있는 것, 성년피후견인의 이익 때문에 진정으로 환급을 받을 필요가 있다면 이렇게 소송비용과 시간을 들이는 것 자체로, 성년후견인에게 부과된 선량한 관리자의 주의의무(민법 제869조, 제644조)에 위반할 가능성이 있다고 말하지 않을 수 없고 법, 영 및 규칙을 숙독하면 자기의 생각이 통용되지 않는다는 것은 이해 가능할 것이라고까지 하여 성년후견인인 변호사를 맹렬하게 비난하고 있다.

사 건 번 호 平19(ワ)379号	**사 건 명** 저금 환급 청구 사건
재판연월일 平成20年[71] 1月 25日	
재 판 소 명 가고시마(鹿児島) 지방재판소 나세(名瀨) 지부	
재 판 구 분 판결	**재 판 결 과** 청구기각

주 문

1. 원고의 청구를 기각한다.
2. 소송비용은 원고가 부담한다.

사실 및 이유

제1 청구

1. 피고는 원고에게 1,300만 엔 및 이에 대한 2007년 4월 7일부터 다 갚는 날까지 연 5%의 비율에 의한 돈을 지불하라.
2. 소송비용은 피고가 부담한다.
3. 가집행 선언

제2 사안의 개요

1. 청구의 유형(소송물)

본건은 원고가 피고에게 소비임치계약에 근거하여 통상저금 1,300만 엔의 반환 및 이에 대한 환급 청구 후인 2007년 4월 7일부터 다 갚는 날까지 연 5%의 비율에 의한 지연손해금의 지불을 청구한 사안이다.

---

71) 2008년

2. 전제사실(당사자 사이에 다툼이 없는 사실, 본 재판소에 현저한 사실 또는 변론의 전체 취지에 의해 쉽게 인정되는 사실)

① 원고의 법정대리인으로서 성년후견인인 A는 변호사인데 2006년 10월 27일, 가고시마鹿児島 가정재판소 나세名瀬 지부에 의해 원고의 성년후견인으로 선임되었다.

② 2006년 11월 30일 당시, 일본우정공사(이하 '공사'라 한다)에 원고 명의로 통상 우편저금 계좌(기호번호 00000-000000)가 개설되었고(이하 '본건 저금'이라 한다) 그 잔고는 1,660만 4,965엔이었다.

③ 2007년 10월 1일, 우정민영화법(2005년 법률 제97호)이 시행됨으로써, 옛 우편저금법 7조 1항 1호에 규정하는 통상 우편저금은 피고가 받은 예금이 되는 동시에(그에 따라 옛 우편저금법 7조 1항 1호에 규정하는 통상 우편저금은 피고의 통상저금이 되었다) 피고는 공사의 업무 중 통상 저금에 관한 소송도 승계했다.

피고는 '금융기관 등에 의한 고객 등의 본인 확인 등 및 예금계좌 등의 부정이용의 방지에 관한 법률'(이하 '법'이라 한다) 2조 1호에 의해 법에서의 '금융기관 등'이며, 공사는 2005년 법률 제102호에 의한 개정 전의 법 2조 38호에 의해 법에서의 '금융기관 등'이다.

④ A는 원고의 대리인으로서, 2006년 12월 13일, 공사에 대하여 본건 저금에 관련된 우편저금 종합통장, 거래 도장 및 가고시마 가정재판소 나세 지부 재판소 서기관이 교부한 '증명서'(이하 '본건 증명서'라 한다)를 제시하고, 본건 저금의 환급을 요구했다. 본건 증명서에는 '증명서'라고 표제가 있으며, A의 성명, A가 소속된 변호사 사무소의 주소, 명칭('B 법률사무소'), 원고의 성명, 생년월일, 본적 및 주소, 또 A가 원고의 성년후견인임을 증명하는 취지의 기재가 있지만, A의 사진이 첨부되지 않았고 A 자신의 주거 및 생년월일의 기재도 없었다.

공사 직원은 이 날, A에게 A 자신에 대한 본인 확인 방법으로 운전면허증(도로교통법 92조 1항에 규정하는 것) 등의 제시를 요구하였다. 그러나 A는 이를 거절하고 반대로 본건 증명서의 제시가 본인 확인 방법으로 상당하지 않은 이유를 설명하도록 요구했기 때문에 공사는 이 날, A의 환급 청구에 응하지 않았다.

⑤ 그 후 공사는 여러 차례에 걸쳐 A에게 본건 증명서는 사진이 첨부되어 있지 않은 것 등으로 인해 법 및 그 관계 법령에서 정한 본인 확인 방법이 아니라는 것, 파산관재인이 저금의 환급을 청구하는 경우에는 파산관재인으로 선임된 것을 재판소가 증명하는 서류의 제시도 본인 확인 방법에 해당하지만, 성년후견인이 저금의 환급을 청구하는 경우에는 성년후견인으로 선임된 것을 재판소가 증명하는 서류의 제시가 성년피후견인 및 성년후견인의 본인 확인 방법에 해당하지 않는 것 등을 설명했다.

그러나 A는 이러한 설명에 납득하지 않고 공사에 파산관재인도 성년후견인도 똑같이 재판소에서 선임된 사람인데, 파산관재인에 대해서 인정되는 본인 확인 방법이 성년후견인에 대해서는 인정되지 않는 것은 납득할 수 없고, 본건 증명서를 제시하고 있는 이상은 공사는 저금의 환급에 응하여야 한다는 등으로 말하면서 공사가 요구하는 A 자신의 운전면허증 등의 제시를 계속 거부했다. 그리고 A는 2007년 3월 28일, C 우체국에 들러서 공사의 설명에 납득할 수 없는 것, 본건 저금의 환급을 공사로부터 거절당한 경우에는 지불을 요구하여 소송을 제기할 예정이라는 것, 같은 해 4월 6일까지 답변을 요구하는 것 등을 기재한 '통지'라고 제목을 붙인 서면(갑1)을 교부한 후, 공사에 대하여 원고의 대리인으로서 본건 저금 중 1,300만 엔의 환급 청구를 하였다(이하 '본건 환급 청구'라 한다).

이에 대해서 공사는 2007년 3월 30일, 본건 증명서가 법 및 그 관계 법령에서 정한 본인 확인 방법에 해당하지 않는 것 등을 기재한 문서를 교부하고 A의 환급 청구를 거절했다.

⑥ A는 2007년 9월 18일 원고의 법정대리인으로서 본건 저금의 환급 등을 요구하여 본건 소송을 제기했다.

3. 쟁점

본건 환급 청구를 법 6조에 근거하여 거절할 수 있는지 여부

4. 쟁점에 관한 당사자의 주장

■■■ 피고의 주장

원고의 대리인으로서 본건 환급 청구를 한 A는 공사에 대하여 법 3조에 근거한 본인 확인에 응하지 않는다는 의사 표시를 했으므로 공사 및 그 승계회사인 피고는 법 6조에 근거하여 본건 환급 청구를 거절할 수 있으며, 원고와의 사이의 소비임치계약에 근거한 1,300만 엔의 반환 의무를 면하는 것은 물론, 이행 지체에 의한 지연 손해금의 지불 의무도 면한다.

A가 제시한 본건 증명서가 본건 환급 청구의 책임을 맡고 있던 A에 관하여 법, '금융기관 등에 의한 고객 등의 본인 확인 등 및 예금계좌 등의 부정이용의 방지에 관한 법률 시행령'(이하 '영'이라 한다) 및 '금융기관 등에 의한 고객 등의 본인 확인 등 및 예금계좌 등의 부정이용의 방지에 관한 법률 시행규칙'(이하 '규칙'이라 한다)에서 정한 본인 확인 방법이 아닌 것은 분명하다.

본건 환급 청구의 거절은 법 6조에 의해 면책되는 경우에 해당하지 않는다. 즉, 성년후견인도 파산관재인도 재판소의 기관인 이상 법의 운용에 있어서도 동등하게 취급해야 하며, 성년후견인인 A가 재판소가 교부한 본건 증명서를 제시한 후 본건 환급 청구를 하고 있는 이상, 공사 및 피고는 규칙 2조 10호 ㅁ에 규정하는 '파산관재인 또는 이에 준하는 자가 법령상의 권한에 근거하여 하는 거래로 그 선임을 재판소가 증명하는 서류 또는 이와 비슷한 것이 제시 또는 송부된 것'으로 취급하여야 하고, 그 이상으로 A에게 운전면허증의 제시 등을 요구하지 말고 본건 환급 청구에 응하여야 한다.

제3 쟁점에 대한 판단

1. 우선 본건 환급 청구가 법 3조 1항 및 2항에서 금융기관 등에 부과된 본인 확인 의무의 대상에 해당하는지 여부를 검토한다.

(1) 본건 환급 청구는 본건 저금 중 1,300만 엔의 환급을 요구하는 것이며, 영 3조 1항 16호에 규정하는 '현금 (중략)의 수령·지불을 하는 거래로 당해 거래 금액이 200만 엔 (중략) 을 초과하는 것'에 해당하므로 원칙적으로 법 3조 1항에 규정하는 '예금 또는 저금의 수납을 내용으로 하는 계약의 체결 기타 정령(政令)⁷²⁾으로 정하는 거래(이하 '예저금계약 체결 등의 거래'라 한다)'가 되어 이 조항에 근거하여 공사 및 피고는 이 거래를 할 때, 자연인인 당해 고객 등(본건에서는 원고 자신)에 대해서, '운전면허증의 제시를 받는 방법 기타 주무성령으로 정하는 방법'에 의해 성명, 주거 및 생년월일의 확인(본인 확인)을 하지 않으면 안 되는 것으로 된다(주 : '주무성령'이란 규칙을 가리킨다).

그리고 금융기관 등은 '고객 등의 본인 확인을 하는 경우'(요건 ①)에 있어서, '당해 금융기관 등과의 사이에서 실제로 예저금계약 체결 등의 거래의 임무를 맡고 있는 자연인이 당해 고객 등과 다른 때(다음 항에 규정하는 경우를 제외한다)'(요건 ②)에는 '당해 고객 등의 본인 확인에 덧붙여, 당해 예저금계약 체결 등의 거래의 임무를 맡고 있는 자연인(이하 '대표자 등'이라 한다)에 대해서도 본인 확인을 해야 한다'고 규정되어 있으며, 일체의 예외는 인정되지 않는다(법 3조 2항. 주 : 이 항의 '다음 항'인 같은 조 3항은 고객 등이 국가, 지방자치단체 등인 경우에는 당해 국가, 지방

---

72) 일본 헌법 제73조 제6호에 따라 내각이 제정하는 명령. 행정기관이 제정하는 명령 중에서는 가장 우선적인 효력을 가진다.

공공단체 등을 위해 당해 금융기관 등과의 사이에서 실제로 예저금계약 체결 등의 거래의 임무를 맡고 있는 자연인을 '고객 등'으로 간주하여 같은 조 1항의 규정을 적용하는 것으로 하고 있다).

본건 환급 청구에서는 실제로 환급 청구를 하고 있는 법정대리인인 A는 '고객 등'인 원고 자신과는 다른 '대표자 등'이며, 요건 ②를 충족하므로 원칙대로 요건 ①을 충족하는, 즉 법 3조 1항에 근거하여 '고객 등'인 원고 자신에 대해서 본인 확인을 해야 한다면 '대표자 등'인 A에 대해서도 본인 확인을 해야 하는 것으로 된다. 그리고 예외적으로 요건 ①을 충족하지 않는, 즉 법 3조 1항에 근거하여 '고객 등'인 원고 자신에 대해서 본인 확인을 할 필요가 없다면 '대표자 등'인 A에 대해서도 본인 확인을 할 필요가 없는 것으로 된다.

(2) 그런데 본건 환급 청구가 예외적으로 법 3조 1항에 규정된 정령으로 정하는 거래에 해당하지 않고, 요건 ①을 충족하지 않게 되는지 여부를 검토한다.

우선 법 3조 1항은 금융기관 등은 '고객 등 (중략) 과의 사이에서 (중략) 정령으로 정하는 거래 (중략)를 할 때에는' 본인 확인을 해야 한다고 규정하고 있다.

이에 따라 영 3조 1항은 법 3조 1항에 규정된 정령으로 정하는 거래로서 1호부터 27호까지의 각 거래를 열거한 다음, 이 각 거래에서 '주무성령으로 정하는 것을 제외한다.'고 예외를 두고 있다.

이에 따라 규칙 2조는 영 3조 1항에 규정된 주무성령으로 정하는 거래로서 10호에서 '영 제3조 제1항 제1호에서 제25호까지에 열거된 거래 중 다음에 열거된 것'으로 한 후에, 'ㅁ 파산관재인 또는 이에 준하는 자가 법령상의 권한에 근거하여 하는 거래로, 그 선임을 재판소가 증명하는 서류 또는 이와 비슷한 것이 제시 또는 송부된 것'으로 규정하고 있다.

이러한 법, 규칙 및 영의 각 규정의 구조에서 보면 규칙 2조 10호 ㅁ를 적용하기 위해서는 '고객 등'이 '파산관재인 또는 이에 준하는 자'인 것이 필요함은 분명하다.

본건에서는 '고객 등'인 원고 자신은 성년피후견인으로 '파산관재인 또는 이에 준하는 자'가 아닌 것이 명백하다. 따라서 본건 환급 청구에는 규칙 2조 10호 ㅁ는 적용되지 않고 원칙대로 법 3조 1항에 규정된 정령으로 정하는 거래에 해당하기 때문에 요건 ①을 충족하는, 즉 법 3조 1항에 근거하여 '고객 등'인 원고 자신에 대해서 본인 확인을 해야 하므로 법 3조 2항에 의해 '대표자 등'인 A에 대해서도 본인 확인을 해야 하는 것으로 된다.

(3) 이 점에서 원고는 성년후견인도 파산관재인도 재판소의 기관이기 때문에 법의 운용에 있어서도 동등하게 취급해야 하며, 재판소에 의해 선임된 성년후견인인 A가 재판소에서 교부를 받은

본건 증명서를 제시하여 본건 환급 청구를 하고 있는 이상, 규칙 2조 10호 ㅁ를 적용하여 금융기관 등인 공사 및 피고는 본인 확인 없이 환급에 응해야 한다고 주장하지만 이러한 주장은 도저히 허용되지 않는 규칙의 확대 해석이다. 아래에서 이유를 말한다.

① 먼저, 법, 규칙 및 영의 각 규정의 구조상, 본건 환급 청구에 규칙 2조 10호 ㅁ가 직접 적용되지 않는 것은 전술한 (2)와 같지만, 2조 10호 ㅁ의 규정 자체에서도 성년후견인이 대리인으로서 한 본건 환급 청구와 같은 거래에 2조 10호 ㅁ를 직접 적용하지 않는 것도 분명하다.

즉, 파산관재인에 준하는 자란 파산법의 보전관리인, 민사재생법의 관재인 및 보전관리인, 회사갱생법의 관재인 및 보전관리인 등을 가리키고 성년후견인이 포함되지 않는 것은 분명하다. 파산법의 보전관리인, 민사재생법의 관재인 및 보전관리인, 회사갱생법의 관재인 및 보전관리인 등은 파산관재인과 마찬가지로 권리 의무의 주체에서 박탈된 재산의 관리처분권 등을 전속적으로 행사할 수 있다(파산법 78조 1항, 93조 1항, 민사재생법 66조, 81조 1항, 회사갱생법 32조 1항, 72조 1항). 이에 대하여 성년후견인은 법정대리권을 가지는 것에 불과하고(민법 859조 1항), 성년피후견인이 한 법률 행위도 취소할 수 있는 것에 그쳐서 취소하기까지는 유효한 것이며(민법 9조), 성년후견인의 권한과 파산관재인 등의 권한이란 완전히 이질적이기 때문에, '파산관재인 또는 이에 준하는 자'에 해당하지 않는다.

또한 파산관재인, 파산법의 보전관리인, 민사재생법의 관재인 및 보전관리인, 회사갱생법의 관재인 및 보전관리인 등에 대해서는 재판소 서기관에게 자격증명서의 교부가 의무로 되어 있으므로(파산규칙 23조 3항, 29조, 민사재생규칙 27조 1항, 20조 3항, 회사갱생규칙 20조 3항, 17조 1항), 규칙 2조 10호 ㅁ에 규정된 '선임을 재판소가 증명하는 서류 또는 이와 비슷한 것'에 해당하는 것이 항상 존재한다. 이에 대하여 성년후견인에 대해서는 재판소가 성년후견인에게 자격증명서를 교부하는 제도가 마련되어 있지 않은 점에 비추어 봐도 규칙 2조 10호 ㅁ의 규정에서 성년후견인에 대한 적용을 예정하고 있었다고는 생각할 수 없다(성년후견인에 대해서 재판소 서기관에게 자격증명서 교부가 의무로 되어 있지 않은 것은 법무국의 등기관이 발행하는 등기사항증명서(후견등기 등에 관한 법률 참조)에 의해 성년후견인으로서의 자격과 권한을 증명하는 것이 예정되어 있기 때문이다. 가고시마 가정재판소 나세 지부 재판소 서기관이 본건 증명서를 교부한 것은 가사심판규칙 12조 2항을 근거로 한 것으로 생각되는데 성년후견인은 등기사항증명서에 근거하여 대외적으로 자기의 자격과 권한을 증명하는 것이 일반적이고 특정 성년후견인이 특정 피후견인의 성년후견인임을 증명하는 문서를 재판소 서기관이 발행하는 것은 가정재판소 실무에서는 거의 생각할 수 없고 본건 증명서의 교부에 이른 것은 A가 교부를 매우 강하게 요구했기 때문은 아닐까 생각된다. 또한 '사건에 관한 사항의 증명'을 재판소 서기관의 권한으로 하는 파산법 11조 2항이 존재함에도 불구하고 파산규칙 23조 3항, 29조가 규정되어 있는 것에도 유의할 필요가 있다.].

이상과 같이 성년후견인이 대리인으로서 한 거래는 규칙 2조 10호 ㅁ에 규정된 '파산관재인 또는 이에 준하는 자'에 해당하지 않는다.

② 그러면 규칙 2조 10호 ㅁ의 확대 해석의 가부가 문제되는 것인데 법령의 해석, 특히 확대 해석을 하는데 있어서는 종합적인 관점에서 검토할 필요가 있는데, 적어도 그러한 해석을 할 필요성(그러한 해석을 하지 않으면 불합리 · 몰상식한 결과가 되는 것은 아닌가)과 허용성(그러한 해석을 함으로써 불합리 · 몰상식한 결과가 되는 것은 아닌가)의 양면에서 검토해야 하는 것은 말할 필요도 없다.

이러한 관점에서 검토하면 본건 환급 청구에서 A는 등기사항증명서에 의해 자신의 성년후견 인으로서의 자격과 권한을 증명함과 동시에(이는 법에 근거한 본인 확인의 문제는 아니다), 규칙에 따라 운전면허증, 건강보험의 피보험자증 등을 제시함으로써 아주 쉽게 본인 확인에 응할 수 있어서 확대 해석을 할 필요성은 없다.

한편 법은 테러리즘에 대한 자금 공여의 방지에 관한 국제 조약의 체결에 있어서, 이 조약 및 유엔 안보리 결의 1373호를 실시하기 위해 필요한 법 정비의 일환으로 입법된 것이며, 금융기 관 등에 대하여 본인 확인을 하지 않은 상태로 거래를 하는 것을 금지하고(법 3조), 본인 확인 기록의 작성 · 보존 의무(법 4조)나 거래 기록의 작성 · 보존 의무(법 5조)를 부과하는 등 하고 있으 며(세목에 대해서는 영 및 규칙에 위임하고 있다), 이들 의무에 위반한 경우에는 시정명령의 대상 으로 하고 있다(법 9조). 이렇게 본인 확인의 필요 여부, 방법 등에 대해서는 영 및 규칙에 의해 상세히 규정되어 있으며, 금융기관 등이 자의적으로 그 필요 여부를 판단할 수 없고 이에 따르지 않은 경우에는 시정명령 조치도 있는 것이기 때문에, 법, 영 및 규칙의 해석에 있어서는 되도록 그들의 구조와 문언에 충실하게 해석해야 한다. 특히 영 및 규칙 중 예외적으로 본인 확인이 필요 없는 경우에 관하여 규정된 부분의 해석에 있어서는 안이하게 확대 해석을 하면 금융기관 등에 대하여 혼란을 가져 와 큰 불이익을 초래하게 될 지도 모른다.

이상 검토한 바에 의하면 성년후견인이 파산관재인과 마찬가지로 재판소에 의해 선임되어 있 다고 해서 규칙 2조 10호 ㅁ를 확대 해석하여 성년후견인이 대리인으로서 한 거래에 적용할 수는 없다.

(4) 이상에서 본건 환급 청구는 법 3조 1항 및 2항에서 금융기관 등에 부과된 본인 확인 의무의 대상에 해당하여 공사와 피고는 원고 자신 및 A에 대해서 '운전면허증을 제시 받는 방법 기타

주무성령으로 정하는 방법'에 의해 본인 확인을 해야 한다.

또한 원고는 공사의 직원 등이 A를 이전부터 알고 있는 것, A 사무소를 방문하는 등 하고 있으므로 A가 실재 인물인 것, 스스로가 대응하고 있는 인물과 '대표자 등'인 A가 동일한 사람임을 알고 있어서 본인 확인을 할 필요는 없다고 주장하지만, 금융기관 등의 직원 등이 이러한 사정을 알고 있다고 해서 법에 근거한 본인 확인 의무가 면제되는 것은 아니다.

2. 다음으로 '대표자 등'인 A가 본건 환급 청구에서 본인 확인에 응하지 않았는지 여부(법 6조에 규정된 면책의 요건을 충족했는지 여부)를 검토한다.

A는 본건 증명서를 제시하고 본건 환급 청구를 하고 있는데 전술한 제2의 2.의 ④와 같이 본건 증명서에는, '고객 등'인 원고 자신에 관하여는 이름, 주거 및 생년월일이 기재되어 있으므로 규칙 4조 1호 ㅏ에 규정된 본인 확인 서류에 해당하지만 '대표자 등'인 A에 관하여는 주거도 생년월일도 기재되어 있지 않기 때문에 규칙 4조 1호 ㅏ에 규정된 본인 확인 서류에 해당하지 않는다.

그리고 A가 (자신에 대해서) 규칙 3조에 규정된 본인 확인 방법에 응한 사실은 달리 보이지 않고 오히려 A는 전술한 제2의 2.의 ④ 및 ⑤와 같이 공사 직원이 A 자신에게 운전면허증 등 규칙 4조에 규정된 본인 확인 서류를 제시하도록 요구해도 일관하여 그 제시를 거부하고 파산관재인에 대해서 인정되는 본인 확인 방법이 성년후견인에 대해서는 인정되지 않는 것을 납득하지 못하고 본건 증명서의 제시를 하고 있는 이상은 공사는 저금의 환급에 응해야 할 것이다 등이라고 계속 말하면서 현 시점에서도 (자신에 대해서) 규칙 3조에 규정된 본인 확인 서류의 제시에 응하지 않는다.

그러면 '대표자 등'인 A가 본건 환급 청구에서 본인 확인에 응하지 않고 현 시점에서도 이에 응하고 있지 않은 것은 명백하여 공사 및 피고는 법 6조에 근거하여 본건 환급 청구의 이행을 거부할 수 있다.

3. 따라서 피고는 소비임치계약에 근거한 1,300만 엔의 반환 의무를 면하는 것은 물론 이행 지체에 따른 지연손해금의 지불 의무도 면한다.

또한 성년피후견인인 원고의 성년후견인인 A는 본건 저금 중 1,300만 엔의 환급을 받을 필요가 있다면 본인 확인을 위해 운전면허증 등을 제시하기만 하면 되는 바, 자기가 제시한 본건 증명서에 의해서 본인 확인이 된 것으로 취급해야 한다고 강력히 주장하고 일부러 원고의 법정대리인으로서 본건 소송의 제기에 이르고 있는 것으로서 2006년 12월 13일 공사에 대하여 환급 청구를 시작한 때로부터 이미 1년 이상이 경과하고 있는 바인데(게다가 자신이 공사에 대하여 환급에 응하지 않으면 소송을 제기한다고 고지한 기한인 2007년 4월부터 본건 소송 제기까지 사이에도 5개월이 경과하고 있다), 성년피후견인의 이익 때문에 진정으로 환급을 받을 필요가 있다면 이렇게 소송비용과 시간을 들이는 것 자체로 성년후견인에게 부과된 선량한 관리자의 주의의무(민법 869조, 644조)에 위반할 가능성이 있다고 말하지 않을 수 없다(게다가 법, 영 및 규칙을 숙독하면 자기의 생각이 통용되지 않는다는 것은 이해 가능할 것이다). 조속히 법령에서 규정한 본인 확인 서류를 제시하고 성년후견인으로서의 적정한 직책을 완수하는 것이 바람직할 것이다.

결 론

이상에 의하면 원고의 본건 청구는 이유가 없으므로 이를 기각한다.

■재판관 三輪方大

11

소멸시효

민법 제166조 제1항에 의하면 소멸시효는 권리를 행사할 수 있는 때부터 진행한다.[73] 따라서 권리 행사에 어떠한 장애가 있는 경우 소멸시효가 진행하지 않을 수 있는데 '준금치산자가 소를 제기하는데 보좌인의 동의를 얻지 않았다는 사실'이 소멸시효의 진행을 막는 장애에 해당하는지가 문제된 사안이다.

원고(항소인 · 상고인)는 준금치산자였는데 정신위생법에 따라 1958년 강제 입원했다. 이 입원 절차에 위법한 점(보호의무자의 동의가 없었다)이 있어 원고는 인신보호법에 의해 1961년 구속에서 풀려났다. 퇴원 후 1971년에 원고가 위 입원에 의한 구속을 병원 이사장 및 원장의 공동 불법행위라고 하여 이에 따른 손해배상을 요구하여 이 사람들을 상대로 소송을 제기한 사안이다. 위 손해배상청구권이 시효로 소멸하였는지 여부가 쟁점이 되었는데 1심[74]은 '소멸시효 제도의 존재 이유는 권리불행사의 상태가 일정 기간 계속됐다는 객관적 사실을 존중하고 이에 의한 재산상의 권리 소멸 효과를 생기게 하여 이로써 사회의 법률관계 안정에 이바지하는 데에 있다……보좌인의 동의를 얻을 수 없었던 사정은 채권자인 원고 측에 존재하는 주관적, 사실상의 장애에 불과하여 시효의 진행에 영향을 미치지 않는다.'고 판시했다. 항소심[75]도 1심과 같은 취지의 판단을 했고

---

73) (소멸시효의 진행 등)

　제166조 소멸시효는 권리를 행사할 수 있는 때부터 진행한다.
74) 미토(水戸) 지방재판소 昭和47年 8月 30日 昭46(ワ)31号 손해배상 청구 사건
75) 도쿄(東京) 고등재판소 昭和48年 3月 29日 昭47(ネ)2195号 손해배상 청구 항소 사건

본 판결도 이들 하급심의 판단을 따랐다.

즉 민법 제166조 제1항의 '권리를 행사할 수 있는 때'란 권리 행사에 법률상의 장애가 없는 것을 말하며 채권자의 질병이나 여행 같은 주관적이고 사실적인 장애는 이에 해당하지 않는다. 시효제도의 취지에 비추어 법률관계의 안정이라는 면에서 보면 보좌인의 동의를 얻을 수 없었다는 사실은 보좌인과 준금치산자의 내부적인 사실에 지나지 않아 이는 권리 행사에 대한 단순한 사실상의 장애에 불과하고 법률상의 장애라고 할 수는 없다고 평가한 것이다. 사실상의 장애이므로 소멸시효가 그대로 진행한다는 결론이다.

사 건 번 호	昭48(オ)647号	사 건 명	손해배상 청구 사건
재판연월일	昭和49年[76] 12月 20日	재판소명	최고재판소 제2소법정
재판구분	판결		

주 문

1. 본건 상고를 기각한다.
2. 상고 비용은 상고인이 부담한다.

이 유

상고인의 상고 이유에 대해서

소멸시효는 권리자가 권리를 행사할 수 있는 때부터 진행하는데 소멸시효 제도의 취지가 일정 기간 계속된 권리 불행사의 상태라는 객관적 사실에 근거하여 권리를 소멸시켜 법률관계의 안정을 도모함에 있는 것을 감안하면, 위 권리를 행사할 수 있다는 것은 권리를 행사할 수 있는 기한의 미도래라든가 조건 미성취 같은 권리 행사에 대한 법률상의 장애가 없는 상태를 가리키는 것으로 해석해야 한다. 그런데 준금치산자가 소를 제기하는데 보좌인의 동의를 얻지 않았다는 사실은 권리 행사에 대한 단순한 사실상의 장애에 불과하여 이를 법률상의 장애라고 할 수는 없다. 그러므로 준금치산자인 상고인이 본건 소를 제기하는데 보좌인의 동의를 얻지 않았더라도 그에 의해서는 본건 손해배상채권의 소멸시효의 진행은 막을 수 없다고 해야 한다. 또한 상고인의 본건 손해배상채권이 조건부 채권 또는 확정 판결이 있는 채권이 아닌 것도 분명하다. 이상과 같으므로 피상고인들의 시효 항변을 인정한 원심의 판단은 정당하다. 그 외 원심 판결(그 인용하는 제1심 판결을 포함한다)에 소론의 위법은 없고, 위법이 있다는 것을 전제로 하는 소론 위헌 주장도 그 전제가 없다. 논지는 채용할 수 없다.

따라서 민사소송법 401조, 95조, 89조에 따라 재판관 전원 일치 의견으로 주문과 같이 판결한다.

■吉田豊 岡原昌男 小川信雄 大塚喜一郎

---

76) 1974년

12

후견인의 결격사유

구민법 908조 6호(현행 민법 847조 4호)에서는 후견인의 결격사유로 '피후견인에 대하여 소송을 하거나 하였던 사람'을 규정하고 있다.[77] 규정 자체는 '피후견인에 대하여 소송을 하거나 하였던 사람'이라고 규정하여 후견인이 원고가 되어 피후견인을 피고로 하여 소송을 하거나 하였던 경우만을 의미하는 것으로 생각될 수 있으나 이러한 경우뿐만 아니라 피후견인이 원고가 되어 후견인을 피고로 하여 소송을 하거나 하였던 경우도 후견인의 결격사유에 해당한다고 본다. 그렇다면 본인(피후견인)을 사실상 간호하거나 하면서 본인에 대하여 지배력을 행사하고 있는 사람이 판단능력이 없거나 저하된 본인을 이용하여 계획적으로 본인 명의로 특정인을 피고로 하여 어떠한 소송을 제기하면 그 상대방인 특정인에게 후견인 결격사유를 만들어 버릴 수 있다. 이처럼 위 규정을 악용하여 의도적으로 특정인에게 결격사유를 만들어 후견인으로 선임되지 못하도록 하는 공작을 재판소가 승인하는 결과를 낳아서는 안 되는데 이러한 점이 문제된 사안에서 재판소는 다음과 같은 취지로 판시하였다.

---

77) (후견인의 결격사유)
　제847조 다음에 열거하는 사람은 후견인이 될 수 없다.
　1 미성년자
　2 가정재판소에서 면직된 법정대리인, 보좌인 또는 보조인
　3 파산자
　4 피후견인에 대하여 소송을 하거나 하였던 사람 및 그 배우자와 직계혈족
　5 행방을 알 수 없는 사람

구민법 908조 6호(구민법 946조 3항에 의해 준용되는 경우를 포함한다)에 규정된 '피후견인에 대하여 소송을 하거나 하였던 사람'이란 그 소송 계속이 후견인 선임 전후를 불문하고 또한 당해 소송에 있어서의 원·피고 지위를 불문하지만, 단지 단순히 피후견인과의 사이에 형식적으로 소송이 계속되었다는 것만으로는 충분하지 않고 그 내용에 있어서 실질상 피후견인과의 사이에 이해가 상반하는 관계에 있을 것을 요한다고 해석해야 한다.

그리고 본건에 있어서의 배당금 인도 청구 소송 등과 같이 재산상의 급부를 요구하는 소송은 그 성질상 한쪽이 청구하고 다른 쪽이 그것을 거부하는 관계에 있으므로 일견 이해가 상반하는 소송처럼 생각되지만 그 청구원인인 사실이 존재하지 않고 소 제기 유지를 사실상 지배하는 자가 청구가 이유 없는 것을 알고 있었다든가 알지 못했다고 해도 알지 못한 것에 관하여 과실이 있는 경우 등 특별한 사정이 존재하는 경우에는 후견인이 위 소송에 응소하는 것은 부득이 한 조치로서 합리성이 있을 뿐 아니라 피후견인의 이익을 해치는 것이 되지 않으므로 실질상 이해가 상반하는 것도 아니라고 할 것이다.

재판소는 본건 배당금 인도 청구 소송은 원고의 어머니가 그 청구원인 사실이 이유가 없음을 알고 있거나 또는 상당한 주의를 하면 알 수 있음에도 불구하고, 원고의 후견인에 대하여 후견인 결격사유를 만들고 나아가 자신들의 이익을 꾀하는 것을 주된 목적으로 하여 후견인을 피고로 하여 소송을 제기한 것으로 인정할 수 있다고 하면서 피후견인이 후견인을 상대로 제기한 소송이 있었다고 하더라도 피고가 된 후견인은 결격사유에 해당하지 않는다고 판시하였다.

사 건 번 호	昭37(ワ)247号		
사 건 명[78]		재판연월일	昭和48年[79] 8月 1日
재판소명 와카야마(和歌山) 지방재판소		재판구분 판결	

주 문

1. 원고의 청구는 모두 이를 기각한다.
2. 소송비용은 원고가 부담한다.

사 실

《생략》

이 유

1. 청구원인 사실은 전부 당사자 사이에 다툼이 없다.

2. 항변[별지 제1 내지 제12 물건 목록 기재(생략)의 각 부동산 매매]에 대한 판단

(1) 항변 1의 사실(소외 이토카와 호이치로糸川芳一郎의 후견인 재임)은 당사자 사이에 다툼이 없다.

(2) 원고의 친족회원으로 1936년 6월 16일 소외 이토카와 젠노스케糸川善之助, 고다마 구스타로児玉楠太郎 및 이토카와 호이치로 세 사람이 선임된 것은 당사자 사이에 다툼이 없고 <증거>에 의하면 같은 해 10월 5일 위 구스타로의 사임에 따른 후임으로 소외 이토카와 히로시糸川宏가, 위 이토카와 호이치로의 후견인 취임에 따른 후임에 이토카와 아키조糸川秋造가, <증거>에 의하면 1941년 12월 12일 위 젠노스케의 사망에 따른 후임에 소외 이토카와 사다요시糸川定義가 각각 선임된 것이 인정

된다. 다음으로 <증거>에 의하면 원고의 후견감독인으로서 1936년 10월 6일 소외 오타 죠노스케太田長之助가, 1947년 11월 10일 위 죠노스케의 사망에 따른 후임으로 소외 이토카와 고타로糸川幸太郎가 각각 선임된 것이 인정된다. 위 인정에 반하는 증거는 없다.

(3) 본건 부동산에 관하여 1936년 무렵부터 본건 소송의 구두변론 종결까지의 사이에 별지 제1 내지 제12 물건 목록 기재대로 분·합필 및 지목 변경이 된 것은 <증거>에 의해 인정된다.

(4) 별지 제1, 제4, 제6, 제7, 제12 물건 목록 및 제5 물건 목록 4 기재의 각 부동산에 대해서

<증거>를 종합하면 다음과 같은 사실이 인정되고 달리 위 인정을 뒤집을 만한 증거는 없다.

① 소외 이토카와 가메노스케糸川龜之助는 생전에 소외 야마다 기시타로山田岸太郎로부터 103,050엔을 빌려 별지 제1, 제4, 제6, 제7, 제12 물건 목록 및 제5 물건 목록 4 기재의 각 부동산을 포함하는 물건을 매도담보로 제공하여 그 이행기한을 1936년 12월 25일로 하는 소유권 이전 청구권 보전의 가등기를 하고 있었는데 1935년 12월 29일 피고회사를 대표하는 권한을 가지는 이사인 이토카와 호이치로는 위 가메노스케와의 사이에서 1936년 12월 15일까지의 사이에 가메노스케가 위 채무를 서서히 분할하여 야마다 기시타로에게 지불하고 위 가등기를 말소하는 것을 조건으로 하여 위 물건을 대금 20만 엔에 매수하는 계약을 맺었고 위 가메노스케가 피고회사의 이사였으므로 상법의 규정에 따라 같은 날 피고회사의 감사 고다마 구스타로의 승인을 얻었는바, 그 후 위 가메노스케 생존 중에 위 건물의 일부인 별지 제1 물건 목록 기재 2·3, 별지 제4 물건 목록 기재 2의 각 부동산에 대해서는 전술한 가등기가 말소되어 위 매매계약의 조건이 성취되었다.

② 위 가메노스케의 사후, 야마다 기시타로에게 위 채무를 지불하기 위해 원고의 후견인 이토카와 호이치로는 1936년 12월 10일 소외 난카이南海 신탁 주식회사로부터 105,000엔을 빌려 이 돈에서 위 채무 전액을 지불하고 소외 야마다 기시타로의 전술한 가등기를 말소함과 동시에 전술한 물건(전술한 조건이 성취된 물건을 제외한다)에 원고 소유의 토지 11필지, 건물 5채를 더한 부동산을 위 난카이 신탁 주식회사로부터의 차입금의 담보로 제공하여 위 회사를 위한 저당권의 설정 및 정지 조건부 대물변제 계약으로 인한 소유권 이전 청구권 보전의 가등기를 하였다. 그리고 같은 날 피고회사의 대표권을 가진 이사인 이토카와 아키조와 원고의 후견인 이토카와 호이치로와의 사이에서 전술한 가메노스케와 피고회사 사이의 조건부 매매계약에 관하여 이행기한을 1939년 12월 15일로 하여 소외 난카이 신탁 주식회사의 위 저당권 설정 등기 및 소유권 이전 청구권 보전의 가등기를 말소하는 것을 조건으로 하여 대금을 168,020엔으로 하는 취지의 변경 계약을

체결하고 위 이토카와 호이치로가 피고회사의 이사였기 때문에 같은 날 위 계약 체결에 관하여 피고회사의 감사 이케나가 나리요시池永斎吉의 승인 및 원고의 친족회(회원 이토가와 젠노스케, 이토카와 아키조, 이토카와 히로시의 찬성)의 동의를 얻었다. 그 다음에 원고의 후견인 이토카와 호이치로가 위 난카이 신탁 주식회사 및 그 승계회사인 산와三和 신탁 주식회사에 대하여 1942년 12월 15일까지의 사이에 여러 차례에 걸쳐 서서히 위 차용금 전부의 상환을 하여 위 매매계약의 조건이 성취되었다.

(5) 별지 제2 및 제8 물건 목록 기재의 부동산에 대해서

<증거>를 종합하면 1947년 10월 28일 피고회사를 대리하여 이사인 구키 지요지九鬼千代治가 원고의 후견인 이토카와 호이치로로부터 별지 제2 및 제8 물건 목록 기재의 부동산을 대금 69,239엔 20센에 매수하여 위 매매계약 체결에 관하여 같은 해 2월 25일 피고회사의 감사 이케나가 나리요시, 이토카와 히로시의 승인을, 같은 해 10월 28일 원고의 친족회(회원 이토카와 히로시, 이토카와 사다요시의 찬성)의 동의를 얻은 것이 인정되고 달리 위 인정을 뒤집을 만한 증거는 없다.

(6) 별지 제3 물건 목록 기재의 부동산에 대해서

<증거>를 종합하면 1947년 12월 20일 피고회사를 대리하여 이사인 구키 지요지가 원고의 후견인 이토카와 호이치로로부터 별지 제3 물건 목록 기재의 부동산을 대금 19,770엔에 매수하여 위 매매계약 체결에 관하여 같은 날 원고의 친족회(회원 이토카와 히로시, 이토카와 사다요시의 찬성)의 동의 및 피고회사 감사인 이케나가 나리요시, 이토카와 히로시의 승인을 얻은 것이 인정되며 위 인정을 뒤집을 만한 증거는 없다.

(7) 별지 제5 물건 목록 기재(단, 4를 제외한다)의 부동산에 대해서

　① 별지 제5 물건 목록 기재 1 내지 3의 부동산에 대해서
　<증거>를 종합하면 1946년 6월 30일 원고의 후견인 이토카와 호이치로는 친족회(회원 이토카와 히로시, 이토카와 사다요시의 찬성)의 동의를 얻어 별지 제5 물건 목록 기재 1 내지 3의 부동산을 소외 이구치 요시코井口淑子에게 매각했지만 이전 등기가 완료되지 않았는데 1947년 10월 무렵 이구치 요시코가 희망해서 피고회사는 피고회사 소유의 토지와 위 물건을 교환하는 계약을

맺고 원고 명의에서 직접 피고회사로 중간 생략 등기가 이루어진 것이 인정되고 달리 위 인정을 뒤집을 만한 증거는 없다.

② 별지 제5 물건 목록 기재 5 내지 11의 부동산에 대해서

<증거>를 종합하면 1953년 11월 1일 피고회사의 대표이사인 구키 지요지가 원고의 후견인 이토카와 호이치로로부터 별지 제5 물건 목록 기재 5 내지 11의 각 부동산을 대금 403,838엔에 매수하여 위 매매계약 체결에 관하여 같은 날 원고의 후견감독인 이토카와 고타로糸川幸太郎의 동의를, 같은 해 12월 20일 피고회사 이사의 승인을 각각 얻은 것이 인정되고 달리 위 인정을 뒤집을 만한 증거는 없다.

(8) 별지 제9 물건 목록 기재의 부동산에 대해서

<증거>를 종합하면 1954년 9월 20일 피고회사의 대표이사 구키 지요지가 원고의 후견인 이토카와 호이치로로부터 별지 제9 물건 목록 기재의 부동산을 대금 73,775엔에 매수하여 위 매매계약 체결에 대해서 같은 달 10일 피고회사 이사회의 승인을, 같은 달 20일 원고의 후견감독인 이토카와 고타로의 동의를 각각 얻은 것이 인정되고 달리 위 인정을 뒤집을 만한 증거는 없다.

(9) 별지 제10 및 제11 물건 목록 기재의 부동산에 대해서

<증거>를 종합하면 1955년 11월 29일 피고회사의 대표이사 구키 지요지가 원고의 후견인 이토카와 호이치로로부터 별지 제10 및 제11 물건 목록 기재의 부동산을 대금 100,000엔 및 58,000엔에 각각 매수하여 위 매매계약 체결에 관하여 같은 달 25일 피고회사 이사회의 승인을, 같은 달 29일 원고의 후견감독인 이토카와 고타로의 동의를 각각 얻은 것이 인정되며 달리 위 인정을 뒤집을 만한 증거는 없다.

또한 위 249쪽 (5)의 매매에 대해서는 원고의 후견감독인 오타 죠노스케가 249쪽 (6), (7)의 ②, (8), (9)의 매매에 대해서는 원고의 후견감독인 이토카와 고타로가 각각 원고를 대리한 취지의 매매계약서가 작성되어 있지만 전술한 각 증인의 증언, 피고 대표자(이토카와 호이치로) 심문 결과와 변론의 전체 취지에 의하면 앞에서 인정한 것과 같이 후견인 호이치로가 원고를 대리하여 결정한 것으로 위 서류는 형식을 갖춘 것에 불과하다는 점이 인정된다.

3. 재항변에 대한 판단

(1) 소외 이토카와 호이치로를 원고의 후견인으로 선임한 친족회의 결의가 무효라는 주장에 대해서

재항변 1의 사실 중 소외 이토카와 가메노스케가 그 생전 와카야마무진和歌山無尽 주식회사의 이사이자 회장이었던 것, 이토카와 가메노스케의 사망 후 그 명의 주식에 대한 1936년도 배당금 365엔 등을 소외 이토카와 호이치로, 이토카와 젠노스케 두 사람이 수령하여 그 인도를 하지 않은 것을 이유로 하여 원고가 위 두 사람을 피고로 하여 1936년 8월 3일 와카야마구和歌山区 재판소에 배당금 인도 청구 소송을 제기하여 위 재판소 昭和11年 (ハ) 第651号 사건으로 계속된 것은 모두 당사자 사이에 다툼이 없다.

그런데 구민법 908조 6호(구민법 946조 3항에 의해 준용되는 경우를 포함한다)에 규정된 '피후견인에 대하여 소송을 하거나 하였던 사람'이란 그 소송 계속이 후견인(친족회원) 선임 전후를 불문하고 또한 당해 소송에 있어서의 원·피고 지위를 불문하지만 단지 단순히 피후견인과의 사이에 형식적으로 소송이 계속되었다는 것만으로는 충분하지 않고 그 내용에 있어서 실질상 피후견인과의 사이에 이해가 상반하는 관계에 있을 것을 요한다고 해석해야 한다. 그리고 본건에 있어서의 배당금 인도 청구 소송 등과 같이 재산상의 급부를 요구하는 소송은 그 성질상 한쪽이 청구하고 다른 쪽이 그것을 거부하는 관계에 있으므로, 일견 이해가 상반하는 소송처럼 생각되지만 그 청구원인인 사실이 존재하지 않고 소 제기 유지를 사실상 지배하는 자가 청구가 이유 없는 것을 알고 있었다든가 알지 못했다고 해도 알지 못한 것에 관하여 과실이 있는 경우 등 특별한 사정이 존재하는 경우에는 후견인(친족회원)이 위 소송에 응소하는 것은 부득이 한 조치로서 합리성이 있을 뿐 아니라 피후견인의 이익을 해치는 것이 되지 않으므로 실질상 이해상반하지 않은 것이라 할 것이다.

그런데 위와 같은 특별한 사정의 유무에 대해서 판단함에 <증거>를 종합하면 다음의 사실이 인정된다.

소외 이토카와 가메노스케는 1910년 무렵 기요紀陽 직물 주식회사를 창립한 것을 비롯하여 와카야마무진 주식회사 외 몇 개 회사를 설립하여 와카야마현 재계에서 활약하고 있었지만, 다이쇼大正[80] 말기부터 쇼와昭和[81] 초기에 걸친 세계적인 대공황에 의해 1930년 무렵 위 기요 직물 주식

---

80) 1912~1926년
81) 1926~1989년

회사도 어쩔 수 없이 도산하기에 이르렀다. 그런데 위 가메노스케는 채권자의 추구를 면하기 위해 1935년 12월 26일 피고회사를 설립했는데 자산 총액 517,027엔 84센에 대하여 부채 총액 1,201,985엔 9센이라고 하는 당시로서는 막대한 부채를 남기고 1936년 5월 6일에 사망했다. 그러나 생후 1개월인 원고를 둔 생모 이토카와 시즈코糸川志津子는 당시 만 28세의 여성으로 위 사업 등에 관계한 적도 없고 채권자들과도 안면이 없어 위와 같은 막대한 부채 정리를 도저히 해낼 능력도 없었던 것이므로 채권자 측의 강한 요망도 있어서 같은 해 6월 26일 무렵 원고의 재산관리권에서 사퇴했다. 그리고 같은 해 7월 29일 개최된 원고의 친족회(회원 이토카와 호이치로, 이토가와 젠노스케의 찬성)에서 위 이토카와 가메노스케의 차녀 이토카와 후미코糸川婦美子의 데릴사위로서 여러 해 가메노스케의 사업 경영에 협력하여 전후 사정에 정통한 소외 이토카와 호이치로가 원고의 후견인으로 선임되어 위 채무정리에 착수했다. 그런데 그 후 위 이토카와 시즈코는 위 재산관리권 사퇴 의사를 뒤집고 자신의 친아버지이자 그 당시 원고의 친족회원이었던 소외 고다마 구스타로는 위 이토카와 호이치로를 후견인으로 선임한 친족회의 결의 무효 확인의 소[昭和11年 (ワ) 弟94号] 및 같은 해 8월 1일 후견인 이토카와 호이치로, 후견감독인 오타 죠노스케를 상대로 그 직무집행 정지 및 이토카와 시즈코를 친권대행자로 하는 가처분[昭和11年 (ヲ) 第35号]을 하였다. 또한 위 이토카와 시즈코도 원고의 친권자로서 같은 해 8월 3일 위 이토카와 호이치로, 이토가와 젠노스케의 두 사람에 대하여 전술한 배당금 인도 청구 소송을 제기하기에 이르렀다. 그런데 위 소의 청구원인인 위 호이치로 및 젠노스케가 배당금 등을 수령한 사실은 없고 그 일은 당시 와카야마진 주식회사에서 조사하면 쉽게 판명되는 것이었다. 이리하여 그 후 얼마 안 된 같은 해 9월 26일 위 이토카와 시즈코, 고다마 구스타로와 이토카와 호이치로의 사이에서

① 이토카와 시즈코는 후견인으로서의 지위에서 물러나 친정(고다마兒玉 집안)에 돌아가고 고다마 구스타로도 친족회 회원을 사임하고 함께 장래 친족회 회원에 선임되지 않도록 민법(旧) 908조의 결격 사유를 만들 것

② 원고의 후견에 관한 제반 절차 및 친족회원 선정 절차 이행에 관하여 어느 누구도 방해 수단을 쓰지 말 것

③ 이토카와 호이치로는 이토카와 시즈코에게 위자료 및 원고의 양육비로 7,500엔을 지불하는 외에 이미 시즈코가 지출한 망 가메노스케 소유의 골동품 등 물품을 시즈코의 소유로 할 것

④ 와카야마 지방재판소 昭和11年 (ワ) 第94号 친족회 결의 무효 확인 사건, 같은 재판소 昭和11年 (ヲ) 第35号 가처분 신청사건은 이를 취하할 것,

⑤ 이토카와 시즈코는 원고의 친권자로서 이토카와 호이치로, 이토가와 젠노스케에 대하여 제기한 전술한 배당금 인도 청구 사건에서 그 청구원인에 기재된 사실에 오해가 있는 것을 발견하였

으므로 이토카와 호이치로에 대한 관계에서는 쌍방 원활히 양해하여 이를 취하할 것을 내용으로 하는 합의 계약이 성립하여, 쌍방에서 위 조항 이행이 이루어지고 같은 해 10월 6일 개최된 원고의 친족회에서 회원 이토가와 젠노스케, 이토카와 히로시, 이토카와 아키조의 찬성을 얻어 이토카와 호이치로가 원고의 후견인으로 선임되고 이토가와 젠노스케에 대한 전술한 배당금 인도 청구의 소는 그대로 취하하지 않고 유지되었지만 1심에서 청구원인인 사실이 없다는 이유에서 원고 패소로 끝났다.

위 인정에 어긋나는 증인 고다마 구스타로의 증언은 믿기 어렵고 달리 위 인정을 뒤집을 만한 증거는 없다.

위 사실에 의하면, 본건 배당금 인도 청구 소송은 원고의 어머니 이토카와 시즈코가 전술한 구스타로와 공모하여 그 청구원인 사실이 이유가 없음을 알고 있거나 또는 상당한 주의를 하면 알 수 있음에도 불구하고, 이토카와 호이치로, 이토가와 젠노스케 두 사람에 대하여 원고의 후견인, 친족회 회원 각각의 결격 사유를 만들고 나아가 자신들의 이익을 꾀하는 것을 주된 목적으로 하여 제기한 것으로 추인할 수 있고 그 후 위 소송이 이유가 없었던 것을 전제로 하여 위 시즈코가 상당액의 금품을 받는 것 등을 내용으로 하는 합의 계약이 성립하고 그 이행도 이루어져서 위 분쟁은 원만히 해결되기에 이른 것, 이토가와 젠노스케에 대한 관계에서는 위 소는 그 후 취하되지는 않았지만 소 제기의 목적, 청구가 이유 없는 것, 기타의 사정은 위와 같고 결국 1심에서 원고가 패소하고 있는 것에서 생각하면 이토카와 호이치로, 이토가와 젠노스케 두 사람의 위 배당금 인도 청구 소송에 대한 응소는 실질적으로 보아 원고와의 사이에 이해가 상반하는 관계에 있지 않은 것이라고 할 만하고 이토카와 호이치로는 원고의 후견인으로서, 이토가와 젠노스케는 그 친족회 회원으로서 각각의 자격에 흠결이 있는 것이 아니므로, 이토카와 호이치로를 후견인으로 선임한 친족회 결의는 그 하자가 없이 유효하게 이루어진 것이라 할 것이다.

따라서 재항변 1은 이유가 없다.

(2) 이해상반 행위 등의 주장에 대해서

<증거>를 종합하면 소외 이토카와 호이치로는 1935년 12월 26일에 개최된 피고회사의 창립총회에서 이사로 선임되어 그 후 1948년 4월 30일 대표이사로 취임했고 이후 그 지위에 있었다는 것 및 판시 248쪽 (4)의 인정의 경과에 의해 위 이토카와 호이치로는 원고의 후견인으로서 피고회사를 대표하는 권한을 가지는 이사인 이토카와 아키조 등과의 사이에 별지 제1 내지 제12 물건 목록 기재의 부동산을 피고회사에 매각(별지 제1 물건 목록 2·3, 제4 물건 목록 2, 제5 물건 목록 1

내지 3은 제외한다)한 것이 인정되어 성립에 다툼이 없는 갑 제2호증의 1도 위 인정을 움직이기에는 부족하고 달리 위 인정을 뒤집을 만한 증거는 없다.

그런데 후견인이 피후견인의 재산을 처분하는 행위가 이해상반 행위에 해당하는지 여부는 오로지 그 행위 자체에서 객관적으로 후견인에게 이익이고 피후견인에게 불이익한지 여부에 의해 판단해야 하고 그 행위의 동기나 행위의 상대방인 제3자의 이익상반의 실질적 사정에 관한 선의(不知), 악의(知) 같은 것은 이해상반 유무를 좌우하는 것은 아니라고 해석해야 할 것인 바, 판시 248쪽 (4)에서 인정한 사실 관계에서 보면 원고의 후견인 이토카와 호이치로가 별지 제1 내지 제12 물건 목록 기재의 부동산(별지 제1 물건 목록 2·3, 제4 물건 목록 2, 제5 물건 목록 기재 1 내지 3을 제외한다)을 피고회사에 매각한 행위는 그 자체가 객관적으로 후견인에게 이익이고 피후견인에게 불리한 것이라고 할 수는 없다(좀 더, 필요가 없는데 매각했다든가, 매매가 부당하게 낮은 가격에 이루어졌다든가, 매각 대금의 용도가 부당하다는 등 후견인의 임무에 위배하는 행위가 있고 이에 따라 피후견인이 손실을 입고 있다면 이를 이유로 후견인에 대하여 손해배상을 청구할 수 있지만 그것은 다른 문제이다). 게다가 원고의 주장처럼 위 관계자가 각각의 자격을 때와 장소에 따라 달리 사용했다고 해도 그에 의해 법률상 무효가 될 까닭은 없고 매매의 이행인 소유권 이전 등기 절차에 대해서는 이해상반을 발생시키는 것이 아니다. 따라서 재항변 2도 이유가 없다.

4. 따라서 원고의 본소 청구는 그 외의 점에 대해서 판단할 것도 없이 이유가 없으므로 모두 이를 기각하는 것으로 하고 소송비용에 대해서는 민사소송법 제89조를 적용하여 주문과 같이 판결한다.

■ 재판관 伊藤利夫 喜久本朝正 大谷正治

<물건목록> 생략

13

보조에 대한 본인의 동의

정신적 장애로 인해 사리를 변식하는 능력이 불충분한 사람에 대해서는 후견이나 보좌 개시가 필요한 사람을 제외하고 가정재판소는 본인, 배우자, 4촌 이내의 친족, 후견인, 후견감독인, 보좌인, 보좌감독인 또는 검찰관의 청구에 의해 보조 개시의 심판을 할 수 있다(민법 제15조 제1항).[82] 민법은 객관적으로 보아 보조가 필요하다고 해도 본인이 보조를 받고 싶지 않다고 생각하고 있다면 그 뜻에 반하여 보조를 개시하는 것은 본인의 자유의사에 반한다고 보아 본인 이외의 사람이 보조 개시의 심판을 신청하는 경우에는 본인의 동의가 없으면 안 되도록 규정하고 있다(민법 15조 2항).[83] 본인이 신청하는 경우에는 본인의 의사에 반하는 것이 아니므로 본인의 동의가 필요 없다.

이렇게 본인의 동의가 필요하다고 되어 있는 것은 보조뿐이고 보좌나 후견의 개시에는 이러한 요건이 없다. 보조를 받는 사람은 아직 어느 정도는 판단능력이 남아 있는 사람이어서 본인의 의사를 존중한다는 요청이 특히 크기 때문이다.

이처럼 관련 법령에서 보조의 개시에 본인의 동의를 요구하고 있으므로 보통은 보조 개시 심

---

82) (보조 개시의 심판)
   제15조 정신적 장애로 인해 사리를 변식하는 능력이 불충분한 사람에 대해서는 후견이나 보좌 개시가 필요한 사람을 제외하고 가정재판소는 본인, 배우자, 4촌 이내의 친족, 후견인, 후견감독인, 보좌인, 보좌감독인 또는 검찰관의 청구에 의해 보조 개시의 심판을 할 수 있다. 단, 제7조 또는 제11조 본문에 규정하는 원인이 있는 사람에 대해서는 그러하지 아니하다.
83) 제15조 2 본인 이외의 사람의 청구에 의해 보조 개시의 심판을 함에는 본인의 동의가 없으면 안 된다.

판의 신청 단계에서 본인의 동의서를 첨부한다.[84] 또한 가정재판소는 이러한 신청을 받자마자 조사관이 본인을 방문하도록 하게 하거나 하여 본인의 의사를 확인하는 것이 일반적이다.[85]

　　본 사안은 고등재판소의 항소심 결정인데 가정재판소에 보조 개시 심판을 신청할 당시 보조 개시에 대한 본인의 동의서가 첨부되지 않았고 재판소가 확인을 한 때에도 본인은 보조 개시에 동의하지 않았다는 이유로 보조 개시 심판의 신청을 각하한 원심의 결정을 유지하였다.

---

84) 弁護士江木大輔の法務ページ(http://www.egidaisuke.com/legal_info/cat01/q9_05.php)
85) 弁護士江木大輔の法務ページ(http://www.egidaisuke.com/legal_info/cat01/q9_05.php)

사건번호	平12(ラ)150号
사건명	보조 개시 신청 각하 심판에 대한 항고 사건
재판연월일	平成13年[86] 5月 30日
재판소명	삿포로(札幌) 고등재판소
재판구분	결정

주 문

1. 본건 항고를 기각한다.
2. 항고 비용은 항고인이 부담한다.

이 유

제1 항고의 취지 및 이유는 별지 '즉시항고 신청서'(사본)와 같다.

제2 일건 기록에 의하면 아래의 사실이 인정된다.

1. 사건본인의 이력 등

(1) 사건본인은 1942년 0월 0일, 아버지 B(1959년 2월 27일 사망)와 어머니 C(이하 '어머니 C'라 한다)의 장남으로 사할린에서 출생하여 1948년 부모 및 남동생 D(1943년 0월 0일 생)와 함께 홋카이도北海道 유바리시夕張市로 이사했다.

(2) 사건본인은 유바리시 내의 중학교를 졸업하고부터 1986년 무렵까지 철공소(주식회사 a제작소, 이하 'a제작소'라 한다)에 근무하고 있었지만, 1986년 무렵부터 피해망상이 보이게 되어 어머니 C와 동거하면서 b병원에 입원과 퇴원을 반복하고 있었다.

---

86) 2001년

(3) 사건본인은 b병원의 소개로 1993년 6월 무렵부터 정신박약자 원호시설인 c학원(이하 'c학원'이라 한다)에 다녔다. E 심신장애자 종합 상담소장은 1994년 9월 6일 사건본인이 정신박약(경증)인 것 및 어머니 C의 연령 등을 종합 고려하여 사건본인을 정신박약자 원호시설에 입소시키는 것이 적당하다고 판정을 했고 사건본인은 1994년 10월 5일 c학원에 입소했다. 또한 E 심신장애자 종합 상담소장의 종합 판정은 사건본인에게는, 정신발달 지체 및 접지분열병이 인정되어 스즈키 비네(鈴木-Binet) 방식의 지능 검사에 의한 지능지수는 48로 언어능력이 약간 불충분한 면이 인정되지만 대인 면접에서의 친화적 대응을 제대로 할 수 있고 간단한 작업을 이해하여 대체로 정확하게 작업할 수 있다는 의학적·심리학적·직능적인 각 진단·소견 등에 근거하여 이루어진 것이다.

2. 사건본인의 형제자매의 상황

(1) 어머니 C는 노인성 치매 증상이 나타나게 된 것 등으로 1997년 3월 26일, 유바리시의 특별 양호 노인 홈 d원(이하 'd원'이라 한다)에 입소하여 2주일에 1회 정도 d원을 방문하는 사건본인을 만나고 있다.

(2) 사건본인의 동생 네 명 중 D는 삿포로시(札幌市)에, F는 가나가와현(神奈川県)에, G는 가고시마현(鹿児島県)에, 항고인은 도쿄도(東京都)에 각각 거주하고 있으며 동생들이 사건본인을 만나러 오는 것은 연 1회 정도였다.

3. 사건본인의 현재 상태

(1) 사건본인은 a제작소가 국유임야를 빌려서 그 지상에 소유하고 있던 목조 가옥 125.61㎡ 중 전유 부분 64.46㎡를 1984년 4월 23일 a제작소로부터 사들였으나 이 가옥에는 사건본인도 어머니 C도 거주하고 있지 않다. 또한 이 가옥 부지 이용 권원의 현황 및 귀추에 대해서는 a제작소가 1988년 무렵 도산하여 명확하지 않다.

(2) 사건본인의 예저금 통장 등은 c학원이 보관하고 사건본인의 고정 수입으로는 장애 기초 연금(2개월에 약 10만 엔) 및 c학원에서의 작업 보수(1개월에 약 8,000엔)가 있다.

(3) 사건본인은 c학원에서 안정된 생활을 영위하고 있으며 2주일에 1회 정도 도보(약 20분)로 어머니 C가 있는 d원을 방문하여 어머니 C와 면회하는 것을 기대하고 있다.

4. 재산의 관리 등에 대한 사건본인의 의사

사건본인은 원심의 제1회 기일(2000년 9월 21일)의 본인 심문에서 사건본인에 대한 본건 보조 개시 신청이 이루어지고 있음을 알고 있지만, 사건본인으로서는 c학원에 의한 금전 관리를 첫째로 희망하고 있으며, 일상적인 금전 수요에 지장을 느끼지 않는다는 취지로 진술했다.

제3 제2에서 인정한 사실에 의하면 사건본인의 판단능력이 불충분한 것이 인정되지만 c학원에 입소하고부터 현재에 이르기까지의 생활 상황은 충분히 안정되어 있는 점 및 사건본인은 항고인에 의한 본건 신청의 사실을 이해한 후에 항고인에 의한 보조 개시에 동의하지 않는다는 취지의 의사를 표명한 것이 인정된다. 그런데 보조제도는 가벼운 정신 장애 때문에 판단능력이 불충분한 사람을 보호의 대상으로 하는 제도이며 본인의 신청 또는 본인 이외의 사람에 의한 신청에 의해서 개시되는데 본인 이외의 사람에 의한 신청에 있어서는 본인의 동의가 있을 것을 요하는 바, 본건에서는 사건본인이 보조 개시에 동의하지 않음이 분명하므로 보조 개시의 요건이 결여되어 있다. 이는 만약 사건본인의 재산에 대해서 항고인이 우려하는 사정이 인정된다고 해도 결론을 달리하지 않는다. 따라서 항고인이 주장하는 사건본인 재산의 관리에 관한 의심·우려에 대해서 판단할 것도 없이 본건 보조 개시 신청은 이유가 없다.

또한 항고인은 사건본인이 보조 개시에 동의하지 않은 것에 대해서 다른 동생들의 방해에 의한 것이라는 취지로 주장하지만 일건 기록 중에 사건본인의 원심 제1회 기일에서의 진술의 신용성을 의심해야 할 사정을 보여 주는 합리성이 있는 자료는 어떠한 것도 존재하지 않고 항고인이 본건 항고 신청 후에 제출한 2001년 3월 13일자 '동의서'를 가지고 원심이 사건본인으로부터 직접 의견 청취하여 의사를 확인한 사실을 뒤집기에는 도저히 미흡하다.

결 론

따라서 항고인의 본건 보조 개시 신청을 각하한 원심 결정은 상당하고 본건 항고는 이유가 없으므로 기각하는 것으로 하여(또한 항고의 취지 중에 즉시항고 대상이 될 수 없는 보조인의 동의를 요하는 행위의 규정 및 대리권의 부여 신청에 대한 원심판에 대한 불복 신청이 포함되어 있지만 이 불복 부분에 대해서는 본 심판에 이심 계속되지 않았으므로 적법하게 이심 계속된 본건 보조 개시 신청 각하 심판에 대한 불복 신청 부분에 대해서만 판단하기로 한다) 주문과 같이 결정한다.

■ 재판장 재판관 武田和博 재판관 小林正明 森邦明

14

보좌 개시가 필요한 판단능력인지가 문제된 사례

보좌는 보조의 경우와는 달리 본인 보호 요청이 강하기 때문에 본인의 동의를 얻지 않아도 보좌 개시의 신청을 할 수 있다. 그렇지만 보좌 개시의 심판 신청과 동시에 혹은 보좌 개시의 심판 확정 후에 보좌인에게 대리권을 수여하는 취지의 심판을 신청하는 때에는 본인의 의사 존중의 관점에서 본인의 동의를 얻을 필요가 있다.

즉 민법 제876조의4 제1항은 '가정재판소는 제11조 본문에 규정하는 사람 또는 보좌인 혹은 보좌감독인의 청구에 의해 피보좌인을 위해 특정한 법률 행위에 대해서 보좌인에게 대리권을 부여하는 취지의 심판을 할 수 있다.'라고 규정하고[87] 같은 조 제2항은 '본인 이외의 사람의 청구에 의해 전항의 심판을 하려면 본인의 동의가 있어야 한다.'라고 규정한다.[88] 피보좌인은 판단능력이 불충분한 상태이지만 피후견인의 경우와는 달리 전혀 판단능력이 없는 것은 아니므로 보좌인에게 대리권을 부여하지 않으면 본인의 보호에 충분하지 않은 것은 아니기 때문이다.

후견 수준에 있는 본인(피후견인)은 판단능력이 상당히 떨어져 있는 경우가 많아 판단능력 자체에 대해서 별로 문제가 되지 않는 경우가 많다. 또한 보조에 대해서는 본인의 동의가 없으면 개시조차 되지 않으므로 판단능력이 문제가 되어 개시 자체에 대해 분쟁이 되는 경우가 별로 없

---

87) (보좌인에게 대리권을 부여하는 취지의 심판)
    제876조의4 가정재판소는 제11조 본문에 규정하는 사람 또는 보좌인 혹은 보좌감독인의 청구에 의해 피보좌
    인을 위해 특정한 법률 행위에 대해서 보좌인에게 대리권을 부여하는 취지의 심판을 할 수 있다.
88) 2 본인 이외의 사람의 청구에 의해 전항의 심판을 하려면 본인의 동의가 있어야 한다.

다. 반면 보좌는 개시 자체에 대해서는 본인의 동의가 필요하지 않다고 되어 있는 한편 본인의 판단능력이 잔존하고 있는 경우도 많고 판단능력의 인정에 대해서 본격적으로 다투는 경우가 많은 유형이다.

본 사안은 판단능력에 대해서 정면에서 판단하여 원심(1심)에 의한 준금치산(보좌)의 개시 결정을 번복한 재판례이다.

원심에서는 각기 다른 감정인(미야기宮城감정, 세키야關谷감정)에 의해 2회의 감정이 이루어졌는데 두 감정인 모두 본인에 대하여 '심신미약'이라고 결론을 내렸다. 심신미약의 근거로 든 것은 현재 증상으로 뇌신경계에서는 두 시야에 좌동명반맹(左同名半盲)[89]이 인정되고 머리 CT스캔 검사에 의해 오른쪽의 중대뇌 동맥 영역에 국한한 진구성 뇌경색[90]상(像)이 인정되는 동시에 양쪽 특히 오른쪽의 분명한 측뇌실의 확대를 동반한 전반적인 뇌위축상(像)을 띠면서 양쪽 내 경동맥 및 뇌저 동맥에도 부분적인 동맥경화상(像)이 발견되어 뇌파 검사에 의해 안정하고 눈을 감은 때의 기초 활동은 두개(頭蓋) 전반부에서 우세한 30μV 8~9Hz의 광범위하게 펼쳐진 알파 활동으로 꽤 연속적으로 출현하는 등 전반적인 기능 저하 및 오른쪽 머리, 정수리, 중심 영역에 국한한 이상을 시사하는 소견이 얻어져 자기중심적, 독선적으로 자기의 의견을 주장하고 인간 불신이 강하고 대인 관계에서는 적대적, 남을 탓하는 태도를 취하기 십상인 것 등이다.

반면 미야기감정은 항고인의 가족 내에는 특기할 기왕력, 유전력이 인정되지 않고 정신 장애에 관한 농후한 유전적 결함의 존재는 부정할 수 있다고 하며, 습관화된 일상 생활면에서는 행동, 판단은 비교적 양호하게 유지되고 있어 에둘러 표현하기, 보속(保續)[91] 경향과 양해의 악화를 제외하고는 특별한 언동도 없고 인격의 핵심은 비교적 유지되고 있으며, 환청, 환시 등과 같은 지각 이상은 인정되지 않고, 이인증(離人症),[92] 자기의 생각이나 행위가 타인에 의해 지시 또는 강제되고 있다고 느낌 등의 자아의식 장애의 존재는 인정하기 어렵고 조증 상태에서 보이는 관념분일,[93] 우울 상태에서 체험되는 사고 억제, 정신분열증에 특징적인 종잡을 수 없는 사고 및 사고두절 등은 전혀 인정할 수 없다고 하고 있다.

또한 대학병원 명예교수인 의사의 보고서인 나가시마長嶋의견에 의하면 현재 CT스캔 소견에서는 뇌 전체에 연령에 상응하는 위축이 보이지만 그 정도는 가볍고 1983년 6월에 뇌경색 및 파킨슨

---

89) 두 눈 시야의 왼쪽 반이 안 보이는 상태
90) 급성뇌경색이 발병했으나 치료나 검사 없이 수일 또는 수개월 동안 시간이 지난 후 검사를 통해 뇌경색이 확인된 것
91) 뇌 손상자의 행동 전반에 보이는 증상으로 전에 한 반응을 장면이나 상황이 바뀌어도 지속하는 것
92) 신경증이나 정신분열증 등에서 나타나는 이상 심리 증상의 하나로 자신의 사고와 행동·신체·외계에 대해 현실감을 상실하거나 소외감을 품거나 하는 의식 체험
93) 생각이 계속 용솟음쳐 나오고 연상이 급속히 진행되어 사고가 틀이 잡힌 방향으로 향해지지 않는 상태

증후군이라고 진단되었지만 입원 치료에 의해 기적적으로 회복되었다는 등의 이유로 그 정도를 심신미약의 상황에 있다고까지 단정하는 것은 상당하지 않다고 하였다.

고등재판소는 위 두 감정인의 진술 및 의사의 의견 외에 본인이 아들들에 대해서 한 형사고소나 처를 상대로 한 이혼 조정 신청, 다른 사람들을 당사자로 하는 각종 회사 관련 소송의 고소장, 신청서, 소장 등의 내용도 검토한 결과 본인이 '심신미약'이리고까지는 할 수 없다고 했다. 또한 당시에는 준금치산(보좌)은 '낭비자'에 대해서도 적용되고 있었으므로 항고인이 비정상적인 낭비를 반복하여 준금치산 선고를 받을 필요성이 있는지에 관하여 심리하기 위해 원심(1심)으로 환송하였다.

<table>
<tr><td>**사 건 번 호**</td><td>平元(ラ)233号</td></tr>
<tr><td>**사 건 명**</td><td>준금치산 선고 및 보좌인 선임 신청 인용심판에 대한 즉시항고 신청사건</td></tr>
<tr><td>**재판연월일**</td><td>平成元年94) 9月 21日</td><td>**재 판 소 명**</td><td>도쿄(東京) 고등재판소</td></tr>
<tr><td>**재 판 구 분**</td><td>결정</td><td>**재 판 결 과**</td><td>취소</td></tr>
</table>

주 문

1. 원심판을 취소한다.
2. 본건을 도쿄 가정재판소로 환송한다.

이 유

1. 본건 즉시항고의 취지는 주문과 같은 취지의 재판을 구한다는 것이고 항고의 이유는 별지 항고 이유서 기재와 같다.

2. 본 재판소의 판단

(1) 기록에 따르면 원심 감정인 미야기 고이치宮城光一(이하 '미야기감정'이라 한다)는 항고인(사건 본인)의 현재 정신능력에 대해서 '뇌혈관성 정신 장애에 귀인하는 지적 활동성의 감퇴 및 인격 변화 때문에 심신미약의 상황에 있다.'고 감정하고 그 이유로, 항고인이 1973년 11월 00대학 의학 부 심료내과에서 노인 초기 우울증 및 동맥경화증 진단 하에 입원 치료를 받고 1977년 9월, 오른 쪽 중대뇌 동맥 영역에 고혈압성 뇌경색이 발병하여 국립○○병원에서 혈종 제거 수술을 받은 것, 항고인이 1981년 4월부터 5월에 걸쳐 ○○시립 ○○병원에 통원하여 극히 소량의 항우울제를 투 여 받아 그 후 1983년 4월까지 도쿄도립○○병원에서 우울증 및 뇌혈관 장애 후유증의 병명으로 입원하여(7일 동안), 통원해 치료를 받고 같은 해 6월 급속히 보행 곤란, 언어 장애가 보여 점차 와병 생활의 상태가 되어 국립○○병원에 약 2주 동안 입원하여 같은 해 7월부터 9월까지 ○○병 원 분원에서 뇌경색 및 파킨슨 증후군의 진단명으로 치료를 받은 것, 현재 증상으로 뇌신경계에서

---

94) 1989년

는 두 시야에 좌동명반맹이 인정되고 머리 CT스캔 검사에 의해 오른쪽의 중대뇌 동맥 영역에 국한한 진구성 뇌경색이 인정되는 동시에 양쪽 특히 오른쪽의 분명한 측뇌실의 확대를 동반한 전반적인 뇌위축상을 띠면서 양쪽 내 경동맥 및 뇌저 동맥에도 부분적인 동맥경화상이 발견되어 뇌파 검사에 의해 안정하고 눈을 감은 때의 기초 활동은 두개 전반부에서 우세한 30μV 8~9Hz의 광범위하게 펼쳐신 알파 활동으로 꽤 연속적으로 출현하는 등 전반저인 기능 저하 및 오른쪽 머리, 정수리, 중심 영역에 국한한 이상을 시사하는 소견이 얻어져 자기중심적, 독선적으로 자기의 의견을 주장하고 인간 불신이 강하고 대인 관계에서는 적대적, 남을 탓하는 태도를 취하기 십상인 것 등을 들고 있다.

그러나 한편, 미야기감정은 항고인의 가족 내에는 특기할 기왕력, 유전력이 인정되지 않고 정신 장애에 관한 농후한 유전적 결함의 존재는 부정할 수 있다고 하며, 습관화된 일상 생활면에서는 행동, 판단은 비교적 양호하게 유지되고 있어 에둘러 표현하기, 보속 경향과 양해의 악화를 제외하고는 특별한 언동도 없고 인격의 핵심은 비교적 유지되고 있으며, 환청, 환시 등과 같은 지각 이상은 인정되지 않고, 이인증(離人症), 자기의 생각이나 행위가 타인에 의해 지시 또는 강제되고 있다고 느낌 등의 자아의식 장애의 존재는 인정하기 어렵고 조증 상태에서 보이는 관념분일,95) 우울 상태에서 체험되는 사고 억제, 정신분열증에 특징적인 종잡을 수 없는 사고 및 사고두절 등은 전혀 인정할 수 없다고 하고 있다. 또 ○○대학 명예교수 의사 나가시마 가즈오長嶋和雄 작성의 1987년 7월 5일자 진단 및 증상 경과보고서(이하 '나가시마의견'이라 한다)에 따르면 위 의사는 1985년 2월 8일, 1987년 6월 15일 및 같은 달 22일 3회에 걸쳐 다른 의사, 임상심리사에 의한 제반 검사를 참고해 직접 항고인을 문진한 결과 현재 CT스캔 소견에서는 뇌 전체에 연령에 상응하는 위축이 보이지만 그 정도는 가볍고 1983년 6월에 뇌경색 및 파킨슨 증후군이라고 진단되었지만 입원 치료에 의해 기적적으로 회복되어 있고 현재의 정신 상태에 대해서는 조울증은 관해상태96)에 있고 전체적으로 정신적 노화는 볼 수 있지만 연령을 고려하면 현저한 감퇴라고는 할 수 없으며 인격 수준의 저하도 경미하고, 일상생활에서 지장을 초래할 것 같은 정신 장애는 인정할 수 없다고 하고 있다. 이러한 제반 사항을 고려하면 항고인의 현재 정신 능력은 과거의 병력, 수술의 상황, 연령에 따라 다소 장애가 있다고는 인정되지만 그 정도를 심신미약의 상황에 있다고까지 단정하는 것은 상당하지 않고 미야기감정이 전술한 결론 부분에는 의문이 있다.

(2) 다음으로 기록에 따르면 원심 감정인 세키야 마사히코関谷正彦(이하 '세키야감정'이라 한다)는

---

95) 생각이 계속 용솟음쳐 나오고 연상이 급속히 진행되어 사고가 틀이 잡힌 방향으로 향해지지 않는 상태
96) 정신분열증의 상태가 약화되어 외견상 치유된 듯이 보이는 것

항고인의 현재 정신 능력에 대해서 '심신미약의 상황에 있다.'고 감정하고 그 이유로서, 항고인의 병력에 관하여 미야기감정과 같은 취지를 기술한 데다 그 동안 항고인이 불필요한 대량의 쇼핑을 하여 가족에게 보낸 것, 고액의 주식 투자를 하여 거액의 손실(항고인분 약 4억 4,000만 엔, 회사분 약 3억 5,000만 엔)을 보고 ○○에 리조트 호텔을 신축하여 매년 6,000만 엔 정도의 적자를 내게 된 것, 항고인이 2회에 걸쳐 가출을 했고 호텔, 아파트에 혼자 살고 처인 가오루薰에 대한 이혼 조정의 신청, 상대방에 대한 고소나 소송 제기, 자기의 유산 전부를 ○○학원에 기부하는 취지의 유언서 작성, 항고인의 자필 또는 워드 프로세서에 의한 다수의 선전 문서 배포 등이 있었다며 전반적인 관찰에 의한 정신적 현재 증상은 항고인은 과대 경향, 자존심 증대, 자제 감퇴와 동시에 상대방, 가오루에의 적대 감정, 피해 염려가 보이는 가벼운 조증 상태에 있으며 동시에 노년기의 기질 과정에 유래하는 현실 판단 능력, 사고 능력의 유연성의 저하를 초래하고 있고 과거의 사건에 잡혀 집착하고 완고해서 현실을 음미, 대응하는 능력이 감퇴하고 있다며 결국 항고인은 자아 복구 동향에 근거하여 아들인 상대방에 대하여 완강하고 집요하게 실지(失地) 탈환 투쟁을 하는 것으로 이것은 투쟁 편집증에 준하는 것으로 보여 1984년 4월부터 조증이 계속되고 1988년 7월에는 경미하게 되고 있지만 향후 보통으로 될지, 다시 우울 상태가 될지는 예측을 불허해 조울증, 특히 조증에 의한 사실 인식, 판단력 장애는 현저하며 현재의 종합적 판단력 장애에는 경미한 노년 치매도 관여하고 있는 것으로 상정된다고 하고 있다.

그러나 기록에 따르면 항고인은 상업학교를 경제적 이유로 인해 4학년에서 중퇴하고 가업인 과일식료품 가게 심부름부터 시작해 전쟁 후, 긴자銀座에 빌딩을 건설하고 1952년에 창립한 주식회사 ○○본사 외 관련 회사 세 곳도 설립하여 최근에는 그것들의 자산이 1,000억 엔에 이른다고도 하고 세키야감정이 지적한 것과 같은 주식 투자, 호텔의 신축 경영 등은 항고인에게는 통상의 경제 활동의 경지를 넘어선 것이라고는 인정하기 어렵고, 그로 인해 손실이 생겼다고 해도 그것을 바로 항고인의 사려 없음, 무분별로 돌릴 수 있는 것도 아니다. 또한 상대방의 본건 준금치산 선고의 신청은 1984년 8월 14일인 점이 기록상 분명한 바, 항고인이 변호사를 대리인으로 하여 상대방을 횡령죄로 도쿄 지방검찰청에 고소한 것은 같은 해 10월 23일 무렵이며, 항고인이 변호사를 대리인으로 하여 상대방 외의 사람을 당사자로 하는 대표이사·이사·감사 직무 집행 정치, 직무 대행자 선임 가처분 명령 신청, 이사 및 감사 해임 청구 소송, 주권 반환 청구 소송을 제기한 것은 같은 해 같은 달 무렵이며, 항고인이 처인 가오루를 상대방으로 이혼을 요구한다는 취지의 조정을 신청한 것은 1987년 3월 26일임이 기록상 인정되어 이들 고소장, 신청서, 소장 등의 내용을 검토해도 혹은 기록 중에 있는 위 소송 사건의 항고인 본인 신문 조서를 상세히 검토해도 항고인의 이러한 고소, 소송 제기 등이 자아 복구 동향에 근거한 실지 탈환 투쟁을 하는 것이며, 투쟁 편집증에 준하는 것이라고 단정할 수 없다. 즉, 항고인이 가족과의 불화, 항쟁 또는 회사 경영을 둘러싼 다툼 등에 대하여 가족이나 계쟁의 상대방의 측에 아무런 원인이 없이 그것이 오로지 항고인의 병적 요인에서 유래하는 것이라고 판단할 근거도 없다고 할 것이다. 그리고 세키야감정이 지적하는 전술한 그 외의 사실을 고려하더라도 나가시마의견에 비추어보면 항고인의 현재의 정신 능력이 심신미약의 상황에 있다고 단정하는 것은 상당하지 않고 세키야감정의 전술한 결론 부분에도 의문이 있다.

(3) 앞서 본 것 외에 기록을 검토해도 항고인이 현재 심신미약의 상황에 있다고 인정할 만한 증거는 없으므로 원심판은 부당하여 취소를 면할 수 없지만 상대방은 본건 준금치산 선고의 신청서에서 항고인이 비정상적인 낭비를 반복하는 것도 이유로 하고 있으므로 이 점 및 준금치산 선고의 필요성에 관하여 다시 심리를 다하게 하는 것이 상당하다고 인정하여 본건을 도쿄 가정재판소로 환송하기로 하여 주문과 같이 결정한다.

■ 재판장 재판관 野田宏 재판관 川波利明 近藤寿邦

15

본인의 감정 거부

본인이 의사의 진단이나 감정을 받아 주지 않을 경우 어떻게 해야 하는지 문제된다. 본건은 유산분할을 위해 필요하기 때문에 정신분열증으로 진단을 받은 본인에 대해서 보좌 신청이 되었는데 본인이 완고하게 감정을 받기를 거부하여 절차가 진행되지 않은 사안이다.

신청 당시에 소정의 진단서가 제출되었는데 재판소는 감정이 필요하다는 판단을 한 것으로 보인다. 재판소는 본인에게 조사관을 파견했는데 본인은 절차의 진행이나 조사에 거부적인 태도를 분명히 하였다.

재판소는 '본인의 행동이나 언동을 보면 판단 능력에 대해서 전혀 의문이 없진 않지만 본인이 명확히 그것을 거부하고 있기 때문에 판단 능력에 대해서 감정을 실시할 수 없으므로 결국 보좌를 개시하는 요건이 인정될 수 없다고 할 수 밖에 없다.'고 하여 본건 보좌 신청을 각하하였다.

주 문

본건 신청을 각하한다.

이 유

1. 본건 신청의 취지 및 이유는 신청인은 본인의 친오빠인데 본인은 정신분열증에 걸려 a의과대학에 통원하며 치료 중인 바, 어머니인 B가 사망하여 상속이 개시되고 신청인들이 본인을 상대방으로 하여 유산 분할의 조정을 신청하여 유산 분할 절차가 적절하게 이루어져 추후의 본인 재산의 관리를 위해 본인에 대해서 보좌를 개시하는 취지의 심판을 청구한다는 것이다.

2. 그래서 검토하니 일건 기록에 따르면 다음의 사실이 인정된다.
(1) 본인은 1951년 0월 0일, C와 어머니인 B의 차녀로 출생하여 고등학교 졸업 후 한때 회사에 취직했지만 주로 아르바이트를 하여 생활하고 있었는데, 1983년 12월 16일 a의과대학 병원에서 정신분열증 진단을 받아 치료를 받다가 말다가 하기를 반복하였다.

(2) 본인은 현재 기재된 주소의 아파트 1층에 혼자 거주하고 있다. 신청인은 가족과 함께 이 아파트 3층에 거주하고 있다.

(3) 신청인 및 D는 2002년 10월 21일, 어머니인 망 B의 유산에 대해서 본인을 상대방으로 하여 유산 분할 조정 사건을 신청하였다[본 재판소 平成14年 (家イ) 第××××号]. 이 조정 사건에서 본인은 신청인들이 주장하는 유산 이외에도 예저금이 있다고 주장하여 B가 본인 명의로 작성한

---

97) 2003년

예금통장의 반환을 요구했다. 조정의 자리에서는 조정위원의 설명에 귀를 기울이지 않고, 조정위원이 신청인들의 편을 든다는 등으로 불만을 말하거나 감정적으로 반발하여 '다음에는 오지 않아' 등으로 말하고 일어나 떠나는 등의 행동이 있었다. 그리고 2003년 4월 18일 제3회 조정 기일에서 합의가 성립할 전망이 없다고 하여 조정이 성립되지 않아 사건은 심판으로 이행했다. 이 조정의 단계에서는 본인에 대해서 조정 능력이 없는 상황은 아니었지만 본인은 자기 생각을 고집하고 유연성이 없는 대응으로 일관했다. 그 후, 2003년 7월 24일, 유산 분할의 신청은 취하되었다[平成 15年 (家) 第○○○○号].

(4) 신청인은 본인이 아파트 거주자에게 폐를 끼치는 행동을 하고 있다고 말하고 본인과 관계를 갖는 것을 꺼려 본인에 대해서 본건 신청에 관하여 아무런 설명도 하지 않았고 절차를 원활히 진행하기 위해 본인에게 압력을 가한 적도 없다.

(5) 2003년 8월 18일 가정재판소 조사관이 본인의 집에 가서 조사를 하려고 했지만, 신청인에 대한 강한 불신감을 표명하고 본건 절차에 관하여도 의사에 의한 감정은 필요 없고 자기에게 판단 능력은 충분하므로 보좌인은 불필요하다고 말해 절차의 진행이나 조사에는 거부적인 태도를 명확히 하고 있다.

그런데 보좌 개시에 대해서는 보조 개시와는 달리 본인의 동의가 요건으로는 되어 있지 않지만(민법 14조 2항, 11조 참조), 본인의 보호를 위한 제도이며 대리권 부여에 대해서 본인의 동의를 필요로 하고(민법 876조의4 제1항, 제2항), 보좌인의 선임에 대해서도 본인의 의사를 존중해야 하는(민법 876조의2 제2항, 843조 4항) 등 법은 본인의 자기 결정을 존중할 것을 요구하고 있다. 이는 심리 절차에도 반영되어야 할 것이고 절차의 진행에 있어서도 가능한 한 본인의 의사를 존중할 필요가 있다. 또한 보좌제도는 본인의 행위능력을 제한한다는 효과가 발생하기 때문에 후견과 마찬가지로 '분명히 그럴 필요가 없다고 인정하는 때'를 제외하고 의사 등에 의한 감정이 필요하지만(가사 심판 규칙 30조의 2, 24조) 예외적으로 감정에 의하지 않는 경우란 감정에 의할 것까지도 없이 의학상의 확립된 판단 등으로부터 판단 능력의 유무가 판명되는 경우를 말하는 것이므로 본건은 그 예외의 경우에 해당하지 않음은 분명하다. 그러나 전술한 인정사실에 따르면 본인은 보좌 개시에 대해서는 필요가 없다고 말하고 의사에 의한 감정을 받는 것도 거부하고 있는 것이 인정된다.

그런데 본건에 대해서는 본인이 정신분열증에 걸려서 치료 중인 취지의 a의과대학 병원 의사의 진단서가 제출되어 있지만, 그로부터 바로 사리를 변식하는 능력이 현저하게 불충분하다고까지는 말할 수 없고, 본인의 행동이나 언동을 보면 판단 능력에 대해서 전혀 의문이 없긴 않지만 본인이 명확히 그것을 거부하고 있기 때문에 판단 능력에 대해서 감정을 실시할 수 없으므로, 결국 보좌를 개시하는 요건이 인정될 수 없다고 할 수밖에 없다.

따라서 본건 신청은 이유가 없는 것으로 귀착되므로 이를 각하하기로 하여 주문과 같이 심판한다.

■가사심판관 阿部潤

16

후견 개시 심판 신청의 취하

자신을 성년후견인 후보자로 하여 후견 개시 심판을 신청했지만 자신 이외의 사람이 성년후견인으로 선임될 것 같다거나(심판 전) 혹은 선임되었다거나(심판 후) 하여 자신이 신청한 심판이 확정되기 전에 위 신청을 취하할 수 있는지가 문제된 사안이다. 당시의 가사심판법, 비송사건절차법에 아무런 규정이 없어서 논란이 있었는데 재판소는 "사건 본인의 보호를 위해 일단은 후견개시 심판의 신청이 제기된 경우라도 그 후, 이 심판이 확정되기 전에 신청인이 이 심판의 필요성이 없는 것으로 이 신청을 취하하는 것은 허용된다고 해석하는 것이 상당하다."고 판시하여 심판 확정 전까지는 취하를 허용하였다.

재판소는 위와 같은 판단을 내린 이유를 다음과 같이 설명하고 있다.[98]

법에 정해진 사람의 신청에 근거한 심리의 결과, 예를 들어 본인에게 정신 장애가 인정되고 그 정도가 심하며 회복의 가능성이 없고 자기의 재산을 관리·처분할 능력이 없다고 하는 감정 결과를 얻은 후 혹은 후견 개시 심판의 요건이 구비되어 있다고 하여 후견 개시의 심판이 된 뒤 그 확정 전에 신청이 취하되는 경우에 가정재판소가 그러한 본인에게 성년후견제도에 의한 보호를 하지 않는 것은 상당하지 않다고 생각하는 것도 이해할 수 있는 바이며 실무에서 이러한 단계에 이르러 취하가 되는 것은 가정재판소에 의해 선임될 예정 혹은 현실적으로 심

---

98) 弁護士江木大輔の法務ページ(http://www.egidaisuke.com/legal_info/cat01/q902.php)

판으로 선임된 성년후견인이 신청인이 희망한 사람과 달라 신청인이 생각대로 본인의 재산을 관리할 수 없게 되는 것이 동기라고 추인되는 경우가 적지 않은 것을 생각하면 더욱 그러하다. 그러나 금융기관 등이 권유하여 제도를 충분히 이해하지 않은 채 신청을 했지만 후견 개시 효과가 중대한 것을 알았으므로, 비용 부담을 할 수 없으므로, 친족 사이에 의견이 합치하지 않으므로, 감정 결과 요건을 구비하지 않음이 밝혀졌으므로 등의 이유로 취하가 되는 경우도 적지 않으며, 그러한 경우에도 전혀 취하를 인정하지 않는 것도 적절하지 않다. 이처럼 취하가 되는 이유, 동기는 여러 가지로 다양하고, 그 이유, 동기가 정확하게 판명되지 않는 경우가 적잖이 있는 것도 본 재판소에 현저하기 때문에 취하의 시기와 이유, 동기 여하에 따라 각 사건마다 취하를 인정하는 경우와 인정하지 않는 경우로 구별하는 해석(권리 남용, 신의칙 위반 등의 법리에 따라 예외적으로 취하를 인정하지 않는 경우를 포함한다)은 현실에서는 재판소에 있어서 그 판단을 곤란한 것으로 하고, 당사자에게 절차가 계속하는지 아닌지 하는 근본적인 점을 예측하기 어려운 것으로 할 뿐 아니라, 성년후견제도의 운용을 불안정하게 할 우려가 있는 등의 사정을 감안하면 취하의 시기와 이유, 동기 여하에 따라 취하를 인정하는 경우와 인정하지 않는 경우로 구별하는 해석은 상당하지 않다.

성년후견제도에 의해 보호할 필요가 있다고 인정되는 본인에 대해서 후견 개시 심판의 신청이 취하됨에 따라 보호를 할 수 없는 상태로 되는 것을 막기 위해서는 검찰관에 의한 신청을 활용하는 등 현행법의 운용에 의해 대응하는 것을 생각할 수 있는 외에 근본적으로는 일정한 시기(절차의 단계) 이후에는 취하할 수 없도록 하는 등의 입법 조치에 의하여야 한다.

그런데 2011년 제정된 가사사건절차법 제121조는 후견개시 신청(1호), 민법 제843조 제2항의 규정에 의한 성년후견인 선임의 신청(2호), 민법 제845조의 규정에 의해 선임 청구를 해야 할 자에 의한 같은 법 제843조 제3항의 규정에 의한 성년후견인 선임의 신청(3호)은 '심판이 이루어지기 전이라도 가정재판소의 허가를 받지 않으면 취하할 수 없다.'고 규정하여[99] 이 문제를 입법적으로 해결하였다.

---

99) (신청 취하의 제한)
제121조 다음에 열거하는 신청에서는 심판이 이루어지기 전이라도 가정재판소의 허가를 받지 않으면 취하할 수 없다.
1 후견개시 신청
2 민법 제843조 제2항의 규정에 의한 성년후견인 선임의 신청
3 민법 제845조의 규정에 의해 선임 청구를 해야 할 자에 의한 같은 법 제843조 제3항의 규정에 의한 성년후견인 선임의 신청

사 건 번 호 平16(ラ)44号	
사 건 명 후견 개시 심판에 대한 항고 사건	
재판연월일 平成16年[100] 3月 30日	**재 판 소 명** 도쿄(東京) 고등재판소
판 결 구 분 결정	**재 판 결 과** 원심판 취소

초 록

사건본인의 보호를 위해 일단은 후견 개시 심판의 신청이 제기된 경우라도 그 후, 이 심판이 확정되기 전에, 신청인이 이 심판의 필요성이 없는 것으로 하여 이 신청을 취하하는 것은 허용된다고 해석함이 상당하다.

■재판관 西田美昭 森高重久 伊藤正晴

---

100) 2004년

17

성년후견인의 외국인등록법상 대리 신청권

외국인등록법은 폐지되었는데 제정에서 폐지에 이르게 된 연혁은 다음과 같다.[101]

외국인등록법은 일본에 체류하는 외국인의 거주 관계 및 신분 관계의 명확화, 정부에 의한 적정한 관리를 위한 제반 제도(외국인 등록제도 등)에 대해서 규정하고 있었는데 옛 외국인등록령 (이른바 포츠담 칙령의 하나)을 대신하는 것으로서 일본국과의 평화조약[102]의 발효에 맞춰 제정되었다.

2009년 제171회 국회에서 '출입국 관리 및 난민인정법 및 일본국과의 평화조약에 의거하여 일본 국적을 이탈한 자 등의 출입국 관리에 관한 특례법의 일부를 개정하는 등의 법률'(2009년 7월 15일 법률 제79호)이 성립했다. 이 법률의 시행으로 인해 2012년 7월 9일 외국인등록법은 폐지되었다.

폐지된 외국인등록법 15조는 법에 정한 신청 등에 대해서는 원칙적으로 외국인 본인이 시정촌의 사무소에 출두하여 해야 한다(1항)고 하고 예외적으로 외국인 본인이 16세 미만인 경우나 질병 기타 신체의 장애로 인해 본인이 출두할 수 없는 경우에는 본인과 동거하는 배우자 등이 본인을 대신하여 신청 등을 해야 한다(2항)고 규정하고 있었다.

---

101) 아래 연혁에 관한 내용은 위키피디아 일어판(http://www.ja.wikipedia.org/)의 검색내용을 번역한 것이다.
102) 영문명 Treaty of Peace with Japan, 1952년 조약 제5호, 제2차 세계대전 당시 미국을 비롯한 연합국 국가들과 일본 사이에 전쟁 상태를 종결시키기 위해 체결된 평화 조약이다[위키피디아 일어판(http://www.ja.wikipedia.org/) 의 검색내용].

본 사안에서는 외국인 본인과 동거하지 않는 성년후견인이 외국인 본인을 동반하지 않은 채로 관공서에 출두하여 외국인 등록원표의 거주지 변경 등록 신청을 하자 담당 공무원이 본인과 동거하지 않는 성년후견인에게는 대리 신청권을 인정할 수 없다고 하여 이 신청을 거절하였다. 이에 본인이 위 신청 거절에 따라 정신적 고통을 겪었다는 등으로 주장하면서 신청 거절의 무효 확인 및 거주지 변경 등록 의무화 등을 요구하는 동시에 국가배상법 1조 1항에 의거하여 위자료 등의 지불을 요구하였다.

행정사건소송법 제37조의3 제1항은 '제3조 제6항 제2호에 해당하는 경우 의무화의 소는 다음 각 호에 해당하는 요건의 하나에 해당하는 때에 한하여 제기할 수 있다.'고 규정하면서 제1호에서 '당해 법령에 의거한 신청 또는 심사 청구에 대해서 상당한 기간 내에 어떠한 처분 또는 재결이 이루어지지 않았을 것', 제2호에서 '당해 법령에 의거한 신청 또는 심사 청구를 각하하거나 기각하는 취지의 처분 또는 재결이 이루어진 경우에 당해 처분 또는 재결이 취소되어야 할 것이거나 무효 또는 부존재일 것'이라고 규정하고 있다.[103]

피고인 구청장은 외국인의 거주지 변경 등록 신청은 '신청'이라는 용어가 이용되고 있다고는 해도 이는 행정법상의 신고에 지나지 않고 시정촌의 장 등에 의한 승낙 여부는 예정되어 있지 않은 점 등을 이유로 위 신청이 행정사건소송법 37조의3 제1항 각호에 규정된 '법령에 의거한 신청'에 해당하지 않고 이 신청을 수리하지 않고 거절하는 행위에 처분성이 인정되지 않는다고 반박했다.

하지만 재판소는 신청을 했음에도 불구하고 거주지 변경 등록을 하지 않는 행위는 직접 국민의 권리 의무를 형성하거나 또는 그 범위를 확정하는 것이 법률상 인정되어 있는 것으로 봐야 한다고 하면서 원고가 한 거주지 변경 등록 신청을 수리하지 않고 이를 거절하는 행위는 행정청의 처분에, 위 신청은 '법령에 의거한 신청'에 각각 해당하는 것으로 판단하였다.

또한 외국인등록법이 대리 신청권이 인정되는 사람의 범위를 명시적으로 동거자로 한정하고 있는 것(법 15조 2항)이나 대리 신청 의무 위반에 대하여 과료 제재를 갖고 임하고 있는 것(법 19조의 2)을 감안해 보면, 명문의 규정을 떠나 대리 신청권자의 범위를 확장 해석하는 것은 상당하지 않고 성년후견인이라도 외국인 본인과 동거하지 않는 한, 대리 신청권은 인정할 수 없다고 해석하는 것이 상당하다고 판시하였다.

---

103) (의무화의 소의 요건 등)
　　제37조의3 제3조 제6항 제2호에 해당하는 경우 의무화의 소는 다음 각 호에 해당하는 요건의 하나에 해당하는 때에 한하여 제기할 수 있다.
　　1 당해 법령에 의거한 신청 또는 심사 청구에 대해서 상당한 기간 내에 어떠한 처분 또는 재결이 이루어지지 않았을 것
　　2 당해 법령에 의거한 신청 또는 심사 청구를 각하하거나 기각하는 취지의 처분 또는 재결이 이루어진 경우에 당해 처분 또는 재결이 취소되어야 할 것이거나 무효 또는 부존재일 것

사 건 번 호 平20(行ウ)145号	
사 건 명 외국인 등록원표 기재 사항 변경 등 청구 사건	
재판연월일 平成21年104) 3月 19日	**재 판 소 명** 오사카(大阪) 지방재판소
재 판 구 분 판결	**재 판 결 과** 일부 각하, 일부 기각

주 문

1. 원고의 소 중 원고의 외국인 등록원표의 거주지 변경 등록 및 외국인 등록증명서의 거주지 기재 변경의 각 의무화를 구하는 소 및 원고가 2008년 6월 20일자로 한 외국인 등록증명서의 거주지 기재 변경 신청을 오사카(大阪)시 α구청장이 거절한 것의 무효 확인을 구하는 소를 모두 각하한다.

2. 원고의 그 외의 소에 관련된 청구를 모두 기각한다.

3. 소송비용은 원고가 부담한다.

사실과 이유

제1 청구

1. 오사카시 α구청장은 원고의 외국인 등록원표의 거주지 기재 및 외국인 등록증명서의 거주지 기재를 다음과 같이 변경하라.

　　이전연월일 2008년 6월 15일
　　변경 전의 거주지 오사카시 β×번 3-X호
　　변경 후의 거주지 오사카시 γ×번 22-X호

2. 원고가 법정대리인을 통하여 2008년 6월 20일자로 한 외국인 등록원표의 거주지 변경 등록 신청 및 외국인 등록증명서의 거주지 기재의 변경 신청에 대해서 오사카시 α구청장이 이를 수리

---

104) 2009년

하지 않고 거절한 것이 무효임을 확인한다.

3. 피고는 원고에게 10만 엔 및 이에 대한 2008년 9월 4일부터 다 갚는 날까지 연 5%의 비율에 의한 돈을 지불하라.

제2 사안의 개요

본건은 대한민국(이하 '한국'이라 한다) 국적을 가지는 원고가 오사카시 α구청장에 대하여 원고의 성년후견인인 A를 통해 외국인 등록원표의 거주지 변경 등록 신청을 했는데 원고와 동거하지 않는 A에게는 대리 신청권을 인정할 수 없다고 하여 이 신청을 거절하였기 때문에 관련 신청 거절은 위법·무효이며, 원고는 이에 따라 정신적 고통을 입는 등 하여 신청 거절의 무효 확인 및 거주지 변경 등록 의무화 등을 요구하는 동시에 국가배상법 1조 1항에 의거하여 위자료 등의 지불을 요구하고 있는 사안이다.

1. 외국인등록법(이하 '법'이라 한다)의 관계 규정

(1) 거주지 변경 등록(법 8조)

① 외국인은 동일한 시정촌의 구역 내에서 거주지를 변경한 경우에는 새 거주지로 이전한 날로부터 14일 이내에 그 시정촌의 장에게 변경 등록 신청서를 제출하여 거주지 변경 등록을 신청해야 한다(법 8조 2항).

② 시정촌의 장은 제2항의 신청이 있는 때에는 당해 외국인에 관련된 등록원표에 거주지 변경의 등록을 해야 한다(법 8조 6항).

(2) 본인의 출두 의무와 대리인에 의한 신청 등(법 15조)

① 이 법률에 정하는 신청, 등록증명서의 수령 또는 제출 혹은 서명은 스스로 당해 시정촌의 사무소에 출두하여 해야 한다(법 15조 1항).

② 외국인이 16세에 이르지 못한 경우 또는 질병 기타 신체의 장애로 인해 스스로 신청 혹은 등록증명서의 수령 또는 제출을 할 수 없는 경우에는 전항에 규정하는 신청 또는 등록증명서의 수령 또는 제출은 당해 외국인과 동거하는 다음의 각 호에 해당하는 자(16세에 이르지 못한 자를 제외한다)가 당해 각호의 기재 순서에 따라 당해 외국인을 대신해야 한다(법 제15조 2항 전단).

1. 배우자

2. 자녀

3. 아버지 또는 어머니

4. 전 각호에 해당하는 자 이외의 친족

5. 기타의 동거자

2. 전제사실(다툼이 없거나 증거 및 변론의 전체 취지에 의해 쉽게 인정되는 사실)

(1) 원고의 신상 등(갑 1, 2, 변론의 전체 취지)

① 원고는 쇼와昭和[105] ○○년 ○월 ○일에 일본 열도에서 출생한 한국 국적을 가진 외국인 남성이다.

② 원고는 선천적으로 지적 장애를 가지고 있어서 어린 시절부터 아동양호시설인 오사카 시립 B학원(이하 'B학원'이라 한다)에 입소하였고 현재는 다른 장애자들과 같이 기재된 주소지에 거주 하면서 이 학원이 실시하는 이른바 그룹 홈에 참가하고 있다.

③ 원고는 2006년 5월 2일 오사카 가정재판소에서 성년후견 개시 심판을 받아 A가 후견인으로 취임했다.

④ 원고는 2008년 6월 15일 오사카시 β×번 3-X호에서 같은 구 γ×번 22-X호로 이사했다.

(2) 거주지 변경 등록 신청 및 신청 거절의 경위(갑 3, 변론의 전체 취지)

① A는 2008년 6월 20일, 오사카시 α구청에 출두하여 법 8조 2항에 따라 거주지 변경 등록 신청을 했다(이하 '본건 신청'이라 한다).

② 본건 신청을 받고 α구청 담당 직원인 C는 A에게 원고 본인이 출두하는지 여부를 확인했는데 원고 본인은 출두하지 않는다는 취지의 답변을 들었기 때문에 A와 원고가 동거하는지 여부를 추가로 확인한 바, A는 원고와 동거하지 않는다는 취지로 대답했다.

③ C는 원고와 동거하지 않는 성년후견인의 대리 신청 가부에 대해서 법무성 입국관리국에 전화로 조회했더니 '신청은 본인 출두가 원칙이며 성년후견인이 하는 신청을 수리하는 법률 근거 가 없다. 따라서 후견인과 동반하는 등 하여 본인에게 출두해 달라고 하는 것이 적당하지 않은가' 하는 취지의 답변을 들었다.

④ C는 위 답변을 받고 A에게 본건 신청에 따라 거주지 변경 등록을 할 수 없기 때문에 원고

---

105) 1926~1989년

본인을 출두시키도록 제의한 바, A는 2세 정도의 지능밖에 없는 원고를 출두시키는 것은 의미가 없다며 C의 제의를 거절했다.

⑤ C는 다시 입국관리국에 전화로 조회했지만 278쪽 (2)-③과 같은 답변을 얻어서 다시 A에게 원고 본인을 출두시키도록 제의한 바, A는 이에 납득하지 않고 등록 신청서에 '외국인등록법 15조에 의해 수리할 수 없습니다.'라고 C에게 기재하도록 시킨 후 이 신청서를 반환받았다.

(3) 원고는 2008년 8월 7일 본건 소를 제기했다(현저한 사실).

3. 쟁점

(1) 외국인등록법 8조 2항에 근거한 거주지 변경 등록 신청은 '법령에 의거한 신청'(행정사건소송법 37조의3 제1항 각호)에 해당하는지 여부(본안 전의 쟁점 1)

(2) 오사카시 α구청장이 하는 거주지 변경 등록 및 그 신청에 대하여 이를 수리하지 않고 거절하는 행위에 처분성이 인정되는지 여부(본안 전의 쟁점 2)

(3) 오사카시 α구청장이 본건 신청에 대해 이를 수리하지 않고 거절한 행위가 적법·유효한지 여부(본안의 쟁점)

4. 쟁점에 관한 당사자의 주장

(1) '법령에 의거한 신청'에 해당하는지 여부(본안 전의 쟁점 1)에 대해서

■■■ 피고의 주장

신청이라고 할 수 있기 위해서는 그에 대하여 행정기관이 승낙하는 것이 의무화되어 당해 승낙의 의무가 신청자의 개인적 권리·이익을 보호하기 위해 부과되어 있는 것이 필요한 바, 거주지 변경 등록 신청(법 8조 1항)은 신규 등록 신청과 마찬가지로 '신청'이라는 용어를 사용하고 있다고는 해도, 이는 행정법상의 신고에 지나지 않고 시정촌의 장 등에 의한 승낙 여부는 예정되어 있지 않은데 관련 신고에 의해 가령 시정촌의 장 등이 거주지 변경 등록 등을 해야 할 의무를 진다고 해도, 그것은 재류 외국인의 공정한 관리를 할 수 있도록 부과된 직무상의 의무에 지나지 않고 신청자의 개인적 권리·이익을 보호하기 위해 부과된 의무라고는 할 수 없다.

따라서 거주지 변경 등록 신청은 행정사건소송법 37조의3 제1항 각호에서 말하는 '법령에 의거한 신청'에 해당하지 않는다.

다툰다.

(2) 거주지 변경 등록 및 그 신청을 수리하지 않고 이를 거절하는 행위의 처분성(본안 전의 쟁점 2)에 대해서

■■■ 피고의 주장

외국인 등록원표의 거주지 변경 등록은 공증 행위에 불과하고 그에 의해 직접 국민의 권리 의무가 새로 형성된다거나 그 범위가 확정되는 것은 아니기 때문에 처분성을 인정할 수 없다.

　　또한 거주지 변경 등록 신청은 신고에 지나지 않고 이에 대한 수리 행위는 예정되어 있지 않다. 본건 신청에 따라 거주지 변경 등록 등이 이루어지지 않았다고 해도 그것은 신청에 대한 거절에 따른 법적 효과가 아니라 본건 신청이 부적법한 것이었기 때문임에 틀림없고 C가 '외국인등록법 15조에 의해 수리할 수 없습니다.'라고 기재한(전술한 279쪽 (2)-⑤) 것은 A가 강하게 요구하였기 때문임에 불과하다. 이렇게 본건 신청을 거절한 행위에 의해 원고의 법적 권리 · 이익이 침해되었다고는 할 수 없는 점에서도 분명한 것처럼 거주지 변경 등록 신청을 수리하지 않고 거절하는 행위에 처분성은 인정되지 않는다.

■■■ 원고의 주장

다툰다.

(3) 오사카시 α 구청장이 본건 신청에 대하여 이를 수리하지 않고 거절한 행위가 적법 · 유효한지 여부에 대해서 (본안의 쟁점)

■■■ 피고의 주장

법 15조 2항은 거주지 변경과 관련한 등록 내용을 실체에 부합한 정확성이 높은 것으로 하기 위해, 대리 신청 의무를 지는 자가 대리 신청을 하지 않으면 안 되는 것으로 하고 대리 신청 의무자를 당해 외국인과 동거하는 배우자, 자녀, 아버지 또는 어머니, 그 외의 친족 및 기타의 동거자라고 명확히 한정 열거하고 있다. 또한 대리 신청 의무의 불이행은 5만 엔 이하의 과료에 처헤지는 것이고(법 19조의2), 그렇게 행정벌의 대상이 되는 자의 범위를 확대 해석하는 것은 허용할 수 없으므로 법 15조 2항은 본인과 동거하지 않는 성년후견인에 의한 대리 신청을 인정하지 않는 취지이다.

280 일본 성년후견 판례의 이해: 일본 성년후견 판례 전문 번역 및 해설

따라서 C가 본인과 동거하지 않는 A의 대리 신청을 불허한 것은 옳은 법 해석에 따른 것이므로 본건 신청을 거절한 행위에 위법은 없다.

■■■ 원고의 주장

① 성년후견인은 포괄적 대리권을 가지는 법정대리인이고 그 대리권의 범위는 광범위하고 외국인등록법이 개정되지 않은 것은 법의 불비에 불과하고 성년후견인의 대리권의 범위를 한정 해석할 것은 아닌 점, ② 원고는 2002년 9월 10일 및 2004년 6월 22일 두 차례에 걸쳐 α구 내에서 이사했는데(갑 6), 그 때에는 B학원의 담당자가 α구청에 출두하여 원고의 거주지 변경 등록 신청을 했고 원고 본인은 출두하지 않은 점, ③ 일본 국민이라면 주거에 변경이 생긴 경우 주민기본대장법의 규정(같은 법 27조 3항)에 의해 성년후견인에 의한 전출과 전입신고를 할 수 있다고 해석되는 바, 외국인에 대해서는 성년후견인에 의한 대리 신청을 할 수 없다고 한다면 국적 및 인종에 따른 차별을 금지한 헌법 14조에 반하는 점, ④ 중증 지적 장애인이고 타인 앞에서 발작적인 기이한 소리를 내는 습성이 있는 원고에게 스스로 구청에 출두하도록 강제하는 것은 '본때를 보이는' 식의 행위이며 헌법 11조 및 13조에 반하는 점, 이상을 감안해 보면 법 15조 2항은 본인과 동거하지 않는 성년후견인의 대리 신청권을 인정하고 있는 것으로 해석해야 한다.

가령 그렇게 해석할 수 없다 하더라도 호적법 31조 또는 민법 697조(사무관리)의 준용 또는 유추 적용에 의해 본인과 동거하지 않는 성년후견인의 대리 신청권이 인정된다고 해석해야 한다.

이와 같이 A에게는 대리 신청권이 인정되는 데에도 불구하고 C는 A의 대리 신청권을 인정하지 않고 신청을 거절한 것으로 법령의 해석을 잘못한 위법이 있다.

제3 쟁점에 대한 판단

1. 본안 전의 쟁점 1 및 2에 대해서

(1) 청구 1 및 2는 외국인 등록원표의 거주지 변경 등록 신청을 거절하는 행위 및 당해 신청에 따라 거주지 변경 등록을 하는 것 등을 행정청이 하는 처분으로 파악한 후, 신청을 거절하는 행위의 무효 확인을 요구함(청구 2)과 함께, 이른바 신청형의 의무화를 요구하는(청구 1) 소라고 해석된다(행정사건소송법 37조의3 제1항, 3항). 그래서 아래에서 법 8조 2항에 근거한 거주지 변경 등록 신청이 '법령에 의거한 신청'에 해당하는지 여부, 당해 신청을 거절하는 행위 및 당해 신청에 따라 거주지 변경 등록을 하는 것이 처분에 해당하는지 여부에 대해서 검토를 추가한다.

(2) 신청이란 법령에 근거하여 행정청이 허가, 인가, 면허 기타 자기에 대해서 어떠한 이익을 부여하는 처분을 (하도록) 요구하는 행위이며, 당해 행위에 대하여 행정청이 승낙 여부의 응답을 해야하는 것으로 되어 있는 것을 말한다(행정절차법 2조 3호). 외국인 등으로부터 거주지 변경 등록 신청을 받은 시정촌의 장 등은 당해 외국인에 관련된 등록원표에 거주지 변경의 등록을 해야 하는(법 8조 6항) 것이며, 신청 내용이 실체에 따른 것인지 여부를 심사하는 것은 예정되어 있지 않다. 그러나 외국인 등록원표의 등록 내용이 사인 간의 거래나 관공서에 대한 절차 기타 사회생활에서의 다양한 장면에서 신분 관계나 거주 사실을 증명하는 공증 제도로서 기능하고 있는 것에서 본다면 외국인 등록 제도에 의해 자기의 신분 관계 및 거주 관계를 증명할 수 있다는 이익은 법률상 보호된 이익이라고 해야 한다. 그렇다면 거주지 변경 등록 신청이 적법하게 된 경우, 당해 외국인과의 관계에서 시정촌의 장 등은 소정의 절차에 따라 당해 외국인에 관련된 등록원표에 거주지 변경 등록을 할 의무를 지고 위 신청에 따라 거주지 변경의 등록을 하는 행위, 게다가 위 신청이 되었음에도 불구하고 거주지 변경 등록을 하지 않는 행위는 직접 국민의 권리 의무를 형성하거나 또는 그 범위를 확정하는 것이 법률상 인정되어 있는 것으로 봐야 할 것이고 원고가 한 법 8조 2항에 근거한 거주지 변경 등록 신청에 의거해서 거주지 변경 등록을 하는 것 및 이 신청을 수리하지 않고 이를 거절하는 행위(이하 '본건 각하 처분'이라 한다)는 행정청의 처분에, 위 신청은 '법령에 의거한 신청'에, 각각 해당하는 것으로 해석하는 것이 상당하다.

(3) 이 점에 대해서 피고는 시정촌의 장 등이 거주지 변경 등록 등을 해야 하는 것은 재류 외국인의 공정한 관리를 하기 위해 부과된 직무상의 의무에 의한 것이며 신청자의 개인적 권리·이익을 보호하기 위해 부과된 의무에 의한 것은 아니라고 주장한다. 그러나 외국인 등록을 한 외국인에 대하여는 등록 사항을 기재한 등록증명서가 교부되고 거주지 변경 등록이 이루어진 때에는 등록 증명서에 그 취지의 기재를 해야 한다고 되어 있는(법 5조 1항, 8조 3항) 등, 법률상에서도 외국인 등록이 공증 제도로서 기능하는 것이 예정되어 있는 것이며, 당해 외국인의 개인적 권리·이익을 보호하는 취지를 담고 있다고 해석해야 하는 것은 위 (2)에서 진술한 대로이다. 이것과 법이 재류 외국인의 공정한 관리에 기여하는 것을 주요 목적으로서 내세우고 있는 것(법 1조)과는 반드시 모순되지 않고 피고의 주장은 채용할 수 없다.

(4) 또한 원고는 법 8조 2항에 근거한 거주지 변경 등록 신청 외에 외국인 등록증명서의 기재 사항 변경에 대해서도 신청을 했다는 전제에 선 다음, 이를 수리하지 않고 거절한 행위를 처분으로 파악하여 그 무효 확인을 구함과 동시에 외국인 등록증명서의 거주지 기재 변경을 요구하고 있다.

그러나 외국인 등록증명서는 외국인 등록원표의 등록 사항을 토대로 작성되는 것이고(법 5조 1항), 등록을 받은 외국인이 외국인 등록증명서의 기재 사항의 변경에 대해서 별개의 신청을 하는 것이나 시정촌의 장 등이 이에 응답하는 것은 예정되어 있지 않고, 외국인 등록원표의 등록 사항이 변경되면 이에 따라 당연히 외국인 등록증명서의 기재 사항도 변경되게 되어 있다(법 8조에서 10조의2까지).

따라서 외국인 등록증명서의 기재 사항 변경은 처분에 해당하지 않고 그 신청도 법령상 예정되어 있지 않으므로 '법령에 의거한 신청'에 해당하지 않는 것이라고 해야 한다.

(5) 이상에서 청구 1 중, 외국인 등록증명서의 거주지 기재 변경에 관한 의무화의 소 및 청구 2 중 외국인 등록증명서의 기재 변경 신청을 수리하지 않고 거절한 행위의 무효 확인을 구하는 소는 부적법하여 각하를 면치 못한다. 한편, 청구 2 중 본건 각하 처분의 무효 확인을 구하는 소는 적법하고 청구 1 중 외국인 등록원표의 거주지 변경의 등록 의무화의 소가 적법한지 여부는 위 각하 처분이 취소될 것인지 또는 무효인지 여부에 의해 결정되는 것이 된다(행정사건소송법 37조의3 제1항 2호 참조).

2. 본건 각하 처분의 적법성 · 효력에 대해서

(1) 성년후견인의 대리 신청권 유무에 대해서

① 법 15조는 법에 정한 신청 등에 대해서는 원칙적으로 외국인 본인이 시정촌의 사무소에 출두하여 해야 한다(1항)고 하고 예외적으로 외국인 본인이 16세 미만인 경우나 질병 기타 신체의 장애로 인해 본인이 출두할 수 없는 경우에는 본인과 동거하는 배우자 등이 본인을 대신하여 신청 등을 해야 한다(2항)고 규정한다.

법이 이렇게 본인 출두의 원칙을 정하고 예외적으로 대리인 출두를 허용하는 경우에도 본인과 동거하는 자에 한하여 대리권을 부여하는 것으로 한 것은 호적제도 등이 없는 외국인에 대한 공정한 관리(법 1조 참조)를 실현하려면 당해 외국인의 주거 등을 정확히 파악할 필요가 있으므로 본인이나 본인의 사정을 정확히 파악하고 있을 동거자의 출두를 요구하여 신청 등 내용의 정확성을 담보하기 위해서라고 해석된다. 즉, 법상의 신청 등에 관한 대리권을 어떠한 범위의 사람에게 부여하느냐에 있어서는 민법상의 행위능력 제도와는 다른 고려가 작용하고 있으며 이는 민법상으로는 행위능력을 가지지 않는 것으로 되어 있는 20세 미만의 사람(민법 4조)이라 하더라도 16세 이상이면 법상의 신청 등을 할 수 있다고 되어 있는 것에서도 분명하다.

따라서 민법상의 행위능력 제도에 기초를 두는 성년후견인에게 법상의 대리 신청권이 당연히 인정된다고 해석할 수 없다. 오히려 법은 대리 신청권이 인정되는 사람의 범위를 명시적으로 동거자로 한정하고 있는 것(법 15조 2항)이나 대리 신청 의무 위반에 대하여 과료를 통한 제재를 마련해 두고 있는 것(법 19조의 2)을 감안해 보면, 명문의 규정을 떠나 대리 신청권자의 범위를 확장 해석하는 것은 상당하지 않고 성년후견인이라도 외국인 본인과 동거하지 않는 한, 대리 신청권은 인정되지 않는다고 해석하는 것이 상당하다.

② 원고는 중증 지적 장애가 있는 원고 본인의 출두를 강제하는 것은 헌법 11조 및 13조에 반한다고 주장하지만 성년후견인에게 대리 신청권이 인정되지 않는다고 해도 동거자에게는 대리 신청권이 인정되는 것이므로, 반드시 본인 출두를 강제하는 것은 아니고 동거자가 없는 자에 대해서 본인의 출두가 의무화되어 있다고 해도, 신청 내용 등의 정확성을 담보하기 위한 수단으로서 불합리하다고는 할 수 없고 당해 외국인에게 과도한 부담을 강요하는 것이라고도 할 수 없다. 확실히 원고가 주장하는 대로 중증 지적 장애를 가진 사람이 신청을 하는 경우에는 상응하는 시중· 원조가 필요하다고 생각되지만, 그렇다고 해서 본인의 출두가 무의미한 것으로 되는 것은 아니고 관공서에 출두하여 직원이나 근무자와 접촉하는 기회를 '본때를 보이는' 식의 행위 등으로 파악하는 것은 상당하지 않다. 원고의 헌법 11조 및 13조 위반의 주장은 채용할 수 없다.

또한 원고는 성년후견인에게 대리 신청권을 인정하지 않는 것은 국적 및 인종에 의한 차별이며 헌법 14조에 위반하는 것이라고 주장하지만, 외국인 등록 제도는 호적제도 등이 없는 외국인에 대한 공정한 관리를 실현하는 것을 목적으로 하는 것으로, 본인 출두를 원칙으로 하고 동거자의 대리 신청만을 인정하고 호적법상의 신고에서 인정되고 있는 성년후견인에 의한 대리 신청이 인정되지 않는다고 해도 그러한 취급에는 합리적 근거가 있다. 그리고 일본인과 취급의 차이가 위와 같은 것에 그치는 한, 헌법 14조 위반을 문제로 할 여지도 없다고 할 수 있다.

게다가 원고는 호적법 31조 또는 민법 697조의 준용 또는 유추 적용에 의해 A에게 대리 신청권이 인정된다고 주장하지만 외국인등록법 15조 2항이 대리인의 범위를 동거자로 한정한 취지를 몰각하는 결과가 되므로 위 주장도 채용할 수 없다.

(2) 따라서 원고 본인과 동거하지 않는 A에게 대리 신청권이 인정되지 않고, A가 한 본건 신청이 부적법한 것이라고 하여 이루어진 본건 각하 처분은 적법하고 무효 사유도 없다고 할 수 있다.

결 론

　이상과 같은 사정이며 276쪽 제1 청구 1.에 관련된 소 중 외국인 등록원표의 거주지 변경의 의무화를 구하는 소는, 법령에 의거한 신청을 각하한 처분(본건 각하 처분)이 취소되어야 할 것으로도 무효라고도 할 수 없으므로 부적법하여 각하를 면치 못하고 청구 2. 중, 본건 각하 처분 무효 확인의 청구는 이유가 없으므로 또한 청구 3.의 국가배상 청구는, 본건 각하 처분이 위법임을 전제로 하는 것이며 이유가 없으므로 모두 기각해야 한다. 그리고 청구 1.에 관련된 그 외의 소 및 청구 2.의 그 외의 청구에 관련된 소는 전술한 282쪽 제3의 1.-(4), (5)와 같이 부적법하므로 각하해야 한다.

　따라서 주문과 같이 판결한다.

■ 재판장 재판관 吉田徹 재판관 小林康彦 재판관 金森陽介

18

결격사유 있는 사람이 성년후견인으로 등기된 사례

민법 제847조는 '후견인의 결격사유'를 규정하고 있는데 미성년자(제1호), 가정재판소에서 면직된 법정대리인, 보좌인 또는 보조인(제2호), 파산자(제3호), 피후견인에 대하여 소송을 하거나 하였던 사람 및 그 배우자와 직계혈족(제4호), 행방을 알 수 없는 사람(제5호)은 후견인이 될 수 없다.[106)]

D는 그 형제인 Y1과 함께 어머니인 C의 성년후견인으로 선임되었지만 민법 제847조 제4호 소정의 후견인의 결격사유가 존재하기 때문에 C의 후견인으로 될 수 없는 사람이었다. 따라서 D는 비록 성년후견인으로 등기가 되어 있었지만 C를 대리하는 권한을 가지고 있지 않았음에도 불구하고 C의 성년후견인으로서 C를 대리하여 원고로부터 대출을 받았다.

원고는 D가 위 대출 당시 무권대리인이었지만 민법 제109조의 적용 내지 유추 적용에 의해 C가 그 책임을 져야 한다고 주장하였다. 민법 제109조는 '제3자에 대하여 타인에게 대리권을 수여한 취지를 표시한 자는 그 대리권의 범위 내에서 그 타인이 제3자와의 사이에서 한 법률 행위에

---

106) (후견인의 결격사유)

　　제847조 다음에 열거하는 사람은 후견인이 될 수 없다.

　　1 미성년자

　　2 가정재판소에서 면직된 법정대리인, 보좌인 또는 보조인

　　3 파산자

　　4 피후견인에 대하여 소송을 하거나 하였던 사람 및 그 배우자와 직계혈족

　　5 행방을 알 수 없는 사람

대해서 책임을 진다. 단, 제3자가 그 타인이 대리권을 수여받지 않은 것을 알았거나 과실에 의해 알지 못한 때에는 그러하지 아니하다.'라고 규정[107]하고 있는데 법정대리인인 성년후견인에게 '본인이 제3자에게 그 성년후견인에게 대리권을 수여한 취지를 표시한다.'는 것을 상정하기 어려워 과연 위 조항을 본 사안에 적용 내지 유추 적용할 수 있는지가 문제되었다.

재판소는 민법 제109조의 표현대리는 본인이 제3자에 대해서 타인에게 대리권을 준 것 같은 표시를 했기 때문에 당해 대리권 수여의 표시를 신뢰하고 거래 관계에 들어온 제3자를 보호하기 위해 마련된 제도라고 위 조항 제정의 취지를 설명하였다. 그런데 성년후견인은 가정재판소의 심판에 의해 선임되는 것이기 때문에 성년피후견인에게 있어서 이 조항이 본래 상정하고 있는 대리권 수여의 표시를 하는 것은 생각할 수 없고 정신적 장애로 인해 사리를 변식하는 능력이 없는 상황에 있는 사람을 보호하기 위해 마련된 성년후견제도의 취지에 비추어서도 이 조항을 유추 적용하여 무권대리인이 한 행위에 대해서 성년피후견인이 그 책임을 지게 하는 것은 상당하지 않다고 판시하였다.

피고들이 본건 각 대출에 대해서 민법 제109조에 의거한 책임을 거절하는 것은 신의칙에 반하여 허용되지 않는다는 원고의 주장에 대하여 재판소는 피고들이 D에게 후견인의 결격사유가 있음을 알면서 이를 숨기고 D를 성년후견인으로 선임했다는 사실이 있는 경우에는 신의칙상의 문제가 생길 수 있음은 긍정하였다. 하지만 피고들이 D가 C를 상대방으로 하여 소송을 제기한 적이 있는 것을 알고 있었다는 것과 피고들이 D에게 후견인의 결격사유가 있음을 알고 있었다는 것은 별개의 일이며 피고들이 위 소송 제기 사실은 알았을 것으로 보이나 D를 C의 성년후견인으로 선임하는 심판 당시 D에게 후견인의 결격사유가 있음을 알지 못했다고 인정하여 원고의 신의칙 위반 주장을 받아들이지 않았다.

원고는 피고 Y1에게는 D의 성년후견인 등기를 말소해야 할 의무가 있는데도 그 등기를 만연히 방치한 것이 위법이라고 하여 피고 Y1은 이 등기를 신뢰하여 본건 각 대출을 하여 손해를 입은 원고에 대하여 불법행위 책임을 진다는 주장을 하였다. 그러나 재판소는 피고 Y1이 D에게 후견인의 결격사유가 있음을 알고 있었다고는 인정되지 않으며 D를 C의 성년후견인으로 선임하는 심판이 된 후 본건 각 대출이 될 때까지 사이에, 피고 Y1이 D에게 후견인의 결격사유가 있음을 알게 되었다고 인정할 만한 증거도 없다고 하면서 원고의 주장을 배척하였다.

---

107) (대리권 수여의 표시에 의한 표현대리)
　　제109조 제3자에 대하여 타인에게 대리권을 수여한 취지를 표시한 자는 그 대리권의 범위 내에서 그 타인이 제3자와의 사이에서 한 법률 행위에 대해서 책임을 진다. 단, 제3자가 그 타인이 대리권을 수여받지 않은 것을 알았거나 과실에 의해 알지 못한 때에는 그러하지 아니하다.

사 건 번 호 平21(ワ)23854号	**사 건 명** 대금 등 청구 사건
재판연월일 平成25年108) 4月 26日	**재 판 소 명** 도쿄(東京) 지방재판소
재 판 구 분 판결	

주 문

1. 원고의 청구를 모두 기각한다.
2. 소송비용은 원고가 부담한다.

사실과 이유

제1 청구

1. 주위적 청구

피고들은 원고에게 각자 329만 7,665엔 및 이에 대한 2013년 1월 8일부터 다 갚는 날까지 연 21.9%의 비율에 의한 돈을 지불하라.

2. 예비적 청구

피고 Y1은 원고에게 1,319만 660엔 및 이에 대한 2013년 1월 8일부터 다 갚는 날까지 연 21.9%의 비율에 의한 돈을 지불하라.

제2 사안의 개요

본건은 원고가 ① 주위적으로 민법 847조 4호의 결격사유가 있음에도 불구하고 망 C(이하 'C'라 한다)의 성년후견인으로 선임된 분리 전 상피고 D(이하 'D'라 한다)가, C의 성년후견인으로서 체결한 두 건의 금전 소비대차 계약(대출 금액 합계 2,000만 엔)이 민법 109조에 의해 유효라고 주장하고, C의 공동상속인인 피고들에 대해서 이 계약에 근거하여 남은 원금 1,319만 660엔을 각각의

---

108) 2013년

상속분에 따라 분할한 금액인 329만 7,665엔 및 이들에 대한 최종 변제일 다음날인 2013년 1월 8일부터 다 갚는 날까지 약정한 연 21.9%의 비율에 의한 지연손해금의 지불을 요구하고 ② 예비적으로 D와 함께 C의 성년후견인으로 선임된 피고 Y1(이하 '피고 Y1'이라 한다)이 D의 성년후견인 등기를 말소하지 않고 방치한 것은 불법행위에 해당하고 무권대리인인 D와 위 계약을 체결한 원고는 위 대출금의 남은 원금 상당액의 손해를 입었다고 주장하여 피고 Y1에 대하여 민법 709조에 근거하여 1,319만 660엔 및 이에 대한 이 날부터 다 갚는 날까지 연 21.9%의 비율에 의한 지연손해금의 지불을 요구하는 것이다.

1. 전제사실

당사자 사이에 다툼이 없는 사실, 뒤에서 드는 증거 등에 의해 쉽게 인정되는 사실. 또한 아래 서증에 대해서는 특별히 언급한 것을 제외하고 가지번호를 포함하는 것으로 한다.

(1) 피고들의 친족 관계

C는 1926년 0월 0일 출생한 조선 국적의 여성이며 D는 C의 장남, 피고 Y1은 C의 차남, 피고 Y2(이하 '피고 Y2'라 한다)는 C의 장녀, 피고 Y3(이하 '피고 Y3'이라 한다)는 C의 차녀이다. 또한 C의 남편이며 D 및 피고들의 아버지인 E(이하 'E'라 한다)는 1973년에 사망했다(갑 5, 6).

(2) D가 C에게 소송 제기

① E가 소유하고 있던 도쿄도東京都 다이토구台東区(이하 생략) 소재 토지 건물(이하 '본건 부동산'이라 한다)에 대해서는 상속을 원인으로 C, D 및 피고 Y1의 각 지분을 3분의 1로 하는 소유권 이전 등기가 이루어졌지만, 1984년 1월 21일자로 착오를 원인으로 하여 C의 지분을 3분의 2, 피고 Y1의 지분을 3분의 1로 하는 경정등기가 이루어졌다(을 ㅁ 3 내지 5).

② D는 1992년 3월 16일자로 위 ①의 경정등기는 C들이 원고에게 무단으로 한 무효 등기라는 등으로 주장하여 C 및 피고 Y1 외 1명을 상대방으로 하여 이 경정등기의 말소 등기 절차 등을 요구하는 소(도쿄 지방재판소 平成4年[109] (ワ) 第4127号 사건. 이하 '平成4年 소송'이라 한다)를 제기했다(갑 4, 을ㅁ 9).

③ 平成4年 소송에 대해서는 1993년 3월 12일, D가 본건 부동산에 대해서 3분의 1의 공유 지분을 가지고 있는 것을 확인하는 것 등을 내용으로 하는 소송상 화해가 성립되었다(갑 4).

---

[109] 1992년

⑶ C의 금치산선고 및 후견인의 선임

① C는 1998년 7월 23일 도쿄 가정재판소에서 금치산선고의 심판을 받아 그 해 8월 20일 이 심판이 확정되었다. 그리고 민법의 일부를 개정하는 법률(1999년 법률 제149호)의 시행에 따라 같은 법 부칙 3조 1항의 규정에 의해 C는 후견 개시의 심판을 받은 성년피후견인으로 간주되었다(갑 5, 6).

② C의 후견인으로는 F 변호사(이하 'F 변호사'라 한다), G 변호사(이하 'G 변호사'라 한다) 및 H 변호사(이하 'H 변호사'라 한다)가 차례로 선임되었지만 H 변호사는 2004년에 도쿄 가정재판소에 성년후견인 사임 허가 신청(이 재판소 平成16年 (家) 第90191号 사건)을 함과 동시에 성년후견인 선임 신청(이 재판소 平成16年 (家) 第90192号 사건)을 했다.

③ 도쿄 가정재판소는 2004년 3월 8일, 위 ②의 각 신청에 대하여 H 변호사의 사임을 허가하는 심판을 함과 동시에 D 및 피고 Y1에게는 모두 성년후견인으로서의 결격사유 및 부적격사유가 인정되지 않는다고 하여 두 사람을 C의 성년후견인으로 선임하는 취지의 심판(이하 '본건 심판'이라 한다)을 했다. 그리고 같은 달 11일, 본건 심판이 확정되어 같은 해 4월 2일 그 취지의 등기가 이루어졌다(갑 3, 6).

⑷ 원고로부터의 차입

D는 2007년 5월 11일, C의 성년후견인으로서 C를 위해서 하는 것을 표시하여 원고로부터 ① 변제기 2008년 1월 15일, ② 이자 연 14.73%, ③ 지연손해금 연 21.9%(년 365일의 일할 계산)의 약정으로 1,500만 엔을 빌려(이하 이 대출을 '본건 대출 ①'이라 한다), D는 이 날 원고에게 본건 대출 ①에 근거한 C의 채무를 연대하여 보증한다는 취지를 서면으로 약속하였다(갑 1).

D는 같은 해 7월 20일, C의 성년후견인으로서 C를 위해서 하는 것을 표시하여 원고로부터 본건 대출 ①과 같은 변제기, 이자 및 지연손해금의 약정으로 500만 엔을 빌려(이하 이 대출을 '본건 대출 ②'라 하고 본건 대출 ①과 함께 '본건 각 대출'이라 한다), D는 이 날 원고에게 본건 대출 ②에 근거한 C의 채무를 연대하여 보증한다는 취지를 서면으로 약속하였다(갑 2).

⑸ D의 성년후견인 선임 등기 말소

① 피고 Y2는 2007년 6월 18일, 도쿄 가정재판소에 대하여 D와 피고 Y1이 C의 재산을 스스로 취득하여 소비하는 것을 목적으로 하여 행동하고 있어 성년후견인의 임무에 적합하지 않은 사유가 있다고 하여 후견인 해임의 심판을 신청한 바, 위 재판소는 D가 C를 상대방으로 하여 平成4年

소송을 제기함에 따라 D에게 C의 후견인으로서의 결격사유(민법 847조 4호)가 있는 것을 파악하여 같은 해 12월 4일, 직권으로 C의 성년후견인으로서 I 변호사 및 J 변호사를 새로 선임하는 동시에, 두 변호사 및 피고 Y1은 공동으로 성년후견인의 권한을 행사해야 한다는 취지의 심판을 했다(갑 5).

② D가 C의 성년후견인으로 선임된 취지의 등기는 2008년 2월 18일 말소되었다(갑 6).

(6) C의 사망

C는 2008년 11월 29일 사망했다.

(7) D에 의한 일부 변제

① 원고는 D 및 피고들을 상대방으로 하여 본건 소송을 제기했지만 2012년 7월 18일의 본건 제28회 변론 준비 절차 기일에서 D와 소송상 화해를 하였다(기록상 현저한 사실).

② 원고는 위 ①의 화해에 따라 D로부터 변제를 받아 2013년 1월 7일 시점의 본건 각 대출의 대출금 잔금 합계액은 1,319만 660엔이 되었다(변론의 전체 취지).

2. 쟁점

본건의 쟁점은 아래와 같다.

(1) 주위적 청구에 대해서

① 본건 각 대출에 민법 109조가 적용 내지 유추 적용될 수 있는지[292쪽 쟁점 (1)]

② 원고는 D의 무권대리에 대하여 악의 내지 과실이 있는지[293쪽 쟁점 (2)]

③ 본건 각 대출에 민법 93조 단서가 유추 적용되는지[294쪽 쟁점 (3)]

④ 피고들이 민법 109조에 의거한 책임을 거절하는 것이 신의칙에 반하여 허용되지 않는지[295쪽 쟁점 (4)]

(2) 예비적 청구에 대해서

피고 Y1이 민법 709조에 의거한 책임을 지는지[296쪽 쟁점 (5)]

3. 쟁점에 관한 당사자의 주장

쟁점 (1) 본건 각 대출에 민법 109조가 적용 내지 유추 적용될 수 있는지에 대해서

■■■ **원고의 주장**

① 민법 109조의 해석에서는 본인이 대리권 수여의 표시를 한 경우만이 아니라 본인과 동일시할 수 있는 자 또는 공적기관이 법정대리권을 가지는 취지의 표시를 하는 등 본인으로부터 대리권 수여의 표시가 있는 것과 동일시할 수 있는 사정이 존재하는 경우에는 법정대리에 있어서도 위 조항이 적용 내지 유추 적용될 수 있다고 해석해야 한다.

② 성년후견인 선임의 심판은 가정재판소가 심리를 한 후에 이루어지는 것이기 때문에 심판에 대한 신뢰는 매우 높고 본인은 관련 심판에서 이익을 누리는 것이기 때문에 이에 의해서 생기는 불이익도 감수해야 한다고 할 수 있다.

따라서 가정재판소에 의한 성년후견인 선임의 심판 및 이에 기초한 성년후견의 등기에 의해 성년후견인임이 표시된 경우에는 본인으로부터 대리권 수여의 표시가 있는 것과 동일시할 수 있는 사정이 존재한다고 할 수 있어 민법 109조가 적용 내지 유추 적용된다.

③ 가령 위 ②의 주장이 인정될 수 없다고 해도 성년피후견인은 성년후견인의 행위로부터 이익을 누리는 것이기 때문에 이 사람의 행위로부터 생기는 불이익도 감수해야 한다고 할 수 있다.

④ 피고 Y1은 平成4年 소송의 당사자이며 D가 C에 대하여 소송을 제기한 사람인 것을 알고 있었음에도 불구하고, 2004년에 D와 동시에 성년후견인으로 선임된 후에도 아무런 대응 없이 2008년 2월 18일까지의 장기간에 걸쳐 D가 C의 성년후견인인 취지의 등기를 만연히 방치했다. 관련 행위는 본인 C와 동일시해야 할 성년후견인 피고 Y1이 D가 법정대리권을 가지는 취지의 표시를 한 것이라고 할 수 있어 본인으로부터 대리권 수여의 표시가 있는 것과 동일시할 수 있는 사정이 존재하기 때문에 민법 109조가 적용 내지 유추 적용된다.

■■■ **피고 Y1의 주장**

민법 109조는 본인이 제3자에게 대리권을 수여한 취지를 표시한 경우에 적용되는 것인 바, 대리권 수여가 없는 법정대리는 이 요건을 충족할 수 없기 때문에 본건에 위 조항은 적용 내지 유추 적용될 수 없다.

■■■ **피고 Y2 및 피고 Y3의 주장**

① 본건은 법정대리의 사안이며 D가 성년후견인으로서의 외관을 취득한 것은 오로지 D의 신

청에 근거한 것이며, 성년피후견인인 C에게는 아무런 귀책사유가 없는 것이므로 민법 109조의 적용은 없다. 이러한 경우에 C가 위 조항에 의거하여 책임을 져야 한다면 대리권 수여 행위가 존재하는 같은 법 110조 및 112조의 표현대리와 비교해도 본인의 보호에 미흡할 뿐만 아니라 성년피후견인의 보호를 목적으로 하는 성년후견제도의 입법 취지에 반하므로 같은 법 109조는 적용 내지 유추 적용될 수 없다.

② 가령 본건과 같은 경우에 민법 109조가 적용 내지 유추 적용될 수 있다고 해도, 귀책사유 없는 성년피후견인이 책임을 지는 것에서 보면 특히 보호의 필요성이 높은 거래에만 적용된다고 해야 하고 상대방에게는 법정대리권이 존재하지 않는 것에 대한 선의 무과실만이 아니라 당해 거래가 오로지 성년피후견인의 이익이 되는 거래라고 믿은 것으로 그에 대하여 무과실인 것도 요구된다고 해석해야 한다.

쟁점 (2) 원고는 D의 무권대리에 대해서 악의 내지 과실이 있는지에 대해서

■■■ 피고 Y1의 주장

원고 대표자인 A(이하 'A'라 한다) 및 A의 남편이며 원고의 실질적인 경영자인 K(이하 'K'라 한다)와 D는 종전부터 아는 사이였다. 원고는 본건 각 대출보다 전에 C, D 및 피고 Y1이 공유하는 부동산에 담보권을 설정하려고 한 적이 있는데, 이 부동산의 등기부를 보면 그 권리 관계를 둘러싸고 D와 C 사이에 소송이 일어난 것이 분명했던 것이고 원고가 금융업자로서 해야 할 확인 의무를 다했다면 平成4年 소송의 존재가 드러났을 것이다. 이러한 상황 등에서 본다면 원고는 D가 대리권을 가지지 않은 것을 알고 있었든가 가령 몰랐다고 해도 과실이 있다.

■■■ 피고 Y2 및 피고 Y3의 주장

① D의 결격사유에 대한 악의 및 과실이 있다는 것에 대한 주장은 피고 Y1의 주장과 같은 취지이다.

② 또한 전술한 것과 같이 원고가 민법 109조에 의해 보호되기 위해서는 본건 각 대출이 오로지 C의 이익이 되는 거래라고 믿고 그에 대해서 무과실인 것이 필요한 바, 당시 C의 입원 간호비 등으로 2,000만 엔이나 되는 자금이 한꺼번에 필요한 상태에 있었다고는 생각하기 어려운 점 등에서 보면 본건 각 대출은 오로지 C의 이익이 되는 거래가 아니고 원고는 그러한 거래라고 믿었다고 할 수 없으며, 가령 믿고 있었다고 해도 과실이 있다.

① D의 결격사유는 D가 C의 성년후견인으로서 피고 Y1 및 피고 Y2를 상대방으로 하여 제기한 소송(도쿄 지방재판소 平成17年 (ワ) 第18763号 손해배상 청구 사건으로, 이하 '平成17年 소송'이라 한다)에서 2007년 8월 20일에 당사자 쌍방이 재판소로부터 석명을 받은 것을 계기로 하여 발각된 것으로, 그 이전에 이 일을 문제 삼은 사람은 아무도 없었고 원고는 본건 각 대출 당시 D에게 성년후견인으로서의 결격사유가 있는 것을 알지 못했다.

② 또한 성년후견인은 결격사유의 유무를 확인한 후에 선임되는 것이므로 성년후견인으로 선임된 취지의 등기를 본 제3자는 등기된 성년후견인에게 결격사유는 없다고 신뢰하는 바, 원고는 본건 각 대출 시에 등기사항 증명서 원본에서 D가 성년후견인인 것을 확인하고 있다. 이것과 전술한 대로 D의 결격사유는 2007년 8월 20일에 이르러 비로소 지적된 것이며 그 때까지 재판관이나 변호사조차 깨닫지 못한 것에서 보면 원고가 D의 결격사유를 알지 못했던 것에 대해서 과실은 없다.

쟁점 (3) 본건 각 대출에 민법 93조 단서가 유추 적용되는지에 대해서

■■■ 피고 Y2 및 피고 Y3의 주장

본건 대출 ① 중 1,000만 엔은 그 이전의 주식회사 벤처리스로부터 대출한 것을 갚고 다시 빌린 것인데 종전 1,000만 엔의 대출 용도는 C의 D에 대한 대여금 채무의 변제에 충당하기 위한 것이었으므로 이것은 C의 부담으로 D의 이익을 도모하는 행위였다고 할 수 있다. 또한 그 외의 1,000만 엔에 대해서도 D는 자기 명의로 관리했던 것이기 때문에 D는 사실상 그 1,000만 엔을 자기 소유물로 하고 있었다고 할 수 있다.

원고는 D와 공모하여 C에 대한 대출을 하고 이에 대하여 작성된 공정증서에 근거하여 가정재판소의 허가가 이루어지지 않아 담보권을 설정하지 못한 C의 부동산을 경매하는 것으로 대출금을 회수하고 D와 함께 C의 재산을 손에 넣는 것을 목적으로 했던 것이다.

이상에서 보면 본건 각 대출은 C의 성년후견인으로서 했다는 형식을 취하고는 있지만 그 목적은 D 개인의 이익을 도모하는 것에 있었던 것이므로, D가 그 성년후견인으로서의 권한을 남용한 것이라고 할 수 있고 원고는 D의 권한 남용을 알고 있었다. 가령 원고가 그것을 알지 못했다고 해도 알지 못한 것에 대하여 과실이 있다.

■■■ 원고의 주장

① D는 C의 간호 · 입원비용에 충당하는 것을 목적으로 하여 본건 각 대출을 받은 것이며 애

당초 권한남용은 없다.

② 가령 D에게 권한 남용이 있었다고 해도 원고는 본건 각 대출의 신청을 받았을 때, D의 대리인이었던 L 변호사로부터 C가 원인 불명의 병으로 입원과 퇴원을 반복하고 있으며 고액의 의료 · 간병비 등이 필요하다고 설명을 들은 바, D로부터 C가 보유하고 있다고 들었던 거액의 재산에서 본다면 C에게 고액의 의료를 받도록 했다고 해도 부자연스럽지 않고 또한 D 스스로가 연대보증인으로 되어 있어서 원고가 본건 각 대출에 대해서 불신감을 품는 것과 같은 사정은 존재하지 않았다. 따라서 원고는 D의 권한 남용에 대해서 알지 못했고 그에 대해서 과실도 없다.

쟁점 (4) 피고들이 본건 각 대출에 대해 민법 109조에 의거한 책임을 거절하는 것이 신의칙에 반하여 허용되지 않는지에 대해서

■■■ 원고의 주장

① 도쿄 가정재판소는 D 및 피고들이 모두 C의 성년후견인으로 선임된 제3자인 변호사의 성년후견 사무 처리에 비협조적이었고 이로 인해 위 변호사들이 최종적으로 사임하기에 이른 것에서 제3자가 C의 성년후견인으로서 직무를 원활하게 하는 것은 어렵다고 판단했다. 그 와중에 피고 Y1은 D와 피고 Y1이 성년후견인이 되는 것을 제안하고 피고 Y2와 피고 Y3도 이에 동조함에 따라 최종적으로 D와 피고들의 합의가 형성되어, 이에 근거하여 D가 성년후견인으로 선임되기에 이르렀다. 또한 본건 심판 시에는 D 및 피고 Y1의 결격사유의 확인이 이루어져 피고들은 그 때에 D의 결격사유인 平成4年 소송에 대해서 심판관에게 사실을 알리는 기회가 있었음에도 불구하고 이를 알리지 않고 피고들 모두가 D와 피고 Y1의 공동 후견에 이의가 없다는 취지의 의사를 표명하고 있다.

이상과 같이 피고들은 D가 C의 성년후견인으로 선임되는 것에 대해서 적극적으로 관여하고 있다.

② 또한 피고들은 D가 본건 심판 후 성년후견인으로서 직무를 하는 것에 대해서 아무런 이의를 하지 않았다.

③ 게다가 D가 C의 성년후견인으로서 본건 각 대출을 받은 이유는 C의 의료 · 간병비 등은 본래 D와 피고들이 공동으로 부담하게 되어 있었음에도 불구하고 피고들이 이를 부담하지 않았던 것에 있고 본건 각 대출의 대출금은 실제로 모두 C의 의료 · 간병비 등으로 소비되고 있다.

④ 이상에서 보면 피고들이 본건 각 대출에 대해서 민법 109조에 의거한 책임을 거절하는 것은 신의칙에 반하여 허용되지 않는다고 할 수 있다.

D와 피고 Y1은 C의 간호를 진심으로 하려고 하는 것으로는 보이지 않고 항상 서로 으르렁거리고 있었기 때문에, 피고 Y2 및 피고 Y3은 D를 C의 성년후견인으로 하는 것에 대해서는 강력하게 반대하고 있었다. 또한 본건 각 대출은 C를 위해 이루어진 것이 아니라 D의 이익에 소비되고 있는 것이어서 본건에서 피고들이 민법 109조에 의거한 책임을 거절하는 것이 신의칙에 반하는 것과 같은 사정은 존재하지 않는다.

쟁점 (5) 피고 Y1이 민법 709조에 의거한 책임을 지는지에 대해서

■■■■ 원고의 주장

① 성년후견인은 성년피후견인의 재산을 관리하는데 대해서 선관주의의무를 지고 있다(민법 859조, 869조, 644조). 그리고 성년후견인에게는 재산을 관리하기 위한 대리권이 인정되고 있으므로(859조), 성년후견인으로서 등기되어 있지만 진실은 성년후견인이 아닌 자가 존재하는 경우, 그 자가 제3자와 거래를 하는 것 등에 의해 성년피후견인의 재산이 유출될 위험이 있다. 이상에서 보면 성년후견인은 관련된 위험을 제거하기 위해 전술한 재산 관리, 선관주의의무의 한 내용으로서 진실은 성년후견인이 아닌 자에 관한 등기를 말소할 의무를 진다고 할 수 있으므로 피고 Y1은 관련 의무를 지고 있었다.

또한 피고 Y1은 형제 사이에 C의 재산에 관한 분쟁·대립을 발생시켜 제3자인 성년후견인의 후견 사무에 협력하지 않는 등 하여 그 직무의 집행을 사실상 불가능하게 한 후에 자신과 D가 C의 성년후견인이 되는 것을 제안하고 그 제안대로 본건 심판이 이루어져 피고 D가 성년후견인으로서 등기되기에 이르게 된 것이기 때문에 진실은 성년후견인이 아닌 자에 관한 등기를 실질적으로 만들어 낸 사람이라고 할 수 있다. 따라서 피고 Y1은 이 관점에서도 신의칙상의 등기 말소 의무를 진다고 할 수 있다.

② 피고 Y1은 平成4年 소송의 당사자이며 D가 C에게 소송을 제기한 적이 있다고 알고 있었음에도 불구하고, 2004년 3월 8일에 D와 동시에 성년후견인으로 선임되고부터 2008년 2월 18일에 D의 성년후견인 등기가 말소되기까지 그 등기를 만연히 방치하였다.

이것은 위 등기 말소 의무에 위반하는 위법한 행위이고 원고는 만연히 방치된 위 등기를 신뢰하고 C의 무권대리인 D에게 본건 각 대출을 하여 손해를 입은 것이므로, 피고 Y1은 원고에 대하여 민법 709조에 의거한 책임을 진다.

　　성년후견인이 진실은 성년후견인이 아닌 사람의 등기를 말소할 의무를 진다는 것은 원고의 독자적인 견해이며 채용할 수 없다.

　　또한 피고 Y1과 D는 오랫동안 소송에서 다투어 온 대립 관계에 있으며, D가 성년후견인이 되는 것을 지지한 적 등은 없다. 피고 Y1은 D 한 사람을 성년후견인으로 할 수도 없기 때문에 형제 3명(D, 피고 Y1 및 피고 Y2)이 되자고 주장했을 뿐 피고 Y1이 D가 성년후견인이라는 등기를 실질적으로 만들어냈다고 평가되어서는 안 된다.

　　어쨌든 피고 Y1은 D에게 결격사유가 있는 것을 알지 못했던 것이고 그 등기를 만연히 방치한 것도 아니기 때문에 민법 709조에 의거한 책임을 지지 않는다.

제3 본 재판소의 판단

쟁점 (1) 본건 각 대출에 민법 109조가 적용 내지 유추 적용될 수 있는지에 대해서

(1) 전술한 전제사실에 의하면 D는 본건 심판에 의해 C의 성년후견인으로 선임되었지만 민법 847조 4호 소정의 후견인의 결격사유가 존재하기 때문에 C의 후견인으로는 될 수 없는 사람이므로 본건 각 대출에 대해서 C를 대리하는 권한을 가지고 있지 않았던 것이다. 원고는 그것을 전제로 한 다음 민법 109조의 적용 내지 유추 적용에 의해 C가 그 책임을 져야 한다고 주장한다.

(2) 그러나 민법 109조의 표현대리는 본인이 제3자에 대해서 타인에게 대리권을 준 것 같은 표시를 했기 때문에 당해 대리권 수여의 표시를 신뢰하고 거래 관계에 들어 온 제3자를 보호하기 위해 마련된 제도이다. 그런데 성년후견인은 가정재판소의 심판에 의해 선임되는 것이기 때문에 성년피후견인에게 있어서 이 조항이 본래 상정하고 있는 것과 같은 대리권 수여의 표시를 하는 것은 생각할 수 없고 정신적 장애로 인해 사리를 변식하는 능력이 없는 상황에 있는 사람을 보호하기 위해 마련된 성년후견제도의 취지에 비추어서도 이 조항을 유추 적용하여 무권대리인이 한 행위에 대해서 성년피후견인이 그 책임을 지게 하는 것은 상당하지 않다고 할 수 있다.

　　원고는 가정재판소에 의한 성년후견인 선임 심판에 대한 신뢰와 C의 성년후견인인 피고 Y1의 귀책성을 근거로 하여 본건 각 대출에 대해 민법 109조가 적용 내지 유추 적용되어야 한다는 취지로 주장하지만 성년피후견인의 보호라는 관점에서 보면 관련 주장은 채용할 수 없다.

(3) 이상과 같기 때문에 본건 각 대출에 대해서 민법 109조의 적용 내지 유추 적용에 의해 C가

그 책임을 진다고 해석할 수 없다.

쟁점 (2) 피고들이 본건 각 대출에 대해서 민법 109조에 의거한 책임을 부정하는 것이 신의칙에 반하여 허용되지 않는지에 대해서

(1) 원고는 ① D 및 피고들은 D와 피고 Y1이 C의 성년후견인이 되는 것에 합의하고 이에 근거하여 본건 심판이 이루어지는 등 피고들은 D의 성년후견인 선임에 대해 적극적으로 관여하고 있는 것, ② 피고들은 D가 본건 심판 후 성년후견인으로서 직무를 하는 것에 대해서 아무런 이의를 하지 않았던 것, ③ D가 C의 성년후견인으로서 본건 각 대출을 받은 이유는 C의 의료·간병비 등은 본래 D와 피고들이 공동으로 부담하게 되어 있었음에도 불구하고 피고들이 이것을 부담하지 않았던 것에 있고 본건 각 대출의 대출금은 실제로 모두 C의 의료·간병비 등으로 소비된 것에서 보면 피고들이 본건 각 대출에 대해서 민법 109조에 의거한 책임을 거절하는 것은 신의칙에 반하여 허용되지 않는다는 취지로 주장한다.

(2) 그러나 원고가 주장하는 것과 같은 사정이 가령 인정된다고 해도 그것으로부터 즉시 피고들이 본건 각 대출에 대해 민법 109조에 의거한 책임을 거절하는 것이 신의칙에 반하여 허용될 수 없는 것은 아니다. 다만 피고들이 D에게 후견인의 결격사유가 있음을 알면서 이를 숨기고 D를 성년후견인으로 선임되게 했다는 사실이 있는 경우에는 신의칙상의 문제도 생길 수 있는 여지가 있으므로 이 점에 대해서 검토하는데, 전술한 전제사실 및 증거(갑 3, 5, 을イ 2 내지 4, D 본인)와 변론의 전체 취지에 따르면 다음의 사실이 인정된다.

　　① C는 1998년에 금치산선고의 심판을 받고 후견인에 대해서는 C의 아들인 D 및 피고들 사이에 C의 부양료의 부담 및 재산 관리를 둘러싼 격렬한 다툼이 있었기 때문에 제3자 후견인으로서 F 변호사, G 변호사 및 H 변호사가 차례로 선임된 것.

　　② H 변호사가 성년후견인으로 선임된 후에도 D와 피고 Y1 사이의 갈등을 중심으로 친족 사이의 대립이 격화되어 후견 사무에 대한 친족의 협력을 얻을 수 없는 상황이 계속되었기 때문에 도쿄 가정재판소는 후견 감독 처분 사건[이 재판소 平成15年 (家) 第21706号 사건]의 심문 기일에서 후견 사무의 수행 및 성년후견인의 선임에 대해 D 및 피고들의 의견을 청취하고, 2004년 2월 12일에 열린 심문 기일(이하 '본건 심문 기일'이라 한다)에서 관계인으로 출두한 D, 그의 처 M 및 피고들은 H 변호사가 성년후견인을 사임하고 새로운 성년후견인으로서 D와 피고 Y1 두 사람이 선임되는 것에 이의가 없다는 취지를 진술한 것.

　　③ 본건 심문 기일에는 위 ②의 관계인 외에 성년후견인인 H 변호사 및 피고 Y1의 대리인인

N 변호사가 출두했는데, 이들 어느 출두자로부터도 D에게 후견인의 결격사유가 있다는 지적은 없었고 또한 본건 심문 기일의 조서(을イ 4)에는 D 및 피고 Y1이 파산선고를 받지 않은 취지가 진술된 것은 기재되어 있지만, 두 사람이 C에 대하여 소송을 제기한 적이 있느냐 하는 점에 대해서는 아무런 기재가 없는 것.

④ 그리고 도쿄 가정재판소는 같은 해 3월 8일, H 변호사의 사임을 허가하는 심판을 함과 동시에 D 및 피고 Y1에게는 모두 성년후견인으로서의 결격사유 및 부적격사유는 인정할 수 없다고 하여 두 사람을 C의 성년후견인으로 선임하는 취지의 본건 심판을 한 것.

(3) 전술한 전제사실대로 D는 C 및 피고 Y1 외 1명을 상대방으로 하여 平成4年 소송을 제기했고 본건 심판이 된 당시 피고 Y1은 당연히 그 일을 알고 있었다고 인정되며 또한 D 및 피고들의 친족 관계에서 보면 피고 Y2 및 피고 Y3도 그것을 알고 있었다고 생각된다. 그러나 피고들이 D가 C를 상대방으로 하여 소송을 제기한 적이 있는 것을 알고 있었다는 것과 피고들이 D에게 후견인의 결격사유가 있음을 알고 있었다는 것은 별개의 일이다. 위 인정과 같이 D 및 피고들 사이에는 D와 피고 Y1의 불화를 중심으로 격심한 대립관계가 있었기 때문에 피고들이 D에게 후견인의 결격사유가 있음을 알고 있었다면 피고들이 D가 성년후견인으로 선임되는 것에 대해서 이의를 하는 것이 통상의 행동이라고 생각된다. 그런데 위 인정과 같이 피고들은 D가 성년후견인으로 선임되는 것에 대해서 이의를 하지 않은 것이므로 이로부터 보면 피고들은 본건 심판 당시 D에게 후견인의 결격사유가 있음을 알지 못했다고 인정하는 것이 합리적이며, 본건 전체 증거에 의해서도 피고들이 D에게 후견인의 결격 사유가 있음을 알면서도 이를 숨기고 D를 성년후견인으로 선임되게 했다는 사실은 인정되지 않는다.

(4) 이상과 같으므로 피고들이 본건 각 대출에 대해 민법 109조에 의거한 책임을 거절하는 것은 신의칙에 반하여 허용되지 않는다는 원고의 주장은 채용할 수 없다.

쟁점 (3) 피고 Y1이 민법 709조에 의거한 책임을 지는지에 대해서

(1) 원고는 피고 Y1은 C의 성년후견인으로서 또는 진실은 성년후견인이 아닌 D의 성년후견인의 등기를 만들어 낸 자로서 이 등기를 말소해야 할 의무가 있는데도 그 등기를 만연히 방치한 것이 위법이라고 하여 피고 Y1은 이 등기를 신뢰하여 본건 각 대출을 하여 손해를 입은 원고에 대한 불법행위 책임을 진다는 취지로 주장한다.

(2) 그러나 D가 C의 성년후견인으로 선임된 경위는 전술한 인정과 같으며 본건 심판 당시 피고 Y1이 D에게 후견인의 결격사유가 있음을 알고 있었다고는 인정되지 않는다. 또한 본건 심판이 된 후 본건 각 대출이 될 때까지 사이에 피고 Y1이 D에게 후견인의 결격사유가 있음을 알게 되었다고 인정할 만한 증거도 없다.

관련 사실 관계 아래에서는 피고 Y1이 D의 성년후견인의 등기를 말소하는 절차를 취하지 않은 것이 원고에 대한 불법행위에 해당된다고 평가할 수는 없다.

(3) 따라서 피고 Y1이 원고에 대한 불법행위 책임을 진다고 하는 원고의 주장은 채용할 수 없다.

결 론

이상에 의하면 그 외의 점에 대해서 판단할 것도 없이 원고의 청구는 모두 이유가 없으므로 기각하는 것으로 하여 주문과 같이 판결한다.

■재판장 재판관 增田稔 재판관 粟津侑
　재판관 山崎栄一郎은 전보로 인해 서명날인 할 수 없다.
　재판장 재판관 增田稔

19

구청장이 성년후견 개시 심판을 신청한 사례

고령사회로 급격하게 진전함에 따라 독거노인이 증가하는 가운데 성년후견인에 의한 보호가 필요한데도 불구하고 보호를 받지 못하고 방치되는 것을 방지하기 위해 시정촌이 각종 복지 서비스의 주체가 되어 노인복지법 제32조[110]에 따라 성년후견을 신청하는 것이 인정된다. 위 조항은 독거노인에 한하지 않고 가령 친족과 동거하고 있어도 본인이 적정하게 보호를 받지 못하고 있는 경우나 친족으로부터 학대를 받고 있는 경우 등에도 적용되는데(고령자 학대 방지, 고령자의 양호자에 대한 지원 등에 관한 법률 제2조 제4항 제1호 ㅁ[111] 등) 본건은 바로 이러한 사안이다.

본 사안은 구청장이 노인복지법 32조에 근거하여 도쿄 가정재판소에 본인(86세)에 대해서 성년후견 개시의 심판을 신청하여 재판소가 이를 인정하는 심판을 하였는데 본인과 동거하는 아들이 ① 본건에서는 노인복지법 32조의 '그 복지를 도모하기 위해서 특별히 필요할 때'의 요건을

---

110) (심판의 청구)

　　제32조 시정촌장은 65세 이상의 사람에 대해서 그 복지를 위해 특별히 필요하다고 인정할 때에는 민법 제7조, 제11조, 제13조 제2항, 제15조 제1항, 제17조 제1항, 제876조의4 제1항 또는 제876조의9 제1항에 규정하는 심판 청구를 할 수 있다.

111) 이 법률에서 '양호자에 의한 고령자 학대'란 다음 중 하나에 해당하는 행위를 말한다.

　　1 양호자가 그 양호하는 고령자에 대해서 하는 다음에 해당하는 행위

　　ㅁ 고령자를 쇠약하게 만드는 현저한 감식(減食) 또는 장시간 방치, 양호자 이외의 동거인에 의한 폭행, 욕설을 비롯한 심리적 외상(外傷)을 주는 언동(言動) 또는 고령자를 주체나 객체로 한 음란·외설행위 등과 같은 행위의 방치 등 양호를 현저하게 게을리 하는 것

충족하고 있지 않기 때문에 구청장의 본건 신청은 신청 적격을 결여하여 적법하지 않은 것, ② 본인은 민법 7조의 '정신적 장애로 인해 사리를 변식하는 능력이 결여된 상태'에 있다고는 할 수 없으므로 후견 개시의 요건을 결여한 것, ③ 원심판이 가사사건절차법 119조 1항 본문 및 같은 법 120조 1항 1호의 각 절차를 이행하고 있지 않은 위법한 것임을 이유로 원심판을 취소하고 구청장의 신청을 각하하는 심판을 대신하는 재판을 할 것을 요구하여 항고한 사안이다.

재판소는 항고인이 하고 있는 본인에 대한 개호상황을 상세하게 인정하고 이렇게 인정된 사실을 근거로 "본인은 체력 저하뿐만 아니라 치매로 진단되는 등 판단능력 저하도 인정되는데 항고인에 의한 본인의 개호상황은 매우 부적절하다는 평가를 면치 못하는 것이므로 본인 보호의 필요성이 높은 상태에 있었다고 할 수 있다. 그럼에도 불구하고 항고인이 본인에 대해서 성년후견 개시 등의 심판을 신청하는 것은 기대할 수 없는 상황이다."라고 판시하고 구청장에 의한 본건 신청은 노인복지법 32조의 '그 복지를 도모하기 위해서 특별히 필요한 때'의 요건을 충족하는 것이기 때문에 이 신청은 적법하다고 했다.

후견 개시 요건의 존부 및 본건에서의 가사사건절차법 119조 1항 본문 및 같은 법 120조 1항 1호 각 절차의 이행이 필요한지 여부에 대해서 재판소는 다음과 같이 판시했다.

구청장이 제출한 진단서(성년후견용)에는 치매라고 기재되어 본인의 판단능력이 저하되어 있는 것은 충분히 인정된다고 하면서도 한편 본건 진단서의 '판정의 근거' 란에서 타인과의 의사소통은 못할 때도 있다고 되어 있는 것에 그치고 기억력에 대해서도 문제가 있지만 정도는 가볍다고 되어 있다. 게다가 본인의 하세가와식 치매 스케일의 점수는 그 해 8월 2일 실시한 검사에서는 12점이며 같은 해 11월 5일 실시한 검사에서는 16점이었다. 이상의 점에 비추어 보면 본건 진단서에서 본인의 판단능력에 문제가 있는 것은 인정할 수 있어도 즉시 그 정도가 후견 상당이라고까지 말할 수 있을지는 의문이 있다. 따라서 본인의 판단능력 저하의 정도가 민법 7조가 정하는 정도(이른바 후견 상당)에까지 이르고 있는지 여부 또는 보조 상당 혹은 보좌 상당에 그치는지 등에 대해서 본건 진단서 이외의 증거를 조사하는 등 하여 더욱 심리를 진행하도록 하기 위하여 원심판을 취소하고 본건을 원심으로 환송한다.

본 사안 외에 후견 개시가 상당한지 여부가 다툼이 된 사안으로서 ① 감정인에 의한 개정 하세가와식 간이 지능 평가 스케일 검사에서의 점수가 8점이라는 이유로 후견을 긍정한 사례,[112] ② 알츠하이머형 치매와 뇌혈관성 치매가 혼재된 혼합성 치매 상태로 후견을 긍정한 사례,[113] ③ 근

---

112) 오사카(大阪) 가정재판소 平成14年 5月 8日 平13 (家) 7226号 성년후견 개시 신청사건

위축성 측색 경화증(ALS)이라는 진행성 신경 질환을 가진 사건본인에 대해 원심을 취소하고 후견을 긍정한 사례114) 등이 있다.

113) 도쿄(東京) 가정재판소 平成14年 5月14日 平13 (家) 81768号 후견 개시 신청사건
114) 도쿄(東京) 고등재판소 平成18年 7月11日 平18 (ラ) 598号 후견 개시 신청 각하 심판에 대한 항고 사건

사 건 번 호 平25(ラ)693号	**사 건 명** 손해배상 청구 사건
재판연월일 平成25年[115] 6月 25日	**재판소명** 도쿄(東京) 고등재판소
재판구분 판결	**재판결과** 일부 인용

주 문

1. 원심판을 취소한다.
2. 본건을 도쿄 가정재판소로 환송한다.

이 유

제1 항고의 취지

1. 원심판을 취소한다.
2. 본건 신청을 각하한다.

제2 사안의 개요 및 당사자 주장의 골자

본건 사안의 개요 및 당사자 주장의 골자는 다음과 같다.

상대방[116]은 노인복지법 32조에 근거하여 도쿄 가정재판소에 본인 고노 하나코甲野花子에 대해서 성년후견 개시의 심판을 신청하여 이 재판소는 본인에 대해서 후견을 개시하여 변호사 히가시야마 모모코東山桃子를 후견인으로 선임하는 취지의 심판을 했다(원심판).

이에 대해 본인의 아들인 항고인이, ① 본건에서는 노인복지법 32조의 '그 복지를 도모하기 위해서 특별히 필요한 때'의 요건을 충족하고 있지 않기 때문에 상대방의 본건 신청은 신청 적격을 결여하여 부적법한 것, ② 본인은 민법 7조의 '정신적 장애로 인해 사리를 변식하는 능력을

---

115) 2013년
116) 도쿄도(東京都) M구청장

결여한 상황'에 있다고는 할 수 없으므로 후견 개시의 요건을 결여한 것, ③ 원심판이 가사사건절차법 119조 1항 본문 및 같은 법 120조 1항 1호의 각 절차를 이행하고 있지 않은 위법한 것임을 이유로 원심판을 취소하고 상대방의 신청을 각하하는 심판을 대신하는 재판을 할 것을 요구하여 항고했다.

상대방은 위 ①에 대해서 본건은 항고인의 본인에 대한 학대[117]가 인정되는 사안이며, 본인의 존엄성 유지에 있어서 본인에 대한 학대를 방지하는 것이 매우 중요한 것 등을 감안하면 본건 신청은 노인복지법 32조의 '그 복지를 도모하기 위해서 특별히 필요한 때'의 요건을 충족하는 적법한 것이라고 주장하고 있다. 또한 상대방은 위 ②, ③에 대해서 가사사건절차법 119조 1항 단서는 감정을 실시하지 않는 운용을 인정하고 같은 법 120조 1항 단서도 항상 본인의 의견 청취를 필요로 하고 있는 것은 아닌 바, 본건에서는 전문의가 본인을 진단하여 그 전문적 식견에 의해 '후견 상당'으로 판단했으며 덧붙여 본인의 종전의 열악한 생활 상황이나 전술한 항고인과 본인의 관계에 비추어 보면 본인에 대해서 굳이 감정, 의견 청취를 할 것까지도 없이 후견을 개시하기로 한 원심판은 적법하다고 주장하고 있다.

제3 본 재판소의 판단

1. 인정사실

일건 기록에 의하면 다음의 사실을 인정할 수 있다.

(1) 본인은 1927년 ○월 ○일에 출생하여 현재 86세이며 항고인은 1959년 ○월 ○일 출생하였고 본인의 아들(장남)이다. 본인은 1997년 무렵 이후 집(주소지)에서 항고인과 동거하며 두 사람이 살고 있다.

(2) 본인은 2009년에 대퇴골 골절로 인해 입원하였고 그 후 개호 노인보건시설 S원에 입소했지만 2010년 3월에 항고인의 강한 요망에 의해 퇴소하여 집으로 돌아갔다. 본인의 두문불출을 예방하기 위해 데이서비스(day service)[118]의 이용을 권유했지만 항고인은 이를 거부하고 목욕에 대해 주 1회 방문 개호를 이용하는 것에 그쳤다. 홈 헬퍼(home helper)[119]가 집을 방문하면 본인이 더러워

---

117) 이른바 neglect형 학대. 고령자 학대 방지, 고령자의 양호(養護)자에 대한 지원 등에 관한 법률 2조 4항 1호 ㅁ 참조.

118) 시설에 입소하는 것이 아니라 낮에 당일치기로 이용할 수 있는 방문 개호서비스이다[위키피디아 일어판 (http://www.ja.wikipedia.org/)의 검색내용].

진 종이 기저귀를 차고 있는 것, 방도 청소되어 있지 않은 것, 식사는 항고인이 사온 도시락인데 채소 등을 섭취할 수 없는 균형을 잃은 것인 것, 복약 시중도 이루어지지 않고 있는 것 등의 문제가 보였다. 항고인에게 방문 개호를 늘릴 것, 데이서비스를 이용할 것, 배식서비스를 이용할 것을 권유하였지만 항고인은 금전적 부담을 이유로 이를 거부했다.

(3) 본인은 2011년 6월에 집에서 넘어져서 출혈이 멈추지 않게 되어 T병원에 입원하여 같은 해 8월에 퇴원했는데 항고인이 금전적으로 시설 입소는 어렵다는 의향을 표시하여 집에 돌아왔다. 그리고 주 1회 방문 개호에 더해 주 1회 데이서비스를 이용하게 되었다. 그러나 2011년 1월에 데이서비스 이용은 주 1회에서 월 2회로 감소하고 나아가 같은 해 3월에 데이서비스 이용은 월 1회가 되었다. 또한 집에는 변이 묻은 종이 기저귀가 침대 밑에 놓여 있는 등 여전히 방 청소가 되어 있지 않고 식사도 도시락만으로 하여 채소가 섭취되고 있지 않는 등의 문제가 보였다.

(4) 본인은 2011년 4월에 적절한 수분과 영양 보급이 이루어지지 않아서 탈수, 저칼륨혈증, 신장 기능 저하 등의 증상이 출현하여 T병원에 입원했다. 이때, 본인은 이 병원에서 치매 진단을 받았다. 이 병원 의사는 항고인에게 본인에게 요의(尿意)가 없으므로 집에 돌아가도 소변의 관리 등 병세를 살펴보아야 하고 이를 위해서는 의사의 왕진이나 방문 간호 등의 의료 처치가 필요하며 지금까지의 개호에서는 재택은 무리인 것 등으로 설명했지만 항고인은 금전적 이유에서 본인의 퇴원을 강하게 요구했다. 의사는 또한 항고인에게 방문 간호나 왕진 이용, 기저귀 교환을 시중들기 위한 방문 개호의 횟수를 늘리는 것 등을 제안하였다. 이에 대해 항고인은 방문 간호와 왕진에 대해서는 응한다는 것으로 하고, 본인은 그달 말에 이 병원을 퇴원하여 집에 돌아왔다. 그러나 항고인은 방문 간호 서비스 도입을 위해 방문한 사람에게 약속을 한 기억이 없다 등으로 (말)하여 이를 거부했다. 집의 방은 오물이 어지럽게 흩어져 있고 본인은 (변)실금 상태로 변도 셔츠에 붙어 있는 것 같은 상태이며 시트가 더러워지는 것을 막기 위해서 비닐 시트를 깔고 그 위에 본인을 재우고 있기 때문에 오줌으로 더러워진 상태였다. 또한 세탁이 되어 있지 않아서 옷을 갈아입히지 못하여 본인이 속옷도 입지 않고 종이 기저귀만 차고 있는 상태인 적도 있었다.

(5) 본인은 2011년 10월에 항고인과 동행하여 통원하는 때 넘어져 오른쪽 대퇴골이 골절되어 K병원에서 수술을 하고 그 후 H병원에 입원했다. 본인은 같은 해 11월에 H병원을 퇴원하여 집에

---

119) 개호보험법에서 방문개호를 하는 사람을 일반적으로 지칭하는 말[위키피디아 일어판(http://www.ja.wikipedia.org/)의 검색내용]

돌아왔다. 집에서의 목욕 시중이 위험하기 때문에 주 1회 데이서비스를 이용하게 되었지만 이용하지 않은 적이 많았다. 또한 기저귀 교환이나 청소의 지원을 위한 방문 간호를 제안했지만 항고인은 이를 거부했다. 방은 여전히 쓰레기투성이의 상태였다. 또한 본인은 그 달 21일부터 개호보험제도의 요개호(要介護) 3[120]의 인정을 받고 있다.

(6) 본인은 2012년 6월 7일에 집에서 넘어졌다. 항고인은 이 달 11일이 되어 본인이 통증을 호소하고 있다며 통원 지원을 하고 있는 사업소에 병원으로 데려가고 싶다는 연락을 했다. 본인은 그 달 12일에 H병원에서 진료를 받은 바, 왼쪽 대퇴골 골절이라고 진단되어 입원했다. 그 후 본인은 같은 해 7월 1일에 노인보건시설 N(이하 'N'이라 한다)에 입소했다. 본인의 하세가와長谷川식 치매 스케일(scale)의 점수는 그 해 8월 2일 실시한 검사에서는 12점이었으며 같은 해 11월 5일 실시한 검사에서는 16점이었다. 항고인은 N의 시설 이용 요금의 지불을 3개월분 체납했다.

그 해 11월 초 무렵의 본인의 상황은 보행 시 두 손을 잡아서 시중을 들어 주면 3미터 정도의 보행이 가능하고 바이탈(vital)은 안정되어 있었지만 야간에 목소리를 내거나 불온한 행동이 보이며 요실금이나 변실금도 보였다. 항고인은 같은 달 하순에 본인을 퇴소시킬 것을 요구했다. 그리고 야간에 배설 시중이 필요하여 항고인의 개호 부담이 커지게 되므로 시설 입소를 권유했으나 항고인은 이를 거부하고 또한 야간 방문 개호 서비스 등 매일 서비스를 도입하라고 한 제안도 거부했다.

(7) M구 T지구 종합지소 구민과장은 본인 및 그 가족에게 보낸 2012년 11월 28일자 '고노 하나코 님의 지원 방침에 대해서'라고 제목을 붙인 문서에서 본인의 집에서의 양호가 곤란하다고 인정되기 때문에, 가족의 동의로 특별 양호 노인홈 등의 시설에 계약에 의해 입소시킬 것, 시설 입소에 대해서 가족의 동의를 얻을 수 없는 경우에는 노인복지법 11조 1항 2호에 근거하여 특별 양호 노인홈으로 조치입소 할 것, 같은 법 32조에 근거하여 상대방에 의한 성년후견인 선임의 신청을 가정재판소에 하여 성년후견인을 선임하고 성년후견인의 계약에 의한 특별 양호 노인홈으로의 입소 준비를 진행하는 것으로 한 지원 방침이 결정되었음을 통지했다. 그리고 본인은 이 날 긴급

---

120) 요개호(要介護) 3 : 개호보험제도에서는 피호험자가 지원 혹은 개호(介護)를 필요로 하는 정도에 따라서 가장 가벼운 '요지원(要支援) 1'에서 가장 중증인 '요개호(要介護) 5'까지 7단계를 마련하고 있다. 요지원은 1, 2의 2단계로 나뉘고 요지원보다 심한 수준인 요개호는 1~5까지 5단계로 나뉜다. 각 단계마다 기준시간, 유지·개선 가능성이 있는지에 관한 심사 여부, 구분지급한도 기준액이 달리 설정되어 있다. '요개호 3'은 기준시간이 70분 이상 90분 미만이며, 해당 상태의 유지·개선 가능성이 있는지에 관한 심사가 없다. 월 26,750단위의 구분지급한도 기준액이 설정되어 있다[위키피디아 일어판(http://www.wikipedia.org/)의 검색내용].

일시 보호에 의해 개호 노인 복지 시설에 입소하고 또한 같은 해 12월 11일에 M구 복지사무소에서 노인복지법 11조 1항 2호의 조치를 실시했다.

2. 상대방의 본건 신청의 신청 적격의 존부에 대해서

(1) 항고인은 상대방에 의한 본건 신청에 대해서 노인복지법 32조의 '그 복지를 도모하기 위해서 특별히 필요한 때'의 요건을 충족하고 있지 않으므로 신청 적격을 결여한 자에 의한 신청이며 부적법하다는 취지의 주장을 하고 있다.

그러나 위 인정사실에 의하면 본인은 체력 저하뿐만 아니라 치매로 진단되는 등 판단능력 저하도 인정되는데 항고인에 의한 본인의 개호상황은 매우 부적절하다는 평가를 면치 못하는 것이므로 본인 보호의 필요성이 높은 상태에 있었다고 할 수 있다. 그럼에도 불구하고 항고인에게 본인에 대해서 성년후견 개시 등의 심판을 신청하는 것은 기대할 수 없는 상황이다.

따라서 상대방에 의한 본건 신청은 노인복지법 32조의 '그 복지를 도모하기 위해서 특별히 필요한 때'의 요건을 충족하는 것이기 때문에 이 신청은 적법하다.

(2) 항고인은 자신의 본인에 대한 개호상황에 대해서 상대방이 제출한 을 1 내지 11의 기재를 믿을 수 없다고 주장하고 또한 이에 따른 내용의 진술서 등을 제출했다.

그러나 상대방이 제출한 자료는 본인을 담당하는 홈 헬퍼나 케어 매니저 등이 보고한 것 등을 장기간에 걸쳐 경과 기록으로 남기고 있는 것이거나 상대방의 직원이 항고인과 주고받은 내용을 기재한 것 등으로 적어도 위 인정사실의 범위에서는 신용할 수 있는 것이라고 할 수 있다. 이에 대해서 항고인이 개호를 적절히 하고 있다고 하여 제출한 서비스 실시 기록(갑 11, 17)은 단편적인 것에 불과한데 항고인이 제출한 갑 3(2012년 1월부터 6월까지의 서비스 이용표)을 보아도 예정되어 있던 서비스에 × 표시가 되어 실제로는 이루어지지 않은 적도 적지 않은 것이 보인다. 또한 갑 15로 제출된 본인이 거처하는 방의 사진도 M구 복지사무소가 본인에 대해서 노인복지법 11조 1항 2호의 조치를 실시한 후인 2012년 12월 14일 촬영된 것에 불과하여 이 점에서 즉시, 항고인에 의한 본인의 개호가 부적절하지 않았다고 인정할 수 없다. 그리고 항고인이 제출한 그 외의 증거를 가지고도 항고인에 의한 본인의 개호상황에 관한 위 인정을 좌우하는 것이라고는 할 수 없다.

3. 본인의 후견 개시 요건의 존부 및 본건에서의 가사사건절차법 119조 1항 본문 및 같은 법 120조 1항 1호 각 절차의 이행이 필요한지 여부에 대해서

원심은 본건에 대해서 본인의 정신상황을 감정하지 않고 또한 성년피후견인이 되어야 하는 본인의 의견을 청취하지 않고 기본적으로 N의 의사가 작성한 2012년 12월 19일자의 진단서(성년후견용)(이하 '본건 진단서'라 한다)의 기재에 근거하여 본인에 대해서 후견 개시의 심판을 하고 있다.

확실히 본건 진단서에는 의학적 진단의 진단명으로 치매라고 기재되어 판단능력 판정에 대한 의사의 의견으로 '자기 재산을 관리·처분할 수 없다(후견 상당).'라는 란에 체크가 되어 있다. 그리고 본건 진단서의 '판정의 근거' 란을 보면 본인의 소재식(所在識)[121]에 대해서는 장애가 보이는 때가 많다고 하여 사회적 절차나 공공시설의 이용에 대해서는 할 수 없다고 되어 있으므로 본인의 판단능력이 저하되어 있는 것은 충분히 인정된다. 그러나 한편 본건 진단서의 '판정의 근거' 란에서 타인과의 의사소통은 못할 때도 있다고 되어 있는 것에 그치고 기억력에 대해서도 문제가 있지만 정도는 가볍다고 되어 있다. 게다가 본인의 하세가와식 치매 스케일의 점수는 그 해 8월 2일 실시한 검사에서는 12점이며 같은 해 11월 5일 실시한 검사에서는 16점이었던 것은 전술한 (6)에서 인정한 것과 같다.

이상의 점에 비추어 보면 본건 진단서에서 본인의 판단능력에 문제가 있는 것은 인정할 수 있어도 즉시 그 정도가 후견 상당이라고까지 말할 수 있을지는 의문이 있다.

따라서 본인의 판단능력 저하의 정도가 민법 7조가 정하는 정도(이른바 후견 상당)에까지 이르고 있는지 여부 또는 보조 상당 혹은 보좌 상당에 그치는지 등에 대해서 본건 진단서 이외의 증거를 조사하는 등 하여 더욱 심리를 진행하며 그 중에서 본건이 가사사건절차법 119조 1항 단서에 해당하는 경우가 맞는지 여부도 판단해야 하는데 이를 하지 않은 원심은 심리 미진이라는 비난을 면치 못한다. 또한 본건 진단서에 의하면 적어도 2012년 12월 시점에서는 본인이 타인과의 의사소통을 할 수 없는 때도 있다는 정도이기 때문에 가사사건절차법 120조 1항 1호에 의해 본인의 진술을 듣지 않으면 안 되는 바, 원심의 심판 때에 본인에 대해서 같은 조 1항 단서의 상황이 있었음을 인정할 만한 증거는 없으므로 이 점에 대해서도 원심은 심리 미진이라고 할 수 있다.

결 론

이상과 같이 상대방에 의한 본건 신청은 적법한 것이었다고 인정되지만 본인에 대한 후견 개시의

---

121) 자신이 시간적·공간적·사회적으로 어떤 위치에 있는가 하는 의식(의식의 이상을 판정하는 근거가 된다).

실체적 요건에 관하여 심리 미진이 있어서 절차적으로도 가사사건절차법 119조 1항 단서 및 같은 법 120조 1항 단서에 해당하는지 여부가 분명치 않은데도 불구하고 이를 불필요하다고 하고 있는 점에 대해서 심리 미진이 있다고 하지 않을 수 없다. 따라서 원심판을 취소하고 전술한 각 점에 대해서 다시 심리하기 위해 본건을 원심으로 환송하기로 한다.

■ 재판장 재판관 難波孝一 재판관 中山顯裕 재판관 飛沢知行

일본 민법 중 성년후견(보좌, 보조) 관련 조항 번역문

제5장 후견

제1절 후견의 개시

제838조 후견은 다음에 열거된 경우에 개시한다.

1 미성년자에게 친권을 행사하는 사람이 없는 때 또는 친권을 행사하는 사람이 관리권을 가지지 않는 때.

2 후견 개시의 심판이 있은 때.

제2절 후견 기관

제1관 후견인

(미성년후견인의 지정)

제839조 미성년자에게 마지막으로 친권을 행사하는 사람은 유언으로 미성년후견인을 지정할 수 있다. 다만 관리권을 가지지 않는 사람은 그러하지 아니하다.

2 친권을 행사하는 부모의 일방이 관리권을 가지지 않는 때에는 다른 한쪽은 전항의 규정에 따라 미성년후견인을 지정할 수 있다.

(미성년후견인의 선임)

제840조 전조의 규정에 따라 미성년후견인이 될 사람이 없는 때에는 가정재판소는 미성년피후견

인 또는 친족 기타 이해관계인의 청구에 의해 미성년후견인을 선임한다. 미성년후견인이 없는 때에도 마찬가지로 한다.

2 미성년후견인이 있는 경우에도 가정재판소는 필요하다고 인정하는 때에는 전항에 규정하는 사람 혹은 미성년후견인의 청구에 의해 또는 직권으로 다시 미성년후견인을 선임할 수 있다.

3 미성년후견인을 선임함에는 미성년피후견인의 연령, 심신 상태와 생활 및 재산의 상황, 미성년후견인이 되는 사람의 직업과 경력 및 미성년피후견인과의 이해관계 유무(미성년후견인이 되는 사람이 법인인 때에는 그 사업의 종류와 내용 및 그 법인 및 그 대표자와 미성년피후견인과의 이해관계 유무), 미성년피후견인의 의견 기타 일체의 사정을 고려해야 한다.

(부모에 의한 미성년후견인 선임의 청구)

제841조 부 또는 모가 친권 혹은 관리권을 사퇴하거나 또는 부 또는 모에 대해서 친권 상실, 친권 정지 혹은 관리권 상실의 심판이 있어서 미성년후견인을 선임할 필요가 생긴 때에는 그 부 또는 모는 지체 없이 미성년후견인의 선임을 가정재판소에 청구하여야 한다.

제842조 삭제

(성년후견인의 선임)

제843조 가정재판소는 후견 개시의 심판을 하는 때에는 직권으로 성년후견인을 선임한다.

2 성년후견인이 없는 때에는 가정재판소는 성년피후견인 또는 친족 기타 이해관계인의 청구에 따라 또는 직권으로 성년후견인을 선임한다.

3 성년후견인이 선임되어 있는 경우에도 가정재판소는 필요하다고 인정하는 때에는 전항에 규정하는 사람 혹은 성년후견인의 청구에 의해 또는 직권으로 다시 성년후견인을 선임할 수 있다.

4 성년후견인을 선임함에는 성년피후견인의 심신 상태와 생활 및 재산의 상황, 성년후견인이 되는 사람의 직업과 경력 및 성년피후견인과의 이해관계 유무(성년후견인이 되는 사람이 법인인 때에는 그 사업의 종류와 내용 및 그 법인 및 그 대표자와 성년피후견인과의 이해관계 유무), 성년피후견인의 의견 기타 일체의 사정을 고려해야 한다.

(후견인의 사임)

제844조 후견인은 정당한 사유가 있는 때에는 가정재판소의 허가를 얻어 그 임무를 사임할 수 있다.

(사임한 후견인에 의한 새로운 후견인 선임의 청구)

제845조 후견인이 그 임무를 사임하여 새로이 후견인을 선임할 필요가 생긴 때에는 그 후견인은 지체 없이 새로운 후견인의 선임을 가정재판소에 청구하여야 한다.

(후견인의 해임)

제846조 후견인에게 부정한 행위, 현저한 나쁜 행실 기타 후견 임무에 적합하지 않은 사유가 있는 때에는 가정재판소는 후견감독인, 피후견인 또는 친족 혹은 검찰관의 청구에 의해 또는 직권으로 이를 해임할 수 있다.

(후견인의 결격사유)

제847조 다음에 열거하는 사람은 후견인이 될 수 없다.

1 미성년자

2 가정재판소에서 면직된 법정대리인, 보좌인 또는 보조인

3 파산자

4 피후견인에 대하여 소송을 하거나 하였던 사람 및 그 배우자와 직계혈족

5 행방을 알 수 없는 사람

제2관 후견감독인

(미성년후견감독인의 지정)

제848조 미성년후견인을 지정할 수 있는 사람은 유언으로 미성년후견감독인을 지정할 수 있다.

(후견감독인의 선임)

제849조 가정재판소는 필요하다고 인정하는 때에는 피후견인, 친족 혹은 후견인의 청구에 의해 또는 직권으로 후견감독인을 선임할 수 있다.

(후견감독인의 결격사유)

제850조 후견인의 배우자, 직계혈족 및 형제자매는 후견감독인이 될 수 없다.

(후견감독인의 직무)

제851조 후견감독인의 직무는 다음과 같다.

1 후견인의 사무를 감독하는 것

2 후견인이 없는 경우에 지체 없이 그 선임을 가정재판소에 청구하는 것

3 급박한 사정이 있는 경우에 필요한 처분을 하는 것

4 후견인 또는 대표하는 사람과 피후견인의 이익이 상반된 행위에서 피후견인을 대표하는 것

(위임 및 후견인 규정의 준용)

제852조 제644조, 제654조, 제655조, 제844조, 제846조, 제847조, 제861조 제2항 및 제862조의 규정은 후견감독인에 대해서, 제840조 제3항 및 제857조의2의 규정은 미성년후견감독인에 대해서, 제843조 제4항, 제859조의2 및 제859조의3의 규정은 성년후견감독인에 대해서 준용한다.

제3절 후견 사무

(재산 조사 및 목록 작성)

제853조 후견인은 지체 없이 피후견인의 재산 조사에 착수하여 1개월 이내에 조사를 마치고 그 목록을 작성해야 한다. 단, 이 기간은 가정재판소가 연장할 수 있다.

2 재산 조사 및 목록의 작성은 후견감독인이 있는 때에는 그 입회 하에 하지 않으면 효력이 발생하지 않는다.

(재산 목록 작성 전의 권한)

제854조 후견인은 재산 목록의 작성을 마치기까지는 급박한 필요가 있는 행위만을 할 권한을 가진다. 단, 이것으로 선의의 제3자에게 대항할 수 없다.

(후견인의 피후견인에 대한 채권 또는 채무의 신고 의무)

제855조 후견인이 피후견인에게 채권을 가지고 있거나 또는 채무를 부담하는 경우에 후견감독인이 있는 때에는 재산 조사에 착수하기 전에 이를 후견감독인에게 신고해야 한다.

2 후견인이 피후견인에게 채권을 가지는 것을 알고 이를 신고하지 않는 때에는 그 채권을 잃는다.

(피후견인이 포괄 재산을 취득한 경우에 대한 준용)

제856조 전 3조의 규정은 후견인이 취임한 후 피후견인이 포괄 재산을 취득한 경우에 대해서 준용한다.

(미성년피후견인의 신상 감호에 관한 권리 의무)

제857조 미성년후견인은 제820조에서 제823조까지 규정하는 사항에 대해 친권을 행사하는 사람과 동일한 권리 의무를 가진다. 다만 친권을 행사하는 사람이 정한 교육의 방법 및 주소를 변경하고 영업을 허가하고 허가를 취소하거나 이를 제한함에는 미성년후견감독인이 있는 때에는 그 동의를 얻어야 한다.

(미성년후견인이 여러 명 있는 경우의 권한 행사 등)

제857조의2 미성년후견인이 여러 명 있는 때에는 공동으로 그 권한을 행사한다.

2 미성년후견인이 여러 명 있는 때에는 가정재판소는 직권으로 그 일부의 사람에게 재산에 관한 권한만을 행사할 것을 정할 수 있다.

3 미성년후견인이 여러 명 있는 때에는 가정재판소는 직권으로 재산에 관한 권한에 대해서 각 미성년후견인이 단독으로 또는 여러 명의 미성년후견인이 사무를 분장하여 그 권한을 행사할 것을 정할 수 있다.

4 가정재판소는 직권으로 전 2항의 규정에 의한 정함을 취소할 수 있다.

5 미성년후견인이 여러 명 있는 때에는 제3자의 의사표시는 그 중 한 사람에 대해서 하면 충분하다.

(성년피후견인의 의사 존중 및 신상 배려)

제858조 성년후견인은 성년피후견인의 생활, 요양 간호 및 재산의 관리에 관한 사무를 하는데 있어서는 성년피후견인의 의사를 존중하고 그 심신의 상태 및 생활의 상황을 배려해야 한다.

(재산 관리 및 대표)

제859조 후견인은 피후견인의 재산을 관리하고 그 재산에 관한 법률 행위에 대해서 피후견인을 대표한다.

2 제824조 단서의 규정은 전항의 경우에 준용한다.

(성년후견인이 여러 명 있는 경우의 권한 행사 등)

제859조의2 성년후견인이 여러 명 있는 때에는 가정재판소는 직권으로 여러 명의 성년후견인이 공동으로 또는 사무를 분장하여 그 권한을 행사할 것을 정할 수 있다.

2 가정재판소는 직권으로 전항의 규정에 의한 정함을 취소할 수 있다.

3 성년후견인이 여러 명 있는 때에는 제3자의 의사표시는 그 중 한 사람에 대해서 하면 충분하다.

(성년피후견인의 거주용 부동산의 처분에 대한 허가)

제859조의3 성년후견인은 성년피후견인을 대신하여 그 거주용으로 제공하는 건물 또는 그 부지에 대해서 매각, 임대, 임대차의 해제 또는 저당권의 설정 기타 이에 준하는 처분을 함에는 가정재판소의 허가를 얻어야 한다.

(이익상반 행위)

제860조 제826조의 규정은 후견인에 대해서 준용한다. 다만 후견감독인이 있는 경우에는 그러하지 아니하다.

(지출금액의 예정 및 후견 사무의 비용)

제861조 후견인은 취임한 초기에 피후견인의 생활, 교육 또는 요양 간호 및 재산의 관리를 위해 매년 지출해야 할 금액을 예정해야 한다.

2 후견인이 후견 사무를 하기 위해서 필요한 비용은 피후견인의 재산 중에서 지불한다.

(후견인의 보수)

제862조 가정재판소는 후견인과 피후견인의 자력 기타의 사정에 따라 피후견인의 재산 중에서 상당한 보수를 후견인에게 줄 수 있다.

(후견 사무의 감독)

제863조 후견감독인 또는 가정재판소는 언제든지 후견인에게 후견 사무의 보고 또는 재산 목록의 제출을 요구하거나 또는 후견 사무 혹은 피후견인의 재산 상황을 조사할 수 있다.

2 가정재판소는 후견감독인, 피후견인 또는 친족 기타 이해관계인의 청구에 의해 또는 직권으로 피후견인의 재산 관리 기타 후견 사무에 대해서 필요한 처분을 명할 수 있다.

(후견감독인의 동의를 요하는 행위)

제864조 후견인이 피후견인을 대신하여 영업 또는 제13조 제1항 각호에 열거하는 행위를 하거나 또는 미성년피후견인이 이를 하는 것에 동의함에는 후견감독인이 있는 때에는 그 동의를 얻어야 한다. 다만 같은 항 제1호에 해당하는 원본 영수에 대해서는 그러하지 아니하다.

제865조 후견인이 전조의 규정에 위반하여 한 행위 또는 동의를 해 준 행위는 피후견인 혹은 후견

인이 취소할 수 있다. 이 경우에는 제20조의 규정을 준용한다.

2 전항의 규정은 제121조부터 제126조까지의 규정을 적용하는 것을 방해하지 않는다.

(피후견인의 재산 등 양수의 취소)

제866조 후견인이 피후견인의 재산 또는 피후견인에 대한 제3자의 권리를 양수한 때에는 피후견인은 이를 취소할 수 있다. 이 경우에는 제20조의 규정을 준용한다.

2 전항의 규정은 제121조부터 제126조까지의 규정을 적용하는 것을 방해하지 않는다.

(미성년피후견인을 대신한 친권의 행사)

제867조 미성년후견인은 미성년피후견인을 대신하여 친권을 행사한다.

2 제853조부터 제857조까지 및 제861조에서 전조까지의 규정은 전항의 경우에 대해서 준용한다.

(재산에 관한 권한만을 가지는 미성년후견인)

제868조 친권을 행사하는 사람이 관리권을 가지지 않는 경우에는 미성년후견인은 재산에 관한 권한만을 가진다.

(위임 및 친권 규정의 준용)

제869조 제644조 및 제830조의 규정은 후견에 대해서 준용한다.

제4절 후견의 종료

(후견의 계산)

제870조 후견인의 임무가 종료한 때에는 후견인 또는 그 상속인은 2개월 이내에 그 관리의 계산(이하 '후견의 계산'이라 한다)을 해야 한다. 단, 이 기간은 가정재판소에서 연장할 수 있다.

제871조 후견의 계산은 후견감독인이 있는 때에는 그 입회 하에 해야 한다.

(미성년피후견인과 미성년후견인 등 사이의 계약 등의 취소)

제872조 미성년피후견인이 성년에 달한 후 후견 계산의 종료 전에 그 사람과 미성년후견인 또는 그 상속인 사이에서 한 계약은 그 사람이 취소할 수 있다. 그 사람이 미성년후견인 또는 그 상속인에 대해서 한 단독행위도 마찬가지로 한다.

2 제20조 및 제121조부터 제126조까지의 규정은 전항의 경우에 대해서 준용한다.

(반환금에 대한 이자 지불 등)

제873조 후견인이 피후견인에게 반환해야 할 금액 및 피후견인이 후견인에게 반환해야 할 금액에는 후견의 계산이 종료한 때부터 이자를 붙여야 한다.

2 후견인은 자기를 위해 피후견인의 금전을 소비한 때에는 그 소비 때부터 이자를 붙여야 한다. 이 경우에 또한 손해가 있는 때에는 그 배상 책임을 진다.

(위임 규정의 준용)

제874조 제654조 및 제655조의 규정은 후견에 대해서 준용한다.

(후견에 관해 발생한 채권의 소멸시효)

제875조 제832조의 규정은 후견인 또는 후견감독인과 피후견인 사이에서 후견에 관해 발생한 채권의 소멸시효에 대해서 준용한다.

2 전항의 소멸시효는 제872조의 규정에 의해 법률 행위를 취소한 경우에는 그 취소한 때로부터 기산한다.

제6장 보좌 및 보조

제1절 보좌

(보좌의 개시)

제876조 보좌는 보좌 개시의 심판에 의해 개시한다.

(보좌인 및 임시보좌인의 선임 등)

제876조의2 가정재판소는 보좌 개시의 심판을 하는 때에는 직권으로 보좌인을 선임한다.

2 제843조 제2항부터 제4항까지 및 제844조부터 제847조까지의 규정은 보좌인에 대해서 준용한다.

3 보좌인 또는 대표하는 사람과 피보좌인의 이익이 상반하는 행위에 대해서는 보좌인은 임시보좌인 선임을 가정재판소에 청구하여야 한다. 다만 보좌감독인이 있는 경우에는 그러하지 아니하다.

(보좌감독인)

제876조의3 가정재판소는 필요하다고 인정하는 때에는 피보좌인, 친족 혹은 보좌인의 청구에 의해 또는 직권으로 보좌감독인을 선임할 수 있다.

2 제644조, 제654조, 제655조, 제843조 제4항, 제844조, 제846조, 제847조, 제850조, 제851조, 제859조의2, 제859조의3, 제861조 제2항 및 제862조의 규정은 보좌감독인에 대해서 준용한다. 이 경우에 제851조 제4호 중 '피후견인을 대표하는'은 '피보좌인을 대표하거나 또는 피보좌인이 이를 하는 것에 동의하는'으로 한다.

(보좌인에게 대리권을 부여하는 취지의 심판)

제876조의4 가정재판소는 제11조 본문에 규정하는 사람 또는 보좌인 혹은 보좌감독인의 청구에 의해 피보좌인을 위해 특정한 법률 행위에 대해서 보좌인에게 대리권을 부여하는 취지의 심판을 할 수 있다.

2 본인 이외의 사람의 청구에 의해 전항의 심판을 하려면 본인의 동의가 있어야 한다.

3 가정재판소는 제1항에 규정하는 사람의 청구에 의해 같은 항의 심판의 전부 또는 일부를 취소할 수 있다.

(보좌의 사무 및 보좌인의 임무 종료 등)

제876조의5 보좌인은 보좌의 사무를 하는데 있어서는 피보좌인의 의사를 존중하고 그 심신의 상태 및 생활의 상황을 배려해야 한다.

2 제644조, 제859조의2, 제859조의3, 제861조 제2항, 제862조 및 제863조의 규정은 보좌의 사무에 대해서, 제824조 단서의 규정은 보좌인이 전조 제1항의 대리권을 부여하는 취지의 심판에 따라 피보좌인을 대표하는 경우에 대해서 준용한다.

3 제654조, 제655조, 제870조, 제871조 및 제873조의 규정은 보좌인의 임무가 종료한 경우에 대해서, 제832조의 규정은 보좌인 또는 보좌감독인과 피보좌인 사이에서 보좌에 관해 발생한 채권에 대해서 준용한다.

제2절 보조

(보조의 개시)

제876조의6 보조는 보조 개시의 심판에 의해 개시한다.

(보조인 및 임시보조인의 선임 등)

제876조의7 가정재판소는 보조 개시의 심판을 하는 때에는 직권으로 보조인을 선임한다.

2 제843조 제2항부터 제4항까지 및 제844조부터 제847조까지의 규정은 보조인에 대해서 준용한다.

3 보조인 또는 대표하는 사람과 피보조인의 이익이 상반하는 행위에 대해서는 보조인은 임시보조인의 선임을 가정재판소에 청구하여야 한다. 다만 보조감독인이 있는 경우에는 그러하지 아니하다.

(보조감독인)

제876조의8 가정재판소는 필요하다고 인정하는 때에는 피보조인, 친족 혹은 보조인의 청구에 의해 또는 직권으로 보조감독인을 선임할 수 있다.

2 제644조, 제654조, 제655조, 제843조 제4항, 제844조, 제846조, 제847조, 제850조, 제851조, 제859조의2, 제859조의3, 제861조 제2항 및 제862조의 규정은 보조감독인에 대해서 준용한다. 이 경우에 제851조 제4호 중 '피후견인을 대표하는'은 '피보조인을 대표하거나 또는 피보조인이 이를 하는 것에 동의하는'으로 한다.

(보조인에게 대리권을 부여하는 취지의 심판)

제876조의9 가정재판소는 제15조 제1항 본문에 규정하는 사람 혹은 보조인 또는 보조감독인의 청구에 의해 피보조인을 위해 특정한 법률 행위에 대해서 보조인에게 대리권을 부여하는 취지의 심판을 할 수 있다.

2 제876조의4 제2항 및 제3항의 규정은 전항의 심판에 대해서 준용한다.

(보조 사무 및 보조인의 임무 종료 등)

제876조의10 제644조, 제859조의2, 제859조의3, 제861조 제2항, 제862조, 제863조 및 제876조의5 제1항의 규정은 보조 사무에 대해서, 제824조 단서의 규정은 보조인이 전조 제1항의 대리권을 부여하는 취지의 심판에 따라 피보조인을 대표하는 경우에 대해서 준용한다.

2 제654조, 제655조, 제870조, 제871조 및 제873조의 규정은 보조인의 임무가 종료한 경우에 대해서, 제832조의 규정은 보조인 또는 보조감독인과 피보조인 사이에 보조에 관해 생긴 채권에 대해서 준용한다.